Wissenschaftliche Monographien zum Alten und Neuen Testament

Begründet von
Günther Bornkamm und Gerhard von Rad

In Verbindung mit
Erich Gräßer und Hans-Jürgen Hermisson
herausgegeben von
Ferdinand Hahn und Odil Hannes Steck

53. Band
William R. G. Loader
Sohn und Hoherpriester

Neukirchener Verlag

William R. G. Loader

Sohn und Hoherpriester

Eine traditionsgeschichtliche Untersuchung
zur Christologie des Hebräerbriefes

1981

Neukirchener Verlag

Gedruckt mit Unterstützung der Deutschen Forschungsgemeinschaft.

Umschlaggestaltung: Kurt Wolff, Düsseldorf
Gesamtherstellung: Breklumer Druckerei Manfred Siegel
Printed in Germany – ISBN 3-7887-0646-5

CIP-Kurztitelaufnahme der Deutschen Bibliothek

Loader, William R. G.:
Sohn und Hoherpriester: e. traditionsgeschichtl.
Unters. zur Christologie d. Hebräerbriefes /
William R. G. Loader. – Neukirchen-Vluyn:
Neukirchener Verlag d. Erziehungsvereins, 1981.
  (Wissenschaftliche Monographien zum Alten und
  Neuen Testament; Bd. 53)
  ISBN 3-7887-0646-5
NE:GT

Vorwort

Die vorliegende Arbeit wurde im Sommersemester 1972 von der Evangelisch-Theologischen Fakultät der Johannes Gutenberg-Universität Mainz
als Inaugural-Dissertation angenommen. Vor allem möchte ich meinem
verehrten Lehrer, Herrn Professor Dr. Ferdinand Hahn, danken, dessen
persönliche und sachliche Anteilnahme, stetige Ermunterung und Kritik
das Werden der Dissertation bis zur Promotion begleitete. Er nahm auch die
Arbeit in die Reihe »Wissenschaftliche Monographien zum Alten und
Neuen Testament« auf, wofür ich ihm und Herrn Professor Dr. Odil Hannes Steck als Herausgebern dankbar bin.
Für die Drucklegung wurde das Werk gekürzt und geringfügig überarbeitet.
1976 wurden Ergänzungen in die Anmerkungen aufgenommen, um wichtige Beiträge, die in der Zwischenzeit erschienen waren, zu berücksichtigen.
Auf die Literatur der folgenden Jahre konnte ich nur noch in einem 1980 ab-
gefaßten Nachtrag eingehen.
Der Weltrat der Kirchen und die Methodist Church of New Zealand haben
zur Unterstützung meines Aufenthalts in Deutschland 1970–1972 beigetragen. Die Veröffentlichung der vorliegenden Arbeit wurde durch großzü-
gige Druckkostenzuschüsse von drei westdeutschen Landeskirchen ermöglicht, wofür ich an dieser Stelle meinen Dank ausspreche.
Danken möchte ich auch der Evangelisch-Theologischen Fakultät der Johannes Gutenberg-Universität für die Annahme der Dissertation und die
Verleihung des Doktortitels und Herrn Professor Dr. Dr. Otto Böcher, der
freundlicherweise dazu das Korreferat besorgte. Für Mithilfe in Mainz bin
ich Herrn Professor Dr. Henning Paulsen und Herrn Pfarrer Detlef Nierenz
in Dank verbunden, ferner Frau Eva Storz (†) für die Niederschrift der
Druckfassung. Bei der Korrekturarbeit hat mich Herr Jürgen Habermann,
Assistent am Institut für neutestamentliche Theologie an der Universität
München, mit großer Einsatzbereitschaft und Sorgfalt unterstützt, wofür
ich ebenfalls herzlich danke.
Ich widme dieses Buch meiner Frau Gisela, die kurz vor der Geburt unseres
ersten Kindes die ursprüngliche Dissertation ins Reine schrieb, mich gedul-
dig beim Erlernen ihrer Muttersprache unterstützte und zusammen mit
Stefanie und Christopher einen Familienkreis bildet, der mir Freude und
Anregung bringt.

Perth/Australien, im Frühjahr 1981   William R. G. Loader

Inhalt

Einleitung

Wer sich mit der Frage beschäftigt, wie die Kirche ihr Leben und ihre Aufgabe in der Welt verstehen und erfüllen kann, setzt sich mit drei Größen auseinander: der Tradition, die für uns heute vor allem in der Schrift, aber auch in der nachneutestamentlichen Überlieferung enthalten ist, dem zeitgenössischen Denken und der konkreten Situation der Menschen. Aus dieser dreifachen Spannung wächst immer neu das Wort für jede Situation. Die Vernachlässigung, die Ausschaltung, die Überbetonung oder die ausschließliche Beachtung irgendeiner dieser Strömungen hat immer zu Verzerrungen geführt.

In den Rahmen dieser Aufgabe, zu welcher sich die Kirche ständig berufen weiß, möchten wir unsere Untersuchung stellen. Wir wenden uns nur einer Strömung, der Tradition, zu und darin nur einem bestimmten Gebiet, dem Hebräerbrief (Hb), und möchten seine Gedanken erläutern. Wir sind uns dabei der Grenzen unseres Beitrages bewußt, denn in der vorliegenden Arbeit haben wir nicht versucht, die Gedanken dieses Briefes für die gegenwärtige Theologie auszuwerten, sondern nur in ihrem eigenen theologischen Zusammenhang darzustellen. Unsere Auseinandersetzung mit dem Hb als eine theologische Aufgabe ist deshalb unvollständig.

Die Kirche hat immer, bewußt oder unbewußt, in dieser dreifachen Spannung gelebt. Aber es ist vor allem das Verdienst der historisch-kritischen Methode, daß auch das Leben der Kirche des ersten Jahrhunderts unter dieser Perspektive verstanden wird. Auch wenn man die erheblichen Unterschiede zwischen dem ersten und dem zwanzigsten Jahrhundert nicht übersehen darf, war die Kirche damals fast genauso vielfältig, wie sie es heute ist. Was damals den Kanon der Einheit der Kirche in ihrer Vielfalt bildete – eine Vielfalt, die in den Schriften des NT deutlich zu erkennen ist –, suchen wir in der Kirche heute mit großem Bemühen. Dabei hindert uns vor allem immer noch eine statische Denkweise, die allzu schnell Inhalt und Formulierung der christlichen Botschaft fixieren will. Sie steht in starkem Gegensatz zur Dynamik des Urchristentums. Sogar in der Christologie des NT ist diese Vielfalt deutlich zu erkennen. Vor allem ist in den letzten zwei Jahrzehnten durch die Arbeiten von O. *Cullmann*, Die Christologie des Neuen Testaments, [1]1957, [5]1975, und, noch stärker differenzierend, F. *Hahn*, Christologische Hoheitstitel (FRLANT 83), [1]1963, [4]1974, um nur zwei wichtige Monographien zu nennen, klar herausgearbeitet worden, daß die Einheit in der Nachfolge Jesu in einer Vielfalt von Entwicklungen, in verschiedenen Richtungen, ihren Ausdruck gefunden hat. Das ist nicht nur anhand eines Gesamtüberblicks zu erkennen, sondern zeigt sich auch in einzelnen Schriften. Hier kommen an erster Stelle die Synoptiker und die Paulusbriefe in Betracht. Aber uns schien es notwendig, unter dieser traditionsgeschichtlichen Perspektive auch den Hb zu untersuchen, der eine große Zahl von christologischen Aussagen enthält.

Eine traditionsgeschichtliche Untersuchung zur Christologie des Hb schien uns vor allem wegen der klassischen Probleme seiner Christologie wichtig. Zu diesen Problemen gehört zB: Einige Stellen im Hb lassen sich so auslegen, daß Jesus erst mit der Erhöhung Sohn geworden ist, andere vertreten eine Sohnschaftschristologie, die voraussetzt, daß schon der Präexistente Sohn war. Wann wurde Jesus nach der Darstellung des Hb Sohn? Ein ähnliches Problem bieten die Ausführungen über die Hohepriesterschaft Jesu. Einige Stellen sprechen von seiner Einsetzung in das Hohepriesteramt nach der Erhöhung. Andere setzen voraus, daß er schon auf Erden als Hoherpriester tätig war. Wann wurde Jesus Hoherpriester? Diese und verwandte Fragen, die wir ausführlich besprechen werden, sind keineswegs erst in den letzten Jahrzehnten zu Problemen geworden.

Schon in den älteren Arbeiten von *E. K. A. Riehm*, Der Lehrbegriff des Hebräerbriefes I.II, 1858/59; *E. Ménégoz*, La Théologie de l'Epître aux Hébreux, 1894; *G. Milligan*, The Theology of the Epistle to the Hebrews, 1899; *H. L. MacNeill*, The Christology of the Epistle to the Hebrews, 1914, werden solche Fragen besprochen. Aber hierbei ging es mehr um Versuche, vor allem unter dogmatischen Gesichtspunkten ein einheitliches System von Gedanken herauszustellen. Auch *J. Ungeheuer*, Der große Priester über dem Hause Gottes. Die Christologie des Hebräerbriefes (Diss. Freiburg i. Br.), 1939, geht kaum über diesen Gesichtspunkt hinaus. So wird zum Beispiel der Adoptionsbeweis, Ps 2,7, in eine Aussage über die ewige Zeugung abgeschwächt.

In Anschluß an *H. J. Holtzmann*, Neutestamentliche Theologie II, ²1911 (S. 337ff), hat *H. Windisch* in seinem Kommentar einen Hiatus zwischen dem göttlichen Sohn und dem irdischen Menschen Jesus in der Christologie des Hb hervorgehoben. Dieser sei aus zwei verschiedenen Strömungen in der Umwelt des Hb zu erklären: einer spekulativen Metaphysik und einer urchristlichen Erinnerung an Jesus als Mensch. *F. Büchsel*, Die Christologie des Hebräerbriefs (BFchrTh 27,2), 1922, hat seinerseits versucht, diese Spannung dadurch zu lösen, daß er die Christologie des Hb als pneumatologische Christologie versteht. Jesus sei der Geistträger. Damit könne man Aussagen über seine echte Menschheit und Aussagen, die eine göttliche Würde voraussetzen, vereinen. Wir möchten diesen Versuch, das traditionelle Problem der Inkarnation zu lösen, nicht unterschätzen. Nur läßt sich der Hb in ein solches Schema nicht einfügen, ohne daß wesentliche Aussagen ihren vollen Wert verlieren.

Von großem Einfluß ist die Untersuchung von *R. Gyllenberg*, Die Christologie des Hebräerbriefes, ZsystTh 11 (1934) S. 662–690, gewesen. Er versucht, eine Zwiespältigkeit zwischen der Vorstellung von der Sühnehandlung und der von der Überwindung des Todes aufzuweisen. Dabei gewinnen Hb 2,14f eine geradezu programmatische Bedeutung für seine Darstellung. Daß diese Stelle ein Motiv enthält, das anders verwurzelt ist als die Aussagen über den Sühnetod Jesu, möchten wir keineswegs leugnen. Nur läßt sich auch klar erkennen, daß der Verfasser (Vf) 2,14f ganz im Rahmen der Interpretation des Todes Jesu als Sühne verstanden hat. *Gyllenbergs* These wird in der Arbeit von *E. Käsemann*, Das wandernde Gottesvolk. Eine Untersuchung zum Hebräerbrief (FRLANT 60), [1]1939, [4]1961, aufgenommen. Bezeichnend für die Arbeit *Käsemanns* ist der Versuch, die gesamte Theologie des Hb aus einem bestimmten religionsgeschichtlichen Hintergrund systematisch zu erklären. Dieser Hintergrund sei in der vorchristlichen Gnosis mit dem Mythos vom Urmensch-Erlöser zu suchen. Auch wenn die Hypothese von einer urchristlichen Gnosis, wie *Käsemann* sie sich vorgestellt hatte, sehr problematisch geworden ist, ist sein Beitrag zur Auslegung des Hb nicht zu übersehen. Das gilt vor allem wegen seiner Hervorhebung der Bedeutung des Wegmotivs. Aber seine Darstellung der Christologie kann nicht dem Vorwurf entgehen, harmonisierend zu sein. Außer dem Hinweis auf den Gebrauch der Bezeichnung »Hoherpriester« als traditionell wird kein Versuch unternommen, Motive dieser Christologie im einzelnen zu untersuchen. Auch seine Behandlung der Sohnschaftsvorstellung ist deutlich harmonisierend: bestimmend sind die Adoptionsaussagen, alle anderen Sohnschaftsaussagen werden als »proleptisch« bezeichnet.

Die »gnostische« Auslegung *Käsemanns* und die These von *Gyllenberg* sind auch bestimmend für die Arbeiten von *K. Immer*, Jesus Christus und die Versuchten. Ein Beitrag zur Christologie des Hebräerbriefes, Diss. Halle 1943 (masch.); *H. Nakagawa*, Christology in the Epistle to the Hebrews, Diss. Yale 1955; *F. J. Schierse*, Verheißung und Heilsvollendung. Zur theologischen Grundfrage des Hebräerbriefes (MüThSt I 9), 1955. *Schierse* möchte das traditionelle Problem des Hohenpriesteramtes Jesu dadurch lösen, daß er – anders als *Käsemann* – den alexandrinisch-philosophischen Hintergrund der Gedanken des Hb zusätzlich hervorhebt. Daß der Vf des Hb durch einen solchen Hintergrund beeinflußt ist, möchten wir nicht bestreiten. Aber dies darf nicht dazu führen, den Gegensatz »himmlisch – irdisch« an einigen bestimmten Stellen aller Räumlichkeit zu entleeren und als reinen Qualitätsgegensatz aufzufassen, wie *Schierse* es tut, um dann festzustellen, daß der ganze Weg Jesu als Hoherpriester, einschließlich seiner Sühnehandlung auf Erden, als »himmlischer« Vorgang zu verstehen sei. Eine Inkonsequenz in dem Gebrauch dieser räumlichen Begriffe läßt sich im Hb in diesem Sinne nicht beweisen.

Als wichtiger Fortschritt gegenüber diesen harmonisierenden Versuchen sind die Untersuchungen von *G. Schille* zu bezeichnen, vor allem sein Aufsatz: Erwägungen zur Hohepriesterlehre des Hebräerbriefes, ZNW 46 (1955) S. 81–109. Er versucht, Ungereimtheiten in der Hohenpriesterlehre des Hb dadurch zu klären, daß er auf die Einarbeitung von Traditionen im Hb hinweist. Anhand von *Schilles* Ergebnissen und der Modifizierung der Hypothese *Schilles* von einem Hymnus in 5,5ff durch *G. Friedrich*, Das Lied vom Hohenpriester im Zusammenhang von Hebr 4,14–5,10, ThZ 18 (1962)

S. 95–115, hat auch *H. Zimmermann*, Die Hohepriester-Christologie des Hebräerbriefes, 1964, versucht, eine traditionsgeschichtliche Erklärung für die Unausgeglichenheiten in der Hohenpriesterchristologie zu geben. Diese Versuche weisen uE in die richtige Richtung, auch wenn sie sich nur mit Problemen der Hohenpriesterschaft Jesu beschäftigen. Problematisch sind aber die Hypothesen, die Vorlagen aus dem Text herauslösen wollen. Zwar sind Hymnen an anderen Stellen im NT zu erkennen, wie etwa Phil 2,6ff und Kol 1,15ff, aber so überzeugend sind die Nachweise im Blick auf den Hb nicht. Schon die Widersprüchlichkeit der Vorschläge, die wir im einzelnen behandeln werden, spricht gegen sie. Wir bestreiten nicht, daß Hypothesen oft notwendig sind, aber man darf bei der Verwendung von Arbeitshypothesen nicht der Spekulation verfallen. Dieses Urteil betrifft vor allem die Konstruktion von *G. Theissen*, Untersuchungen zum Hebräerbrief (StNT 2), 1969, in seiner Behandlung der Hohenpriesterchristologie, der aus einigen hymnusartigen Elementen in c. 7 durch Zusätze einen Hymnus an Melchisedek zusammensetzen möchte. Ebensowenig überzeugend ist sein Versuch, durch Verleugnung der Abhängigkeit von 1Klem 36 gegenüber Hb einen weiteren Hymnus an Jesus als Hohenpriester aufzuweisen, sowie seine These, daß der Vf sich polemisch mit einer kultisch orientierten Bewegung in der Gemeinde, sogar mit einer bestimmten Vorstellung von Jesus als fürbittendem Hohenpriester, auseinandersetzt.

Richtungweisend ist auch die Arbeit von *S. Nomoto*, Die Hohepriester-Typologie im Hebräerbrief. Ihre traditionsgeschichtliche Herkunft und ihr religionsgeschichtlicher Hintergrund, Diss. Hamburg 1965 (vgl die Zusammenfassung: Herkunft und Struktur der Hohenpriestervorstellung im Hebräerbrief, NovTest 10 [1968] S. 10–25). Er beruft sich nicht auf angebliche Vorlagen, sondern versucht, dem Hintergrund von Einzelmotiven nachzugehen. Aber es fehlt bei ihm die Anwendung traditionsgeschichtlicher Erkenntnisse auf die Problematik der Spannungen im Brief selbst.

Von grundsätzlicher Bedeutung für die Behandlung dieser Spannungen ist die Erkenntnis, daß die Hohepriestervorstellung ein Ausbau der Erhöhungschristologie ist, in die der Vf auch Sühneaussagen miteinbezogen hat. Das hat schon *Hahn*, Hoheitstitel, in seinem Exkurs zur Hohenpriestervorstellung erkannt. Einen weiteren wichtigen Schritt in der Erforschung dieses Sonderproblems hat *B. Klappert*, Die Eschatologie des Hebräerbriefs (ThExh 156), 1969, gemacht, der deutlich unterschieden hat zwischen der Hohenpriesterschaft Jesu als Fürbitter um Hilfe für die Versuchten, einer Vorstellung, die eng mit der Erhöhungsüberlieferung zusammengehört, und der kultischen Sühnetätigkeit Jesu als Hoherpriester. Aber auch er hat diese Erkenntnis für die traditionelle Problematik nicht ausgewertet. Vielmehr versucht er, zwei Gruppen von soteriologischen Aussagen herauszustellen, die jeweils mit λύτρωσις als kultisch-eschatologischem und σωτηρία als futurisch-eschatologischem Begriff verbunden seien und der kultischen bzw fürbittenden Tätigkeit Jesu als Hoherpriester entsprechen sollen. Aber diese Aufteilung überzeugt nicht. Hier wird das Verhältnis

zwischen Ursache bzw Schaffung von Vorbedingungen und Ergebnis, dh
dem Eintritt in das Heil, nicht richtig erfaßt.
Eine Untersuchung zur Christologie des Hb muß sich mit vielen Einzelproblemen und Einzeltexten beschäftigen. Einen Forschungsbericht zur Christologie des Briefes bietet *A. Stadelmann, Zur Christologie des Hebräerbriefes in der neueren Diskussion*, in: Theologische Berichte II, 1973, S.
135–221. In unserem knappen Überblick über einige wichtige Beiträge zu
diesem Thema konnten wir nur auf einige Grundfragen hinweisen. Zugleich möchten wir betonen, daß sich hinter unseren kritischen Bemerkungen große Dankbarkeit verbirgt, sowohl was Anregungen zum Gesamt-
thema als auch Beiträge zu den Einzelproblemen bei den verschiedenen Au-
toren und Kommentatoren betrifft.
Gerade angesichts der Unausgeglichenheiten in der Christologie des Briefes
wird es wichtig sein, auf Einzelstellen und Traditionen einzugehen, um sie
in ihrer Besonderheit herauszuarbeiten. Ohne solche Einzeluntersuchungen wird die Grundlage für eine Gesamtkonzeption fehlen. Andererseits
möchten wir der Gefahr entgehen, bei Einzeluntersuchungen zu bleiben
und die Frage, wie der Vf diese oder jene Tradition versteht, nicht ausreichend zu beantworten. Man darf die Unausgeglichenheiten nicht vermin-
dern. Traditionen müssen in ihrer Eigenart zur vollen Geltung kommen.
Dabei geht es »uns nicht darum, so viele Vorlagen wie möglich aus dem Text
herauszurekonstruieren«. Das Gelingen eines solchen Unternehmens wäre
fraglich. Aber es ist möglich, traditionelle Vorstellungen selbst dann zu
identifizieren, wenn sie in Formulierungen des Vf selbst enthalten sind.
Aber auch wenn man auf bestimmte Traditionen oder traditionelle Vorstellungen hinweisen kann, ist damit die exegetische Aufgabe nicht beendet.
Man muß versuchen zu zeigen, wie es dem Vf möglich war, solche Traditionen aufzunehmen und nebeneinander zu stellen. Wie seine Ausführungen
überall deutlich erkennen lassen, verfügte der Vf über ein hohes theologisches Reflexionsvermögen. Wir möchten daher nicht nur traditionelle Vorstellungen in ihrem Eigenwert hervorheben, sondern auch der Frage nachgehen, wie der Vf sie miteinander verbunden und wie er sie in seine Gesamtkonzeption eingearbeitet hat.
Wenn man vom »Verfasser des Hebräerbriefes« spricht, erheben sich un-
vermeidbar mehrere Fragen: wie er heißt, wann und an wen er schrieb und
aus welchem Hintergrund. Solche Fragen möchten wir so offen wie möglich
halten. Zu diesen Problemen und zu weiteren Fragestellungen verweisen
wir auf den ausführlichen Forschungsbericht von *E. Grässer, Der Hebräerbrief 1938–1963*, ThR 30 (1964) S. 138–236. Die Frage, wie der Vf heißt,
bleibt für uns unbeantwortet. Seine παράκλησις, die offensichtlich an eine
bestimmte Gruppe oder an bestimmte Gruppen gerichtet und gesandt
wurde (13,22ff), zeigt ihn als gebildeten Menschen, der durch hellenisti-
sches Denken beeinflußt war. Er, wie vielleicht auch seine Leser, stammte
wahrscheinlich ursprünglich aus dem hellenistischen Judentum. Er ist aber
zugleich durch seine Tradition und das Leben der Kirche stark geprägt, so

daß man bei ihm die interessante Begegnung zwischen teils apokalyptisch, teils schon hellenistisch geprägter christlicher Tradition und hellenistischer Denkweise beobachten kann. Viele dieser Fragen müssen offenbleiben. Aber auch wenn man den Vf namentlich nicht kennt, besteht durch eine Untersuchung seiner Christologie die Möglichkeit, ihn als Theologen und Denker kennenzulernen, was letzten Endes vielleicht viel wichtiger ist als, die Kenntnis seines Namens. Schließlich dürfte es möglich sein, durch die Untersuchung seiner Christologie ein wenig von seiner Situation und der seiner Leser zu erkennen. Aber dies gehört nicht zu unserer unmittelbaren Aufgabe.

Wir sind davon überzeugt, daß eine genaue Exegese von Einzelstellen einen Überblick über die Gesamtkonzeption des Vf verlangt, und umgekehrt davon, daß eine Darstellung einer Gesamtkonzeption eine eingehende Behandlung von Einzelstellen erfordert. Das bedeutet nicht nur, daß wir in einem hermeneutischen Zirkel arbeiten müssen, es bedeutet sehr konkret, daß die Arbeit nicht sehr kurz gehalten werden konnte. Das gilt auch, nachdem die maschinenschriftliche Fassung um mehr als ein Drittel gekürzt wurde. Dabei mußten vor allem lange Ausführungen zum Hintergrund der verschiedenen Vorstellungen entfallen wie auch viele eingehende Auseinandersetzungen mit der bisherigen Forschung in den Anmerkungen. Außerdem haben wir uns zu umstrittenen Punkten der Exegese auf Hinweise auf eine Auswahl der Kommentare dieses Jahrhunderts beschränkt. Wo eine deutsche Übersetzung von Hb-Texten gegeben wird, liegt die Übersetzung von *Michels* Kommentar vor; eigene Übersetzungen werden durch (T) gekennzeichnet.

Teil A

Jesus der Sohn

I. Jesus der Erhöhte

1. Die Adoptionsaussagen

(1,5a; 5,5 = Ps 2,7; vgl 1,5b = 2Sam 7,14; u. 1,6a)

Ps 2,7 und 2Sam 7,14 im Hintergrund des Hb

Aufgrund der bisherigen Forschung ist zum Hintergrund des Gebrauches dieser Texte im Hb folgendes festzustellen:

1. Die Titulatur des israelitischen Königs als Sohn (Ps 2,7; 2Sam 7,14; vgl Ps 89,27 »der Erstgeborene«; Ps 109,3 LXX) ist auf dem Hintergrund des altorientalischen Königsrituals zu erklären. So ist Ps 2,7 als Adoptionsformel aufzufassen[1].

2. Zum messianischen Gebrauch von Ps 2 im nachalttestamentlichen Judentum[2] vgl PsSal 17,23f (Ps 2,9); 18,6–8 (Ps 2,9 vgl 2,2); IHen 48,10 (Ps 2,2) vgl 52,4; 46,5 (Ps 2,11) vgl 55,4 (Ps 2,10). Eine messianische Deutung von Ps 2,7 liegt in Baraita bSukka 52a vor, möglicherweise auch in 1QSa II 11f. Vgl auch 4QFlor I 11ff, wo 2 Sam 7,14 so gedeutet und in Zusammenhang mit einer solchen Deutung von Ps 2 gebracht wird, die leider nicht vollständig erhalten ist. Ps 89,27 wird von Rabbi Nathan (160 nChr) messianisch gedeutet (Ex r 19 zu 13,2)[3].

3. Im NT wird Ps 2,7 in Verbindung mit der Auferweckung Jesu in Apg 13,33 gebraucht[4]. In der gleichen Rede spielt 2Sam eine wesentliche Rolle. Voraussetzung für diese Verbindung ist die Vorstellung, daß Jesus mit der Auferweckung zum königlichen Messias erhöht worden ist und daher den Königstitel »Sohn« bekommt (vgl Röm 1,3f)[5]. Die messianische Bedeutung von Ps 2 kommt auch in den folgenden Stellen zur Geltung: Apk 11,18 (Ps 2,1); 12,5 (Ps 2,9); 19,15

---

1 Dazu *H.-J. Kraus*, Psalmen (BK XV), ⁵1978, zu Ps 2,7; 89,27 u. 110,3; *G. Fohrer*, Art. υἱός, ThWNT VIII, S. 340–355; *M. Hengel*, Der Sohn Gottes, ²1977, S. 37ff.
2 Über den Gebrauch von Ps 2 im nachalttestamentlichen Judentum vgl *E. Lohse*, Art. υἱός, ThWNT VIII, S. 358–363; *C. Burger*, Jesus als Davidssohn (FRLANT 98), 1970, S. 16ff; *Hengel*, Sohn Gottes S. 71f.
3 Dazu *Billerbeck* III, S. 258; vgl auch *Billerbeck* III, S. 677. Zur Unterdrückung der messianischen Auslegung von Ps 2,7 u. 2Sam 7,14 in der tannaitischen Zeit vgl *Billerbeck* III, S. 675 u. *Lohse*, ThWNT VIII, S. 363.
4 Zu Apg 13,33 vgl bes *E. Lövestam*, Son and Saviour (CNT XVII), 1961, S. 8–47; *U. Wilkkens*, Die Missionsreden der Apostelgeschichte (WMANT 5), ³1974, S. 141f u. 232f; dagegen *M. Rese*, Alttestamentliche Motive in der Christologie des Lukas (StNT 1), 1969, S. 81ff; weiter zu Ps 2,7 auch *Schweizer*, Art. υἱός, ThWNT VIII, S. 367f; *Hengel*, Sohn Gottes S. 101.
5 Vgl *F. Hahn*, Christologische Hoheitstitel (FRLANT 83), ⁴1974, S. 189ff u. 290ff.

(Ps 2,9); 19,19 (Ps 2,2). Auch den Christen wird nach ihrer Auferweckung eine Teilnahme an
dem in Ps 2 verheißenen Sieg versprochen (Apk 2,26f vgl Ps 2,8). Auch bei Apg 4,25f und Apg
2,22–36 ist die messianische Auslegung des Psalms wirksam gewesen. Die einzige Belegstelle
für eine solche messianische Deutung von 2Sam 7,14 ist im Hb zu finden (vgl aber auch Apk
21,7; 2Kor 6,18); für Ps 89,27 aber ist Apk 1,5 zu nennen – in deutlichem Zusammenhang mit
der Auferweckung (vgl Röm 8,29). Außerdem wird Ps 2,7 in Verbindung mit Jes 42,1 auf einen
anderen Zeitpunkt im Leben Jesu bezogen: die Taufe, so Mk 1,11 parr; Lk 3,22; Mt 3,17 u. 2Pt
1,17; und später Mk 9,7 parr; Lk 9,35; Mt 17,5 in der Verklärungsgeschichte[6]. In diesen Stellen ist klar zu erkennen, daß die Sohnschaftsvorstellung im Sinne der Inthronisationsaussagen
weit zurückgetreten ist und daß eine pneumatologische und später ontologische Christologie
im Vordergrund steht.

Ps 2,7 und 2Sam 7,14 als Erhöhungsaussagen im Hb

Wie sind »Mein Sohn bist du, heute habe ich dich gezeugt« (Ps 2,7) und »Ich
werde ihm Vater sein, und er soll mir Sohn sein« (2Sam 7,14) im Hb zu verstehen? Sie kommen in 1,5a; 5,5 und 1,5b vor. Sind sie im Zusammenhang
mit der Erhöhung[7], der Taufe[8], der Geburt[9], der Sendung[10], der Schöpfung[11] oder der Ewigkeit des Sohnes[12] zu verstehen? Oder wieweit ist es
überhaupt sinnvoll, diese Fragen zu stellen[13]?
Zunächst ist darauf hinzuweisen, daß in 1,5 Ps 2,7 zusammen mit 2Sam
7,14 vorkommt. Dieses Nebeneinander ist kaum zufällig und erinnert an die
Stellen in 4QFlor und Apg 13,33 im Zusammenhang dieses Kapitels. Daß
wir es im Hb mit einer messianischen Tradition zu tun haben, die im Zusammenhang mit der Erhöhung zu verstehen ist, wird durch den Kontext
bestätigt. In 1,4 wird von der Erhöhung und der Namensverleihung gesprochen. Der Name ist offensichtlich »Sohn«. Im Zusammenhang mit der Inthronisation Jesu (1,3e) und der damit gewonnenen Überlegenheit über die
Engel (1,4 vgl 2.7.9) findet die Namensverleihung (und damit Anrede von

---

6   Zu Ps 2,7 in der Tauf- und Verklärungsgeschichte verweisen wir auf *Hahn, Hoheitstitel* S.
334ff und *F. Lentzen-Deis, Die Taufe Jesu nach den Synoptikern* (FrankThSt 4), 1970, S.
183ff.
7   So in ihren Komm. z.St. *Delitzsch, Westcott, Bruce; auch Büchsel, Christologie* S. 7 Anm.
1; *Käsemann, Gottesvolk* S. 58f; *J. Dupont,* »Filius meus est tu«. L'interprétation de Ps 2,7,
RSR 35 (1948) S. 521–543, hier S. 535ff; *Lövestam, Son* S. 27ff; *A. Vanhoye,* Situation du
Christ. Epître aux Hébreux 1 et 2 (Lectio Divina 58), 1969, S. 139ff.
8   So in ihren Komm. z.St. ua *O. Holtzmann, Strathmann,* vgl auch JustDial 88.
9   So in ihren Komm. z.St. ua *Riggenbach, Windisch, Spicq.*
10 So zurückhaltend *Nomoto,* Hohepriester-Typologie S. 63f.
11 So ua *Bleek* z.St.; *Michel* z.St.; *Ménégoz,* Théologie S. 82; vgl auch *U. Luck,* Himmlisches und irdisches Geschehen im Hebräerbrief, NovTest 6 (1963) S. 192–215, hier S. 204. Vgl
auch Ps 109,3 LXX.
12 So *Ungeheuer,* Priester S. 19; *Immer,* Die Versuchten S. 104.
13 So in ihren Komm. z.St. ua *Moffatt, Héring, Kuss;* auch *Büchsel, Christologie* S. 9; *Nomoto,* Hohepriester-Typologie S. 63ff.

1,5) statt. Auch die folgenden Verse haben mit dieser Inthronisation zu tun[14]. In 1,8f ist das sehr deutlich.

Aber auch in 1,6f geht es um diese Überlegenheit. Das Wort πρωτότοκος 1,6 erinnert an Ps 89,27. In Apk 1,5, wo dieser Text zweifellos eingewirkt hat, finden wir aber die Form ὁ πρωτότοκος τῶν νεκρῶν. Außer der Königsvorstellung kommt offensichtlich ein anderer Gedanke ins Spiel, der auch sonst im NT vorkommt, nämlich daß Jesus der erste ist, der von den Toten auferweckt worden ist[15]. Die Frage ist nun, inwieweit dieser Gedanke auch hier im Hb wichtig ist. In beiden Fällen haben wir es ja mit dem Osterereignis zu tun. Aber ein Blick auf die anderen Stellen im Brief, wo dieses Wort vorkommt (12,23 vgl. 12,16; 11,28) zeigt mit aller Wahrscheinlichkeit, daß hier kein besonderes Gewicht auf dem πρωτο . . . im Zusammenhang mit der Auferweckung liegt, die sowieso keinen breiten Raum im Brief beansprucht[16]. Eher ist hier eine ähnliche Übertragung einer Bezeichnung des Erhöhten auf die Christen zu vermuten, wie sie auch an anderen Stellen im NT vorliegt. Auch Ps 2 und 2Sam 7,14 werden so auf die Christen bezogen; denn auch die Christen werden in dem messianischen Reich herrschen[17]. Wir haben also in 1,6 mit einem messianischen Gebrauch von πρωτότοκος im Sinne von Ps 89,27 zu rechnen[18]. Diese Erklärung paßt dazu, daß gerade dort, wo es um die Herrschaft Jesu und seine Inthronisation geht, der Verfasser dieses Wort, und zwar ohne nähere Erklärung, eingefügt hat. Der Versuch, auf 1,2 u. 3 zurückzuverweisen und πρωτότοκος aus dem Hintergrund der Sophia-Logos-Christologie zu erklären, scheint in diesem Zusammenhang nicht zutreffend zu sein, obwohl dieser Gebrauch in Kol 1,15 schon belegt ist[19]. Während in 1,2b und 3a–c diese Christologie vorkommt, steht in 1,3e–1,9 die Erhöhung im Vordergrund. Das gilt auch,

---

14 Vgl das Inthronisationsschema in III Henoch 9–13; 48C, 3.5.7–9.

15 Kol 1,18; 1Kor 15,20–23; Apg 26,23; Röm 8,29.

16 Daß der Sohn als erster in die himmlische Welt eintrat, sogar vor den alttestamentlichen Vätern (so 11,39f), ist vom Vf vorausgesetzt, nur nicht anhand dieses Begriffes hervorgehoben.

17 Vgl Apk 2,26–27; Apg 4,25 und Apk 21,7.

18 So auch *Lövestam*, Son S. 13f; *Michel* z.St.; *Vanhoye*, Situation z.St.

19 Bei Philo wird der Logos als πρωτόγονος bezeichnet (Agr 51; ConfLing 63.146; Somn I 215). Vgl den Gebrauch von πρωτότοκος in EusPE VIII 15,1f, mit Bezug auf die jüdisch-hellenistische Sophialehre vielleicht in Anlehnung an eine alte jüdische Schrift. So *R. Deichgräber*, Gotteshymnus und Christushymnus in der frühen Christenheit (StUNT 5), 1967, S. 182 Anm. 9. *Theissen*, Untersuchungen S. 62 u. 122, in Anlehnung an *Käsemann*, Gottesvolk S. 71, versucht, πρωτότοκος aus einem gnostischen Hintergrund zu erklären. Vgl auch *P. Vielhauer*, Rezension von *O. Michel* (Hebräerbrief 1949), VF 1951/52 S. 213–219, hier S. 216. *Theissen* sieht darin sogar einen Ausdruck der gemeinsamen Präexistenz der Seelen (S. 122). Eine gnostische συγγένεια-Lehre wird aus c. 2 herausgelesen (vgl. unten S. 128f) und in 1,6 hineingelesen, dem Zusammenhang zum Trotz. Im Hb wird diese Bezeichnung auch im Zusammenhang mit dem Erbgedanken benutzt (12,16f). Dieser Vorstellungskreis ist auch im Kontext von 1,6 unverkennbar und spielt zweifellos eine Rolle in der Wahl des messianischen Würdetitels πρωτότοκος in 1,6.

wenn noch zu klären bleibt, ob 1,6a von der Erhöhung oder der Parusie spricht.

Daß Ps 2,7 in 1,5a mit der Erhöhung zu tun hat, wird auch durch den Gebrauch in 5,5 bestätigt. Daß in 5,5 an den Zeitpunkt der Erhöhung gedacht ist, zeigt der folgende Vers, der mit den Worten von Ps 110,4 von der Einsetzung in die Hohepriesterschaft nach der Ordnung Melchisedeks spricht. Diese Einsetzung fand nach der Erhöhung statt, wie 5,10 zeigt. 5,5 und 5,6 schildern zwei aufeinander folgende Ereignisse der Erhöhung[20]. Ferner ist besonders auf den Titel ὁ Χριστός 5,5 zu achten. Wie der Messias von Gott gerade mit diesen Worten aus Ps 2,7 als Messias eingesetzt wurde (5,5), so hat Gott ihn mit den Worten aus Ps 110,4 zum Hohenpriester eingesetzt und nicht er sich selbst dazu gemacht. Daß ἐδόξασεν 5,5 eine Anspielung auf eine im Johannesevangelium (12,23; 13,31f) vorhandene Vorstellung sei, in der Kreuz und Erhöhung zusammengefaßt sind, scheint uns unwahrscheinlich zu sein, weil das Wort sehr eng mit der Argumentation des Kontextes verbunden ist (vgl. 5,4 . . . τις λαμβάνει τὴν τιμήν) und die Erhöhung deutet[21].

Kritik an anderen Auslegungen

Es scheint also weitgehend sicher zu sein, daß sowohl in 1,5a als auch in 5,5 Ps 2,7 in Zusammenhang mit der Erhöhung zu verstehen ist, und das gleiche gilt auch für die Verwendung von 2Sam 7,14 in 1,5b. Wie kam es dann zu den unterschiedlichen Auslegungen der Exegeten, und welche Anhaltspunkte haben sie am Text?

1.   Greifen wir zunächst den Vorschlag auf, daß auch hier mit Ps 2,7 an die Stimme in der *Taufgeschichte* gedacht ist[22]. Wenn sogar das vollständige Zitat in einer westlichen Texttradition von Lk 3,22 (d,a,b,c,ff²) als Beweis angeführt wird, dann müßte gezeigt werden, daß unser Verfasser diese Tradition kannte. Daß der Vf überhaupt Traditionen über den irdischen Jesus kannte, steht für uns außer Zweifel[23]. Es ist auch anzunehmen, daß er von der Taufe Jesu wußte. Aber das bedeutet noch nicht, daß er deshalb von einem Gebrauch von Ps 2,7 in diesem Zusammenhang wußte, besonders wenn dieses Zitat oder eine Anspielung darauf wahrscheinlich nicht immer in der Erzählung vorhanden war[24]. Sonst gibt es keinen Anlaß dazu, an die Taufe zu denken, und die Argumente reichen kaum aus, den Text gegen den Zusammenhang zu interpretieren.

Man könnte vielleicht argumentieren, daß in 1,6 Jesus πρωτότοκος heiße, ehe er in die himmlische Welt gebracht worden sei (angenommen, daß man

---

20   So die Reihenfolge in 5,9f u. 7,28, wo auf 5,5f angespielt wird.
21   Vgl auch 2,7.9; 3,3 und Apg 3,13.
22   So *Strathmann* z.St.
23   Dazu *Grässer*, Der historische Jesus im Hebräerbrief, ZNW 56 (1965) S. 63–91 und unten S. 122.
24   So *Hahn*, Hoheitstitel S. 340.

einen Bezug auf die Parusie in 1,6 nicht anerkennt), und daß deshalb das
»Sohnwerden« (und damit die Anrede in 1,5) unbedingt vor der Erhöhung
stattgefunden haben müsse, etwa bei der Taufe oder früher. Aber das hieße,
das Bild der Erhöhung zu mißachten. Wenn die Engel Jesus bei seinem Eintritt anbeten sollen, dann wird vorausgesetzt, daß er schon vor seinem Eintritt vor ihnen von Gott geehrt wurde, daß also die Erhöhung und damit die
»Sohnschaftsehre« schon angefangen hatte. 1,6 bereitet in dieser Hinsicht
demnach keine Schwierigkeiten.

2.   *Riggenbach* ua wollen zeigen, daß der Vf die *Empfängnis* Jesu im Auge
habe[25]. Er sieht eine Entwicklung in den Gedanken von 1,5f, wonach zunächst von der Empfängnis oder der Geburt (1,5a), dann vom irdischen Leben Jesu als Sohn (1,5b) und zuletzt von der Wiederkunft dieses ὁ πρωτότοκος (1,6 mit Lk 2,7) gesprochen werde. Auch wenn man nicht übersieht,
daß die Geburtsgeschichten nicht ohne Prägung durch messianische Züge
sind[26], wird man kaum behaupten können, daß πρωτότοκος in Lk 2,7 messianisch gemeint ist – wie er voraussetzt. Außerdem übersieht eine solche
Interpretation die Argumentation in Hb 1. Hier geht es nicht um die Sohnschaft für sich allein und erst recht nicht um die irdische Sohnschaft, sondern um die Tatsache, daß diese Sohnschaft Herrschaft bedeutet und daß
diese Herrschaft, in die Jesus durch seine Erhöhung eingetreten ist, die
Grundlage für unser Heil ist.

Der Versuch, 1,6 auf die Engelscharerscheinungen in der lukanischen Geburtsgeschichte (Lk 2,8–13) zu beziehen und deshalb 1,5 auf die Geburt hin
zu interpretieren, scheitert daran, daß die Engel in der Geburtsgeschichte
Gott und nicht Jesus preisen[27].

3.   Auch die anderen Lösungen, die den Zeitpunkt mit der *Sendung*[28], mit
einem *vorzeitlichen Ereignis*[29] oder mit einem *ewigen* »*Heute*«[30] identifizieren wollen, sind abzulehnen, weil sie den unmittelbaren Kontext nicht
ernst nehmen. Es wird versucht, 1,5 in Verbindung mit ὃν ἔθηκεν κληρονόμον πάντων (1,2b) zu bringen, und es wird auf Ps 2,8 . . . δώσω σοι
ἔθνη τὴν κληρονομίαν σου hingewiesen, so daß doch an ein vorzeitliches
Ereignis zu denken wäre. Aber die zeitliche und inhaltliche Verbindung von
1,5 mit 1,4 κεκληρονόμηκεν ὄνομα ist viel enger; dort wird von dem Er-
höhungsereignis gesprochen.

4.   Es kann auch gefragt werden, ob der Vf bei seinem Gebrauch von Ps 2,7
überhaupt an einen Zeitpunkt denkt[31], und dann behauptet werden, daß zB
5,5 so zu verstehen ist: Nachdem Gott an einer Stelle der Schrift vom Sohn

---

25   *Riggenbach* z.St.; ähnlich auch *Windisch* z.St., der diese Lösung schließlich vorzieht.
26   Vgl *Hahn*, Hoheitstitel S. 268ff.
27   *Montefiore* z.St. bezieht 1,6 auf die Inkarnation, 1,5 aber auf die ewige Zeugung.
28   So *Nomoto*, Hohepriester-Typologie S. 63ff, obwohl nach seiner Auffassung der Zeit-
     punkt für den Vf von keiner besonderen Bedeutung war.
29   Siehe Anm. 11.
30   Siehe Anm. 12.
31   Siehe Anm. 13.

die Worte von Ps 2,7 sagt, macht er an einer anderen Stelle die Aussage von
Ps 110,4[32]. Aber wenigstens mit Ps 110,4 ist an einen Zeitpunkt gedacht,
wie 5,10 zeigt; das entspricht auch dem sonstigen Gebrauch von Ps 110 (1 u.
4) im Brief. Und auch wenn nicht der Zeitpunkt, sondern die Tatsache, daß
Gott ihn eingesetzt hat und nicht er sich selbst, im Vordergrund steht, ist es
sehr zweifelhaft, daß Ps 2,7 hier zeitlich anders zu verstehen sei als in 1,5.

Die Geburtsvorstellung und die Christologie des Vf

Aber nicht nur das Problem des Zeitpunkts spielte eine Rolle in der bisherigen Forschung, sondern auch die Frage, *was mit dieser Geburt gemeint ist.*
1. Wenn man den zweiten Teil von Ps 2,7 wörtlich liest, kann er vielleicht
eine sinnvolle Bedeutung haben, wenn man an ein überirdisches Wesen
denkt. So ist versucht worden, von der urzeitlichen Schöpfung[33] oder der
ewigen Zeugung[34] des Gottessohnes zu sprechen und den Text darauf hin zu
interpretieren. Auch wenn Philo »Heute« so deuten kann[35], gibt es keinen
Grund, diese Deutung in unserem Zusammenhang vorauszusetzen. Und
wenn »Heute« nicht im Sinne von Ewigkeit interpretiert wird, dann bieten
andere Lösungen dogmatische Schwierigkeiten, weil der Sohn der Unge-
schaffene sei[36]. Es läßt sich vermuten, daß Angst vor dieser Gefahr oft auf
die Exegese gewirkt hat.
2. Soll aber der Textinhalt physisch verstanden werden? Sicher ist er ursprünglich, aber auch in den messianischen und Erhöhungstraditionen
nicht so verstanden worden. Sicher ist auch, daß er sich im Hb im Zusammenhang mit diesen Vorstellungen befindet. Wenn wir es hier mit Tradition und formelhaften Aussagen zu tun haben, die der Vf aufgenommen
hat, scheint es uns sehr wahrscheinlich, daß er von der nichtphysischen Bedeutung dieses Textes wußte. Alles spricht dafür, daß er nicht darum bemüht war, ontologische Aussagen über den Ursprung des Gottessohnes zu
machen, sondern eher eschatologisch von der Stellung Jesu als königlichem
Sohn zu sprechen, der in der Überlegenheit über die Engel die himmlische
und künftige Welt beherrscht.
3. Die meisten Kommentare weisen auf *1,2 und 5,8* hin, wenn sie bei der
Behandlung unseres Textes von der Sohnschaft im Brief sprechen, und erkennen, daß es hier eine gewisse Spannung gibt. Wir können dieses Thema
hier nicht ausführlich behandeln, aber es genügt festzustellen, daß nicht
nur in diesen zwei Versen, sondern an vielen anderen Stellen bewiesen werden kann, daß der Vf Jesus als den von Anfang an, vom göttlichen Ursprung

32 *Montefiores* Auslegung geht in diese Richtung (z.St.).
33 Vgl *Montefiore* z.St.
34 Siehe Anm. 12.
35 Fug 57; LegAll III 25.
36 Dieses Problem entsteht nicht, wenn man Ps 2,7 nicht aus seinem Hintergrund als Inthro-
nisationswort löst.

her ewigen Sohn Gottes verstanden hat[37]. Daher ist es begreiflich, daß die Auslegung von Ps 2,7 oft von diesen Stellen her bestimmt worden ist, aufgrund der Annahme, daß es eine einheitliche Christologie im Brief geben müsse[38]. Zwei Dinge müssen darum festgehalten werden: Der Vf hat Ps 2,7 im Zusammenhang mit der Erhöhungsvorstellung verstanden, und er versteht unter Sohnschaft viel mehr, als durch dieses Zitat zum Ausdruck gebracht wird.

4. Es bleibt noch die wichtige Frage: Wie verhalten sich diese unterschiedlichen Vorstellungen von der Sohnschaft Jesu zueinander? Die Antwort kann nur gegeben werden, nachdem wir die Sohnschaft im Hb gründlich untersucht haben. Aber zunächst eine Bemerkung: Daß die Frage höchstwahrscheinlich vom Vf nicht gestellt wurde, bedeutet nicht, daß die Frage für uns unwichtig ist.

a) Man könnte antworten, daß diese beiden Vorstellungen bloß nebeneinander stehen, ohne irgendein Verhältnis zueinander zu haben, sogar im offenen Widerspruch, und daß sie beide vom Vf stammen[39]. Hier erhebt sich die Frage nach der Konsequenz des Verfassers. Er zeigt im Brief, daß er gewissermaßen doch systematisch denkt und sogar plant[40]. Obwohl man Inkonsequenzen in Einzelheiten seiner Hohepriester-Typologie finden kann, ist kaum anzunehmen, daß in der Sache der Christologie selbst offene Widersprüche zu finden sind.

b) Eine andere Möglichkeit liegt darin, daß man nur eine dieser beiden Vorstellungen dem Vf zuordnet. Nach dem Prinzip, daß die höher entwickelte Christologie meistens die spätere ist, könnte man die Ps 2,7-Vorstellung dem Vf absprechen. Sie gehört dann also zur Tradition. Aber wie konnte er diesen Text und diese Vorstellung aufnehmen und sogar in seine Argumentation in c. 1 einbauen? Hat er den zweiten Versteil nicht verstanden oder ihn nur angeführt, weil er das Zitat in seiner Tradition so gefunden hatte[41]? Oder hat er diesen Teil ganz anders verstanden, etwa wie eine Aussage über die ewige Zeugung oder eine urzeitliche Inthronisation? Diese Vorschläge sind kaum befriedigend.

c) Wenn wir den messianischen Sinn dieses Textes ernst nehmen, wie steht er dann den anderen Sohnschaftsvorstellungen gegenüber? Paßt der Text schließlich doch dazu, so daß wir von einer Sohnschaft sprechen kön-

---

37 Siehe S. 62ff und 73ff unserer Arbeit.
38 So zB *Michel* S. 110.
39 Vgl *H. Seesemann*, Zur Christologie des Hebräerbriefes, in: Von Deutscher theologischer Hochschularbeit in Riga, Riga 1939, S. 64–85, der vom Hb schreibt, daß »in ihm . . . das Unsystematische in der Christologie am stärksten hervortritt« (S. 65).
40 Vgl die Arbeiten von *M. L. Vaganay*, Le Plan de L'Epître aux Hébreux, in: Mémorial Lagrange, 1940, S. 269–277; *A. Vanhoye*, La structure littéraire de l'Epître aux Hébreux (Studia Neotestamentica 1), 1963; *W. Nauck*, Zum Aufbau des Hebräerbriefs, in: Judentum Urchristentum Kirche (Festschrift für J. Jeremias) (BZNW 26), ²1964, S. 199–206.
41 So *Strathmann* z.St.; ähnlich auch *Büchsel*, Christologie S. 7 Anm. 1; *Riehm*, Lehrbegriff S. 287f.

nen, die mit der Erhöhung zur Erfüllung gekommen sei[42]? Oder ist das nicht ein harmonisierender Versuch, der weder dem Text noch den anderen Vorstellungen gerecht wird? Ist die höhere Sohnschaft-Christologie der Maßstab für das Verständnis der Christologie des Vf, oder ist es dieser Text, so daß wir vor der Erhöhung nur etwa von einem proleptischen Gebrauch des Wortes »Sohn« sprechen können[43], auch wenn die Christen nach 12,7; 2,10ff schon Söhne Gottes auf Erden sind?

d) Oder sind die Voraussetzungen dieser Fragestellung irreführend? Sollten wir nicht genauer nach der Funktion der verschiedenen Vorstellungen in ihrem Zusammenhang fragen? Wollen 1,5 u. 5,5 eine Aussage über den physischen Ursprung des Sohnes sein? Fragen wir nach der Funktion dieses Textes in der Argumentation des Zusammenhangs, so können wir feststellen, daß 1,5 primär sagen will, daß Jesus Herrscher ist, und erst sekundär, daß er zu einem bestimmten Zeitpunkt Sohn Gottes wurde. Auch in 5,5 steht nicht der Zeitpunkt, geschweige denn irgendeine physisch verstandene Sohnschaft im Vordergrund, sondern das Eingesetztwerden durch Gott[44]. So wichtig diese Feststellungen für das Verständnis von Ps 2,7 im Hb auch sind, sie haben trotzdem das Problem noch nicht gelöst. Wir haben es also mit zwei verschiedenen Sohnschaftsvorstellungen zu tun, die der Vf benutzt. Es bleibt die Frage bestehen, wie sie sich zueinander verhalten. Dieses Verhältnis zu bestimmen muß im Laufe unserer weiteren Untersuchungen zu unseren Aufgaben zählen.

Zusammenfassung

Es ist festzustellen, daß der im Frühjudentum zu vermutende und im Urchristentum belegte Gebrauch von Ps 2,7 im messianischen Sinn und die auch durch andere Stellen, besonders 2Sam 7,14, entwickelte Sohnschaftsvorstellung im Hb ebenfalls zu finden sind. Diese messianische Deutung des Textes, die in der Erhöhungsüberlieferung im Zusammenhang mit der königlichen Herrschaft Jesu zu verstehen ist, war dem Verfasser bekannt, und in diesem Sinn hat er ihn zitiert, nicht im Sinne einer Erklärung über den physischen oder ontologischen Ursprung Jesu. Neben dieser finden sich im Hb allerdings auch andere Sohnschaftsvorstellungen, und das Verhältnis

---

42 So *F. F. Bruce* z.St.; vgl auch *A. Cody*, Heavenly Sanctuary and Liturgy in the Epistle to the Hebrews, 1960; *Michel* zu 1,5; *Spicq* II S. 16; *Nakagawa*, Christology S. 81; *Luck*, Geschehen S. 206. Eine ähnliche Interpretation von der Verleihung der Sohnschaft findet sich in EvVer 38,10–12, nach der Jesus dadurch erhielt, was ihm schon gehörte. Es ist sogar nicht ausgeschlossen, daß der Verfasser des EvVer dabei unsere Hb-Stelle bewußt interpretiert. Zu dieser und anderen Parallelen zwischen dem Hb und EvVer (zu 38,6–28 vgl Hb 1,1–5; zu 20,5–39 vgl Hb 9,15–28; zu 20,10 vgl Hb 2,17; und zu 25,35ff vgl Hb 4,12) siehe *S. Giversen*, Evangelium Veritatis and the Epistle to the Hebrews, StTh Lund. 13 (1959) S. 87–96.

43 So *Käsemann*, Gottesvolk S. 59.

44 So *Klappert*, Eschatologie S. 22f; vgl auch *Nomoto*, Hohepriester-Typologie S. 63ff.

dieser Vorstellungen zueinander kann nur bestimmt werden, wenn wir die anderen Sohnschaftsstellen untersucht haben. Zu diesem Zweck wenden wir uns zunächst den weiteren Erhöhungsaussagen des Briefes zu.

2. Die Verwendung von Psalm 110,1

(Ps 110,1 [109 LXX]: Hb 1,3.13; 8,1; 10,12f; 12,2)

Zur Erhöhungsüberlieferung im Hb gehört auch Ps 110,1. Auch diese Erhöhungsaussage dient dazu, die Herrscherstellung Jesu hervorzuheben und so die Sicherheit des Heils zu unterstreichen.

Ps 110,1 im Hintergrund des Hb[1]

Zum Gebrauch von Ps 110,1 außerhalb des Hb ist folgendes festzustellen:
1. Auch dieser Text ist im Zusammenhang mit dem Königsritual entstanden.
2. Eindeutige Beweise für eine messianische Deutung dieses Textes im nachalttestamentlichen Judentum fehlen bisher, auch wenn *Billerbecks* These von einer späteren Unterdrückung einer solchen Deutung durch die Rabbinen in Auseinandersetzung mit dem Christentum viel für sich hat[2]. Schwierig wäre der Gebrauch von 'dnj für einen anderen als Jahwe gewesen[3]. Aber der Text selbst ermöglicht einen solchen Gebrauch. Schwierig war auch, daß dieser Psalm nach der Tradition von David stammte, so daß der Bezug auf einen Davididen gegen eine messianische Deutung spricht. Das kommt zu Wort in Mk 12,35ff parr u. Barn 12,10f. Aber vor allem die markinische Perikope setzt voraus, daß Ps 110,1 trotzdem von jüdischer Seite messianisch verstanden wurde.
3. Ohne es hier näher begründen zu können, halten wir es für wahrscheinlich, daß zur Zeit Jesu vor allem der Satzteil »Setze dich zu meiner Rechten« messianisch verstanden wurde und die ersten Christen diesen Satz als messianische Aussage auf Jesu Erhöhung übertrugen, zunächst mit Blick auf seine Parusie als Messias (Mk 14,61f)[4] und später als Einsetzung bereits jetzt in das Herrscheramt (Apg 2,33; 5,31; vgl 7,55f; Lk 22,69, wo Lukas traditionelles Material aufgreift[5]; und bei Paulus: Röm 8,34; 1Kor 15,25; vgl auch Eph 1,20; 1Pt 3,22; Kol 3,1). Alle diese Stellen weisen eine enge Verbindung von Ps 110,1 mit dem Christustitel auf.

---

1 Zum folgenden vgl noch D. M. *Hay*, Glory at the Right Hand: Psalm 110 in Early Christianity (SocBibLitMonSer 18), 1973, und meinen Aufsatz, Christ at the Right Hand – Ps 110,1 in the New Testament, NTS 24 (1978) S. 199–217. Darin werden einige Thesen dieses Kapitels ausführlich begründet.
2 *Billerbeck* IV/1, S. 458f.
3 Vgl G. *Dalman*, Die Worte Jesu I, ²1930, S. 270; W. *Foerster*, Art. κύριος, ThWNT III, S. 1083; auch *Hahn*, Hoheitstitel S. 81.114; W. *Kramer*, Christos Kyrios Gottessohn (AThANT 44), 1963, S. 98; P. *Vielhauer*, Ein Weg zur neutestamentlichen Christologie?, in: ders., Aufsätze zum Neuen Testament (ThB 31), 1965, S. 141–198.
4 Dazu vgl ua *Hahn*, Hoheitstitel S. 128ff.288ff.
5 So auch *Wilckens*, Missionsreden S. 151ff u. 233f; G. *Lohfink*, Die Himmelfahrt Jesu (StANT 26), 1971, S. 226f u. 230ff, vgl auch *Rese*, Alttestamentliche Motive S. 58ff.

4. Darüber hinaus läßt sich hinter Röm 8,34 (vgl 37ff); 1Kor 15,20ff; 1Pt 3,18ff; Eph 1,20ff; 2,1ff; vgl Kol 2,12f; 3,1ff eine traditionelle Gedankenkette erkennen.

Diese Gedankenkette enthält folgende Elemente: den Χριστός-Titel; eine Aussage über den Tod und die Auferweckung; eine Anspielung auf Ps 110,1; eine Aussage im Blick auf die Herrschaft Jesu über die Mächte, die als ἀρχαί, ἐξουσίαι, δυνάμεις bezeichnet sind; Ps 8,7 oder eine Anspielung darauf (Ausnahme wahrscheinlich nur Röm 8). Dazu kommen Gemeinsamkeiten, die einige Texte kennzeichnen: der Hinweis auf die himmlische Stellung Jesu im Zusammenhang mit der Anspielung auf Ps 110,1 (1Pt 3; Eph 1 u. 2); eine abschließende Aussage über Gott, der Alles in Allem ist (1Kor 15; Eph 1); eine Deutung im Zusammenhang mit der Taufe (1Pt 3; Eph 2; Kol 2 u. 3, vgl auch 1Kor 15,29); in Verbindung mit den Mächteaussagen ein Hinweis auf ihre Überwindung durch Christus (Röm 8,37; 1Kor 15,24; vgl Eph 2,14ff; Kol 2,15). Weitere Ergänzungen in einzelnen Stellen sind ua: die ὄνομα-Aussage in Eph 1 sowie der Vorbehalt Ps 8,7 gegenüber, den Paulus in 1Kor 15 zum Ausdruck bringt.

Eine ausführliche Begründung dieser Beobachtungen können wir an dieser Stelle nicht geben. Zu den bisher erwähnten Textstellen ist noch folgendes zu bemerken: die Form von Ps 110,1 bzw die Form, auf die die Anspielungen zurückgehen, weicht von der LXX deutlich ab (vgl vor allem ἐν δεξιᾷ statt ἐκ δεξιῶν); der Gebrauch von Ps 110,1 ist schon in vorpaulinischer Tradition fest verankert; der abweichende Text läßt die Vermutung zu, daß er schon in den aramäischsprechenden Gemeinden eine Rolle spielte. Das Gewicht scheint angesichts dieser Texte nicht auf der Eingangsformel gelegen zu haben, sondern auf dem Spruch. Das erklärt außerdem, warum eine Verbindung mit dem Kyriostitel erst später vorkommt (vgl Apg 2,34 gegenüber 2,33; vgl auch Mk 12,35ff u. parr, auch Mk 16,19).

Die Form der Anspielung im Hb[6]

Ps 110,1 kommt im Hb fünfmal vor: 1,3; 8,1; 10,12f; 12,2 als Anspielung und 1,13 als Zitat, allerdings ohne die Eingangsformel. Wahrscheinlich hat der Vf deren christologische Deutung nicht gekannt. Auch wußte er von einer Verbindung des Ps 110,1 mit dem κύριος-Titel offensichtlich nichts. Daß in 1,13 durch das vollständige Zitat aus der LXX die Anspielungen aus der Tradition aufgegriffen werden, wird ua dadurch bestätigt, daß alle übrigen Stellen im Hb die Form ἐν δεξιᾷ haben. Aber trotz dieser Gemeinsamkeit unterscheiden sich die Anspielungen voneinander. Es läßt sich daher vermuten, daß der Vf die Anspielungen weitergibt, ohne auf den genauen Wortlaut der Tradition zu achten. Die Aussage, daß Jesus sich zur Rechten Gottes gesetzt hat, wird außer der unwichtigen Abweichung in 12,2 (κεκάθικεν statt ἐκάθισεν) in diesen vier Stellen mit demselben Wortlaut weitergegeben: ἐκάθισεν ἐν δεξιᾷ . . . Aber wo im Urtext μου steht, kommen verschiedene Ausdrücke vor. Die jüdische Zurückhaltung gegenüber dem Wort »Gott« scheint hier eingewirkt zu haben, wie auch in Mk 14,62 par Mt 26,64 zu erkennen ist[7]. Man kann möglicherweise die Entwicklung erken-

---

6 Der Ausgangspunkt (und erste Satz!) des Kommentars von *G. W. Buchanan* lautet: »The document entitled ›To the Hebrews‹ is a homiletical midrash based on Ps 110.« So weit würden wir aber nicht gehen.

7 Vgl den erklärenden Zusatz des Lukas: τοῦ θεοῦ Lk 22,69.

nen, mit der der Vf den Wortlaut des Textes modifiziert hat. Wenn 1,3 die ursprüngliche Form ist (ἐκάθισεν ἐν δεξιᾷ τῆς μεγαλωσύνης ἐν ὑψηλοῖς), was nicht ausschließt, daß diese Form eine Modifizierung ist, dann könnte man in dem rückblickenden Vers 8,1 (ἐκάθισεν ἐν δεξιᾷ τοῦ θρόνου τῆς μεγαλωσύνης ἐν τοῖς οὐρανοῖς) den Einfluß des Throngedankens aus 4,16 erkennen, und was ἐν τοῖς οὐρανοῖς betrifft, vielleicht den Einfluß aus 4,14 ἔχοντες οὖν ἀρχιερέα μέγαν διεληλυθότα τοὺς οὐρανούς (vgl auch 7,26). 10,12f, besonders der zweite Teil (außer der Zitatstelle, die nur hier angeführt wird), steht mehr unter dem Einfluß der LXX als dem der Tradition, und das erklärt vielleicht, warum der Vf des Hb hier bloß τοῦ θεοῦ schreibt. 12,2 ist wahrscheinlich von 8,1 und 10,12 beeinflußt – deshalb: τοῦ θρόνου τοῦ θεοῦ. Es ist sehr wahrscheinlich, daß die Anspielung in der Tradition μεγαλωσύνης als Gottesbezeichnung hatte und mit ἐν ὑψηλοῖς (vgl 8,1) ergänzt wurde. Die Gottesbezeichnung weist einen stark jüdisch geprägten Hintergrund auf und die Ortsbestimmung ἐν ὑψηλοῖς ein Interesse für die himmlische Welt; das ist nicht erst für den Vf des Briefes charakteristisch, denn offensichtlich war schon mit der Anspielung eine Aussage über den Ort verbunden, wie in Eph 1,20 zu erkennen ist (vgl auch 1Pt 3,22).

Exegese der Texte

1. Nach den Ausführungen von 1,1–3c bedeutet es keine Überraschung, in 1,3e zu lesen, daß der Sohn, ähnlich wie in 10,12f (vgl Mk 16,19), nachdem er seine Aufgabe erfüllt hat, in den Himmel zurückkehrt und sich zur Rechten Gottes setzt. Haben wir es überhaupt mit einer Erhöhungsaussage zu tun? Eine positive Beantwortung der Frage wird durch die folgenden Verse ermöglicht, in denen der Vf messianische Vorstellungen aufgreift. Auch diese Anspielung gehört in denselben Bereich, wie die Erklärung ihrer Bedeutung in 1,4ff zeigt. Nach dieser Tradition bekommt Jesus seinen Namen mit der Erhöhung (1,4) und wird damit über die Engel erhöht. Wir haben schon gesehen, wie nach Ps 2,7 und 2Sam 7,14 in 1,5 dieser Name als »Sohn« bezeichnet wird. Dies geschieht im Zusammenhang mit dem Inthronisationsgedanken. Diese Sohnschaftsvorstellung ist von der messianischen Tradition her zu erklären und bezieht sich nicht auf einen statisch-physischen, sondern auf einen funktionalen Unterschied zwischen dem Sohn und den Engeln, der mit dem Ereignis der Erhöhung zu tun hat. Sie bezieht sich dabei auf die Herrschaft Jesu, die er und die Seinen in der kommenden Welt ausüben werden, nicht aber die Engel. Den ganzen Abschnitt 1,4–14 werden wir im nächsten Kapitel ausführlich behandeln; in diesem Zusammenhang genügt die Feststellung, daß 1,4–14 darauf ausgerichtet ist, diese Herrschaftsstellung Jesu zu unterstreichen. Am Anfang der Ausführung wird die Anspielung auf Ps 110,1 erläutert, und am Ende *(1,13)*

steht das volle Zitat[8]. Der letzte Vers (1,14) und die paränetische Hinzufügung (2,1–4) zeigen deutlich die Ausrichtung des Abschnittes. Es geht letztlich um das Heil, das für uns durch die Herrschaft Jesu gesichert ist. Es geht aber nicht nur um die Einsetzung Jesu, wenn Ps 110,1 verwendet wird. Auch die zweite Aussage – »bis ich dir deine Feinde zum Schemel deiner Füße lege« – bekommt Gewicht. Die Herrschaft ist noch nicht zur vollen Auswirkung gekommen. Bei der Verwendung dieses Satzes in 10,13 wird ausdrücklich gesagt, daß Jesus wartet. Ein ähnlicher Gedanke kommt in der Auslegung von Ps 8,7 in 2,8 vor, obwohl hier die Erfüllung selbst nur ein Aspekt des Sichtbarwerdens ist.

2.   Wenn wir die weitere Funktion von Ps 110,1 in den ersten zwei Kapiteln des Hb ansehen, so ist es bemerkenswert, wie auch hier jene Elemente der *Gedankenkette* vorkommen, die wir im übrigen NT erkannt haben. Zunächst haben wir in 1,3 die Anspielung auf Ps 110,1, und zwar mit dem Zusatz ἐν ὑψηλοῖς, der auch in Eph in diesem Zusammenhang vorkommt (ἐν τοῖς ἐπουρανίοις). Auch folgt eine Aussage über die Überlegenheit über die Mächte (1,4 u. 5–14). Allerdings fehlen die anderen Bezeichnungen der Mächte. Nur von Engeln wird gesprochen, eine Variante dazu liegt in 1Pt 3 u. Röm 8 vor. Im Zusammenhang mit dieser Überlegenheitsaussage kommt wie in Eph 1,21 eine ὄνομα-Aussage vor. Die folgenden Verse (1,5–14) sind offensichtlich eine weitere Ausführung dieses Überlegenheitsgedankens. Der Vf greift seinen Ausgangspunkt (1,3f) in 1,13 (Ps 110,1) wieder auf, und nach der paränetischen Hinzufügung (2,1–4) führt er ihn mit der Gedankenkette fort. 2,5 (οὐ γὰρ ἀγγέλοις ὑπέταξεν τὴν οἰκουμένην τὴν μέλλουσαν) ist eine Anspielung auf Ps 8,7 (πάντα ὑπέταξας ὑποκάτω τῶν ποδῶν αὐτοῦ), der selbst in 2,8a samt Ps 8,5 u. 6 als Zitat angeführt wird, die der Vf zu seinen Zwecken auch mit herangezogen hat. Ps 8,7 wird auch als erstes Stück des Gesamtzitates ausgelegt. Wie in 1Kor 15 enthält auch diese Auslegung einen Vorbehalt Ps 8,7 gegenüber. Paulus will betonen, daß Gott Jesus nicht untertan ist, der Hb, daß die Herrschaft Jesu noch nicht sichtbar, völlig realisiert ist. In beiden Fällen wird die Herrschaft beschränkt. Danach wird die Aussage (2,10) von Gott gemacht: δι' ὃν τὰ πάντα καὶ δι' οὗ τὰ πάντα.

Es sind nicht allein wesentliche Elemente der Gedankenkette vorhanden (die Anspielung auf Ps 110,1, Überlegenheit über die Engel, Ps 8,7), auch einige Zusätze und Ergänzungen kommen vor: ἐν ὑψηλοῖς (1,3 vgl Eph 1,20), eine ὄνομα-Aussage (1,4 vgl Eph 1,21), der Vorbehalt im Zusammenhang mit Ps 8,7 (1,8 vgl 1Kor 15,27f) und die Aussage über Gott und das All (2,10 vgl 1Kor 15,28 u. Eph 1,23). Ob auch die Aussage über die Überwindung der Todesmacht 2,14 in diesen Zusammenhang gehört (vgl 1Kor 15,24.26 u. Röm 8,37), ist schwer zu bestimmen, weil sie in einem anderen Kontext vorkommt.

---

8   Daß der Vf Inklusionen als literarische Technik benutzt, hat besonders *Vanhoye*, Structure, gezeigt. Andererseits ist fraglich, wie weit der Vf den Brief bis hin zu den Einzelheiten symmetrisch konstruiert hat.

Blickt man auf die gesamte Einheit, so fehlen nur am Anfang der Χριστός-Titel und eine Auferweckungsaussage. Das Fehlen dieser Elemente läßt sich uE leicht daraus erklären, daß die Gedankenkette direkt an ein »Hymnen-stück« anschließt. Deshalb paßte eine Hinzufügung des Χριστός-Titels nicht. Daß aber der Χριστός-Titel mit Todesaussagen besonders verbunden ist, zeigt das häufige Vorkommen gerade dieses Titels in diesem Zusam-menhang in anderen Texten (9,11; 9,14; 9,24; 9,28). Eine Todesaussage fehlt hier zwar nicht (καθαρισμὸν τῶν ἁμαρτιῶν ποιησάμενος 1,3), aber ob sie vom Vf gestaltet worden ist oder bereits zum »Hymnusstück« gehör-te, wird später behandelt. Das Fehlen der Auferweckungsaussage entspricht der Christologie des Vf.

Es scheint also ziemlich sicher zu sein, daß der Gedankengang von 1,3–2,10 von dieser Gedankenkette beeinflußt worden ist. Der Vf des Hb hat sie auf-gegriffen, ergänzt, erläutert und seinem Thema zugeordnet. Seine »Fas-sung« steht der in 1Kor 15 u. Eph 1 am nächsten[9].

3.   Nach dem Hb und dem Glauben der Urgemeinde war die zwischenzeit-liche Tätigkeit Jesu nicht nur ein Warten (vgl 10,13). Es war ua ein Beten für die Seinen. Dieser Gedanke kommt im Zusammenhang der Gedankenkette in Röm 8,34 vor. In *Hb 8,1* werden die Ausführungen über den Fürbitte-dienst des Hohenpriesters Jesus mit den Worten zusammengefaßt: κεφά-λαιον ist, daß wir einen solchen Hohenpriester haben, »der sich zur Rech-ten des Thrones der Majestät in den Himmeln gesetzt hat«. Das Fehlen die-ses Gedankens in 1,3–2,10 deutet vielleicht darauf hin, daß der Vf eine Ver-bindung mit der Gedankenkette in der Art von Röm 8 nicht kannte. Daß er aber einen Zusammenhang zwischen dem Fürbittegedanken und der An-spielung auf Ps 110,1 selbst kannte, scheint uns sehr wahrscheinlich zu sein und wird in 8,1 wie auch sonst durch den Gebrauch von Ps 110,4 gezeigt. Auf dieses Problem werden wir später eingehen.

Das Hinsetzen in 10,12 dient als Beweis in der Argumentation des Vf, daß Jesus sein Sühnewerk abgeschlossen hat. Durch das Mitheranziehen von Ps 110,1 in V 13 wird dieses Heilswerk in der Perspektive der eschatologischen Herrschaft Jesu gesehen.

4.   In der letzten Stelle, 12,2, wird der Weg Jesu geschildert, und zwar in der Weise, daß das Vorbild »Jesus« besonders betont wird. Wie die Heiligen des AT am Glauben festgehalten haben und dabei beispielhaft die Hoffnung auf das Himmlische und das Leben nach dem Tode bzw auf die Auferwek-kung gezeigt haben, so verkörpert auch Jesus für uns ein Vorbild, aber das in einer besonderen Weise. Er ist sowohl der, welcher dieses Heil, an das wir glauben, für uns ermöglicht hat und zur vollen Wirklichkeit bringen kann, als auch der erste, welcher diesen Weg zu Ende gegangen ist (τὸν τῆς πί-στεως ἀρχηγὸν καὶ τελειωτὴν Ἰησοῦν.).

---

9   Daß in 1Klem 36 diese Gedankenkette vorkommt, ist durch den Einfluß des Hb zu erklären, gegen *Theissen*, Untersuchungen S. 34ff. Zur Abhängigkeit von 1Klem 36 vom Hb vgl *F. Ren-ner*, An die Hebräer – ein pseudepigraphischer Brief (Münsterschwarzacher Studien 14), 1970, S. 35.

Interessanterweise kommt ἀρχηγός im Zusammenhang mit einer Anspielung auf Ps 110,1 (τοῦτον ὁ θεὸς ἀρχηγὸν καὶ σωτῆρα ὕψωσεν τῇ δεξιᾷ αὐτοῦ) auch in Apg 5,31 vor. Das Wort ἀρχηγός, das wahrscheinlich ursprünglich auf den auferweckten Jesus als den ersten der anbrechenden Endzeit bezogen wurde, wird hier neben σωτήρ gebraucht. Es läßt sich nicht leicht erkennen, auf welche Funktion sich diese Wörter in Apg 5,31 beziehen. Wenn δοῦναι mit Bezug auf diese Wörter epexegetisch zu verstehen ist, dann ist an eine himmlische Tätigkeit zu denken. Wenn man diese Stelle mit dem Text des Hb vergleicht, so ist zunächst zu bemerken, daß nach dem Vf σωτηρία mit τελείωσις zu tun hat. Damit wäre es nicht unmöglich, daß der Vf eine Verbindung zwischen Ps 110,1 und ἀρχηγός und σωτήρ[10] aus der Tradition her gekannt hätte, die auch hinter Apg 5,31 steckt[11]. Er hätte dann diese Tradition dadurch bearbeitet, daß er besonders die zeitliche Bedeutung des Wortes ἀρχηγός hervorheben wollte und entsprechend σωτήρ durch τελειωτής ersetzt hat, nicht zuletzt wegen des Wortspiels (ἀρχή . . . τελ . . .)[12]. Die Wendung im Hb enthält aber insofern die Bedeutung von Apg 5,31, als auch hier die himmlische Tätigkeit im Zentrum steht; sie will aber auch vom Hintergrund der soteriologischen Ausführungen des Vf her verstanden werden, wie später gezeigt wird.

In 12,1–3 wird also der Weg Jesu als Vorbild dargestellt. Auch vor uns liegt die Freude des Heils, wenn wir trotz Verspottung, Widerstand und Widersprechen durchhalten (vgl neben 12,4ff auch Apk 3,21 u. Eph 2,6, wo ausdrücklich gesagt wird, daß auch wir einen Thron bekommen werden bzw bekommen haben).

Zusammenfassung

Was Ps 110,1 und seinen Gebrauch im Hb betrifft, können wir zusammenfassend feststellen, daß der Vf grundsätzlich nicht von der LXX ausgeht, sondern schon in der Tradition eine Anspielung darauf gefunden hatte. Diese Anspielung lag ihm in einer jüdisch geprägten Form vor, wahrscheinlich mit einer Ergänzung, die den himmlischen Ort betont. Die Anspielung gehört in einen Gedankenzusammenhang, der auch an weiteren Stellen des NT zu erkennen ist und der auf c.1 und 2 eingewirkt hat. Der Vf kannte auch den Zusammenhang von Ps 110,1 mit der himmlischen Tätigkeit Jesu

---

10   Vgl 2,10, wo ἀρχηγός im Zusammenhang mit σωτηρία vorkommt; vgl auch 5,9.
11   Daß ἀρχηγός und σωτηρία in Apg 5,31 aus der Tradition stammen, behauptet ua *Wilckens*, Missionsreden S. 175f: »Beide Titel entstammen aus einer vorlukanischen Tradition«. Er weist weiter darauf hin, daß sie auch in 2Klem 20,5 zusammen vorkommen. Von einem Zusammenhang dieser Tradition mit der Anspielung auf Ps 110,1, die auch »traditionell« (so *Wilckens*, aaO S. 151) ist, sagt er nichts.
12   Zum Gebrauch von ἀρχη(γός) im Zusammenhang mit τελ(ειωτής) als Wortspiel vgl 3,14 und 7,3.

als Fürbitter wie auch wahrscheinlich eine Tradition, in der Ps 110,1 in Verbindung mit ἀρχηγός und σωτήρ vorkommt.

Die spiritualisierte messianische Deutung des Textes auf die Vorstellung der mit der Parusie zur Erfüllung kommenden Herrschaft Jesu wird vom Verfasser aufgegriffen, um die Sicherheit des himmlischen Reiches, die Hoffnung und das Heil der Christen zu unterstreichen. Es geht dem Vf dabei grundsätzlich darum, die gegenwärtige und die ewige Stellung Jesu hervorzuheben. Jesus selbst sichert das Heil und auch die Hilfe auf dem Weg zu. Dieser Gedanke trägt das Gewicht in der seelsorgerlichen Argumentation des Hb und nicht der Akt der Erhöhung selbst, so daß der Hb ohne Schwierigkeit von einem Sich-Hinsetzen im naiven Sinn sprechen kann und dabei die Auferweckung nicht erwähnt, ohne daß er sie leugnen würde, wie er andererseits Ps 2,7 gebrauchen kann, ohne daß er die ewige Sohnschaft leugnet. Die Gegenwartsorientierung des Vf und seine Betonung der jetzigen Stellung Jesu ist charakteristisch für seine Behandlung auch der anderen Erhöhungsaussagen, wie unsere weitere Untersuchung zeigen wird.

3. Jesus und die Engel

Die erste lange Ausführung über Jesu Erhöhung und seine Herrschaftsstellung steht unter dem Zeichen eines Vergleichs mit den Engeln.

Die Bedeutung der Erhöhung Jesu (1,3e) wird zunächst mit den Worten beschrieben: τοσούτῳ κρείττων γενόμενος τῶν ἀγγέλων *(1,4)*. Jesus ist größer als die Engel geworden. Worin besteht diese Überlegenheit? Der Vers selbst gibt eine Antwort: »wie er ja auch einen höheren Namen vor ihnen ererbt hat«. Dieser Name heißt »Sohn« (vgl 1,5). In den Versen *1,5ff* versucht der Vf diese Überlegenheit zu untermauern. Was will er mit diesem Überlegenheitsvergleich erreichen?

Versucht er einer falschen Christologie zu wehren, die Jesus als einen Engel aufgefaßt hat[1]? Oder soll der Vergleich die Überlegenheit des neuen Bundes gegenüber dem alten beweisen, weil das Gesetz nur durch Engel übermittelt wurde[2]? Oder geht es um die Herrschaft der himmlischen Welt[3]? Diese Antworten brauchen sich nicht unbedingt gegenseitig auszuschließen. Wir

---

1 So ua *Michel* S. 105; *A. Bakker,* Christ an Angel?, ZNW 32 (1933) S. 255–265; *Montefiore* S. 39ff. Einige sehen nicht die Gefahr einer Engelchristologie, sondern die Gefahr von Engelverehrung. So ua *T. W. Manson,* The Problem of the Epistle to the Hebrews, in: Studies in the Gospels and Epistles, 1962, S. 242–258; *G. Bornkamm,* Das Bekenntnis im Hebräerbrief, in: ders., Studien zu Antike und Urchristentum (Ges. Aufs. II), ³1970, S. 198; zurückhaltender *Windisch* S. 17; *Kuss* S. 47; *Bruce* S. 9. Dagegen: vor allem *Käsemann,* Gottesvolk S. 60; *E. Grässer,* Hebräer 1,1–4. Ein exegetischer Versuch, in: EKK 3 (1971) S. 55–91, hier S. 89f; *Stadelmann,* Christologie S. 174.
2 *Westcott* S. 16; *MacNeill,* Christology S. 35ff; *Strathmann* S. 80; *Snell* S. 58.
3 So ua *Bornkamm,* Bekenntnis S. 198; *Käsemann,* Gottesvolk S. 60.

müssen prüfen, welche von ihnen im Zusammenhang des Hb von Bedeutung ist[4].

1. Zunächst bemerkt man, daß für den Vf, wie wahrscheinlich auch für seine Leser, *Engel* ein wichtiger Bestandteil der Welt sind. Sie sind himmlische Wesen (so 12,22). Sie können Funktionen ausüben, die sie einerseits in enge Verbindung mit Menschen bringen (vgl 13,2; 1,14; 2,2) und die andererseits mit Weltherrschaft und mit der himmlischen Welt zu tun haben (vgl 1,4.5.13; 2,5.7.9). Offensichtlich spielt eine Hierarchie von Engeln keine Rolle in seinen Gedanken, obwohl er doch die Vielzahl der Himmel (4,14; 7,26) und einige Traditionen kannte, die von einzelnen Gestalten erzählten (11,28; 2,14; 7,1ff).

2. Fragen wir den Text selbst, was mit diesem Überlegenheitsvergleich gemeint ist, so stoßen wir zunächst auf das andere ὄνομα (1,4b). Während im Philipperhymnus an κύριος gedacht wurde[5], kommt hier der Titel υἱός sehr deutlich in den Vordergrund (1,5; vgl auch 1,8a). Die Aussage über *die Verleihung des Namens* in 1,4 muß also im Zusammenhang mit den folgenden Versen verstanden werden. Wie wir schon gezeigt haben, steht in 1,5 der Herrschaftsgedanke im Vordergrund, und zwar im spiritualisierten messianischen Sinn. Die Sohnschaft entspricht hier der Königsherrschaft. Die Verleihung des Namens bedeutet also mehr als eine formale Benennung. Vielmehr handelt es sich hier um die Einsetzung in eine neue Existenzweise. Den Namen »Sohn« zu bekommen hat hier den Sinn: die Herrschaft antreten. Es geht auch nicht um eine Beschreibung des ewigen Wesens Jesu, sondern um seine Herrschaftsstellung, in die er mit der Erhöhung eingetreten ist. So ist er größer als die Engel geworden (γενόμενος); sie sind ihm unterworfen. Das bedeutet, daß die himmlische Welt nicht unter ihrer, sondern unter seiner Kontrolle steht, und das heißt, daß diese himmlische Welt, unser Heil (2,5; vgl 2,1; 1,14), gesichert ist.

3. *Die Herrschaft Jesu* hervorzuheben ist der eigentliche Zweck des Vergleichs, den der Vf des Hb durchführt. Damit unterstreicht er die Sicherheit unseres Heils. Dies läßt sich durch eine Behandlung der weiteren Stellen bekräftigen. Aber zunächst beschäftigen wir uns nochmals mit κεκληρονόμηκεν, dem Erbschaftsgedanken (1,4). Es ist nicht ohne Verbindung mit dem Kontext. In 1,2 liest man: ὃν ἔθηκεν κληρονόμον πάντων. Die Verbindung ist hier nicht ganz einfach. In 1,2 wird der Sohn, der ewige Sohn, zum Erben von allem eingesetzt. In 1,4 andererseits sind die Verleihung des Namens »Sohn« und das Annehmen der Erbschaft gleichzeitig und identisch und finden mit der Erhöhung statt, wie der Zusammenhang mit 1,3e zeigt. In 1,4 wird also die Erbschaft angenommen, aber das im Zusammen-

---

4 Einige sehen die Funktion hauptsächlich darin, Lehren über die Würde des Sohnes weiterzugeben. *Vanhoye*, Situation, und *Stadelmann*, Christologie, gehen kaum über diese Feststellung hinaus.

5 In der johanneischen Tradition kommt wie im Hb ὄνομα in Verbindung mit dem Gottessohntitel vor (Joh 3,18; 1Joh 3,23; 5,13).

hang mit einer anderen Sohnschaftsvorstellung, die in messianischen Traditionen verwurzelt und funktional verstanden ist[6]. Die beiden Erbschaftsstellen 1,2 und 1,4 verhalten sich zueinander wie Verheißung und Erfüllung. Dabei fügt der Vf an dieser Stelle die zwei verschiedenen Sohnschaftschristologien zusammen, jedoch in einer Weise, in der die Unterschiede noch deutlich erkennbar bleiben. Seine Erbschaft ist seine Sohnschaft, also seine Herrschaft über die himmlische Welt. Die enge Verbindung mit 1,5 und besonders mit dem Zitat aus Ps 2,7 läßt vermuten, daß vielleicht auch V 8 dieses Psalmes hier eingewirkt hat (αἴτησαι παρ' ἐμοῦ, καὶ δώσω σοι ἔθνη τὴν κληρονομίαν σου)[7]. Danach sind die Nationen, in unserem Fall die Engel, die nach vielen Traditionen als Häupter der Nationen gelten[8], ihm untertan. Jedenfalls hat Jesus die Herrschaftsstellung geerbt. Es ist kaum zu übersehen, daß gerade das Heil der Christen als κληρονομία bezeichnet wird (1,14; 6,12.17; 9,15; vgl 11,7; 12,17) und auch die Christen πρωτότοκοι heißen (12,23 vgl 12,16f; 11,28; und von Jesus: πρωτότοκον 1,6). Seine Herrschaft sichert also unser Heil.

Auch in 1,6a taucht also der Erbschaftsgedanke in Verbindung mit der πρωτότοκος-Titulatur wieder auf. Wir haben einen messianischen Hintergrund dieser Stelle aufgezeigt. Hier geht es ebenfalls um die Herrschaft Jesu, wie das Verhalten der Engel im Zitat (1,6b) zeigt. Der Sohn-Messias-Erstgeborene-Erbe kommt in sein Reich.

4.   *1,6a* bereitet gewisse Schwierigkeiten bei der Übersetzung. Worauf bezieht sich dieser Satz? Drei Möglichkeiten bieten sich an.

a)   Erstens: er bezieht sich auf die *Inkarnation*[9] (vgl 10,5), und dabei versteht man πάλιν im Sinne von 1,5b und das Zitat oft im Sinne der lukanischen Geburtsgeschichte (Lk 2,8ff)[10]. Diese Möglichkeit scheidet aber aus folgenden Gründen aus: Nach Lukas preisen die Engel nicht Jesus, sondern Gott. Der Zusammenhang dieses Textes handelt von der Erhöhung (so 1,3e–5; 1,8f) und nicht der Inkarnation und benutzt eine Sohnschaftsvorstellung, die sicherlich mit πρωτότοκος aufgegriffen wird, die im Zusammenhang mit der Erhöhung entwickelt wird. Nach der Meinung des Vf (2,5–7) war Jesus auf Erden sogar niedriger als die Engel, was allerdings 1,6b kaum widerspiegelt.

b)   Eine zweite Möglichkeit besteht darin, daß man *1,6a* auf die *Parusie* be-

---

6   Daß das Vorkommen von κληρονόμον in 1,2 und κεκληρονόμηκεν in 1,4 eine gewisse literarkritische Technik widerspiegelt, hat *Vanhoye*, Structure S. 68 mit Recht aufgezeigt. Aber gerade dieser Fall soll davor warnen, zu viel exegetisches Gewicht auf Entsprechungen zu legen, die aus der literarischen Struktur entstehen.

7   So auch *Michel* S. 109; *Vanhoye*, Situation S. 158; *G. Harder*, Die Septuagintazitate des Hebräerbriefs, TheolViat 1939, S. 33–52, hier S. 33.

8   Vgl Dtn 32,8f LXX; Dan 10,13.20.21; 12,1; Sir 17,17; Jub 15,31f; TLevi 5,6f; TDan 6,1f.

9   So ua *Bleek* z.St.; *Spicq* z.St.; *A. Vitti*, Et cum iterum introducit primogenitum in orbem terrae (Hebr 1,6), VD 14 (1934) S. 306–316.368–374; VD 15 (1935) S. 15–21; *Kuss* z.St.; *Montefiore* z.St.

10   So *Montefiore* z.St.; vgl *F. C. Synge*, Hebrews and the Scriptures, 1959, S. 6.9.11.

zieht[11] und πάλιν entsprechend deutet. Die Schwierigkeiten dieser Auffassung liegen darin, daß der Kontext von der Erhöhung handelt, daß die preisenden Engel nicht in diese Welt, sondern in die himmlische Welt gehören, daß auch unsere Hoffnung auf diese himmlische Welt und ihren Herrn gerichtet ist[12], und schließlich, daß Jesu Herrschaft (wenigstens seine Überlegenheit über die Engel) nach dem Vf (vgl 2,5.9; 1,4!) nicht erst mit der Parusie anfängt, sondern mit der Erhöhung.

c) Die dritte Möglichkeit wäre, den Satz dem Zusammenhang entsprechend auf die *Erhöhung* zu beziehen[13]. Aber οἰκουμένην kommt hier ohne den Zusatz von 2,5 (τὴν οἰκουμένην τὴν μέλλουσαν) vor und bedeutet normalerweise »die bewohnte Welt«. Ist es wahrscheinlich, daß der Verfasser hier »die bewohnte Welt« des Himmels meint, ohne es für nötig zu halten, dies ausdrücklich durch einen Zusatz zu bestimmen[14]? Aber weil wir es mit einem Inthronisationsschema zu tun haben, könnte man den Satz als eine Präsentation auffassen. Weil diese Präsentation, also die Offenbarung der Macht des Sohnes vor der Welt, erst mit der Parusie stattfindet (so 2,8; 1,13), wird man vielleicht doch an die Parusie denken müssen. Bei der Parusie werden die Engel ja auch dabei sein; οἰκουμένη ist also nicht die himmlische Welt, die Welt unserer Hoffnung, und Jesu Herrschaft fängt nach dieser Auffassung nicht erst mit der Parusie an, sondern wird dann sichtbar (vgl 2,8). Damit entfallen die unter »b« genannten Schwierigkeiten. Die

---

11   So in ihren Komm. z.St. ua: *Tholuck, Westcott, Riggenbach, Michel, Strathmann, Kent* und *Héring.* Vgl auch *Käsemann,* Gottesvolk S. 59; *F. Schröger,* Der Verfasser des Hebräerbriefes als Schriftausleger (BiblUnt 4), 1968, S. 51; *Grässer,* Hb 1,1–4 S. 81f.

12   So *P. Andriessen,* De betekenis van Hebr 1,6, StC 35 (1960) S. 2–13.

13   So *Andriessen,* Betekenis; *A. Vanhoye,* L' οἰκουμένη dans l'Epître aux Hébreux, Bibl 45 (1964) S. 248–253; *Schierse,* Verheißung S. 96; *Theissen,* Untersuchungen S. 122. Zu *Andriessen* vgl *Schröger,* Schriftausleger S. 51 Anm. 10. *Vanhoye* weist weiter auf die Symmetrie des Briefes hin und auf das Vorkommen des Motivs der Erschütterung in der 1,6a entsprechenden Stelle 12,26f (Hagg 2,6 LXX). An Stellen in der LXX, die von Unerschütterbarkeit sprechen (Ps 92,1; 95,10 vgl Jes 62,1ff; Ps 88,12), ein Motiv, das im Zusammenhang mit der Stadt Jerusalem vorkommt (Ps 45,6–7 LXX) und deshalb eschatologisch gedeutet werden konnte, taucht gerade das Wort οἰκουμένη auf. *Vanhoye* versucht, daraus den Hintergrund einer Entwicklung abzuleiten, die zu einer Deutung von οἰκουμένη auf die himmlische Welt in Hb 1,6 geführt haben könnte. Aber οἰκουμένη hat hier offensichtlich seine übliche Bedeutung »die bewohnte Welt bzw die Welt«, wie auch an allen Stellen der LXX, und nichts deutet auf eine besondere Entwicklung dieses Wortes in diesem Zusammenhang hin, erst recht nicht im Hb, wo das Wort nur durch den Zusatz τὴν μέλλουσαν 2,5 auf die himmlische Welt bezogen werden konnte.

14   Eine interessante Lösung wäre es, die Wendung εἰσαγάγῃ τὸν πρωτότοκον εἰς τὴν οἰκ. als Umschreibung für ἐγὼ σήμερον γεγέννηκά σε zu verstehen, wie einige es im Zusammenhang mit der Inkarnation gedeutet haben (vgl *Bleek* z.St.). Dann müßte 1,6a bedeuten: bei seiner Geburt, also im Sinne von Ps 2,7 (1,5), bei der Übernahme seiner Herrschaft, bei der Erhöhung! *Riggenbach* S. 19 Anm. 37 und *Michel* S. 113 Anm. 1, erwähnen den Spruch von Eleazar b Azarja (2. Jh. nChr), den *A. Schlatter,* Die Sprache und Heimat des vierten Evangeliums, 1902, S. 41 zitiert, in dem hbj' l'wlm gleich εἰσάγειν εἰς τὴν οἰκουμένην auf Geburt zu beziehen ist. Aber diese Aussage beweist einen solchen Sprachgebrauch nicht. 1,6a ist daher nicht als eine Umschreibung für das Sohn-Werden zu verstehen.

Übereinstimmung mit dem Zusammenhang wird also deutlich. Es geht um die Herrschaft Jesu, die er mit der Erhöhung aufgenommen hat und die bei der Parusie vor allen offenbart werden wird[15].

5. In 1,3e–1,6 haben wir es mit der Inthronisation Jesu zu tun. Er ist der Herrscher und nicht die Engel. Sie sind nur Diener (1,7), deren Dienst nicht nur in der Proskynese vor dem Sohn ausgeführt wird[16], sondern auch in der διακονία für die Christen, die diese σωτηρία der himmlischen Welt erben (κληρονομεῖν) werden (1,14; vgl 13,2). Der Sohn selbst sitzt auf seinem ewigen Thron (1,8f).

Auch bei der Heranziehung von Ps 45,6f (1,8f)[17] geht es dem Vf darum, die Herrschaft Jesu zu unterstreichen. Ebenso hat auch Targ Ps 45 den Text Ps 45,3ff messianisch verstanden und daher vom Reich des Messias in V 6 gesprochen[18]. Besonders in 1,8 (V 6) stehen die Herrschaftsgedanken im Vordergrund: so ὁ θρόνος σου[19] und der zweite Beweis (καί) mit der Umgestaltung des zweiten Teils von Ps 45,6, so daß das messianische Zepter der Geradheit das Zepter[20] des Reiches Jesu ist bzw Jesus als Messias dargestellt wird[21]. Auch Ps 45,7 wird zitiert, weil es um die Überlegenheit über die Engel geht (παρὰ τοὺς μετόχους σου). Die Freude (hier ἀγαλλιάσεως) ist nach dem Zusammenhang die Freude der himmlischen Herrschaft (vgl 12,2 χαρᾶς)[22]. Jesus ist der Christus, und es würde nicht überraschen, wenn der Vf in diesem stark messianisch geprägten Zusammenhang in ἔχρισεν eine Anspielung darauf gesehen hätte[23].

Merkwürdigerweise kommt der Herrschaftsgedanke durch ein noch anderes Wort zum Ausdruck: ὁ θεός, das in 1,8a auf Jesus bezogen ist. Hier geht es nicht um einen frühen Versuch, eine Trinitätslehre zu entwickeln. Die Subordination ist ja vorausgesetzt und durch ὁ θεός σου in 1,9 zum Ausdruck gebracht[24]. Mit dieser Anrede wird ganz deutlich ὁ θεός in Gegensatz zu

---

15 So *Käsemann*, Gottesvolk S. 60. Daß aber πάλιν auf die Erhöhung als erste »Einführung« anspielt und nicht auf die Inkarnation, wie *Käsemann* und nach ihm *Grässer*, Hb 1,1–4 S. 81, meinen, ist nicht überzeugend.

16 Vgl ua EzechTrag 77–82.

17 Zur Textgestalt von 1,8f (Ps 44,7 u. 8 LXX) vgl ua E. *Ahlborn*, Die Septuaginta-Vorlage des Hebräerbriefes, Diss. Göttingen 1966, S. 113f; *Schröger*, Schriftausleger S. 60ff.

18 Die messianische Deutung wurde später aufgegeben, vgl JustDial 56. 63. 86; Pesiqt 16 und Midrasch Tehillim z.St.

19 Der Sohn wird hier angeredet. So ua *Ahlborn*, Septuaginta-Vorlage S. 113f; *Schröger*, Schriftausleger S. 61; gegen *Westcott* S. 25 und K. H. *Thomas*, The Old Testament Citations in Hebrews, NTS 11(1964/65) S. 303–325, hier S. 305; vgl *Schröger*, aaO S. 61 Anm. 5.

20 Vom Vf absichtlich eingefügt. Zur absichtlichen Umgestaltung des Textes durch den Vf vgl *Schröger*, Schriftausleger S. 62f. Gegen *Schröger* allerdings und mit *Ahlborn*, Septuaginta-Vorlage, lesen wir σου, nicht αὐτοῦ, das schwer zum Zusammenhang paßt.

21 So ua *Schröger*, Schriftausleger S. 62f; *Michel* S. 119; vgl PsSal 17,24; CD VII 20; *Billerbeck* III, S. 679.

22 In 12,2 steht χαρᾶς parallel zur Anspielung auf Ps 110,1.

23 So *Vanhoye*, Situation S. 192. Vgl auch ἔχρισας in Apg 4,27; so *Wilckens*, Missionsreden S. 159.

24 In 1,9 ist ὁ θεός als Vokativ auf den Sohn zu beziehen. ὁ θεός σου ist Nominativ. So *Schröger*, Schriftausleger S. 63f.

ἄγγελοι gesetzt. Dieser Gegensatz ist ein wesensmäßiger Unterschied. Das bedeutet aber auch nicht, daß hier gesagt wird, daß der Sohn gleich Gott ist[25]. Die Ursache dafür, daß dieses Zitat herangezogen wurde, ist offensichtlich nicht nur in der messianischen Sohnschaftsvorstellung zu sehen, sondern auch im Inhalt von Hb 1,1–3 am Anfang des Briefes[26]. Für uns ist dieses Wort mitten in einer messianisch geprägten Christologie überraschend. War es auch überraschend für die Leser? Es ist zu bedenken, ob nicht ὁ θεός auch als Königsbezeichnung bekannt war[27]. Dafür spricht vielleicht, daß der Vf ungestört auch V 7 heranzieht, der offensichtlich von messianischer Erhöhungschristologie her verstanden wird. Die Annahme ist nicht unmöglich, daß wir es mit einer Bezeichnung zu tun haben, in der zwei Vorstellungskreise sich überschneiden, wie es vielleicht auch mit πρωτότοκος der Fall ist. Wir dürfen jedenfalls nicht annehmen, daß der Vf anders verwurzelte christologische Vorstellungen, die an anderen Stellen des Briefes auftauchen, ganz außer Sicht lassen könnte[28].

Auch angesichts anderer Stellen im Brief ist zu vermuten, daß der Vf die Belohnung des Weges der δικαιοσύνη in 1,9 vielleicht als vorbildlich für die Christen verstanden hat[29] und unter δικαιοσύνη Jesu Heilstat begriff (vgl 2,9)[30].

6. In 1,8f wird also die Herrschaft in der Weise betont, daß neben den offensichtlich noch durchgeführten, an der Erhöhung orientierten messianischen Vorstellungen auch andere Motive eine Rolle spielten, die die Herrschaft untermauern sollen. In *1,10ff* wird diese Entwicklung sehr deutlich[31]. Ein zweites Zitat wird als Beispiel für die Herrschaftsstellung des Sohnes angeführt: Ps 102,25–27. Es geht immer noch um den Erhöhten, aber nicht um den Akt der Erhöhung selbst. Vielmehr wird die Würde Jesu aufgrund seiner Schöpfertätigkeit hervorgehoben[32]. Im Gegensatz zur

---

25 Zu dieser Problematik vgl S. 139f.
26 Vgl Joh 1,1 und *Michel* S. 118. Für ὁ θεός als Titel Jesu im NT vgl weiter Joh 20,28; Röm 9,5; Tit 2,13; 2Pt 1,1. Philos Logos wird als θεός bezeichnet (Somn I 229f; LegAll III 207f). Vgl *E. Stauffer*, Art. θεός, ThWNT III, S. 106.
27 Vgl Jes 9,6 und für Gott als Bezeichnung des Königs in Ps 45 vgl *H. Gunkel*, Die Psalmen, ⁴1926, z.St.; zurückhaltend *Kraus*, Psalmen z.St.; dagegen *C. R. North*, The Religious Aspects of Hebrew Kingship, ZAW 9 (1932) S. 27ff. Für den Gebrauch von θεός als Bezeichnung von Herrschern in der Umwelt des Hb vgl *Stauffer*, ThWNT III, S. 68. Er schreibt:»Im hellenistischen Herrscher- und römischen Kaiserkult ist θεός geradezu Amtsbezeichnung geworden«. Vgl auch *H. Wildberger*, Das Abbild Gottes, ThZ 21 (1965) S. 245–259.481–501, hier 256 Anm. 6.
28 Dazu vgl weiter unten S. 71ff.
29 Vgl 6,9–12; 10,35f; 12,1–3; auch 3,14.19; 4,11.
30 So *Vanhoye*, Situation S. 194.
31 Zur Textgestalt von 1,10ff (Ps 101,26–28 LXX) vgl ua *Ahlborn*, Septuaginta-Vorlage S. 115f und *Schröger*, Schriftausleger S. 66ff. Zur Diskussion dieses Textes siehe unten S. 59f.
32 So *Schröger*, aaO S. 69. Daß der Vf diesen Text herangezogen hat, nicht nur wegen κύριε, betont *Schröger* mit Recht gegen die Komm. von *Bleek, Windisch, Spicq, Strathmann, Kuss* und *S. Kistemaker*, The Psalm Citation in the Epistle to the Hebrews, Diss. Amsterdam 1961, S. 79.

Schöpfung bleibt er ewig, und damit wird seine Herrschaft und Ewigkeit begründet. Was nach der Zerstörung bleibt, ist sein und unser Reich (vgl 12,26ff).

7. In 1,13f kehrt der Vergleich zu Ps 110,1 zurück; diesmal findet sich das volle Zitat. Die Feinde sind dem Sohn untertan. Sie gleichen nicht den Engeln. Vielmehr wird gesagt, daß die Feinde nicht den Engeln untergeordnet sind, sondern dem Sohne. Andererseits ist das Verhältnis zwischen Feinden und Engeln im Hb nicht klar herausgestellt. Wahrscheinlich gehören die Feinde zu den Engeln im weitesten Sinn. Ps 110,1b wird ja durch Ps 8,7 aufgegriffen (2,5), und zu πάντα sind auch die Engel zu rechnen. An anderen Stellen, in denen die Gedankenkette vorkommt, die wir im Zusammenhang mit Ps 110,1 besprochen haben, werden die Engelmächte, das πάντα und die Feinde sehr deutlich miteinander identifiziert und die Engel überwiegend negativ behandelt. Vielleicht spiegelt sich diese negative Einstellung in 2,14 wider. Nach 1,5–14 ist der Sohn Herrscher, und die Engel sind seine Diener, die uns, den Erben dieses Reiches, helfen sollen (1,14).

8. Was der Vf in 2,1–4 hinzufügt, die Warnung, daß wir auf diese Botschaft, die aufgrund ihrer Vermittlung[33] besser ist, stärker achten sollen, ist eigentlich nicht das Hauptziel des Vergleiches mit den Engeln[34], und für sich genommen stellt sie sich nur indirekt kritisch dem alten Bund gegenüber[35]. Daß der Vf nach dieser Mahnung seine Gedanken von 1,3e–14 weiterführt, wird in 2,5 ganz deutlich[36]. Es geht in dieser Ausführung über die Engel – und daraus erklärt sich die mahnende Hinzufügung – um unser Heil, die himmlische Welt. Von diesem Gedanken aus versucht der Vf zu zeigen, wie dieses sichere Heil uns durch Jesus zugänglich gemacht wurde und wie Jesus uns noch hilft (2,16); das ist daher keine Sache der Engel.

9. Ehe wir zu einer Diskussion von Ps 8 übergehen, fassen wir unsere bisherigen Ergebnisse zusammen. Wir können feststellen, daß es um die Herrschaft Jesu geht, die unser Heil sichert[37]. Jesus herrscht und nicht die Engel. Das wird zunächst mit Hilfe messianisch geprägter Vorstellungen aufgrund der Erhöhung Jesu hervorgehoben. Offensichtlich steht nicht der Akt der Erhöhung selbst im Vordergrund, sondern die Stellung, die der Erhöhte jetzt hat. Das erklärt, warum der Vf dieselbe Herrschaftsstellung auch voll-

---

33 Zur Vermittlung des Gesetzes durch Engel vgl JosAnt XV 136; Gal 3,19; Apg 7,53.

34 Gegen ua *Strathmann* z.St.

35 So *Michel* z.St.

36 Hier wird 1,14 deutlich aufgegriffen, und zwar mit Bezug auf Ps 8,7. So ähnlich *Kuss* S. 40.

37 Es wird dem Vf und seiner Situation nicht gerecht, bloß von der »glorification« Christi als dem Ziel dieser Ausführungen zu sprechen, wie *Vanhoye*, Situation (vgl S. 86ff), es tut. Vielmehr denkt der Vf als Seelsorger dynamisch, also nicht bloß an die Würde des Sohnes, sondern an seine Herrschaft und ihre Bedeutung für seine Leser. Anders deutet *Bruce* S. 9 den Text. Neben dem Gegensatz zum Gesetz habe der Vf auch die Auffassung aufgenommen, daß diese Welt den Engeln untertan wurde, aber die kommende Welt dem Sohn (vgl die Engel der Nationen in Dtn 32). Vgl auch *Michel* S. 134. Dazu muß man sagen, daß alles Jesus untertan ist. Das schließt diese Welt ein.

kommen anders (zB durch die Schöpfertätigkeit Jesu) begründen kann, ohne daß er wegen der Spannung in Verlegenheit kommt. 1,10ff kehrt zu den Gedanken zurück, mit denen der Brief angefangen hatte.
Im Zusammenhang mit Ps 110,1 und der damit verbundenen Gedankenkette hebt der Vf die Erhöhungsvorstellung hervor. Um die Machtstellung zu unterstreichen, zieht er die ὄνομα-Aussage, Ps 2,7, 2Sam 7,14, πρωτό-τοκος (1,6a), Dt 21,43 LXX, Ps 104,4, Ps 45,6f, Ps 102,25–27 und das vollständige Zitat Ps 110,1 heran. Wieweit der Vf Tradition aufgenommen hat, ist nicht leicht zu bestimmen[38]. Vielleicht gehörte die ὄνομα-Aussage schon in die Gedankenkette[39]. Die Verwendung von Ps 2,7 und 2Sam 7,14 kommt wahrscheinlich aus der Tradition; gleiches gilt für die Bezeichnung πρωτότοκος. Der Vf hat Ps 45 und Ps 102 absichtlich geändert, so daß er sie wie auch das Zitat Ps 110,1 in 1,13 vielleicht direkt aus der LXX genommen hat. Das schließt natürlich nicht aus, daß die drei Zitate nicht schon in der Tradition gebraucht wurden; dafür fehlt allerdings der Beweis. Außerdem sind die beiden Engel-Zitate wahrscheinlich direkt der LXX entnommen. Der Vf hat diese Texte in den Rahmen seiner Ausführungen eingebaut[40]. Nach einer Mahnung zur Aufmerksamkeit fährt er dann anhand der Gedankenkette als dem Leitfaden fort.

Weitere Motive für den Vergleich

Es bleibt die Frage, ob noch weitere Motive in dieser Ausführung über Jesus und die Engel mitgespielt haben. Das ist sicher mit Ja zu beantworten, wenn wir auf die Hinzufügung 2,1–4 sehen, aber gerade weil es eine Hinzufügung ist, dürfen wir nicht behaupten, daß in 2,1–4 das eigentliche Ziel des Textes liegt. Für seine Leser zieht der Vf Konsequenzen aus dem Vergleich, aber kehrt dann zurück und setzt seine Ausführungen fort.
Gibt es auch Anzeichen dafür, daß der Vf sich mit einer *Engelchristologie* auseinandersetzt[41]? Es muß mindestens gesagt werden, daß das nicht das Hauptmotiv ist, was ja nicht ausschließt, daß diese Absicht auch verfolgt sein könnte. Ginge es bloß um den Glauben, daß Jesus ein Engel sei, so würde man erwarten, daß der Vf seinen Widerspruch dagegen viel klarer zum Ausdruck gebracht hätte[42]. Anscheinend geht es deshalb nicht um

---

38   Zur Frage, wieweit Testimoniensammlungen eine Rolle im Urchristentum gespielt haben, vgl den Exkurs bei *Rese*, Alttestamentliche Motive S. 217–223; vgl auch *E. E. Ellis*, Paul's Use of the Old Testament, 1957, S. 98–107; *M. P. Miller*, The Use of the Old Testament in the New Testament, JSJ 2 (1971) S. 29–82, bes 64ff.
39   So vgl S. 18.
40   So bes *Vanhoye*, Structure z.St.; auch *Michel* S. 117.
41   Gegen die Auffassung, daß die Christologie des Urchristentums weitgehend eine Engelchristologie war (*M. Werner*, Die Entstehung des christlichen Dogmas, 1941, bes S. 302–321), ist auf die Arbeit von *W. Michaelis*, Zur Engelchristologie im Urchristentum, 1942, hinzuweisen. Vgl auch *Hengel*, Sohn Gottes S. 131.
42   So *Grässer*, Hb 1,1–4 S. 90.

diese Frage, sondern um das Problem, wer Macht hat. Offensichtlich setzt der Vf die Auffassung voraus, daß Engel Macht ausüben. Sie waren für den Vf wie auch für seine Leser lebendige Gestalten. Dem Vf geht es darum, die Sicherheit des Heiles zu betonen. Es könnte deshalb sein, daß einige gedacht hatten, dieses Heil wäre nur erreichbar, wenn man in irgendeiner Weise mit Engeln zu tun hat. Warum diese lange Ausführung über die Engel, die über 2,1–4 hinausgeht, wenn nicht irgendeine solche Auffassung vorhanden war[43]? Wo waren diese Gedanken zu Hause? Müssen wir an eine bestimmte Gruppe von Irrlehrern denken? Dafür gibt es keine sicheren Beweise im Brief. Vielmehr müssen wir einmal in Betracht ziehen, daß diese Gedanken in der antiken Welt weit verbreitet waren[44], und zum anderen, daß hier verhältnismäßig positiv von Engeln gesprochen wird und daß weder ein starker Dualismus noch der Gedanke an eine Hierarchie vorkommt. Wie wir später noch zeigen wollen, ist wahrscheinlich an einen hellenistisch-jüdischen Hintergrund des Briefes zu denken. Vielleicht stammen die Leser aus einem Kreis, in dem die Engel als lebendige Bestandteile des Lebens anerkannt wurden (vgl 13,2!), und stehen jetzt in einer Situation (wahrscheinlich unter dem Einfluß des Judentums), in der diese Gedanken zu weit in den Vordergrund gerückt wurden und ihre Sicherheit bzw ihren Glauben bedrohen. Der Vf zeigt, wie die Engel einzuordnen sind. Hauptsache aber ist, daß Jesus, der Sohn, über die himmlische Welt herrscht. Durch ihn ist unser Heil sicher. Nicht den Engeln also ist die kommende Welt untergeordnet, sondern dem Sohn (2,5) und durch seine Hilfe (2,16) uns Menschen.

4. Psalm 8,5–7 in Hb 2,5–9

Unser Weg zum Verständnis der Erhöhungschristologie des Vf hat uns bisher über die Adoptionsaussagen und die Verwendung von Ps 110,1 zu einer Darstellung der Bedeutung des ersten Kapitels geführt. Das zweite Kapitel, vor allem 2,6ff, wird anhand eines Textes der Erhöhungsüberlieferung entwickelt. Es handelt sich um Ps 8,7b.

---

43 Ähnlich *Montefiore* S. 41; *R. N. Longenecker*, The Christology of Early Jewish Christianity (StBiblTh 2Ser 17), 1970, S. 31. Daneben muß man die Aussage von *Grässer*, Hb 1,1–4 S. 89f, stellen: »Daß die Größe und Erhabenheit des Sohnes an den Engeln gemessen wird, ist durch nichts motiviert und überrascht nicht! Es gibt eine einfache Erklärung . . . Die Repräsentation vor den Engeln ist Teil eines himmlischen Inthronisationsaktes . . .« Er stützt sich auf *Käsemann*, Gottesvolk S. 60. Diese schlichte, formale Lösung ist kaum befriedigend, wie schon *Bornkamm* gezeigt hat (Bekenntnis S. 198 Anm. 23). Direkte Beweise für Engelverehrung gibt es zwar nicht, aber Beweise dafür, daß Engel eine Rolle im Leben und Denken der Leser und des Vf spielten, sind vorhanden. Der Vf polemisiert nicht gegen Engel und eine bestimmte Praxis von Engelverehrung, wie sie wahrscheinlich hinter dem Kolosserbrief steht. Aber es kann kaum bestritten werden, daß seine Ausführung in c. 1 im Blick auf die Engel mehr als formale Bedeutung hat und auf eine Korrektur der Gedanken der Leser abzielt.

44 So vgl ua *G. Kittel*, Art. ἄγγελος, ThWNT I, S. 80.

Ps 8,7b (Hb 2,8a) als christologische Aussage

Auch der Gebrauch von Ps 8 ist durch die Erhöhungsüberlieferung bestimmt, zugleich leitet der Vf anhand dieses Textes weitere Themen seines Briefes ein.

1.   Im ersten Vers unseres Abschnittes spricht der Vf von der kommenden Welt und erwähnt zugleich, daß diese die Hauptsache ist, das Heil selbst. Diese Botschaft des Heils verdanken wir nicht den Engeln, sondern dem Herrn (2,1–4). Dieses Heil ist nicht den Engeln untertan, sondern ihm (2,5). Damit nimmt der Vf die Gedanken des ganzen Abschnitts 1,4–14 nochmals auf. Jesus sitzt zur Rechten Gottes. Die himmlische Welt ist ihm untertan. Der zweite Teil von Ps 110,1 »bis ich dir deine Feinde zum Schemel deiner Füße lege« (1,13) wird vom Vf mit dem Wort ὑπέταξεν (2,5) aufgegriffen; zugleich ist dies eine Anspielung auf die Worte am Ende des folgenden Zitates (Ps 8,7 = Hb 2,8 πάντα ὑπέταξας ὑποκάτω τῶν ποδῶν αὐτοῦ[1]).

2.   Daß ein Zusammenhang zwischen Ps 110,1 und Ps 8,7 im Rahmen einer besonderen Motivkette bestanden hat, haben wir oben aufgezeigt; dieser Zusammenhang ist auch in Hb 1 u. 2 zu erkennen. Es ist also nicht überraschend, daß der Vf *die Erhöhung Jesu anhand dieses Zitates* auslegt. Er hat aber nicht nur das Stück Ps 8,7b zitiert, sondern auch die vorangehenden Verse 5 und 6 mit herangezogen. Er bemüht sich offensichtlich (wie schon bei Ps 110,1), die Anspielung innerhalb des überlieferten Materials als vollständiges Zitat weiterzugeben. Damit entstehen für den Vf gewisse Probleme, weil diese Sätze ursprünglich im AT nur auf den Menschen bezogen wurden und dies auch noch in den ersten beiden Zeilen des Zitates zu erkennen ist. Wie der Vf selbst das Zitat verstanden hat, wird aus seiner eigenen Exegese deutlich.

3.   Wie zu erwarten ist, hat der Vf zunächst den Teil des Zitates ausgelegt, der schon in der christologischen Tradition eine Rolle gespielt und auf den er in 2,5 verwiesen hatte: *Ps 8,7b* πάντα ὑπέταξας ὑποκάτω τῶν ποδῶν αὐτοῦ in 2,8. Alles ist ihm ohne Ausnahme untertan[2]. Der Vf hielt es dabei nicht für nötig, wie Paulus in 1Kor 15,27 zu betonen, daß Gott ausgenommen ist. Allerdings setzt er dies voraus, wie 2,10a zeigt (. . . αὐτῷ, δι' ὃν τὰ πάντα καὶ δι' οὖ τὰ πάντα)[3]. Für die Leser aber ist dies die Bedeutung der letzten Zeile des Zitates (2,8a): unser Heil ist sicher, weil Jesus schon

---

1   Es gibt keine Anzeichen dafür, daß die Rabbinen Ps 8 messianisch verstanden (*Billerbeck* III, S. 681–682). Vgl aber III Hen 5,10 und dazu *Käsemann*, Gottesvolk S. 78; *Michel* S. 138.
2   *Schierse*, Verheißung S. 100 schreibt: »Fraglich ist nur, ob αὐτῷ von V 8 schon auf Christus bezogen ist«, und wenn das der Fall ist, ob nach 2,5 diese Aussage in V 8 »überhaupt notwendig ist«. Aber wenn Ps 8,7 traditionell christologisch verstanden wurde und wenn 2,5 schon darauf angespielt hat, bereitet es keine Schwierigkeit, V 8 christologisch zu verstehen und darin eine Erweiterung des Gedankens von 2,5 zu sehen.
3   Zum Vorschlag, daß ein Abschreiber die Notwendigkeit empfand und an den Rand des Textes χωρὶς θοῦ geschrieben habe (später in 2,9 eingedrungen), vgl unten S. 195f.

Herrscher ist. Daß er schon Herrscher ist, ist aber noch nicht offenbar, es wird in der Zukunft erst sichtbar werden[4]. Jetzt richten wir unseren Blick auf ihn als den, der eine kurze Zeit niedriger als die Engel gewesen ist und der mit Preis und Ehre gekrönt worden ist wegen des Todes, um zugleich für alle den Tod zu schmecken[5].

Ps 8,6 (Hb 2,7) als christologische Aussage

In 2,9 hat der Vf Ps 8,6 auf Jesus gedeutet, sowohl auf sein irdisches Leben (er versteht βραχύ zeitlich) als auch auf seine Erhöhung[6]. Die Leser sollen dies wissen: Jesus ist erhöht worden, er ist zur Rechten Gottes. Aber der Vf will nicht nur von Erhöhung sprechen. Der Erhöhte ist identisch mit dem, der Mensch war und als Mensch für alle gestorben ist. In V 9 entwickelt der Vf so einen neuen Gedanken: Die Bedeutung der Erhöhung liegt nicht nur darin, daß Jesus der Herr der himmlischen Welt (der Ort unseres Heiles) ist, sondern auch darin, daß derselbe Jesus Mensch wurde. Es geht dem Vf darum, daß dieser Jesus uns helfen kann, weil er uns den Weg freigemacht hat und Mitleid hat. Das kann der Erhöhte tun, weil er Mensch wurde[7]. V 9 enthält schon einen Hinweis auf die Gedanken im folgenden Abschnitt des Kapitels (2,10–18).

So wird klar, daß der Vf auch Ps 8,5 und 6 zitiert hat, um die Erhöhung mit dem irdischen Leben in Verbindung zu bringen und um zu betonen, daß dieser Erhöhte auch der ist, der ein menschliches Leben geführt hat[8].

4 Anders als *Schierse*, Verheißung S. 101, sehen wir keine Schwierigkeit in der Annahme, daß diese Aussage über die noch nicht sichtbare Herrschaft Jesu für die Leser relevant ist. Im Gegenteil, in ihrer Situation sieht es so aus, als ob Christus nicht der Herrscher ist.

5 Zum Problem der Übersetzung und der Auslegung von 2,9 vgl unten S. 194ff.

6 Daß besonders der Name Jesus im Zusammenhang mit Aussagen über das Leben Jesu als Mensch vom Vf gebraucht wird, läßt verstehen, warum der Name hier auftaucht. Ähnlich *Käsemann*, Gottesvolk S. 77. Es deutet nicht auf einen Gegensatz zwischen Jesus und den Menschen hin (gegen *Schierse*, Verheißung S. 101; *Stadelmann*, Christologie 175f). Zum Namen »Jesus« vgl. unten S. 122.

7 Der Wechsel im Tempus gegenüber dem Zitat in 2,9 (hier ἠλαττωμένον und ἐστεφανωμένον; dort ἠλάττωσας und ἐστεφάνωσας) ist nicht ohne Bedeutung. Er entspricht dem Gesichtspunkt des Vf: Wir haben jetzt mit einem zu tun – wir sehen einen –, der Mensch gewesen ist und der erhöht worden ist. So ist er jetzt einer, der für uns Mitleid haben wird. Direkt anschließend an 2,9ff wird die Aufmerksamkeit der Leser wieder auf den Erhöhten gerichtet (3,1ff). Die Erhöhung wird mit ἠξίωσας aufgegriffen (3,3). Δόξης und τιμήν (3,3) erinnern an δόξῃ καὶ τιμῇ ἐστεφανωμένον (2,9.7; vgl auch 5,5). Wie Mose war er treu. Aber seine Stellung ist höher als die des Mose. Er ist Sohn über das Haus. Zu diesem Haus gehören wir, wenn wir wie er treu bleiben.

8 Dafür, daß das Zitat vom Vf christologisch verstanden wurde, treten in ihren Komm. z.St. ua *Bleek*, *Strathmann*, *Michel*, *Spicq*, *Kuss*, *Bruce* ein; außerdem auch *Käsemann*, Gottesvolk S. 75ff; *Immer*, Die Versuchten S. 104ff; *Nomoto*, Hohepriester-Typologie S. 18ff; *Schröger*, Schriftausleger S. 79.81; *C. Colpe*, Art. ὁ υἱὸς τοῦ ἀνθρώπου, ThWNT VIII, S. 403–481, hier S. 467. Wir können aber *Kuss* und *Schröger* nicht zustimmen, wenn sie die Absicht des Vf bei der Heranziehung dieses Zitates in erster Linie als den Versuch erklären, den Anstoß des

Damit ist erklärt, warum der Vf Ps 8,6 mit herangezogen hat; wie steht es aber mit Ps 8,5 (= Hb 2,6b): τί ἐστιν ἄνθρωπος ὅτι μιμνήσκῃ αὐτοῦ; ἢ υἱὸς ἀνθρώπου ὅτι ἐπισκέπτῃ αὐτόν;? Diesen Teil des Zitates hat der Vf in seiner Auslegung nicht aufgegriffen. Gerade Ps 8,5 bereitet große Schwierigkeiten, weil der Psalmist hier (vgl auch V 6 und 7) von Menschen sprechen will.

Die anthropologische Deutung von Ps 8,5–7 (Hb 2,6b–8a)

1.a) Wegen Hb 2,6b (Ps 8,5) könnte man den Eindruck gewinnen, daß auch der Vf des Hb Ps 8 auf die Menschen im allgemeinen bezieht[9]. 2,5 müßte dann so verstanden werden: nicht den Engeln, sondern den Menschen ist die kommende Welt untertan[10]. Aber das trifft nicht zu, vor allem, weil die kommende Welt im Hb auch die himmlische Welt ist. Die himmlische Welt (vgl πάντα) ist nur Jesus untertan, auch wenn seine Herrschaft noch nicht sichtbar ist (2,8). Von einer noch nicht sichtbaren Herrschaft der Menschen sagt der Vf jedoch nichts[11]. Außerdem ist zu fragen, worauf sich das γάρ (2,5) bezieht. Zwar hat der ganze Abschnitt 2,1–4 mit »uns« zu tun; aber der Vergleich dort lautet nicht: wir sollen auf dieses Heil achten, weil uns die himmlische Welt untertan ist und nicht den Engeln; sondern: wir sollen auf das Heil achten, weil es vom Herrn und nicht durch Engel verkündigt wurde. Und warum? Ua weil er über die himmlische Welt herrscht[12]. Also werden in 2,5 die Engel und der Herr als Gegensatz aufgefaßt. Dafür spricht weiter der christologische Zusammenhang von ὑπέταξεν als Anspielung auf Ps 110,1 und Ps 8,7. Von 2,5 her würde man also eine Beziehung des Zitates auf die Menschen nicht belegen können.
b) Auch der Hinweis auf 2,16 im Zusammenhang mit 2,5 rechtfertigt eine solche Deutung des Zitates nicht[13]. In 2,16 werden deutlich Engel und Menschen gegenübergestellt. Aber es wäre falsch, aufgrund des ähnlichen Anfangs beider Verse (οὐ γὰρ ἀγγέλοις . . . 2,5; οὐ γὰρ δήπου ἀγγέλων . . .

Kreuzes dadurch zu mildern, daß das Sterben als schriftbewiesene Notwendigkeit dargestellt wird. Im Vordergrund steht vielmehr der Erhöhte, welcher als Menschgewordener uns jetzt helfen kann, wie die Weiterführung der Gedanken in c. 2 deutlich zeigt.
9   Daß das Zitat sich hier auf die Menschen bezieht, vertreten ua in ihren Komm. z.St. *Westcott, Riggenbach, Windisch, Moffatt, W. Manson, Montefiore*; vgl auch *J. Kögel*, Der Sohn und die Söhne (BFchrTh VIII/5–6), 1904, S. 22; *Vanhoye*, Situation S. 276; *Stadelmann*, Christologie S. 175f.
10   So ua *Riggenbach* S. 38; *Kögel*, Söhne S. 22; *Schierse*, Verheißung S. 102; *Theissen*, Untersuchungen S. 66 (vgl allerdings S. 120). Die Artikellosigkeit von ἀγγέλοις braucht nicht unbedingt einen Gegensatz zum Sohn auszuschließen (gegen *Riggenbach, Schierse*).
11   Daß die Christen herrschen werden, ist dem Vf wohlbekannt (vgl 1Kor 6,2; Apk 3,21; 20,4ff), aber sie herrschen noch nicht. Er zieht aber kultische Terminologie vor, um das Heil der Christen zu beschreiben.
12   2,5 dürfte nicht nur die Würde des Sohnes als Herrscher unterstreichen, sondern auch die »Größe« (vgl 2,3 τηλικαύτης . . . σωτηρίας) des Heils. So *Hofmann* z.St.
13   Gegen *Riggenbach* S. 34; auch *Theissen*, Untersuchungen S. 66.

2,16) zu behaupten, daß der Gegensatz in beiden Fällen zwischen denselben Gruppen besteht. In 2,16 geht es um die Hilfe des Sohnes für die Menschen, die aus seiner Heilstätigkeit auf Erden erschlossen wird[14]. Diese Hilfe bedeutet zwar, daß die Menschen in die himmlische Welt eintreten können; in 2,5 aber geht es direkt um die Unterwerfung des Alls unter den Sohn durch Gott.

2.a) Trotzdem bleibt die Schwierigkeit, daß Ps 8,5 ursprünglich von Menschen handelt und unverändert zitiert wird. Wie ließe sich das Zitat Ps 8,5–7 verstehen, wenn es in 2,6b–8a doch auf Menschen bezogen wäre? Zunächst müßte geklärt werden, wie βραχύ τι zu deuten ist. Wenn es nicht zeitlich zu verstehen wäre[15], dann würden die Menschen immer niedriger als die Engel bleiben; das widerspricht 2,5, besonders wenn Jesus als Typus des Menschengeschlechtes verstanden wird[16]. Außerdem ist βραχύ τι mit Bezug auf Jesus zeitlich zu verstehen (2,9). Sonst bliebe Jesus niedriger als die Engel! Es ist nicht anzunehmen, daß der Vf βραχύ τι in doppelter Bedeutung verwendet hat[17].

b) Die zeitliche Interpretation von βραχύ τι spielt eine wichtige Rolle für die Gedanken des Vf. Wenn also Ps 8,5–7 in Hb 2,6b–8a auf die Menschen zu beziehen ist, müßte es so verstanden werden: Gott hat die Menschen eine kurze Zeit niedriger als die Engel gemacht; aber später werden diese den Menschen untertan[18]. Damit muß das Tempus der Verben ernst genommen werden (bes ἐστεφάνωσας . . . ὑπέταξας). Das Zitat trifft dennoch nicht zu, weil die Menschen noch im irdischen Leben sind.

c) Vielleicht könnte man aber den zeitlichen Aspekt der Aoriste dadurch zur Geltung bringen, daß man das Zitat als prophetisches Wort versteht[19]? Gott hat die Reihenfolge der Ereignisse schon bekanntgemacht. In diesem Sinne ist dieses Wort schon geschehen. So wäre der Hinweis in V 8 mit Bezug auf die Menschen zu verstehen: Die Menschen haben diese Herrschaft noch nicht. Jesus aber als »Repräsentant« ist schon gekrönt worden (2,9)[20]. Dabei würde man allerdings das Verhältnis von 2,8 und 9 mißverstehen. Der Gegensatz zwischen 8c (νῦν δὲ οὔπω ὁρῶμεν αὐτῷ τὰ πάντα ὑποτεταγμένα) und 9 besteht nicht zwischen den Menschen und dem einen Menschen, sondern zwischen dem οὔπω, also zwischen dem, was wir noch nicht sehen, und dem, was wir schon sehen können[21]. Der Vf geht nicht von den vielen Menschen zu dem einen Menschen Jesus über, sondern von der sichtbaren Herrschaft, also der Parusie, zu der jetzigen Stellung Jesu. Sonst

---

14 Zu ἐπιλαμβάνεται vgl unten S. 126.
15 So *Westcott* S. 44 auch in 2,9; *Kögel*, Söhne S. 25; und ursprünglich in Ps 8 selbst.
16 So *Kögel*, Söhne S. 22f.
17 Gegen *Kögel*, Söhne S. 25.
18 So ua *Montefiore* S. 57.
19 Ähnlich *Michel* S. 134; *Vanhoye*, Situation S. 263ff.
20 So in ihrem Komm. z.St. *Moffatt, Riggenbach, Windisch, Montefiore*, vgl auch *Kögel*, Söhne S. 33; *Vanhoye*, Situation S. 279ff, bes S. 283.
21 So *Michel* S. 138f; *Käsemann*, Gottesvolk S. 76f; *Bruce* S. 37; *Strathmann* S. 83.

müßte man eine Anspielung auf Ps 8,7 in beiden Sätzen erwarten (nicht nur
in V 8). Es geht damit nicht um das Problem, wieweit eine in Ps 8 enthaltene
Ordnung Gottes für den Menschen in Erfüllung gegangen ist, sondern um
die Herrschaft Jesu, die unser Heil sichert, eine Herrschaft, die noch nicht
sichtbar ist, aber die es ihm möglich macht, uns auf dem Weg zum Heil zu
helfen. Ps 8,7 ist also nicht anthropologisch zu deuten, sondern wie Ps
110,1b auf Jesus zu beziehen.

3.   Fassen wir unsere Kritik an der anthropologischen Deutung von
2,6b–8a zusammen, so ist zunächst festzustellen, daß 2,5 eine christologische Interpretation fordert. Auch wenn man Einwänden aufgrund der Aoriste mit dem Hinweis auf das prophetische Verständnis des Zitates begegnete, scheitert diese Interpretation zudem daran, daß die soteriologische Bedeutung Jesu nicht genügend berücksichtigt ist und Jesus als bloßer Typus
des Menschengeschlechtes dargestellt wird. Der Gebrauch dieses Psalmes in
der Tradition im Zusammenhang der Gedankenkette, die in c. 1 und 2 vorliegt, wie auch der Kontext sprechen eindeutig gegen eine solche Auslegung. Eine *christologische Auslegung* gibt dagegen einen vollkommen pas-
senden Sinn, der alle diese Schwierigkeiten vermeidet und der der Christologie des Vf entspricht.

Die Bedeutung von Ps 8,5 (Hb 2,6b) als bleibendes Problem

1.   Dies wäre kein Problem, wenn wir mit *Zuntz* τίς statt τί lesen würden
und η als ῇ akzentuierten[22], so daß eine Frage entsteht, die gleich beantwortet wird: »Wer ist der Mensch . . .? Ist es nicht der Menschensohn . . .?«
Diese Lösung würde zwar in den Zusammenhang gut passen, und man
könnte behaupten, daß die Form τίς unter dem Einfluß von τίνι (1,5) und
πρὸς τίνα (1,13) vom Vf gebildet worden sei. Zwar würde das den Paralle-
lismus stören, aber das gilt auch von der Auslegung bei 2,7 und von der
Weglassung von Ps 8,7a (καὶ κατέστησας αὐτὸν ἐπὶ τὰ ἔργα τῶν χειρῶν
σου)[23]. Die Schwierigkeit bei dieser Lösung ist aber, daß außer p46, der
viele Fehler enthält, nur unwichtige MSS diesen Text belegen.

2.   Ein weiteres Problem bei der Interpretation von *Zuntz* ist: sie setzt vor-
aus, daß der Vf den Titel υἱὸς ἀνθρώπου gekannt und benutzt hat. Andere
Lösungsversuche setzen dies ebenfalls voraus, ohne die am besten belegte
Lesart zu bestreiten[24]. Wenn der υἱὸς ἀνθρώπου-Titel der synoptischen

---

22   G. *Zuntz*, The Text of the Epistles, London 1953, S. 48f. Dagegen *R. V. G. Tasker*, The
Text of the »Corpus Paulinum«, NTS 1 (1954/55) S. 180–191, hier S. 185. Die Lesung τίς
kommt in folgenden Handschriften vor: p 46, C*, P, 104, 917, 1288, 1319, 1891, 2127, d, e,
Vg, tol, boh, Euthalius. Vgl dazu *Schröger*, Schriftausleger S. 80 Anm. 1.
23   Dazu vgl *Schröger*, Schriftausleger, S. 82 Anm. 4.
24   So ua *Michel* S. 138; *Strathmann* S. 82; *Spicq* II S. 31; *Buchanan* S. 39ff; *Bruce* S. 35, der
hierin die Vorstellung vom letzten Adam sieht; *Nomoto*, Hohepriester-Typologie S. 31f, der
eine Verbindung mit markinischen Menschensohnaussagen über das Leiden sieht und auf den

Tradition bzw der palästinischen Gemeinde gemeint ist, dann muß die erste Zeile noch interpretiert werden. Es wäre vielleicht vorzuschlagen, daß, wie der Vf zunächst die in der Tradition vorhandene Aussage πάντα ὑπέταξας ὑποκάτω τῶν ποδῶν αὐτοῦ aufgriff und von dort aus an V6 zurückgedacht hat, er im selben Prozeß den Titel aufgegriffen hat bzw die Zeile 5b. Die Aufnahme von 5a wäre dann nur eine Sache des Rhythmus, ohne daß der Vf an den Inhalt gedacht hätte. Aber hätte er eine Zeile am Anfang eines Zitats so gedankenlos anführen können[25]? Überhaupt muß bezweifelt werden, daß er an υἱὸς ἀνθρώπου als Titel gedacht hat, als er diese Zeilen zitierte[26]. An keiner anderen Stelle im NT, die auf Ps 8,7 anspielt, wird der Menschensohntitel mit herangezogen.

3. Wenn der Vf die ersten beiden Zeilen nicht des Titels wegen und auch nicht gedankenlos verwendet hat, wie hat er sie verstanden? Soll vielleicht die erste Zeile auf die Menschen bezogen werden und die zweite auf Jesus? Aber aus welchem Grund, wenn der Titel nicht in Frage kommt? Man muß zudem auf die beiden letzten Teile jeder Zeile achten: . . . ὅτι μιμνῄσκῃ αὐτοῦ und . . . ὅτι ἐπισκέπτῃ αὐτόν. Ursprünglich werden die Menschen bewundert. Wenn die Zeilen auf Jesus bezogen werden, könnten sie die Würde Jesu in Frage stellen, weil damit bewundert wäre, daß Gott Jesus erhöht habe[27].

4.a) Was geschieht, wenn die ersten beiden Zeilen auf die Menschen bezogen werden? Die Bewunderung wäre dann durch die Hilfe Gottes für die Menschen, durch die Heilsbotschaft, veranlaßt. Aber wie wäre der Übergang von 2,6 (die Menschen) zu 2,7f (Jesus) zu verstehen? Ist ein solcher Bruch vorauszusetzen? Das scheint uns kaum wahrscheinlich zu sein.

b) Man könnte vielleicht versuchen, dieses Problem dadurch zu lösen, daß das Menschsein Jesu so betont wird, daß der Vf von der Menschheit zu ihrem Repräsentanten übergegangen ist[28]. Aber auch dann ist der Übergang immer noch kaum begreifbar und unwahrscheinlich.

c) Oder man könnte an einen Urmenschmythos denken, so daß Jesus in

---

Zusammenhang von Ps 110,1 mit dem Menschensohntitel in Mk 14,62 parr u. Apg 7,56 einerseits und mit Ps 8 im Brief und anderswo andererseits hinweist und versucht, die Hypothese zu entwickeln, daß der Vf den Menschensohntitel durch die Bezeichnung »Hoherpriester« ersetzt hat; *O. Cullmann*, Die Christologie des Neuen Testaments, ⁵1975, S. 193; *Vanhoye*, Situation S. 265 u. 301ff; *Colpe*, Art. υἱὸς τοῦ ἀνθρώπου, ThWNT VIII, S. 467, der auch einen Zusammenhang mit dem Leiden sieht; vgl auch *G. W. Grogan*, Christ and his People. An Exegetical and Theological Study of Hebrews 2,5–18, VoxEv 6 (1969) S. 54–71, hier S. 57f.

25 Daß der Vf die Frage in Ps 8,5 außer acht gelassen hatte (so *Kuss* z.St.) oder daß er selbst darüber sich nicht im klaren war (*de Wette* z.St.), ist kaum wahrscheinlich.

26 Mit *Nairne* S. 17; *Kögel*, Söhne S. 21 ua. Dagegen spricht die erste Zeile mit ἄνθρωπος wie auch die Tatsache, daß der Vf selbst nicht andeutet, daß er diesen Titel im Auge hat, sondern zum Zitat unter dem Einfluß einer Gedankenkette gekommen ist, die selbst ja gerade im Zusammenhang mit Ps 110,1 (gegen *Nomoto*; vgl oben Anm. 24) niemals auf den Menschensohntitel anspielt.

27 So *Peake* S. 98.

28 So *Kögel*, Söhne S. 22f; *L. Venard*, L'utilisation des Psaumes dans l'Epître aux Hébreux, in: Mélanges Podechard, Lyon 1945, S. 253–264, hier S. 263; *Bruce* S. 36.

2,5 als Urmensch aufgefaßt wird[29]. Man müßte dann voraussetzen, daß
diese Vorstellung dem Vf und seinen Lesern bekannt und in ihrer Bedeutung sofort erkennbar war. Aber damit kehrt die Frage zurück: Wie sind
dann diese Zeilen auf Jesus zu beziehen, ohne seine Würde in Frage zu stellen? Auch die Urmenschhypothese kann dieses Problem nicht lösen.

5.   Wenn man aber 2,6 nicht anthropologisch interpretiert und ἄνθρωπος
und υἱὸς τοῦ ἀνθρώπου nicht als Titel versteht (als synoptischer »Menschensohn« oder mit Bezug auf den »Urmensch«), bleibt noch eine andere
Möglichkeit. Man übersetzt: »Was ist dieser Mensch . . .?«.

Es muß zunächst zugegeben werden, daß die Worte »Was ist der Mensch«
die natürlichste Übersetzung von 2,6 wären, auch wenn man nicht ἄνθρωπος gleich ὁ ἄνθρωπος lesen würde[30]. Nur meint der Zusammenhang eine
andere Deutung der Zeile, nämlich eine christologische. Daß der Vf die
Zeile so deuten konnte, ist daraus zu erklären, daß er hier ein Zitat heranzieht, dessen Inhalt seiner Meinung nach diese Deutung ermöglicht. Man
muß also den Text so verstehen: »Was ist der bzw dieser Mensch . . .?«.
Aber dabei bleibt die Schwierigkeit, daß die Zeile ohne ihren jetzigen Zusammenhang zunächst als Ausdruck der Bewunderung aufgefaßt werden
könnte[31]. Für das christologische Verständnis von Ps 8,5 in Hb 2,6 kommt
eine solche Deutung nicht in Frage.

a)   Verschiedene Möglichkeiten bieten sich an, wenn wir davon ausgehen,
daß nach dem meistbelegten Text die erste Hälfte der Frage lautet: »Was ist
dieser Mensch?«. Zunächst könnte die Frage tatsächlich als ein In-Frage-
Stellen verstanden werden, als eine Frage, die einige Leser oder vielleicht
falsche Lehrer gestellt haben. Dann müßte man erwarten, daß der Vf sich
nach dem Zitat mit diesem Einwand beschäftigen würde. Das tut er aber
nicht.

b)   Die Frage wird offensichtlich auch nicht als eine Frage nach der Identität
verstanden: »Was (oder zutreffender nach p 46: wer) ist dieser Mensch?«
Um die notwendige Antwort »der Sohn« oder ähnliches bemüht sich der Vf
nicht. Außerdem würde diese Auffassung voraussetzen, daß man die ὅτι-
Sätze irgendwie als reine Relativsätze verstanden hätte[32], was dem Sinn von
ὅτι nach τί kaum entspricht.

c)   Ὅτι nach τί muß konsekutiv verstanden werden. »Du gedenkst seiner«.
Warum? Wenn es nicht um Identität geht, bleibt die Möglichkeit, daß die

---

29   So vor allem *Käsemann*, Gottesvolk S. 76. Ähnlich *Schierse*, Verheißung S. 103ff; vgl
auch *Michel* S. 138; *H. Ringgren*, Psalm 8 och kristologin, SvExÅ 37/38 (1972/73) S. 16–20,
der Ps 8,6 als wahrscheinlich ursprünglich auf den Urmensch-König bezogen versteht. Zur
Frage »Gnosis und Hb« und zur Fragwürdigkeit dieser These siehe auch unten S. 128f. *Schierses* Behauptung, die Reihenfolge im Zitat beweise, daß der Vf der Auffassung sei, Jesus wäre
vor seiner Inkarnation Mensch, ist abzulehnen, ua weil Ps 8,5 hier als Frage in der Gegenwart
gestellt ist, die Ps 8,6 u. 7 beantworten, und nicht als Wesensbestimmung dienen soll.
30   So *Zuntz*, Epistles S. 48f.
31   So *Vanhoye*, Situation S. 267ff; u. ders., Structure S. 78; vgl Ps 144,3f; Hiob 7,17–21;
2Sam 7,18; Mich 4,14; 1QS XI 20.
32   So nach *Bruce* S. 31 Anm. 12: *Zuntz*.

Frage so zu verstehen ist: »Was bzw was für ein Mensch ist dieser? Was ist dieser Mensch, daß du seiner gedenkst?« (vgl τί in Apg 13,25). Auf diese Weise wird Jesu Würde nicht in Frage gestellt. Aber wie sind die ὅτι-Sätze aufzufassen? Zunächst könnten sie als Umschreibung für die Erhöhung verstanden werden. Dann wäre es eine Frage über den irdischen Jesus. Der Vf richtet die Aufmerksamkeit der Leser in seiner Auslegung aber nicht auf den irdischen Jesus, sondern auf den Erhöhten (2,9). Es geht also wahrscheinlich um die Gegenwart, was dem Tempus von μιμνῄσκῃ und ἐπισκέπτῃ entspricht. Damit ist an die besondere Würdestellung Jesu bei Gott zu denken, was vielleicht den Gedanken der Herrschaft einschließt und an den vorangegangenen Vers 2,5 erinnert (vgl auch das Tempus in 2,9). Das Hauptgewicht aber liegt auf der ersten Hälfte der Frage, nämlich: »Was für einer ist er?«.

Läßt sich diese Auffassung von 2,6 durch den Kontext bestätigen? Der Zusammenhang zwischen dem Zitat und dem Vorhergehenden ist durch die letzte Zeile gegeben (ὑπέταξας, vgl 2,5 ὑπέταξεν), nicht durch 2,7 und wahrscheinlich auch nicht durch 2,6b. Wenn also 2,6b dem Vf wichtig ist, dann muß eine Antwort darauf in den folgenden Versen zu erwarten sein. Anders als 2,7 und 2,8a wird 2,6b in der Auslegung des Vf nicht wörtlich aufgegriffen. Man muß daher annehmen, daß die Antwort auf die Frage in 2,6b irgendwie durch die Auslegung selbst gegeben ist. 8b ist deutlich eine Auslegung von 8a, gibt aber noch keine Antwort auf die Frage von 6b. In V 9 wird aber eine Aussage gemacht, die Auskunft über diesen Jesus gibt. Was für ein Mensch ist dieser? Er ist der, der Mensch gewesen ist und der wegen seines Todes erhöht wurde.

Durch den Tempuswechsel gegenüber dem Zitat wird das Gewicht auf die Gegenwart gelegt. Der Vf sieht also in 2,7, den er hier in 2,9 aufgreift, die Antwort auf die Frage in 2,6b. Deshalb hat er nicht nur Ps 8,7, sondern auch Ps 8,5 und 6 herangezogen[33]. Er wollte nämlich eine neue Gedankenentwicklung anbahnen. Denn von 2,9 an geht es dem Vf darum zu beschreiben, was für ein Mensch dieser ist, der unser Herr ist. Er hat gelitten und ist erhöht worden. Deshalb kann er für uns Mitleid empfinden. Es ist nicht zufällig, daß von hier an der Blick der Leser auf ihn gerichtet wird (2,9; 3,1; 12,2). So einen Hohenpriester haben wir (4,14f; 8,1).

Es ist vielleicht auch nicht zufällig, daß 2,16 eine gewisse Parallele zu 2,5f darstellt: Wem ist diese Welt untertan (2,6b)? Einem, der uns aufgrund seiner Inkarnation (2,7.9) hilft (2,16).

Zusammenfassung

Es scheint sicher zu sein, daß Ps 8,5–7 in Hb 2,6b–8a auf Jesus zu beziehen ist. Dafür spricht eine Analyse nicht nur von 2,7 und 8a, sondern auch von

---

33 Es ist also kein »vergebliches Bemühen« zu fragen, warum der Vf Ps 8 herangezogen hat (gegen *Schröger*, Schriftausleger S. 82).

2,6b, wenn man diese Zeile im Hinblick auf die Gedankenentwicklung untersucht. Das Zitat bietet also einerseits einen weiteren Beweis für die Erhöhung, zum anderen aber auch Information über den Erhöhten selbst; es wird dabei vom Vf in dieser Form aufgenommen, damit er diesen Gedanken weiter ausführen kann. Die Erhöhung gewinnt ihre Bedeutung aufgrund der Inkarnation (2,10).

Die Erhöhungsüberlieferung hat die Gedanken des Vf stark geprägt. Sie steht aber nicht ohne Zusammenhang mit anderen christologischen Vorstellungen. Das gilt zunächst für die Vorstellung der Präexistenz, wie im ersten Kapitel des Briefes deutlich wird, aber auch für die Vorstellung der Menschwerdung, wie die Auslegung von Ps 8 und die weiteren Ausführungen im zweiten Kapitel zeigen. Die Erhöhungsvorstellung selbst umgreift sowohl die Inthronisation wie auch die Präsentation vor der Welt, d.h. in allgemeinen Kategorien: Auferstehung und Parusie. Wir wenden uns zunächst aber anderen Vorstellungen zu, unter denen diese Momente beschrieben werden.

II. Jesu Auferstehung und Parusie

1. Die Teleiosis Jesu

Ehe wir direkt zu einer Behandlung der Auferstehung Jesu im Hb kommen, müssen wir uns dem Begriff Teleiosis zuwenden. Der Vf benutzt ihn bevorzugt im Zusammenhang mit dem Tod Jesu und dem Tod der Christen.

Die ethische Deutung

Τελείωσις kommt im Hb einmal (7,11), τελειοῦν neunmal (2,10; 5,9; 7,19.28; 9,9; 10,1.14; 11,40; 12,23) und τελειωτής einmal (12,2) vor[1]. Die Stellen gliedern sich in zwei Gruppen: in eine, die im Zusammenhang mit Jesus gebraucht wird, und eine, die im Zusammenhang mit den »Christen« begegnet. Dieser Unterschied ist deswegen von Bedeutung, weil nach der Meinung des Vf Jesus, der in seinem Leben auf Erden ohne Sünde war (4,15), τελειωθείς werden mußte (2,10; 5,9; 7,28). Dies schließt aus, daß τελείωσις im Hb rein *ethisch* zu verstehen ist. Der stark paränetisch geformte Satz ἔμαθεν ἀφ' ὧν ἔπαθεν τὴν ὑπακοήν (5,8) bedeutet überhaupt nicht, daß Jesus irgendwann ungehorsam war. Er weiß vielmehr, was die Christen in ihrer Situation zu tragen haben, und kann deshalb für sie Fürbitte leisten.

Auch der Vorschlag, τελείωσις beziehe sich auf das *Heranreifen* Jesu, so daß Jesus in seinem irdischen Leben zur Reife gebracht werden mußte, ist entschieden abzulehnen. Es geht dem Vf nicht darum zu zeigen, daß Jesus gereift ist. Das würde voraussetzen, daß er einmal νήπιος oder νωθρός war und erst am Ende nach dem Tode gereift sei. Der Vf kümmert sich nicht um die Frage nach der Entwicklung der Persönlichkeit Jesu und erst recht nicht um eine ethische Entwicklung[2].

---

[1] Zur Literatur vgl *Michel* S. 228f und erweiternd *Theissen*, Untersuchungen S. 97–101; *Klappert*, Eschatologie S. 55–58. Zu τέλειος/τελειότης vgl unten Anm. 2. S. 47ff.84f.87f.

[2] An eine sittliche Entwicklung denken ua *Riehm*, Lehrbegriff S. 344; H. J. *Holtzmann*, Lehrbuch der neutestamentlichen Theologie II, ²1911, S. 299; O. *Holtzmann* S. 782f; *Büchsel*, Christologie S. 61; *Moffatt* S. 67; *Kuss* S. 74; *Montefiore* S. 61; vgl auch *Windisch* S. 45; P. J. *Du Plessis*, ΤΕΛΕΙΟΣ. The Idea of Perfection in the New Testament, 1959, S. 216f; *Luck*, Geschehen S. 212; G. *Delling*, Art. τελειοῦν, ThWNT VIII, S. 84; *Vanhoye*, Situation S. 322f; vgl auch B. *Rigaux*, Révélation des mystères et perfection à Qumrân et dans le Nouveau Testament, NTS 4 (1957/58) S. 237–262, bes S. 252.257ff. In dem Sinne, daß Jesus der Versuchung ausgesetzt wurde, von seiner Aufgabe abzuweichen, kann man durchaus von einem ethischen Element in der Darstellung des Lebens Jesu sprechen. Auch er hat Versuchung und Leiden kennengelernt (5,8). Aber der Vf zeigt kaum Interesse an einem Reifeprozeß Jesu, und eine solche Deutung paßt zu den anderen Stellen von τελείωσις im Brief überhaupt nicht. Dieses ergibt sich aus der Auslegung von τελείωσις (von τέλειος[7] her als Reifeprozeß. Jedoch zeigt schon das Substantiv τελειότης (also nicht τελείωσις!), das im Zusammenhang mit τέλειος

»Teleiosis« als Priesterweihe

Wie ist dann τελείωσις zu verstehen? Es wird häufig darauf hingewiesen, daß das Wort τελείωσις mit Bezug auf die *Priesterweihe* in der LXX vorkommt, und zwar meistens in der Wendung τελειοῦν τὰς χεῖρας αὐτοῦ als Übersetzung von jml' 't jdw, aber auch absolut in diesem Sinne[3]. Wenn wir uns zunächst den christologischen Stellen des Briefes zuwenden, so scheint diese Deutung des Wortes passend zu sein[4]. Das Priestertum Jesu ist ja ein Hauptthema im Brief, und der Vf zeigt sich mit der kultischen Terminologie der LXX sehr vertraut.

Dann würde 2,10 bedeuten: Es war geziemend, daß Gott Jesus durch bzw nach dem Leiden als Priester geweiht hat, damit er als Hoherpriester mit uns Mitleid haben würde. Auch τελειωθείς in 5,9 wäre also als Priesterweihe zu verstehen. Im ganzen Abschnitt 5,1–10 geht es ja um einen Vergleich zwischen Jesus und den alten Hohenpriestern. Und in 7,28 hätten wir eine Aussage über den für immer geweihten Hohenpriester (εἰς τὸν αἰῶνα τετελειωμένον).

Exegese der nicht-christologischen Stellen

Ehe wir zu einer genaueren Analyse dieser Stellen übergehen, wenden wir uns den *nicht-christologischen Stellen* zu.

gebraucht wird , daß der Vf diese verwandten Wortgruppen verschieden deutet (so auch *M. Dibelius*, Der himmlische Kultus nach dem Hebräerbrief, in: ders., Botschaft und Geschichte II, 1956, S. 160–176, hier S. 167). Dazu vgl weiter unten S. 84f. Auch *Käsemanns* Versuch, τέλειος dadurch näher an τελείωσις heranzurücken, daß auf den besonderen Gebrauch von τέλειος in späteren gnostischen Schriften verwiesen wird (Gottesvolk S. 84ff), ist deshalb abzulehnen. Τέλειος wird im Hb so nicht gebraucht. Vgl. auch *R McL. Wilson*, Gnosis and the New Testament, Oxford 1968, S. 36f.

J. Kögel, Der Begriff τελειοῦν im Hebräerbrief, 1905, S. 35–68, lehnt die sittliche Deutung ab und spricht von einer »Vollendung der Mittlerqualität« Christi (S. 30); ähnlich *G. Vos*, The Priesthood of Christ in the Epistle to the Hebrews, PThR 5 (1907), S. 423–447 u. 579–604, hier 579ff; *Peake* S. 105; *Strathmann* zu 5,7 u. 7,11; *Bruce* S. 43; *Stadelmann*, Christologie S. 177 (»innerlich umgestaltet«). Aber auch gegen diese Auffassung läßt sich mit Recht einwenden, daß eine solche Deutung zum weiteren Gebrauch von τελειοῦν im Brief schlecht paßt. Die Wortgruppe τελείωσις/τελειοῦν gehört ganz eindeutig zur soteriologischen Terminologie des Vf.

3   Dazu siehe den Exkurs »Teleiosis als kultisch-soteriologischer Begriff«.

4   Zur Deutung von τελείωσις als Priesterweihe vgl ua *O. Moe*, Der Gedanke des allgemeinen Priestertums im Hebräerbrief, ThZ 5 (1949) S. 161–169; *Du Plessis*, Perfection S. 212f u. 217ff; *Nomoto*, Hohepriester-Typologie S. 82ff; *S. G. Sowers*, The Hermeneutics of Philo and Hebrews, 1965, S. 113; *Michel* S. 226; *Delling*, Art. τέλειος κτλ., ThWNT VIII, S. 80ff; *Stadelmann*, Christologie S. 197 u. 204; zu einer angeblichen Beziehung von τελείωσις zur Weihe in den Mysterien vgl: *T. Haering*, Über einige Grundgedanken des Hebräerbriefes, MPTh 17 (1920/21) S. 260–276, bes 273; dagegen *E. Riggenbach*, Der Begriff der τελείωσις im Hebräerbrief, NKZ 34 (1923) S. 184–195; und in Erwiderung *Haering*, Noch ein Wort zum Begriff τελειοῦν im Hebräerbrief, NKZ 34 (1923), S. 386–389; vgl auch *Dibelius*, Kultus S. 166; *Windisch* S. 45; vgl unten S. 48.

1. In 7,11 stellt der Vf fest, daß das alte Priestertum offensichtlich unfähig war, für das Volk τελείωσις zu leisten, sonst hätte es keinen Sinn gehabt, daß von einem anderen Priestertum gesprochen wird. Hier ist es aber sehr schwer, τελείωσις als Priesterweihe zu deuten, weil kaum anzunehmen ist, daß der Vf die Aufgabe der Priester als das Weihen des Volkes zur Priesterschaft verstanden hätte. Er versucht nicht zu zeigen, daß alle Priester sein sollten und das alte Priestertum deshalb unfähig war, sondern daß das alte Priestertum keine τελείωσις leisten kann und daß wir daher ein neues Priestertum brauchen, das Priestertum Jesu.

2. Und so spricht er in 7,*18f*, wo die Gedanken von 7,11ff zusammengefaßt werden, von der Abschaffung der alten Ordnung, weil sie keine τελείωσις leisten konnte (οὐδὲν γὰρ ἐτελείωσεν ὁ νόμος), und von der besseren Hoffnung, durch welche wir Gott nahen (δι’ ἧς ἐγγίζομεν τῷ θεῷ). Durch diesen Vers bekommen wir einen wichtigen Hinweis auf die Bedeutung von τελείωσις. Durch das neue Priestertum haben wir τελείωσις, können wir Gott nahen. Dieses Wort wird in der LXX nur von Priestern gebraucht, weil sie diejenigen waren, die im Tempel Gott nahten. Es braucht aber nicht auf Priester beschränkt zu werden, wie in unserer Stelle deutlich wird. Das Priestertum soll ermöglichen, daß alle Gott nahen können. Der Zugang für alle bedeutet aber nicht die Auflösung des Priestertums, etwa weil alle jetzt Priester seien. So deutet der Vf τελείωσις nicht. Er spricht hier nicht von einem allgemeinen Priestertum im Gegensatz zum alten Priestertum, sondern vom Priestertum Jesu, das uns Zugang zu Gott ermöglicht. So ist τελείωσις ein Resultat seines Priestertums. Von τελείωσις als Priesterweihe ist keine Rede[5].

Die Stellen in c. 7 sprechen also gegen die Priesterweihe-Auffassung von τελείωσις, sie verstehen τελείωσις, und zwar im kultischen Zusammenhang, als das »Gott-Nahen«. In 7,19 wird von τελείωσις im eschatologischen Zusammenhang gesprochen. Als »bessere Hoffnung« wird τελείωσις erst in der Zukunft zur vollen Wirklichkeit[6].

3. Auch in 9,9 wird die Unfähigkeit der alten Ordnung daraus erklärt, daß sie keinen Zugang zu Gott ermöglichen konnte. Das beweist die Abgeschlossenheit des Allerheiligsten für alle mit Ausnahme des Hohenpriesters (einmal im Jahr) wie auch die nur fleischliche Wirkung kultischer Reini-

---

5 So ua *Riggenbach,* Begriff τελείωσις S. 192; *Schierse,* Verheißung S. 156; *Vanhoye,* Situation, S. 326f; gegen *Michel* S. 269; *Delling,* ThWNT VIII, S. 86; *Klappert,* Eschatologie S. 56. Auch ἐγγίζομεν darf hier nicht auf Priester beschränkt werden. Der weitere Sinn ist bereits in der LXX häufig belegt, so *H. Preisker,* Art. ἐγγίζω, ThWNT II, S. 330. Zur These *Moes,* Gedanke des allgemeinen Priestertums S. 161ff, daß der Vf hier die Priesterschaft der Christen hervorheben will, läßt sich sagen: Der Logik der Ausführungen des Hb nach werden wir alle Hohepriester sein, weil auch wir unserem πρόδρομος ins Allerheiligste folgen (vgl ua 6,20; 10,19f). Aber diesen Schluß hat Hb nicht gezogen, und der Vf zeigt an keiner Stelle, daß er ihn beabsichtigte.

6 Daß wir schon jetzt im Gottesdienst Zugang zu Gott haben, wird vom Vf auch vertreten (vgl ua 9,14; 4,16; 10,22; 12,18; 13,15f). Aber wir kommen erst nach dem Tode zum τέλος unserer τελείωσις (vgl 11,40; 3,14).

gungsriten. Die Opfer, die nicht nur für die Priester, sondern für alle Anbetenden dargebracht wurden[7], konnten τελείωσις, gerade wo sie nötig ist, nämlich κατὰ συνείδησιν, nicht leisten (9,9; vgl 1Pt 3,21). Hier geht es ganz deutlich nicht um Priester und Priesterweihe, sondern um die Reinigung des Volkes, und zwar als Vorbedingung für das Eintreten vor Gott. Diese Reinigung des Gewissens hat aber der Hohepriester Jesus geleistet. Er ist ja ὁ τελειωτής (12,2). Das bedeutet dennoch nicht, daß τελείωσις grundsätzlich als ethische Reinigung zu verstehen ist. Vielmehr bedeutet τελείωσις das Nahen zu Gott bzw das Treten vor sein Angesicht. Offensichtlich kann τελείωσις aber auch auf das Schaffen der Vorbedingungen dafür bezogen werden. So wird die Reinigung hier in 9,9 als Befähigung zur τελείωσις auch als τελείωσις bezeichnet.

4.   Auch in 10,1 ist das der Fall (τοὺς προσερχομένους τελειῶσαι). Die folgenden Verse zeigen deutlich, daß es sich hier um Sünde handelt (vgl 10,2.4). Es wird klar, daß die Reinigung eine Befähigung zum Gottesdienst ist (vgl τοὺς προσερχομένους 10,1; . . . τοὺς λατρεύοντας 10,2; vgl 9,9 τὸν λατρεύοντα u. 9,14 εἰς τὸ λατρεύειν θεῷ). Mit diesen Wörtern sind nicht in erster Linie Priester gemeint, sondern das Volk, für das die Priester keine τελείωσις leisten konnten. Also ist hier nicht an Priesterweihe zu denken.

5.   10,14 faßt die Bedeutung des Sühnopfers Jesu zusammen und erklärt: μιᾷ γὰρ προσφορᾷ τετελείωκεν εἰς τὸ διηνεκὲς τοὺς ἁγιαζομένους. Sehr wahrscheinlich ist τοὺς ἁγιαζ. als eine formale Bezeichnung der Christen zu verstehen und nicht als eine Tautologie nach τετελείωκεν[8]. Τετελείωκεν selbst bezieht sich auf das vollkommene Heilswerk, das durch das einmalige Sühnopfer Jesu (μιᾷ . . . προσφορᾷ u. vgl 10,11ff) vollzogen worden ist. So wird wie in 9,9 und 10,1 die Reinigung als die Vorbedingung für τελείωσις selbst als τελείωσις beschrieben. Die Bedeutung dieser τελείωσις wird in 10,19f deutlich. Dadurch haben wir εἴσοδον zu Gott. Auch hier besteht der Unterschied zwischen den Priestern (mit ihrer Leistung für das Volk) und dem Priester Jesus (mit seiner Leistung für sein Volk 10,11f). Von seiner Leistung als *Priesterweihe* für sein Volk ist keine Rede.

6.   In 11,40 kommt der Zukunftsaspekt von τελείωσις deutlich zum Ausdruck. Wie es im ganzen c. 11 um die Hoffnung auf die himmlische Welt

---

7   Auch hier ist an eine Beschränkung der Gottesdienstterminologie auf die Priester allein nicht zu denken; gegen *Strathmann*, Art. λατρεύω, ThWNT IV, S. 63; *Michel* S. 308; *Delling*, Art. τέλειος κτλ., ThWNT VIII, S. 82. *Strathmann* selbst zeigt in demselben Artikel, daß λατρεύω sich in der LXX keineswegs so einschränken läßt. Außerdem zeigt Hb 9,14 deutlich, daß der Vf es nicht so gemeint hat.

8   Ἁγιαζόμενοι als Bezeichnung der Christen kommt außer an dieser Stelle auch in 2,11 vor; vgl Apg 20,32; 26,18; 1Kor 1,2, wo ἡγιασμένοις ähnlich benutzt wird. ἁγιάζω und τελειοῦν sind aber nicht Synonyme (gegen *Haering*, Grundgedanken S. 270, vgl S. 265). τελειοῦν enthält auch den Gedanken einer zukünftigen Erfüllung im Eintritt in die himmlische Welt und ist davon bestimmt. Ἁγιάζω beschreibt dagegen hauptsächlich die Schaffung der Vorbedingungen dafür in der Vergebung der Sünden. In diesem Sinne besteht zwischen ihnen (aber auch καθαρίζω) eine Sinnverwandtschaft (vgl 10,1-4; 9,14; 9,22; 10,29; 9,9).

geht, so wird auch in 11,39f von dieser Hoffnung gesprochen. Erst mit uns zusammen bekommen die alten Gerechten ihre τελείωσις bzw ihren Zugang zur himmlischen Welt, zu Gott[9]. So liest man in 12,23 von den πνεύμασι δικαίων τετελειωμένων.

Offensichtlich hat ihre τελείωσις damit zu tun, daß sie in der Versammlung des himmlischen Jerusalems und besonders in Gottes Nähe sind. Es wird nicht gesagt, daß sie jetzt Priester sind[10], sondern, daß sie ihre Hoffnung erreicht haben. Diese Hoffnung, ihre τελείωσις, bedeutet also, in die Nähe Gottes gebracht zu werden.

7. Angesichts unserer Untersuchung der nicht-christologischen Stellen kann also festgestellt werden, daß τελείωσις ein kultischer Begriff ist, der das Nahen zu Gott und besonders im eschatologischen Zusammenhang das Treten vor sein Angesicht in der himmlischen Welt bedeutet. Zugleich aber bezieht sich τελείωσις auf das Schaffen der Vorbedingung dafür. Für eine Deutung von τελείωσις als Priesterweihe haben wir keine Spur gefunden.

Exegese der christologischen Aussagen

Was besagt nun dieses Ergebnis für die *christologischen Texte*? Sind auch sie nicht von der Priesterweihe her zu verstehen?

1. 2,10 schließt sich an einen Zusammenhang an, der seit 1,4 die Bedeutung der Erhöhung hervorhob. Durch das Heranziehen von Ps 8 ist ein Übergang von der Bedeutung der Erhöhung für die Herrschaft Jesu zu ihrer Bedeutung für seine jetzige Tätigkeit ermöglicht worden. So wird in 2,9 hervorgehoben, daß der Erhöhte zugleich der ist, der erniedrigt wurde und wegen des Todes gekrönt worden ist. Das Leiden Jesu wird in 2,10 aufgegriffen. Gott wollte viele Söhne εἰς δόξαν bringen. Jesus hat durch seine Heilstat dieses Heil ermöglicht. Es war aber angemessen, daß in diesem Prozeß der Sohn gelitten hat und durch Leiden seine τελείωσις bekam, weil er dadurch die Situation der Leidenden kennt und ein barmherziger Hoherpriester werden konnte (2,17). Es soll so hervorgehoben werden, daß er den gleichen Weg wie wir gehen mußte. Der Vergleich wird durch 2,11 unterstrichen; gleiches gilt für die Bezeichnung der Christen als Söhne. Auf dieser Basis wird aber auch klar, was τελείωσις bedeutet. Sie steht in Parallele zu εἰς δόξαν ἀγαγόντα. Der Weg Jesu zurück zu Gott, seine τελείωσις, führt durch Leiden hindurch. Was also die nicht-christologischen Stellen über τελείωσις ergaben, wird hier bestätigt. Τελείωσις bedeutet das Treten vor Gottes Angesicht. Zwar wäre es möglich, unserem Text einen guten Sinn zu geben, wenn man τελείωσις als Priesterweihe verstehen würde. In 2,17, der diesen Vers aufgreift, wird buchstäblich von der Priesterschaft

---

9 Für eine Transformation des Begriffes τελειοῦν durch den Vf, wobei er eine kultisch-mysterienhafte Vorstellung der Gemeinde im nicht-kultischen Sinn umgewandelt habe, wie *Theissen*, Untersuchungen S. 101, meint, fehlen Beweise.

10 Vgl weiter dazu unten S. 235.

Jesu gesprochen. Aber der Text selbst gibt keinen Anlaß dafür, und angesichts der Bedeutung des Wortes in allen bisher behandelten Stellen wäre
diese Deutung nicht zu erwarten.

2. 5,9f steht in Parallele zu 5,5 u. 5,6. Der Abschnitt 5,7ff erreicht seinen
Höhepunkt mit der Aussage über die Einsetzung in das Priestertum (5,10),
die Ps 110,4 aus 5,6 aufgreift. Daß aber schon in 5,9 durch τελείωσις von
dieser Einsetzung gesprochen worden sei, scheint unwahrscheinlich zu sein.
Das ließe den zeitlichen Unterschied außer acht, der in diesen Versen zum
Ausdruck gebracht wird (καὶ τελειωθεὶς ἐγένετο . . . αἴτιος σωτηρίας
αἰωνίου). Außerdem ist τελειωθείς wahrscheinlich als Parallele zu 5,5
(mit dem Zitat von Ps 2,7) zu verstehen, einer Erhöhungsaussage, und
greift εἰσακουσθείς auf (zum Inhalt des Gebetes vgl δεήσεις . . . πρὸς τὸν
δυνάμενον σώζειν αὐτὸν ἐκ θανάτου)[11].
5,10 entspricht demnach 5,6. Die τελείωσις ist also die Voraussetzung für
die Einsetzung in das Priesteramt, aber nicht selbst als Priesterweihe aufzufassen.

3.   In 7,28 geht es ausdrücklich um einen Vergleich zwischen den Hohenpriestern der alten Ordnung und dem der neuen, zwischen den Menschen,
die Schwächen haben, und dem Sohn, der εἰς τὸν αἰῶνα τετελειωμένον ist.
Die Schwachheit der alten Hohenpriester bezieht sich einerseits auf die
Notwendigkeit, immer wieder für sich selbst und das Volk opfern zu müssen (7,27), und andererseits auf ihre Sterblichkeit, die eine dauernde Priesterschaft unmöglich macht. Der Sohn aber hat sein einmaliges Opfer für
die Sünden abgeschlossen und ist wegen seines unzerstörbaren Lebens
(7,16) ewiger Hoherpriester. Die Parallele zu 5,9f (auch 5,5f) ist unverkennbar. Mit den Wörtern ὁ λόγος δὲ τῆς ὁρκωμοσίας wird Ps 110,4 aufgegriffen (vgl 7,20ff; 6,13ff). Es geht um die Einsetzung in das Priesteramt.
Die alte Ordnung setzte Menschen ein, die Schwachheiten hatten; die neue
setzt einen Sohn ein, der εἰς τὸν αἰῶνα τετελειωμένον ist. Mit dem Wort
καθίστησιν, das auch im zweiten Versteil zu lesen ist, wird offensichtlich
von Priesterweihe gesprochen (so auch in 5,1 u. 8,3). Das schließt gerade
aus, daß τετελειωμένον als Priesterweihe zu verstehen ist. Vielmehr ist
seine τελείωσις, die Tatsache, daß er erhöht worden ist und immer vor Gottes Angesicht steht, die Voraussetzung für seine ewige Priesterschaft. So ist
es nicht zufällig, daß auch im folgenden Vers 8,1 der Zusammenhang zwischen der Erhöhung und der Hohenpriesterschaft Jesu hervorgehoben wird.

4.   Wir können also feststellen, daß τελείωσις im Hb *nicht als Priesterweihe* zu verstehen ist. Für die Menschen bedeutet τελείωσις Heil[12], Eintritt in die himmlische Welt vor Gott wie auch die Schaffung der Vorausset-

---

11 So ua E. *Brandenburger*, Text und Vorlagen von Hebr 5,7–10, NovTest 11 (1969) S.
190–224, der weiter darauf hinweist, daß »in esoterischen spätjüdischen Priesterspekulationen
die Einsetzung zum Priester durchaus nach dem Eintritt in die himmlische Welt erfolgt« (S.
204, vgl auch S. 203); *Schierse*, Verheißung S. 155.
12 Für die Verbindung der Wortgruppen ἀρχηγός – τελείωσις/σωτηρία im Hb vgl 2,10;
5,9; 12,1 und dazu Apg 5,31.

zung dafür. Für Jesus bedeutet τελείωσις Rückkehr in die himmlische Welt zu Gott. In beiden Fällen haben wir es mit einer Tat Gottes zu tun, und in beiden Fällen vollzieht sich diese Tat nach dem Tode.

Käsemann hat den Zusammenhang von τελείωσις mit der Erhöhung und mit unserem Heil richtig erkannt, ist aber von der gnostischen Vorstellung der Vollendung so beeinflußt, daß er wichtige Aspekte des Begriffes im Hb übersieht. Darunter sind zu nennen: daß es nicht bloß um Eintritt in die himmlische Welt geht, sondern um Zugang zu Gott (so 7,19; der gottes-dienstliche Zusammenhang in 9,9; 10,1 vgl 9,14; aber auch 12,23). Gerade deshalb ist die τε-λείωσις Voraussetzung für Jesu Einsetzung in das Priesteramt. Zweitens hat *Käsemann* die übertragene Bedeutung im Zusammenhang mit der Vergebung der Sünde nicht klar herausge-stellt. Es reicht nicht zu sagen, »das kultische Handeln der Selbsthingabe Christi bewirkt die Vollendung der Seinen«, und dann auf ἁγιάζω als die Voraussetzung dafür hinzuweisen. Τε-λειοῦν selbst hat diese Bedeutung, wie 9,9 deutlich zeigt.

Gegen die Deutungen von τελείωσις als »Weihe« oder »Priesterweihe« ist einzuwenden, daß sie im Gegensatz zu *Käsemann* den eschatologischen Sinn von τελείωσις nicht genügend be-rücksichtigen. Derselbe Einwand gilt auch den Auslegern, die τελείωσις bloß als das Schaffen eines neuen Verhältnisses zu Gott verstehen[13]. Τελείωσις ist unsere Hoffnung (7,19) und kommt erst nach dem Tode zur Erfüllung, auch wenn wir schon jetzt einen gewissen Zugang zu Gott haben[14].

Das geht sehr deutlich aus dem Zusammenhang zwischen 11,40 und 12,23 hervor (die Gerech-ten sind schon τετελειωμένοι), wie auch aus dem Beispiel Christi: seine τελείωσις fällt mit seiner Erhöhung zusammen (vgl 5,9; 2,10 und die Diskussion dazu oben). Die τελείωσις kommt nicht erst mit der Parusie, wie *Hofius* meint[15].

Die τελείωσις Christi und die τελείωσις der Christen sind nicht vollkommen verschieden von-einander zu deuten, sondern stehen in engerem Zusammenhang. Eine Spaltung zwischen dem kultischen Sinn von τελείωσις (nach *Klappert* als »Weihe«) und dem futurisch-eschatologi-schen Sinn als Vollendung ist nach unserer Darstellung daher undurchführbar[16]. *Klappert* hat den Zusammenhang zwischen τελείωσις als Vollendung und τελείωσις als der Schaffung der Vorbedingungen dafür nicht gesehen. *Dibelius* ist also zuzustimmen, wenn er über die Bedeu-tung von τελείωσις schreibt: Sie »läßt sich finden, wenn man nur das Ziel recht ins Auge faßt, das für beide, für Christus wie für die Christen . . ., dasselbe ist«[17], auch wenn wir ihm bei sei-

13 *Michel* S. 341; *Bruce* S. 241.

14 So ua *Käsemann*, Gottesvolk S. 86; *A. Winter*, ἅπαξ ἐφάπαξ im Hebräerbrief, Diss. Rom 1960, S. 159; *Brandenburger*, Vorlagen S. 203f; *Klappert*, Eschatologie S. 54f; *Schierse*, Verheißung S. 154f.

15 *O. Hofius*, Katapausis. Die Vorstellung vom endzeitlichen Ruheort im Hebräerbrief (WUNT 11), 1970, S. 57.151; vgl Anm. 359.

16 *Klappert*, Eschatologie S. 55ff. Das gilt auch für *Klapperts* Versuch, zwei Linienführun-gen im Hb zu erkennen, die sich um die Begriffe λύτρωσις als kultisch-eschatologisches Heil und σωτηρία als futurisch-eschatologisches Heil gruppieren (vgl Eschatologie S. 43). Daß λύτρωσις nur zweimal, 9,12 und 14, im Hb die Heilstat am Kreuz beschreibt und σωτηρία das zukünftige Heil, läßt eine Theorie über zwei Gedankenlinien nicht zu. Auch unser zukünftiges Heil ist kultisch verstanden. Wir werden ins Allerheiligste eintreten (6,19), weil Jesus für uns den Weg freigemacht hat (10,19f). Σωτηρία und λύτρωσις, sowie τελείωσις als eigentlicher Eintritt in das Heil und τελείωσις als Schaffung der Vorbedingungen dafür, sind nicht zwei verschiedene Gedanken, sondern bilden zusammen eine einheitliche Anschauung, die Ursache und Ergebnis umspannt.

17 *Dibelius*, Kultus S. 165.

ner Deutung »Weihe« nicht zustimmen können. So ist *Kögels* Vorschlag abzulehnen, daß man τελειοῦν als einen formalen Begriff versteht und seine Bedeutung vom jeweiligen Zusammenhang her interpretiert[18]. Dabei entsteht eine Pluralität in den Deutungen desselben Wortes im Brief, die wegen seiner besonderen Stellung in den Gedanken des Vf kaum überzeugend ist. So kann *Riggenbach* schreiben, daß »der Begriff der Vollendung im Hb bald religiös, bald sittlich, bald zuständlich verwendet werde, bald auch mehrere oder alle diese Beziehungen in sich schließe«[19] – ähnlich *Michel*[20]. Auch *Du Plessis*, der gegen *Kögel* einwenden kann: »To wield it as a materially neutral concept is an unjustifiable abstraction«[21], konnte den engen Zusammenhang zwischen der τελείωσις Christi und der der Christen nicht herausstellen, sondern spricht von »consecration«, von einer innermenschlichen Entwicklung[22], und von »the consummation of his redeemer quality«[23] mit Bezug auf Christus und mit Bezug auf die Christen von »ordination«, von Vergebung und von »drawing near to God«[24].

»Teleiosis« und die Erhöhungsaussagen

In welchem *Verhältnis* steht τελείωσις zur Erhöhung? Während in den Aussagen am Anfang des Briefes die Erhöhung als eine Erhöhung zur Herrschaft dargestellt ist, kommt τελείωσις in diesem Zusammenhang nicht vor. Τελείωσις bedeutet andererseits mehr als einen Hinweis darauf, daß Jesus nach dem Tode lebt. Der kultische Zusammenhang von τελείωσις ist zu beachten: Jesus kehrt zu Gott zurück. So ist τελείωσις als Voraussetzung für die Priesterschaft Jesu im Himmel dargestellt. Das wird in 2,10ff (bes 2,17f) wie auch nach dem paränetischen Abschnitt 3,7–4,13 in 4,14ff, wo 2,17f aufgegriffen wird, besonders klar. Er ist im Himmel vor Gott, und als einer, der selbst Leiden und Versuchung kennt, bittet er für uns. Diese Voraussetzung für seine Priesterschaft wird verschieden ausgedrückt. In 2,9, im Anschluß an die Ausführung in c. 1, wird von der Erhöhung mit dem Zitat Ps 8,6 als Krönung gesprochen, in 2,10 von τελείωσις, in 4,14 vom Durchschreiten bzw von der Rückkehr, in 5,5–10 von Rettung (5,7), Erhörung (5,7), τελείωσις (5,9), nach dem paränetischen Abschnitt 5,11–6,12 im Anschluß an die Ausführungen über Ps 110,4 von τελείωσις (7,28). Aber auch hier tritt neben dieser Vorstellung die Rückkehr-Vorstellung (6,20) auf wie auch der Hinweis auf sein unzerstörbares Leben (7,16). Der Verfasser benutzt also verschiedene Vorstellungen, die selbst, wie zum Beispiel die Erhöhungsvorstellung und die Rückkehr-Vorstellung, in einer gewissen Spannung zueinander stehen. Aber wie in c. 1 geht es ihm grundsätzlich darum, die jetzige Stellung Jesu hervorzuheben und nicht die Er-

---

18 *Kögel*, Der Begriff τελειοῦν S. 34: »Allgemein-Begriff ohne bestimmten Inhalt«; ähnlich *Riggenbach*, Der Begriff τελείωσις S. 195; *Strathmann* zu Hb 7,11; *Buchanan* S. 31.
19 *Riggenbach*, Der Begriff τελείωσις S. 195.
20 *Michel* S. 224.
21 *Du Plessis*, Perfection S. 212.
22 *Du Plessis*, aaO S. 212f; vgl auch *Cullmann*, Christologie S. 97.
23 *Du Plessis*, Perfection S. 215.
24 *Du Plessis*, aaO S. 229f.

eignisse, die dazu führten, in den Vordergrund zu stellen. Deshalb kann er bald ursprünglich messianische Erhöhungsaussagen benutzen, bald den τε-λείωσις-Begriff heranziehen, bald von einer Rückkehr sprechen, bald auf das unzerstörbare Leben des Sohnes hinweisen. Ihm geht es hauptsächlich darum, die Bedeutung der jetzigen Stellung Jesu zu unterstreichen, sei es mit Bezug auf die Herrschaft wie in c. 1, sei es mit Bezug auf die Tätigkeit als fürsprechender Hoherpriester. Dieses Interesse des Vf (8,1) ist im ganzen Brief zu erkennen, auch in jenen Ausführungen, die nicht unmittelbar davon handeln (so 9,24b). So wird in den zusammenfassenden Worten von 10,19ff, die sich an den langen Abschnitt über das Opfer Jesu anschließen, auch von der jetzigen Stellung des Hohenpriesters gesprochen – Worten, die 3,1ff aufgreifen. In den abschließenden paränetischen Kapiteln des Briefes wird ebenfalls dieser Schwerpunkt erkennbar. Auf den Erhöhten, der als τελειωτής unser Heil, unsere τελείωσις, ermöglicht hat, wird unser Blick gerichtet (12,1f). Er ist schon vor uns in die himmlische Stadt eingetreten (12,24).

Τελείωσις gehört also zu den Vorstellungen, die der Vf benutzt hat, um die gegenwärtige Stellung Jesu hervorzuheben, aufgrund derer er sein Trostwort über die Tätigkeit Jesu als fürsprechender Hoherpriester entwickelt.

Exkurs zu A.II.1.
Zu Teleiosis als kultisch-soteriologischem Begriff

Als Hintergrund für die Vorstellung des Hb[1] sind folgende Bereiche in Betracht zu ziehen:
1. *LXX*. Die Bedeutung von Teleiosis als Priesterweihe entsteht aus der Übersetzung des Wortes jml in der Formel jml' 'et jdw durch ἐτελείωσε (τὰς χεῖρας αὐτοῦ)[2]. Als terminus technicus für die Priesterweihe wie in der LXX und im hellenistischen Judentum[3] wird Teleiosis im Hb nicht aufgenommen. Der kultische Gebrauch von τελειοῦν/τέλειος ist aber in der LXX keineswegs auf diese Priesterweihe beschränkt[4]. Im weiteren Sinne bedeuten die Wörter »Befähigung bzw fähig zur Teilnahme am Kultus«. Der Gebrauch von Teleiosis im Hb als Schaffung der Vorbedingungen für den Eintritt in die himmlische Welt ist hiermit bereits verständlich. Als Parallele zur Bedeutung des Begriffs im Hb als Nahen zu Gott sind vor allem SapSal 4,13 und 4Makk 7,15 (vgl 16,21) zu vergleichen. In beiden Fällen handelt es sich um den Tod

---

1 Zur Literatur vgl G. *Delling*, Art. τέλειος κτλ., ThWNT VIII, S. 80ff; Anm. 1 zu A.II.1 oben.

2 Ex 29,9.29.33.35; Lev 8,33; 16,32; Num 3,3; vgl auch Ex 28,41; Jdc 17,5.12; 2Chron 13,9; 29,31; 1Kg 13,33; Sir 45,15; TLevi 8,10. Ohne τὰς χεῖρας vgl ua Ex 29,22.27.31.34; Lev 7,37; 8,21.27f.33; 21,10. Über die Bedeutung der Wahl dieses Wortes für die Übersetzung vgl weiter *Delling*, ThWNT VIII, S. 81.

3 Philo LegAll III 130; VitMos II 149; vgl auch AssMos 10,1; Jub 32,2; TLevi 8,10.

4 Vgl 2Chron 29,35; 2Makk 2,9; Dan 3,40 (Theod); Ex 12,5; Deut 18,13; vgl auch Sir 31,10. Vgl auch den Gebrauch von tmjm in Qumran, das nach *H. Kosmala*, Hebräer Essener Christen (StPB 1), 1959, S. 133 Anm. 17; S. 236 Anm. 11 (vgl auch *A. Wikgren*, Patterns of Perfection in the Epistle to the Hebrews, NTS 6 [1959/60] S. 159–167) im NT weniger durch ἄμωμος als durch τέλειος wiedergegeben wird. Vgl 1QS VIII 1.20; XI 10ff; Mt 5,18; 19,21; Röm 12,2.

von einzelnen, wobei nicht bloß an das »zu Ende bringen« gedacht ist[5], sondern darüber hinaus an die Belohnung für das gerechte Leben.

2. *Philo.* Unter dem Einfluß der hellenistischen Philosophenschulen stuft er die Menschen auf drei Ebenen ein. Die obersten nennt er τέλειοι[6]. Zu dieser Gruppe sind sie durch einen Akt der τελείωσις gelangt, den er anhand alttestamentlicher Bilder schildert[7]. Dadurch haben sie nicht nur intellektuelle und ethische Reife erlangt, sie haben dadurch auch schon auf Erden[8] Zugang zu Gott und Unsterblichkeit erhalten[9]. So bedeutet Teleiosis zugleich die Schaffung der Vorbedingungen für wie auch das Nahen zu Gott. Aber auch bei Philo kommt an zwei Stellen[10] die Verbindung von Teleiosis mit dem Tod als religiöse Erfüllung vor.

3. *Die Mysterien und Gnosis.* Aufschlußreich ist das Fehlen von Teleiosis bei Philo an vielen Stellen, wo er Mysterienterminologie aufgreift. Er gewinnt seinen Begriff Teleiosis nicht von den Mysterien[11]. Das stimmt mit dem Befund überein, daß für einen Gebrauch von τελειοῦν/τελείωσις als terminus technicus der Mysterien eindeutige Beweise fehlen[12]. Wie bei Philo heißt die Gruppe der Wissenden in gnostischen Schriften τέλειοι[13]. Ihre Hoffnung erfüllt sich nach dem Tode[14], aber sowohl in diesem Zusammenhang wie auch überhaupt fehlt der Gebrauch von τελειοῦν/τελείωσις[15]. In den meisten Schriften wird das τέλειος-Werden mit der Taufe identifiziert[16].

---

5   Daß τελειωθῆναι »sterben« bedeuten kann, wird auch nach *Liddell* und *Scott* durch InscrGr 14,628 Rhegium belegt.

6   Agr 159ff; LegAll III 159; vgl LegAll II 91; III 140; Ebr 82; LegAll III 244; Cher 4; Deter 160 und dazu vgl ua *Delling,* Art. τέλειος κτλ., ThWNT VIII, S. 80f.

7   So zB die Namenswechsel: Abram zu Abraham (LegAll III 244; Cher 4 ua), Jakob zu Israel (Migr 39.201; Congr 51; QuGen III 49; ConfLing 72; Ebr 82 ua); der Exodus (Sacr 130ff; Heres 192.315; et passim); das Aufschlagen des Zeltes außerhalb der Lager (Ebr 100; LegAll II 54f; Deter 159 ua).

8   Vgl ua Ebr 82.136; LegAll II 55f; Somn II 229ff.234. Vgl ua Post 13.15; LegAll III 84,48; Sacr 134.7; Migr 39; Deter 56.158; Ebr 83.106f; Heres 78; LegAll II 82.

9   So ua Opif II 67.135.154; Sacr 10; Post 39; Heres 276; Mut 38; QuGen IV 187; Praem 110; durch Gottes Gnade: Ebr 145.

10   LegAll II 45.75.

11   Vgl LegAll III 3.27.71.219; Cher 49; Post 15.174; Gig 54.57; Immut 156; Plant 20.39.52.71; Ebr 18.125.129; Heres 69f; Somn I 104; II 3; Abr 123; VitMos II 153; SpecLeg I 41; III 40; Mut 1f; VitCont 25; Prob 14; QuGen IV 8.

12   Τελέω und τελετή sind als *Mysterienterminologie* belegt. Aber für τέλειος/τελειοῦν/τελείωσις als Mysterienterminologie fehlen bisher die Beweise. So ua *Riggenbach,* Der Begriff τελείωσις S. 189f (vgl aber S. 187); *Du Plessis,* Perfection S. 81–85 u. 120; *Delling,* Art. τέλειος κτλ., ThWNT VIII, S. 70. Das richtet sich gegen die besonders durch *Bauer,* Wörterbuch, verbreitete Auffassung, dieser Gebrauch sei bewiesen. Er stützt sich vor allem auf R. *Reitzenstein,* Die hellenistischen Mysterienreligionen nach ihren Grundgedanken und Wirkungen, [3]1966, S. 338f; vgl ähnl. *Haering,* Grundgedanke S. 266ff; *Käsemann,* Gottesvolk S. 85ff; *Schierse,* Verheißung S. 153; *U. Wilckens,* Weisheit und Torheit (BHTh 26), 1959, S. 53ff; *Dibelius,* Kultus S. 160ff; *Theissen,* Untersuchungen S. 97 u. 101. *Delling* schreibt (S. 70): »Die zT für die Bedeutung ›zur Weihe gehörig‹ oder ›eingeweiht‹ herangezogenen Stellen belegen sie in Wirklichkeit nicht«.

13   Vgl EvPhil 120,30ff; 124,31; EvVer 36,17–20; 42,3–30; SophJChr 124,9ff; ApokrJoh 65,6; vgl auch CorpHerm IV 4; Iren I 6,1f, und zu den Mandäern vgl das Register zu »Vollkommen« und »Vollendung« bei M. *Lidzbarski,* Ginza, 1920; vgl auch *Wilckens,* Weisheit S. 53ff.

14   Vgl ApkrJoh 65,6 und Ginza passim.

15   Andererseits kommt das Wort τέλειος unverändert als Terminologie in den koptischen Schriften vor. Die von *Käsemann,* Gottesvolk, angeführten Texte OdSal 9,4; 35,6; 36,2.6 (S.

4. *NT.* Auch Paulus kann die Fortgeschrittenen als τέλειοι bezeichnen (1Kor 2,6). Dabei dürfte aber nicht eine geschlossene Gruppe gemeint sein, sondern Christen, die für weitere Lehre reif sind[17], wie er auch von Christen als νήπιοι ἐν Χριστῷ sprechen kann (1Kor 3,1ff). Das Bild vom Erwachsensein und Nicht-Erwachsensein bestimmt den Gebrauch von τέλειος auch sonst bei Paulus[18] und ist bei der Verwendung von τέλειος/τελειότης im Hb vorauszusetzen (5,11ff; 6,1)[19]. Das Wort τελειοῦν kommt in Phil 3,12 vor. Meint Paulus hier, daß er sein Leben noch nicht ans Ziel gebracht hat (vgl im selben Vers »ich jage nach . . .«; vgl auch Lk 13,32; Apg 20,24), oder benutzt Paulus das Wort als Bezeichnung der Hoffnung auf die Auferstehung (ausdrücklich: 3,11) und das Treten vor Gottes Angesicht (vgl 1,23)? Haben seine Widersacher behauptet, daß für sie die Teleiosis bzw die Auferstehung schon stattgefunden habe? Und betont Paulus in 3,19 deshalb, daß ihr τέλος ἀπώλεια ist? Weniger wahrscheinlich ist, daß die Teleiosis-Vorstellung hinter Joh 17,23 steht. Es geht vielmehr um die Vollkommenheit der Einheit[20].

5. *Apostolische Väter.* In 1Klem 50,3–7 werden diejenigen als τελειωθέντες bezeichnet, die gestorben sind und, anders als die meisten Generationen seit Adam, einen Platz im himmlischen Reich bekommen haben, was bei der Parusie offenbart wird. Klemens kennt die formelhafte Aussage ἐν ἀγάπῃ τελειοῦν, die auch in 1Joh 2,5; 4,12.17.18 vorkommt, deutet sie aber anders als dort als das Eintreten ins Himmelreich, das erst durch die guten Werke der Liebe, die Vergebung bringen, ermöglicht wurde (vgl 49,5). Auch anders als in 1Joh kommt die Wendung in Did 10,5 und 16,2 vor. Es läßt sich nicht feststellen, ob auch hier eine dem Hb ähnliche Teleiosis-Vorstellung vorliegt. Auf jeden Fall kommt sie im eschatologischen Zusammenhang vor. Später wurde Teleiosis besonders im Zusammenhang mit dem Tod von Märtyrern gebraucht (ActPet I1; MartAnd 11; MartMatt 31; EusHE VII 15,5; sogar vom Tod Jesu selbst: EpistApost 19).

6. *Zusammenfassung.* Der Teleiosis-Begriff des Hb zeigt eine Verwandtschaft mit dem Gebrauch der Wortgruppe in der LXX, bei Philo, bei Klemens und vielleicht auch bei Paulus und in der Didache. Eine gradlinige Entwicklung zur Deutung im Hb läßt sich nicht herstellen. Wohl aber läßt sich zeigen, daß seine Vorstellung durchaus in seiner Umwelt vorbereitet ist.

2.   Die Auferweckung Jesu (Hb 13,20)

Voraussetzung sowohl für die Erhöhungsaussagen als auch für die Vorstellung von Jesu Teleiosis ist das Osterereignis. Wie hat der Vf die Tradition von der Auferweckung verstanden? Wir wenden uns den abschließenden

85f), hinter denen ein *terminologischer* Gebrauch von τελειοῦν zu vermuten sei, wie auch Justin bei Hippolyt, Refutatio V.24,2 haben keine Beweiskraft. Dazu vgl *Delling*, Art. τέλειος κτλ., ThWNT VIII, S. 70.
16   ZB EvPhil 123,19ff; GregNazOr 40,44 in MPG 36,421, wo τελειοῦν in diesem Sinne benutzt wird.
17   So *C. K. Barrett*, A Commentary on the First Epistle to the Corinthians, 1968, S. 69, gegen *Wilckens*, Weisheit S. 53ff, so *H. Conzelmann*, Der erste Brief an die Korinther (KEK [11]5), [1]1969, S. 74.
18   Vgl 1Kor 2,6; 13,10; Phil 3,15; 1Kor 14,20.
19   So ua *Delling*, Art. τέλειος κτλ., ThWNT, S. 78; *W. Grundmann*, Die νήπιοι in der Paränese, NTS 5 (1958/59) S. 188–205, bes S. 191f. Vgl zu Hb 5, 11ff unten S. 84ff.
20   Gegen *R. Bultmann*, Das Evangelium des Johannes (KEK [20]2), [11]1978, S. 396, *Schierse*, Verheißung S. 153. So *C. K. Barrett*, The Gospel according to St. John, 1956, S. 428.

Worten des Briefes zu: ὁ δὲ θεὸς τῆς εἰρήνης, ὁ ἀναγαγὼν ἐκ νεκρῶν τὸν ποιμένα τῶν προβάτων τὸν μέγαν (13,20).

Die Aussage 13,20

1. Νεκρῶν bezieht sich auf die Toten; ἐκ νεκρῶν wird häufig gebraucht, wenn von einem Leben nach dem Tode gesprochen wird, nicht zuletzt in Auferweckungs- und Auferstehungsaussagen des Urchristentums[1]. Die Wendung ἀναγαγὼν ἐκ νεκρῶν braucht hier aber nicht mehr zu bedeuten als daß der, der gestorben war, von Gott lebendig gemacht wurde. Aus dieser Wendung selbst kann also nicht entnommen werden, daß der Vf an eine leibliche Auferweckung gedacht hat. Deutlich ist aber seine Feststellung: Gott hat Jesus von den Toten »hinaufgeführt«. Er ist der, welcher Jesu Gebet erhört hat und ihn aus dem Tode retten konnte (vgl τὸν δυνάμενον σῴζειν αὐτὸν ἐκ θανάτου 5,7, ἐκ νεκρῶν ἐγείρειν δυνατὸς ὁ θεός 11,19).
Was hat der Vf darunter verstanden? Zunächst ist zu bemerken, daß ἀναγαγεῖν ἐκ νεκρῶν in den traditionellen Aussagen über die Auferweckung in den neutestamentlichen Schriften nicht vorkommt. In diesen dominieren die Verben ἐγείρω und ἀνίστημι (zB ὁ ἐγείρας τὸν Χριστὸν ἐκ νεκρῶν Röm 8,11; ἀναστήσας αὐτὸν ἐκ νεκρῶν Apg 17,31). In _Röm 10,7_ allerdings kommt das Verbum ἀνάγω in diesem Zusammenhang vor. In einer Gegensatzformel, die in Dtn 30,12–14 wurzelt, die aber im Judentum weit verbreitet war[2], und zwar mit Bezug auf das Wort des Gesetzes, spricht Paulus vom Wort Christi bzw von Christus selbst. Wir brauchen nicht Christus vom Himmel herab- oder aus der Tiefe heraufzuholen (V 6f). Er bzw sein Wort ist gegenwärtig. Paulus will nicht sagen, wie das Gesetz nach Dtn 30 gegenwärtig ist, so sei auch Christus gegenwärtig. Er will vielmehr sagen, daß Christus die Erfüllung und zugleich das Ende des Gesetzes ist (V 4). Was die Juden vom Gesetz sagen, ist eigentlich von Christus zu sagen. Er ist vom Himmel herabgekommen; er ist aus der Tiefe »heraufgebracht« worden (so 10,9). So ist τίς καταβήσεται εἰς τὴν ἄβυσσον auf die Auferweckung Jesu gedeutet worden (V 7). Die Auferweckung ist die Voraussetzung für die Gegenwart Jesu, wobei Paulus offensichtlich nicht etwa bloß an eine Zeit von 40 Tagen denkt, in denen nach Lukas der leiblich Auferweckte auf Erden gegenwärtig war, sondern an Jesus als den jetzt Gegenwärtigen. So ist die Wendung τοῦτ' ἔστιν Χριστὸν ἐκ νεκρῶν ἀναγαγεῖν auch hier nicht unbedingt auf diese Art von Auferweckung zu beziehen. Vielmehr ist hier das Schema von Herab- und Hinaufsteigen zu erkennen.

---

1 Zum Gebrauch von ἀνάγω in der LXX im Zusammenhang mit der Totenwelt vgl 1Sam 28,2.11 (vom Geist Samuels); SapSal 16,13; vgl auch Ps 29,4.
2 Dazu vgl _O. Michel, Der Brief an die Römer_ (KEK [14]4), [5]1978, z. St. und _Billerbeck_ III, S. 279.281.

2. Wir kommen einen Schritt weiter, wenn wir erkennen, daß ὁ ἀναγαγὼν ἐκ νεκρῶν τὸν ποιμένα τῶν προβάτων τὸν μέγαν eine Anspielung
auf *Jes 63,11 LXX* ὁ ἀναβιβάσας ἐκ τῆς γῆς τὸν ποιμένα τῶν προβάτων
aufweist[3]. Auch wenn Jes 63,11 selbst ein kompliziertes Textproblem bietet, so kann festgestellt werden, daß der Bezug auf Mose unbestritten bleibt
und dem Vf des Hb bekannt war. Nach dem hebräischen Text wurde Mose
bzw wurden Mose und Aaron aus dem Roten Meer herausgeführt. Der Text
der LXX lautet ἐκ τῆς γῆς. Die Lesung ἐκ τῆς γῆς für Hb 13,20, die den Vers
zu einer Himmelfahrtsaussage machen würde, ist nicht stark belegt[4] und als
späterer Einfluß aus der LXX abzulehnen. In den verschiedenen Textformen
von Jes 63,11 geht es darum, daß Gott den Mose aus Ägypten herausgeholt
hat. Diese Aussage über Mose wird auf Jesus übertragen. Das ist nicht die
einzige Stelle im Hb, in der wir eine Mose(-Exodus)-Typologie erkennen
können[5].
Aber wie war diese Übertragung möglich? Zunächst sind gewisse Abweichungen von der LXX zu berücksichtigen, die auch aus dem hebräischen
Text nicht erklärbar sind. Die erste ist rein sprachlich, nämlich ἀναγαγών
statt ἀναβιβάσας (LXX). ἀναγαγών paßt zum Gedanken des Herausfüh-
rens aus dem Tode besser als ἀναβιβάσας, besonders weil hier auf den dop-
pelten Sinn von »herauf« und »wieder« angespielt werden konnte (vgl Sap
Sal 16,15). Während mit den verschiedenen Formen des alttestamentlichen
Textes Ägypten gemeint ist, kommt zweitens ἐκ νεκρῶν in unserem Text
vor[6]. Es war ein Allgemeinplatz für das Judentum, daß Ägypten als Bild für
das Böse und den Todesbereich diente. Deshalb konnte dieser Text auf das
Herausführen Jesu aus dem Todesbereich angewandt werden.

Jesu Auferweckung im Lichte der Hoffnung der Christen

Aber auch nachdem wir diese Übertragung erklärt haben, bleibt immer noch
die Frage, was der Vf unter ὁ ἀναγαγὼν ἐκ νεκρῶν verstanden hat. Es hilft
weiter, wenn wir fragen, ob dieselbe Vorstellung in anderen Texten des
Briefes vorkommt und wie sie dort verstanden wird. Das würde eine Untersuchung aller Stellen bedeuten, die *das Bild des Exodus* auf die Christen beziehen, und damit eine Untersuchung der Zukunftseschatologie und der
Anthropologie des Vf. Einige Hinweise mögen genügen, um eine Antwort
zu geben.

3 Der MT lautet: ויזכר ימי־עולם משׁה עמו איה המעלם מים את רעי צאנו. Demgegenüber bietet
der LXX-Text: καὶ ἐμνήσθη ἡμερῶν αἰωνίων ὁ ἀναβιβάσας ἐκ τῆς γῆς τὸν ποιμένα τῶν
προβάτων. Die LXX scheint also als hebräischen Text gelesen zu haben וזכר ימי־עולם
המעלה מארץ את רעה צאן.
4 So 47, Chrysostomus, Didymus.
5 Dazu vgl S. 197f.137.
6 Vgl eine ähnliche Wandlung von »See« zum »Todesbereich« hinter Röm 10,7. Das hebräische jm und θάλασσα in Dtn 30,13 LXX wird durch ἄβυσσον wiedergegeben. Vgl Jes 63,11
mjjm. Ägypten und das Meer sind dabei als das Böse verstanden.

1.   Wir dürfen annehmen, daß das Bild vom Exodus auf die Christen bezogen wird und dasselbe meint wie bei einem Bezug auf Jesus. Es geht also um den Eintritt in das verheißene Land, in die κατάπαυσις, in die himmlische Welt, in die himmlische Stadt usw (vgl 3,7–4,13; 11; 12,18–28). Nun ist zu fragen, wann die Christen in diese himmlische Welt eintreten. Die Frage ist von Bedeutung, weil der Vf offensichtlich die Lehre von der Auferstehung der Toten kennt. Sie ist ein Grundelement des Christentums (6,1f) und wird als die Hoffnung der Gerechten des alten Bundes dargestellt (c. 11; bes 11,35). Auch Abraham glaubte, daß Gott ἐκ νεκρῶν ἐγείρειν δυνατός ist (11,17–19; vgl 5,7). Hier wird die Rettung Isaaks als Typus für die Auferweckung Jesu dargelegt. Das ganze Kapitel zeigt, daß das Leben nach dem Tode einen wesentlichen Teil des Inhalts der Hoffnung bildet. Von V 4 bis V 32 geht es in jedem Beispiel um Leben und Tod. Wann wird diese Hoffnung erfüllt?

2.   Wenn von Auferstehung gesprochen wird, ist zunächst an die Auferstehung der Toten am Jüngsten Tag, am Tag der Parusie zu denken. Der Vf sagt dies zwar nicht ausdrücklich, aber es ist sehr unwahrscheinlich, daß er von der Parusie und vom Jüngsten Tag ohne diesen Zusammenhang gewußt hätte. Man könnte dann den Schluß ziehen, daß die Hoffnung, die Auferstehung der Toten, der Eintritt in das Land, erst mit der Parusie geschieht. Das würde bedeuten, daß das eigentliche Heil erst mit der Parusie erreicht wird (angenommen, daß man vor der Parusie stirbt)[7].

3.   Aber obwohl es unbestritten ist, daß auch für den Vf die Auferstehung der Toten ein Zukunftsereignis ist, so ist immerhin deutlich zu erkennen, daß das eigentliche Heil, der Eintritt in die himmlische Welt, nach dem Tode zu erwarten ist. Das Heil besteht darin, in dieser himmlischen Welt bei Gott zu sein (vgl 2,3.5). Und dieses Heil, die τελείωσις, die Hoffnung der Gerechten des alten Bundes und unsere Hoffnung (11,39f) haben die Gerechten (so πνεύμασι δικαίων τετελειωμένων 12,23) wie auch die gestorbenen Christen schon erreicht (ἐκκλησίᾳ πρωτοτόκων ἀπογεγραμμένων ἐν οὐρανοῖς 12,23). Die Hoffnung der Gerechten, die sogar als Hoffnung auf Auferweckung dargestellt wird (11,35), wird hier als erfüllt gesehen, vor der Parusie und dem Jüngsten Tag! Wie ist das zu verstehen? Die Entwicklung, die schon im Judentum zu erkennen ist, nach der immer mehr an ein Leben nach dem Tode gedacht wurde und nicht nur wie früher an ein Schlafen der Seele[8], liegt offensichtlich auch hinter der Auffassung unseres Vf. Von einer allgemeinen Unsterblichkeit der Menschen sagt er nichts. Wir können nur feststellen, daß für den Hb die Christen gleich nach dem Tode in die Heilswelt eintreten. Das besagt andererseits nicht, daß er die Lehre von der Auferstehung am Jüngsten Tag aufgegeben hat. Nur hat er hier den

---

7   *Hofius*, Katapausis S. 181 Anm. 359. Nach ihm sind die τετελειωμένοι in 12,23 die Schlafenden. Aber damit ist die Bedeutung von τελειοῦν verleugnet. Ganz abwegig ist die Anschauung von *Buchanan* S. 9: »The author of Hebrews thought of deliverance from Roman rule as the age of ›rest‹«.

8   Dazu vgl M. *Hengel*, Judentum und Hellenismus (WUNT 10), ²1973, S. 357ff.

Schwerpunkt verlagert. Anstelle der Hoffnung auf die zukünftige Auferstehung steht jetzt die Hoffnung auf den Eintritt in die himmlische Welt. Auferstehung und Parusie stehen noch aus, aber die Auferstehung steht nicht mehr im Mittelpunkt der Eschatologie[9].

4. Was besagt das alles für die Auslegung der Aussage in 13,20? Wie der Vf die Hoffnung auf eine Auferstehung der Christen nicht verleugnen will, so scheint es uns äußerst unwahrscheinlich, daß er die Auferstehung verleugnen würde, wenn er sie kannte. Daß er sie kannte, ist kaum zu bezweifeln[10]. Wenn wir mit Bezug auf die Christen einerseits von einem Leben nach dem Tode bzw von einem Eintritt in die himmlische Welt, das verheißene Land, sprechen können und andererseits von einer noch ausstehenden Auferstehung der Toten, so ist die Frage zu stellen: Auf welches dieser beiden Momente im Leben Jesu bezieht sich die Aussage von 13,20? Daß in 13,20 von ihm als τὸν ποιμένα τῶν προβάτων τὸν μέγαν gesprochen[11] und nach der Hohenpriestertypologie auf sein Eintreten ins Allerheiligste mit dem Blut des ewigen Bundes angespielt wird (ὁ ἀναγαγὼν ἐκ νεκρῶν . . . ἐν αἵματι) ist unbestreitbar. Vor allem wegen der Exodustypologie an dieser Stelle, die auch auf die Christen angewandt wird, muß man an sein Leben nach dem Tode bzw an seinen Eintritt in die himmlische Welt denken. Um streng konsequent zu sein, müßte man daher feststellen, daß der Eintritt der Christen in das verheißene Land, die himmlische Welt, und ihre Auferstehung zwei verschiedene Ereignisse sind; dann dürfte die Wendung ὁ ἀναγαγὼν ἐκ νεκρῶν (13,20) nicht als Auferweckungsaussage aufgefaßt werden. Jesu Exodus und sein Eintritt in die himmlische Welt hätten gleich nach seinem Tode stattgefunden; seine leibliche Auferweckung drei Tage später[12]. Die Alternative wäre, daß der Vf sich die Auferweckung Jesu nicht leiblich vorgestellt (also anders als die traditionelle Aussage in 6,2, die die Auferstehung der Christen wahrscheinlich leiblich aufgefaßt hatte) und sie als Eintritt bzw Rückkehr in die himmlische Welt verstanden hätte[13]. Hat der Vf überhaupt so genau darüber nachgedacht[14]? Leider ist es nicht möglich, die Auffassung des Vf über die Auferweckung Jesu deutlich zu erkennen. Uns fehlt es an ausreichendem Beweismaterial.

9 Dazu vgl unten S. 60f.
10 Wenn er zB die sich aus Ps 110,1 ergebende Gedankenkette in c. 1 u. 2 benutzt, dann müßte er die darin enthaltene Auferweckungsaussage gekannt haben.
11 Zu ποιμήν als traditionelle Bezeichnung Christi vgl 1Pt 2,25; 5,4. Dazu vgl ua J. Jeremias, Art. ποιμήν, ThWNT VI, S. 493; *Deichgräber*, Gotteshymnus S. 186.
12 *Hofius*, Katapausis S. 181f Anm. 359: »Jesus stirbt am Kreuz (= προσφορὰ τοῦ σώματος 10,10) und fährt unmittelbar danach auf zum himmlischen Allerheiligsten, wo er selbst διὰ πνεύματος αἰωνίου (9,14) sein eigenes Blut darbringt (9,25) . . . Bei der Auferweckung Jesu, die Hb 13,20 erwähnt, sind dann Leib und πνεῦμα Jesu wieder miteinander vereinigt worden«.
13 So *Schierse*, Verheißung S. 95.155; F. V. Filson, Yesterday. A Study of Hebrews in the Light of Chapter 13 (StBiblTh II/4), 1967, S. 38; *Grässer*, Hb 1,1–4 S. 89.
14 So mahnt *Strathmann* hinsichtlich 13,20 zur Vorsicht. Ohne weitere Erklärung deuten folgende Komm. z.St. die Aussage auf die Auferweckung: *Westcott, Moffatt, Strathmann, Riggenbach, Windisch, Kuss, Bruce, Michel.*

Wir halten es aber für wahrscheinlich, daß er Jesu Auferweckung als Rettung aus dem Todesbereich und damit als seinen Eintritt in die himmlische Welt versteht und 13,20 darauf bezieht. Die Wendung ist anderen Auferweckungsaussagen zu ähnlich, um sie anders als eine Auferweckungsaussage zu verstehen[15]. Das Leben Jesu nach dem Tode ist Voraussetzung für alle Aussagen über seine Erhöhung und jetzige Stellung und daher für seine Christologie maßgebend. Diese Voraussetzung ist so unbestritten, daß der Vf selten darauf Bezug nimmt. Ihm geht es darum, die besondere Stelle des lebendigen Herrn hervorzuheben. Deshalb kann er leicht Aussagen über die Auferweckung auslassen, wenn er, wie bei der Gedankenkette in c. 1 und 2, den weiteren Zusammenhang dieser Aussagen in der Tradition aufnimmt. Ob nach dieser Auffassung von einer Himmelfahrt Jesu vom Kreuz aus gesprochen werden kann, hieße den Text überfragen[16]. Hat der Vf die Auferstehung so aufgefaßt? Oder hat er irgendwie an einen drei Tage dauernden Aufenthalt im Todesbereich gedacht und die Auferweckung, diesen Eintritt in die himmlische Welt, auf den dritten Tag datiert[17]? Diese Fragen bleiben offen. Fest steht: Die Aussagen des Vf über die Erhöhung, die τελείωσις und die jetzige Stellung Jesu sind darin verankert, daß Gott Jesus aus dem Tode herausgeführt hat. Bei all dem geht es ihm allerdings nicht darum, die Vergangenheit zu rekonstruieren, sondern darum, den lebendigen Herrn und seine Hilfe für die Gemeinde hervorzuheben.

3. Die Zukunft des Sohnes

Aussagen über die Parusie

Nicht nur die Auferweckungstradition, sondern auch die Hoffnung auf die Parusie ist fest verankert in der Überlieferung des Vf. An zwei Stellen, 9,28 und 10,37, wird ganz eindeutig von der Parusie gesprochen.
1. In 9,27 stellt der Vf das Schicksal Christi und das der Menschen nebeneinander. Was er offensichtlich und mit Recht als einen Allgemeinplatz der jüdischen und christlichen Welt voraussetzt, nämlich die Aussage über die Menschen[1], leitet eine traditionsgeprägte Aussage über Christus ein.
Es scheint zunächst beinahe so, als ob die Gedanken von 9,27f eine Hinzufügung des Vf sind, die eigentlich sehr wenig mit dem Kontext zu tun haben. Im Zusammenhang dieses Textes geht es nämlich darum, die Überle-

---

15 So besonders die Formel ἐχ νεχϱῶν.
16 Gegen *G. Bertram*, Die Himmelfahrt Jesu vom Kreuz aus und der Glaube an seine Auferstehung, in: Festgabe für A. Deissmann, 1927, S. 187–215, hier S. 215.
17 Kannte er die Auferweckungstradition mit dem Zusatz »am dritten Tag« oder »nach drei Tagen« nicht?
1 Dazu vgl die Belege bei *Windisch* zu 9,27.

genheit des Opfers Jesu hervorzuheben und nicht, Einzelheiten über sein späteres Schicksal und seine Zukunft herauszustellen. Allerdings wäre die Absicht des Vf so nicht richtig erfaßt. Es geht hier letzten Endes nicht um die Überlegenheit an sich, sondern um das Heil, das diese Überlegenheit seines Opfers garantiert[2]. Die Vorbedingungen für dieses Heil sind schon durch seinen Opfertod geschaffen worden. Das Heil selbst steht vor uns – in der Zukunft. Diese Perspektive geht im Zusammenhang dieser Ausführung nicht verloren. Der Sinn der ἀπολύτρωσις ist: damit die zum ewigen Erbe Berufenen die Verheißung empfangen (9,15). Auch in 10,1ff geht es letzten Endes um den Zugang zu Gott[3]. Und diese Hoffnung kommt erst in der Zukunft zur vollen Wirklichkeit. Es ist also keineswegs befremdend, daß der Vf in diesem Zusammenhang eine Aussage über die Parusie macht (7,28). Die Aussage selbst ist von ihm sehr knapp und vorsichtig formuliert. Χωρὶς ἁμαρτίας bezieht sich auf die vorangegangene Diskussion (vgl 9,26b). Bei der Parusie wird es nicht wie beim ersten Mal um eine Handlung, die die Sünde betrifft, gehen. Und die Wendung τοῖς αὐτὸν ἀπεκδεχομένοις (vgl Phil 3,20; 1Kor 1,7) läßt seine paränetische Orientierung in allen diesen Ausführungen klar erkennen (vgl 5,9). Der Vorschlag, daß mit dieser Aussage typologisch auf die Rückkehr des Hohenpriesters aus dem Allerheiligsten angespielt wird, ist kaum zutreffend, weil andere Gedanken (so V 27 u. 28a) diese Aussage von den Versen scheiden, in denen diese Typologie vorkommt (9,23–26), und weil die Aussage selbst keinen solchen Hinweis gibt[4].

Die Aussage ist also nicht zufällig, sondern vom Vf bewußt gestaltet[5]. Es ist daher zu fragen, was er unter dieser zweiten Erscheinung[6] verstanden hat, die für unser Heil wichtig ist[7]. Man bemerkt zunächst, daß diese Aussage als Parallele zu μετὰ δὲ τοῦτο κρίσις (7,27) steht. Es wird deutlich eine Verbindung zwischen Parusie und Gericht gezogen.

2. Diesen Zusammenhang findet man auch bei *10,37f*, der zweiten Parusie-Stelle. Am Ende seines Versuchs, durch die Hohepriestertypologie die Sicherheit des Heiles zu untermauern (bis 10,18), will der Vf seine Leser

---

2 Dieser Gedanke kommt in der langen Ausführung 9,1–10,18 immer wieder vor. Vgl außer den genannten Stellen 9,15 u. 27f; 9,8f; 9,14; 9,16f; 10,1; 10,14.

3 Gegen ua *Peake* S. 195; *Bruce* S. 223f (mit Hinweis auf Sir 50,5–10); *Montefiore* S. 163; *Nomoto,* Hohepriester-Typologie S. 222f; vgl Lev 16,24.

4 So wird nach V 28a Jesus von Gott dargebracht und ἀναφέρω mit ἁμαρτία in Anspielung an Jes 53,12 benutzt. Nach der Typologie bringt Jesus sich selbst dar; und außerdem wird ἀναφέρω sonst nicht mit ἁμαρτία, sondern mit θυσίαν als Objekt gebraucht. Diese Sühneaussage stammt also nicht aus der Hohepriestertypologie. Aber noch deutlicher zeigt 9,27, daß der Vf von der Typologie abgewichen ist. Insgesamt stehen sich durch ἐκ δευτέρου V 28 und ἅπαξ V 26b auch in 28a nicht der Eintritt und die Rückkehr gegenüber, sondern die zwei Erscheinungen und ihre Handlungen (πεφανέρωται V 26b und ὀφθήσεται V 28).

5 Das gilt auch dann, wenn er Motive aus der Tradition aufgenommen hat.

6 12,14 (. . . ἁγιασμόν, οὗ χωρὶς οὐδεὶς ὄψεται τὸν κύριον) dürfte eine traditionelle Aussage sein und κύριον sich dabei auf Gott beziehen. So *Michel* S. 45; *Bruce* S. 364.

7 Εἰς σωτηρίαν ist mit ὀφθήσεται und nicht mit ἀπεκδεχομένοις zusammenzunehmen; vgl dazu ua *Michel* S. 327.

ermutigen (10,19–25. 32–36) und zugleich warnen (10,26–31), damit sie treu bleiben, um das Heil endlich zu bekommen (10,36). Sonst bleiben für sie nur die Konsequenzen des Gerichts (10,27). Diese Ermutigung und Warnung wird nochmals mit dem Mischzitat aus Jes 26,20 LXX und Hab 2,3f LXX zum Ausdruck gebracht. Außer μικρὸν ὅσον ὅσον (Jes 26,20 LXX) entspricht das Zitat Hab 2,3f LXX. *Strobel* hat gezeigt, wie häufig dieses Zitat im Judentum eschatologisch gedeutet wurde und schlägt vor, daß ein ähnlicher Gebrauch auch im Urchristentum anzunehmen ist[8]. Obwohl der Vf offensichtlich von der LXX ausgeht, die auch diese Verse eschatologisch, sogar messianisch verstanden hatte[9], beruht seine Exegese also wahrscheinlich auf christlicher Tradition. Es zeigt sich wohl erneut seine Tendenz, Anspielungen auf die Schrift, die er in der Tradition vorgefunden hatte, als vollständige Zitate weiterzugeben[10]. Allenfalls hat er den LXX-Text umgestaltet, um die Bezogenheit des Wortes ἐρχόμενος[11] auf Jesus und der Wörter ἐὰν ὑποστείληται οὐκ εὐδοκεῖ ἡ ψυχή μου ἐν αὐτῷ auf die Christen festzulegen, damit die Bedeutung des Zitats für die Leser klar und zwingend wird. Es geht um das Wiederkommen Jesu und die Haltung der Christen in der Zwischenzeit. Ζήσεται[12] bezieht sich auf das Heil (etwa wie »ewiges Leben«), πίστις auf die jetzige Haltung der Christen[13]. Von der richtigen Haltung der Christen hängt der Empfang des für sie durch Christus gewonnenen Heils ab, was 10,39 nochmals betont.

Aber in 10,37 wird nicht bloß von der Parusie gesprochen, sondern auch von der Naherwartung. Es entsteht gar nicht die Frage, ob sich die Parusie verzögern wird. So kann der Vf die verstärkte negative Formulierung der LXX οὐ μὴ χρονίσῃ bloß durch οὐ χρονίσει wiedergeben. Er stellt im Gegenteil die Wörter aus Jes 26,20 μικρὸν ὅσον ὅσον an den Anfang des Zitats. Wir leben in den letzten Tagen, und dieses entscheidende Ereignis liegt gerade vor uns. Die Dringlichkeit der Aussage ist dem Vf nicht abzustreiten, besonders weil er selbst dieses Zitat so bewußt umformuliert hat. Es kann also

---

8   A. *Strobel*, Untersuchungen zum eschatologischen Verzögerungsproblem (NovTest Suppl. 2), 1961, S. 7–77 u. 79; vgl auch *Michel* S. 364f.

9   So ua *Strobel*, Verzögerungsproblem S. 47f u. 53ff; *Schröger*, Schriftausleger S. 287.

10   Vgl zu Ps 110,1 in 1,13 (vgl 1,3) und Ps 8,7 in 2,8a oben S. 18.

11   Zur Umgestaltung dieses Zitats durch den Vf vgl *Schröger*, Schriftausleger S. 182ff; *Strobel*, Verzögerungsproblem S. 82.

12   Zu ζάω im eschatologischen Zusammenhang vgl. 12,9; *Michel* S. 363; *Schröger*, Schriftausleger S. 184f; *Bruce* S. 274. Ζήσεται steht offensichtlich im Gegensatz zu ἀπώλεια (10,39).

13   Hier wird das Wort πίστις im Zitat nicht im Gegensatz zu den Werken gesehen, wie dies in Röm 1,17 u. Gal 3,11 vorliegt. Πίστις bedeutet hier vor allem Beharren, Treue. Dazu E. *Grässer*, Der Glaube im Hebräerbrief (MbThSt 2), 1965, S. 102ff u. passim; G. *Dautzenberg*, Der Glaube im Hebräerbrief, BZ 17 (1973) S. 161–177. T. W. *Lewis*, ». . . And if he shrinks back« (Hebr 10,38b), NTS 22 (1975/76) S. 88–94, glaubt, daß der Vf gegen eine durch Jes 26,20 von den Lesern begründete, zurückgezogene Lebensweise polemisiert. Vgl *Buchanan*, der spekuliert, daß die Leser eine monastische Gruppe in Jerusalem seien (S. 256ff). Seine gewagte These ist kaum überzeugend.

ohne Zweifel von einer Naherwartung gesprochen werden[14]. Diese Naher-
wartungsaussage ist nicht mit der Naherwartung der frühesten Christen
gleichzusetzen, sondern setzt voraus, daß die Parusieverzögerung schon ein
Problem geworden ist[15]. Die Rolle der Parusie in der Christologie des Vf ist
noch weiter zu untersuchen, aber sicher läßt sich feststellen: Es geht hier
nicht nur um eine Drohung, sondern auch um eine Ermutigung, die Zeit bis
zum Heil ist nicht lang. Damit wird das Erlangen des Heils tatsächlich mit
dem Ereignis der Parusie verbunden.

3. Diese Naherwartung ist auch in 10,25 zu erkennen, wo ausdrücklich
gesagt wird, daß der Tag sich nähert (vgl 1Kor 5,5; Phil 1,6.10; 2,16;
1Thess 2,2 ua). Der Vf will damit seine Paränese unterstreichen. Er nimmt
an, man könnte jetzt sehen, daß der Tag nahe ist. Das Zeichen, das dem Vf
und seinen Lesern erkennbar ist, hat sehr wahrscheinlich mit der besonderen Lage der Leser zu tun, die zum Teil diesen Brief veranlaßt hat. So ist hier
wahrscheinlich an eine Drohung weiterer Verfolgung durch die Behörde zu
denken, die so grausam aussehen wird, daß an Gottes Intervention, an die
Parusie gedacht wird[16]. Der Tag des Gerichts ist nahe. Und deshalb, angesichts dieser allerletzten Tage, in denen den Lesern Leiden bevorstehen, sollen sie als Verfolgte eng zusammenhalten, einander trösten und ermutigen
(10,25).

4. Es bleibt noch ein Text, der sehr wahrscheinlich auf die Parusie zu deuten ist, nämlich 1,6. Wir haben schon gezeigt, daß in 1,4ff die Herrschaftsstellung Jesu hervorgehoben wird. In 1,6 wird von der feierlichen Anbetung
der Engel bei der Offenbarung dieser Herrschaft vor der Welt gesprochen.

Weitere Zukunftsaussagen

Die eigentliche Bedeutung der Parusie für den Vf kann erst richtig erkannt
werden, wenn die anderen christologischen Zukunftsaussagen des Briefes
untersucht sind.

1. In *1,13* wird Ps 110,1b zitiert, ohne daß zunächst ἕως ἂν θῶ τοὺς ἐχ-
θρούς σου ὑποπόδιον τῶν ποδῶν σου ausgelegt wird. Auf diesen Teil von
Ps 110,1 wird auch in 10,13 angespielt. Hier wird hinzugefügt, daß Jesus in-
zwischen wartet, bis dies erfüllt wird, so daß wir feststellen können, daß die
Zukunftsbezogenheit von Ps 110,1b vom Vf berücksichtigt ist. Wie verhalten sich die Einsetzung Jesu und seine eigentliche Herrschaft, die hier beschrieben wird, zueinander?

2. In *2,5* wird auf Ps 8,7 angespielt, der zugleich an Ps 110,1b erinnert.
Gott hat »die zukünftige Welt« nicht den Engeln untergeordnet, sondern

---

14 So ua *Michel* S. 362; *Bruce* S. 274f; und vgl Anm. 28 unten.
15 So mit Recht *Grässer*, Glaube S. 173; *Bruce* S. 255. 274f; *Michel* S. 362.
16 Vgl *Michel* S. 349; *Riggenbach* S. 324. Die ältere Exegese weist oft auf Mk 13,28f parr
hin; vgl *Bleek*, *Westcott* z.St.

dem Sohn. Folgendermaßen wird Ps 8,7 in 2,8 ausgelegt: Zunächst wird die Universalität der Herrschaft des Sohnes unterstrichen (2,8a). Dann wird eine Unterscheidung zwischen dem, was wir jetzt sehen, und dem, was wir noch nicht sehen (2,8b–9), getroffen. Der Vf argumentiert als Seelsorger von der eigentlichen Situation der Leser aus, was sie noch nicht sehen. Bedeutet das, daß alles dem Sohn schon untertan ist oder daß die Unterwerfung noch aussteht? Sicherlich ist er schon Herr über die Engel und die himmlische Welt – selbstverständlich unter Gott (vgl 2,10a und 1,9). Das ist für die Christen die Hauptsache. Immerhin steht die kosmische Verwirklichung dieser Herrschaft noch aus. Wann wird diese Herrschaft zur vollen Wirklichkeit gelangen? Offensichtlich dann, wenn die Feinde ihm unterworfen worden sind, am Tage des Gerichts. Seine wirkliche Rechtsstellung wird dann konsequent verwirklicht. Hier haben wir es also nochmals mit dem Tag zu tun, der auch der Tag der Parusie ist.

3.   Wo wird sonst im Brief von diesem Tag gesprochen? Hier muß 12,26ff herangezogen werden. Wir erfahren dort weiteres über das Gerichtsereignis. Der doppelte Akzent des Vf ist zu erkennen: Warnung und Ermutigung. Die Ermutigung liegt darin, daß wir ein »unerschütterliches Königreich«[17] bekommen haben, das bestehen bleibt und bestehen bleiben wird[18]. Die Warnung lautet, daß wir dieses »Königreich« nicht aufgeben sollen, weil wir sonst erschüttert werden und nicht zu den Bleibenden gehören. Selbst wenn man nicht mit Sicherheit festlegen kann, ob von einer Vernichtung gesprochen wird oder nur von einer Wandelbarkeit – was letzten Endes genausosehr Unheil bedeutet –[19], bleibt trotzdem klar, daß dieses Ereignis der Erschütterung als das Gerichtsereignis verstanden wird[20] und als solches

---

17   Zur Form des Zitats aus Hagg 2,6 vgl vor allem *Schröger*, Schriftausleger S. 190ff.

18   Zu μείνῃ schreibt *A. Vögtle*, Das Neue Testament und die Zukunft des Kosmos, 1970, S. 88: »Beim Vf des Hb ist vielleicht auch die Neigung Philons mitzuveranschlagen, ›das Göttliche als das Unerschütterliche zu bestimmen‹«. Er zitiert dabei *G. Bertram*, Art. σαλεύω, ThWNT VII, S. 67. Vgl auch *F. Hauck*, Art. μένω, ThWNT IV, S. 579–581. Diese Neigung wird bestätigt, wenn man den Ausdruck in 12,27 vergleicht: σαλευομένων entspricht πεποιημένων; vgl auch οὐ χειροποιήτης in 9,11 u. 24; vgl 11,3. Dieser Gegensatz prägt schon die Ausführung 12,18–25 stark. Vgl auch *J. W. Thompson*, »That which cannot be shaken«. Some metaphysical assumptions in Hebr 12,27, JBL 94 (1975) S. 580–587.

19   So ua *Bauer*, Wörterbuch, zu δηλόω; *Windisch* S. 115; *Schierse*, Verheißung S. 174.183 u. S. 136f; *Käsemann*, Gottesvolk S. 29f; *G. Bornkamm*, Art. σείω, ThWNT VII, S. 197; *Bruce* S. 118; *Theissen*, Untersuchungen S. 121.92f. *Vögtles* Einwand ist richtig, daß μετάθεσις nicht »Vernichtung« bedeuten kann (Zukunft S. 82f). Aber hier kommt es auf dasselbe hinaus, so daß man V 27 so zu verstehen hat. Das »noch einmal« zeigt an, daß die Erschütterten verändert bzw so gut wie vernichtet werden, weil sie ja als die Geschaffenen nicht standhalten können.

20   Gegen die Bedeutung »Verwandlung« bzw »Erneuerung« (neue Himmel und neue Erde), ein Gedanke, der dem Zusammenhang ganz fremd ist, wehrt sich *Vögtle*, Zukunft, mit Recht (S. 78–81). Gegen *Strathmann* S. 149; *Michel* S. 321 u. 325; *Bertram*, Art. σαλεύω, ThWNT VII, S. 70; *Kuss* S. 27; *C. Maurer*, Art. τίθημι, ThWNT VII, S. 163; *Schröger*, Schriftausleger S. 193. Vgl auch *A. Feuillet*, Les points de vue nouveaux dans l'eschatologie de l'Epître aux Hébreux, in: StEv II = TU 87 (1964) S. 369–387, bes S. 377: »Déplacement«; *Vanhoye*, Structure S. 235: »la destitution (des choses qui s'ébranlent)«; *Spicq* II S. 412f.

sogar die Unterwerfung der Feinde bezeichnet. Unser Heil besteht darin, daß wir zu den Bleibenden gehören. Im Brief kommen also zwei Argumentationsweisen zusammen: einerseits wird die Sicherheit unseres Heils ontologisch dadurch begründet, daß wir zu den Unerschütterbaren gehören; wir sind Mitglieder der bleibenden Welt geworden (12,25–28); andererseits wird von der Einsetzung Jesu in seine ewige Herrschaft gesprochen, wir sind von ihm angenommen und bleiben bei ihm (1,4–14; 2,5.8 und 16; 3,6.14)[21]. Wenn man diese beiden Gedanken nebeneinanderstellt, so ist klar zu erkennen, daß Jesus in der Tat schon Herrscher ist und die künftige bzw bleibende Welt des Heils schon existiert. Seine Herrschaft über alles (2,8), die bei der Parusie zur vollen Wirklichkeit wird (2,8), schließt also einerseits die Unterwerfung der Feinde (1,14 durch Gott) und die Erschütterung der nicht bleibenden Welt (12,26f) ein wie auch andererseits die Herrschaft über die künftige Welt des Heils (2,5), die schon jetzt existiert und bleibt (12,27f).

4.   Das Heil, das für die Christen immer noch in der Zukunft liegt, ist sicher, weil Jesus jetzt Herrscher der Welt des Heils ist. So wird in der Ausführung über seine Herrschaft betont, daß sein Thron ewig ist (1,8). Als Herrscher ist er für immer eingesetzt worden. Aufgrund der Erhöhung ist also die Zukunft und das Heil der Christen sicher.

Aber gleich anschließend in *1,10ff* kommt die andere Argumentationsweise vor. Die Zukunft ist sicher, weil der Herr zugleich der Schöpfer ist und bleibt, auch wenn das Geschaffene vergeht (1,10.11a)[22]. Die Ähnlichkeit mit 12,25ff ist nicht zu übersehen. Der Bleibende wird dem nicht Bleibenden gegenübergestellt. Dabei wird aber nicht von einem Prozeß der Natur gesprochen. Es ist nicht so, daß das Geschaffene allmählich alt wird und vergeht[23]. Der Vf hat sein Zitat bewußt umgestaltet. Die Himmel und die Erde werden nicht bloß alt und verändert (so Ps 101,27 LXX καὶ ὡσεὶ περιβόλαιον ἀλλάξεις αὐτοὺς καὶ ἀλλαγήσονται), sondern aufgerollt und aus-

---

21   So ua *C. Brady*, The World to Come in the Epistle to the Hebrews, Worship 39 (1965) S. 329–339, die allerdings die jetzige Erfüllung in der Liturgie so betont, daß der Zukunftsbezug zu kurz kommt (vgl S. 337ff). Zur Gegenwart der künftigen bzw himmlischen Welt vgl auch ua J. *Cambier*, Eschatologie ou hellénisme dans l'épître aux Hébreux, Sal. 11 (1949) S. 62–96; *Cody*, Sanctuary S. 137ff.

22   So ua *Schröger*, Schriftausleger S. 69.

23   Mit Recht lehnt *Vögtle*, Zukunft S. 95f die Übersetzung »verwandelt werden« für ἀλλαγήσονται ab (gegen ua *Küss* S. 35; *Schierse* S. 29; *Strathmann* z.St.); gleiches gilt für die Übersetzung »werden sich ändern« (gegen *Vanhoye*, Structure S. 73; *Spicq* II S. 21; *Héring* S. 24). Es geht hier wie auch in 12,26ff nicht um eine Erneuerung (so ausdrücklich *Hofius*, Katapausis S. 258), sondern um die Vergänglichkeit und vor allem um das Vergehen (so 11a αὐτοὶ ἀπολοῦνται). Es wird bildhaft von einem Kleiderwechsel gesprochen (so *Vögtle* in Übereinstimmung mit *Riggenbach* S. 24). Bei ἀλλαγήσονται liegt der Nachdruck aber nicht auf dem Umziehen, sondern dem Ausziehen, wie die parallelen Aussagen (ἑλίξεις und αὐτοὶ ἀπολοῦνται) zeigen. Auch hier interessiert sich der Vf ebensowenig für die Kleider nach dem Ausziehen (nachdem sie ἀπολοῦνται) bzw für den Zustand der Himmel und der Erde nach dem Gericht wie für die genauen Implikationen einer μετάθεσις in 12,27.

gezogen (καὶ ὡσεὶ περιβόλαιον ἑλίξεις[24] αὐτούς, ὡς ἱμάτιον καὶ ἀλλαγήσονται).
Hier wird offensichtlich wieder an *den* Tag des Gerichts gedacht.

Zusammenfassung

Der Tag der Parusie, als Tag des Gerichts und des Heils, spielt eine wichtige
Rolle in den Gedanken des Vf. Dieser Tag wird bald erscheinen, so heißt die
Erwartung. Eigentlich bedeutet dieses Ereignis aber nicht viel mehr als eine
Offenbarung. Die Welt des Heils existiert schon. Jesus ist schon in dieser
Welt (12,24) und ist ihr Herr. Diese Herrschaft Jesu und ihre Dauerhaftigkeit werden doppelt begründet: einerseits ist er als Schöpfer der Bleibende,
und die Herrschaft des Heils ist das Bleibende; andererseits ist Jesus mit seiner Erhöhung als Herrscher eingesetzt worden, und das gilt für immer.
Diese Ewigkeit Jesu kommt nicht zuletzt zum Ausdruck in der bekenntnis-
artigen Aussage von 13,8 Ἰησοῦς Χριστὸς ἐχθὲς καὶ σήμερον ὁ αὐτὸς καὶ
εἰς τοὺς αἰῶνας.

Die Bedeutung der Parusie in der Theologie des Vf

Jetzt können wir versuchen, die Frage zu beantworten, welche *Bedeutung*
der Vf *der Parusie* in seiner Christologie beimißt[25]. Wenn der Vf auf das
Heil hofft, so hofft er auf die Parusie. Einige haben aber diese Welt des Heils
schon erreicht (12,23), auch wenn der Vf die traditionelle Vorstellung von
der endzeitlichen Auferweckung der Toten aufgegriffen und weitergegeben
hat (6,2). Zunächst scheint hier ein Widerspruch vorzuliegen. Einerseits
wartet man auf die Parusie (9,28); andererseits tritt man in die Heilswelt
gleich nach dem Tode ein. Nach unserer Analyse können wir etwa mit dem
Hinweis auf ihren Ursprung in der Tradition[26] kaum behaupten, daß alle
Aussagen über den letzten Tag dem Vf abzusprechen sind. Er selbst hat einige ganz bewußt formuliert. Wir können andererseits nicht leugnen, daß
die himmlische Welt und das Eintreten in diese Welt das Heil bedeuten und
einige diese himmlische Welt schon erreicht haben[27]. Ist also doch nur von
einem unüberbrückbaren Widerspruch im Brief zu sprechen? Unserem gebildeten Vf ist ein solcher Widerspruch in für ihn wichtigen Themen kaum
zuzumuten. Nur wenn wir seinen Glauben an eine Naherwartung der Par-

---

24   Zu ἑλίξεις als der ursprünglichen Lesart des Hb vgl *Schröger*, Schriftausleger S. 67.
25   Auf die Frage nach der weiteren Eschatologie des Briefes können wir nicht eingehen. Dazu
vgl ua C. K. *Barrett*, The Eschatology of the Epistle to the Hebrews, in: In honour of C. H.
Dodd, Cambridge 1956, S. 363–393; *Cambier*, Eschatologie; *Grässer*, Glaube S. 171–184;
Klappert, Eschatologie; *Theissen*, Untersuchungen S. 88–110.
26   So *Klappert*, Eschatologie S. 48ff; vgl *Grässer*, Glaube S. 179f.
27   Dazu vgl *Grässer*, Glaube S. 174.

usie ernst nehmen, löst sich dieses Dilemma. Für den Hb und seine Leser ist offensichtlich die Parusie näher als der Tod. Deshalb wartet er auf die Parusie des Heils[28]. Was aber die Dynamik und die Struktur seiner Christologie betrifft, so hat durch die Vorstellung von der himmlischen Welt als Welt des Heils, in die man nach dem Tode eintritt, eine Verlagerung des Gewichts stattgefunden. Nicht die Parusie als solche, sondern die Parusie als »nächste Eintrittsmöglichkeit« in die himmlische Welt ist von entscheidender Bedeutung. Ohne den Glauben an eine Naherwartung würde der Augenblick des Todes diese Rolle übernehmen und der Parusie nur funktionale Bedeutung zukommen. Das ist beim Vf aber noch nicht eindeutig der Fall, weil der Glaube noch ernst genommen wird[29].

---

28 Man muß von einer Naherwartung im Hb sprechen. So ua *Ménégoz*, Théologie S. 172; *Gyllenberg*, Christologie S. 687; *Barrett*, Eschatology S. 363ff; *Windisch* S. 87; *Montefiore* S. 184; *Bruce* S. 256; *Theissen*, Untersuchungen S. 90, der vor allem die Bedeutung der vielen Gerichtsaussagen in diesem Zusammenhang hervorhebt (S. 108f; so 10,27.30f; 4,12f); *Hofius*, Katapausis S. 57.142.151.
29 Gegen *Barrett*, Eschatology S. 391; *Grässer*, Glaube S. 171.184.

III. Jesu göttliche Würde

1. Jesus und der Kosmos (Hb 1,1–4)

Der Vf bemüht sich darum, die Bedeutung traditioneller Vorstellungen für die gegenwärtige Situation seiner Leser herauszuarbeiten. Vor allem kommt es ihm darauf an, auf den Herrn der Gemeinde hinzuweisen, der sie errettet hat und ihnen helfen kann. Dabei wird aber nicht nur auf seine Herrscherstellung hingewiesen, wie bei den Erhöhungsaussagen, sondern auch auf seine Person selbst, denn er ist der Sohn Gottes. Wir wenden uns in diesem Teil Texten und Traditionen zu, in denen dies besonders deutlich hervortritt, zuerst den Versen 1,1–4.

Gott hat durch den Sohn gesprochen (1,1–2a)

1.   In gut rhetorischem Stil beginnt der Vf seinen Brief, aber dieser Beginn meint keineswegs nur einen formalen Anfang. Der Vf fängt mit Gott an, genauer, mit seinem Wort durch den Sohn. Damit meint er ein geschichtliches Ereignis am Ende der Tage, bei dem der Sohn erschienen ist, um Gottes Heilsbotschaft zu proklamieren. Den genaueren Inhalt dieses Heilsereignisses wird der Vf im Laufe seines Briefes weiter erörtern. Wichtig ist, daß er gleich am Anfang von der Sohnschaft spricht und dabei die Präexistenz impliziert, auch wenn sie nicht genauer präzisiert ist[1].
2.   Aber dieses Wortereignis steht in der Geschichte nicht allein. Gott hat schon durch die Propheten gesprochen. Der Vf will diese Tatsache keineswegs leugnen. Auch wenn diese Propheten Diener des alten Bundes waren, so ist es falsch, von einem polemischen *Gegensatz* zu sprechen oder die Erwähnung der Propheten nur damit zu erklären, daß der Vf einen typischen Gegensatz gebrauchte, um die Einmaligkeit der christlichen Offenbarung hervorzuheben[2]. Es besteht vielmehr eine *Kontinuität* zwischen diesen Ereignissen. Sie liegt nicht darin, daß Jesus die Verheißungen der Propheten erfüllt hat[3], auch wenn dieses Motiv sonst im Brief zu spüren ist[4]. Die Kontinuität hat zwei Aspekte: erstens ist es derselbe Gott; zweitens gehören die Christen damit zu den geistlichen Nachkommen der Väter. Das heißt, der Vf und seine Leser waren sehr wahrscheinlich Juden oder Gottesfürchtige

---

1   Es reicht nicht aus, mit *Käsemann*, Gottesvolk S. 59 zu sagen: »Man wird demnach in 1,2; 5,7 einen proleptischen Gebrauch des Titels ›Sohn‹ vorliegen sehen.« Der Vf setzt vielmehr die Präexistenz und damit die präexistente Würde des Sohnes voraus, wie die folgenden beiden Kapitel unserer Untersuchung zeigen werden.
2   So mit Recht *Bruce* S. 2; *Moffatt* S. 3; vgl auch *Grässer*, Hb 1,1–4 S. 76.
3   So mit Recht *Grässer*, Hb 1,1–4 S. 76; gegen ua *Bruce* S. 2.
4   ZB mit dem Gebrauch von Jer 31,31–34 (8,8–12; und bes 10,16–17).

der Diaspora, ehe sie Christen wurden[5]. Die Erwähnung der Propheten ist also durchaus positiv gemeint, weil der Vf eine echte Kontinuität sieht. Aber andererseits ist mit der Erwähnung des Sohnes eine Steigerung unverkennbar. Der Vf argumentiert hier a minori ad maius. Jesus ist nicht bloß ein Prophet; er ist *der* Sohn[6].

3. Auch Vielfältigkeit (πολυμερῶς) und Verschiedenartigkeit (πολυτρόπως) brauchen nicht unbedingt negativ verstanden zu werden[7]. Hier haben wir es ebenfalls sehr wahrscheinlich eher mit einer Steigerung von »gut« zu »besser« zu tun. Das πάλαι braucht ebenfalls nicht negativ gedeutet zu werden[8]. Vielmehr spiegelt sich in diesem Fall die geläufige Auffassung wider, daß die Zeit der Propheten längst vorbei ist, zumindest was die Propheten des Judentums betrifft[9].

4. Der »positive Gegensatz« zwischen den Propheten und dem Sohn dürfte nicht zufällig sein. Schon in Israel und im Judentum wird etwas Neues erwartet, nachdem Gott durch die Propheten gesprochen hatte und die Väter nicht gehorcht hatten. Die Weisheitstradition, die in diesen Versen nachwirkt, schildert das vergebliche Sprechen der Weisheit, sogar durch die Propheten[10]. Aber die Parallele zu unserem Text ist ungenau, weil von unserem Vf nie gesagt wird, daß Jesus durch die Propheten gesprochen hat[11].

Der Gedanke, daß Gott zu seinem ungehorsamen Volk durch die Propheten gesprochen hat, kommt sehr oft im NT vor[12]. Sehr auffällig ist die Perikope Mk 12,1–9, wo ein ähnlicher Gegensatz zwischen den Propheten und dem Sohn als dem Erben (vgl Hb 1,2ba) aufgerichtet wird[13]. Aber in allen diesen Beispielen steht die Zurückweisung, die Jesus und die Propheten erfahren, im Vordergrund, während diese in unserem Text nicht zum Ausdruck kommt. Das schließt keineswegs aus, daß die Gedanken des Vf nicht von diesen Stellen hätten beeinflußt sein können. Für ihn steht aber das Sprechen Gottes im Vordergrund, nicht nur in diesen Versen, sondern im ganzen ersten Hauptteil des Briefes (1,1–4,13).

5. Fragt man nach dem Inhalt dieser Botschaft, so reicht es nicht aus, auf

---

5 Man darf zwar aus dem Wort πατράσιν nicht entnehmen, daß der Vf und seine Leser Juden sind (gegen *Bleek* z.St.; mit *Vanhoye*, Situation S. 58; *Grässer*, Hb 1,1–4 S. 75). Diese Tatsache geht allerdings aus anderen Stellen des Briefes hervor, so daß man annehmen darf, daß der Vf und seine Leser, auch ehe sie Christen wurden, die Väter als die geistlichen Väter verstanden.

6 Dazu vgl die Artikellosigkeit von υἱός in 3,5; 5,8; 7,28 und ferner *Michel* S. 94.

7 Dazu vgl die Diskussion bei *Grässer*, Hb 1,1–4 S. 73ff.

8 AaO S. 74 zu πάλαι.

9 So *Lünemann* S. 61. Vgl JosContAp 1,8; PirqeAboth 1,1; 1Makk 9,27; 4,46; 14,41.

10 SapSal 7,27f; vgl Sir 24,7 und vor allem Lk 11,49ff; 7,31ff.

11 Von einem Gestaltwandel Jesu im Hb analog zum philonischen Logos – dazu vgl ua *H. Hegermann*, Die Vorstellung vom Schöpfungsmittler im hellenistischen Judentum und Urchristentum (TU 82), 1961, S. 67–87 – ist nicht zu sprechen (so vgl 9,26; auch *Theissen*, Untersuchungen S. 29 und *Grässer*, Hb 1,1–4 S. 76).

12 Vgl ua Hb 3,7ff; auch 2,1f; 10,28f; 12,18ff; Mt 23,37 par; Apg 7,51ff.

13 Vgl dazu *Windisch* S. 9; *Moffatt* S. 5.

die σωτηρία und die himmlische Welt hinzuweisen (2,3.5). Wie eng viel-
mehr Soteriologie und Christologie zusammengehören, zeigt gerade der
Abschnitt 1,1–4. Wo man nach 2a eine genauere Inhaltsbeschreibung dieses
Wortes erwartet, kommt eine Fülle von christologischen Aussagen. Die
Botschaft ist inhaltlich durch die Person und das Werk des Sohnes be-
stimmt.

Ein Hymnus hinter 1,2a–4?

Wenden wir uns den Versen 1,2a–4 zu, so ist zunächst zu erwähnen, daß
der *hymnusartige Charakter von V3* von vielen Exegeten erkannt worden
ist[14].

Der Anfang mit ὅς[15], das neue Subjekt gegenüber 1,2; die Partizipien außer im letzten Satz;
Begriffe, die sonst im Brief nicht vorkommen: ἀπαύγασμα, χαρακτήρ, φέρων (in diesem
Sinne nur hier), μεγαλωσύνης (abhängig von 1,3: 8,1), ὑψηλοῖς (außer 7,26; vgl 8,1); die
Abhängigkeit des Vf von ἐκάθισεν ἐν δεξιᾷ τῆς μεγαλωσύνης ἐν ὑψηλοῖς in späteren Stellen
des Briefes, die Tatsache, daß 3a,b u. c vom Vf nicht weiter aufgegriffen werden; und schließ-

---

14   So E. *Norden,* Agnostos Theos, [3]1956, S. 385f, der 1,1–3 als übernommenes Gut für möglich hält; *Michel* S. 96f, der in 1,3 »ein selbständiges Christusgedicht«, das aus vier Gliedern
besteht und die Sprache der hellenistischen Synagoge enthält, erkennt; *Käsemann,* Gottesvolk
S. 63f, der hinter Hb 1,2f eine ähnliche Tradition wie hinter Phil 2,6ff und Kol 1,15ff sieht;
Bornkamm, Bekenntnis S. 197f, der in 1,3 ein fünfzeiliges Bekenntnis zum Gottessohn erkennt, das in der Eucharistie seinen Sitz im Leben hatte (vgl 13,15), sicherlich hinter 1,4 (Namensverleihung) und vielleicht ursprünglich hinter 1,2b stand; *L. Cerfaux,* Hymnes au Christ
des Lettres de Saint Paul, Revue diocésaine de Tournai 2 (1947), S. 3–11, hier 7, der V2b u. 3
zum Hymnus rechnet; *G. Schille,* Frühchristliche Hymnen, 1962, S. 40ff, der einen teilweise
überarbeiteten Hymnus hinter V2–4 erkennt; *R. H. Fuller,* The Foundations of New Testament Christology, 1965, S. 220f, der in 1,3 u. 4a (nur das Wort über die Engel) einen Hymnus
erkennt; *Deichgräber,* Gotteshymnus S. 137–40, der nur in 1,3 einen Hymnus erkennt;
ebenso *Wengst,* Christologische Formeln S. 166–170; *Theissen,* Untersuchungen S. 34–37.50
Anm. 51, der einen gemeinsamen Hymnus hinter Hb 1,3a.b.c (nicht d) e und 4 und 1Klem 36,1
u. 2b erkennt, den der Vf mit einigen Änderungen (aus 1Klem herauszulesen, dazu vgl unten
Anm. 20) wiedergegeben hat; *J. T. Sanders,* The New Testament Christological Hymns (NTS
MonSer 15), Cambridge 1971, S. 19f, der ein Stück des Hymnus in 1,3 erkennt, wahrscheinlich auch in 1,4 (aber nicht hinter 1,2b); *Grässer,* Hb 1,1–4, der nur in 1,3 einen Hymnus erkennt, dessen abschließende Zeile wahrscheinlich die Namensverleihung (1,4) enthält (S.
61–67). Nach dem Bericht am Ende des Heftes (EKK 3), S. 95f, schließt sich *Stuhlmacher* an
Grässer an, während *Schweizer* und *Gnilka* von einem Hymnus nur in 1,3abc (nicht in d und e)
sprechen wollen und *Hengel* nur eine Gestaltung des Vf in Anlehnung an die Tradition annehmen will. Zur Kritik der Hymnentheorien vgl *H. Langkammer,* Problemy literackie i Genetyczne w Hbr 1,1–4, Roczniki teologiczno-kanoniczne 16 (1969) S. 77–112 mit deutscher Zusammenfassung: Literarische und genetische Probleme in Hbr 1,1–4, S. 111f; *D. W. D. Robinson,* The Literary Structure of Hebrews 1,1–4, AustrJBA 2 (1972) S. 178–186. Vielfach
wird bei Hb 1,1–4 von einem Hymnus gesprochen. Es handelt sich jedoch nur um formelhafte
Elemente in einer vorgegebenen Kombination. Deshalb gebrauchen wir das Wort »Hymnus«
nur in Anführungszeichen.
15   Zu den folgenden »hymnischen« Merkmalen vgl vor allem die in Anm. 14 genannten Untersuchungen von *Deichgräber, Wengst* und *Grässer.*

lich, daß Hymnen auch sonst im Brief zu vermuten sind[16] und daß der Inhalt dieses Stückes bekannten Hymnen im übrigen NT gleicht (vgl Phil 2,6ff; Kol 1,15ff; 1Tim 3,16). Ehe wir auf den wichtigen christologischen Inhalt dieses Verses eingehen, müssen wir den Rahmen dieses »Hymnus« genauer ansehen.

1. Es dürfte auffällig sein, daß *3d u. e* den oben genannten hymnischen Merkmalen nur schwer entsprechen. Zwar ist auch in 3d u. e der Sohn Subjekt. Auch die Tatsache, daß in 3d das Partizipium Aorist ist und in 3e ein Aorist vorkommt, braucht nicht unbedingt als Schwierigkeit empfunden zu werden[17], weil ein Tempuswechsel und ein Wechsel von Partizipien zu Verben auch in anderen Hymnen belegt ist. Aber andererseits kann kaum übersehen werden, daß 3d an das besondere kultische Interesse und an Termini des Vf erinnert[18]. Zwar spricht das nicht unbedingt gegen eine Zugehörigkeit zum »Hymnus«, aber es liegt doch nahe, hierin eine charakteristische Formulierung des Vf zu sehen, in der er programmatisch den Tod Jesu als kultische Handlung gleich neben die Erhöhungsaussage Ps 110 stellt (vgl 10,12f). Auch wenn wir die Abhängigkeit des Vf von Formulierungen, und zwar untypischen Formulierungen[19], in 3e nicht verkennen, besagt das nicht unbedingt, daß dieser Satz zum »Hymnus« gehört.

Wir haben schon gezeigt, daß die Anspielung auf Ps 110,1 einer Motivkette angehört, die in Hb 1 u. 2 deutlich eingewirkt hat. Der feste Zusammenhang mit dieser traditionellen Kette bedeutet zwar nicht unbedingt, daß 3e nicht zum »Hymnus« gehört. Daß die Kette schon zum »Hymnus« gehörte, so daß der Hymnus auch hinter 1,4–2,10 vorauszusetzen sei, läßt sich nicht beweisen. Der Hinweis auf 1Klem 36, der Teile von V 3, sowie ähnliche Formulierungen wie Hb 1,4.5.6 enthält, hilft auch nicht weiter, weil das 1Klem deutlich vom Hb abhängig ist[20].

Wenn also der »Hymnus« die Gedankenkette nicht enthält, dann ergeben sich zwei weitere Möglichkeiten. Erstens wäre es durchaus möglich, daß die Anspielung auf Ps 110,1 (3e) schon im »Hymnus« stand – vielleicht sogar

16 Vgl *Michel* S. 197. Dazu hat man 4,12f; 5,7ff und 7,1ff gerechnet.
17 Gegen *Theissen*, Untersuchungen S. 50; mit Recht *Grässer*, Hb 1,1–4 S. 66 Anm. 96.
18 Καθαρίζω/καθαρισμός tragen im NT ein sehr stark kultisches Gepräge. Der Ausdruck καθαρισμός τῶν ἁμαρτιῶν kommt in der LXX nur einmal vor (Ex 30,10). Es dürfte nicht zufällig sein, daß dabei eine Beziehung auf den Versöhnungstag vorliegt. Die Nahtstelle, die *Deichgräber*, Gotteshymnus, S. 137 Anm. 3 (vgl *Grässer*, Hb 1,1–4 S. 66f Anm. 96), zwischen 3c und 3d erkennt, ist wahrscheinlich dadurch zu erklären, daß der Vf mit Rücksicht auf sein späteres Thema die Zeilen des »Hymnus« durch eine betont kultische Aussage ersetzt hat. So möchte auch *Vielhauer* (nach *Theissen*, Untersuchungen S. 50 Anm. 51) 3d dem Vf zurechnen. Daß mit καθαρισμόν ursprünglich kein ἡμῶν verbunden war, sondern ein τοῦ κόσμου, wie *Grässer* vorschlägt (Hb 1,1–4 S. 67, 87 Anm. 264), ist kaum überzeugend. – Daß, wie *Buchanan* behauptet (S. 8), Jesus in 1,3 für sich selbst eine Reinigung vollzogen hat, ist ganz abwegig.
19 Dazu vgl ua *Grässer*, Hb 1,1–4 S. 65; *Deichgräber*, Gotteshymnus S. 139f, vgl auch Hb 3,12; 4,16; 5,7; 6,8; 9,5; 12,15.
20 So *Renner*, »Hebräer« S. 35; gegen *Theissen*, Untersuchungen S. 34–37. Vgl die ähnlich freie Übernahme von 1Kor 13,4–7 in 1Klem 49,5b.

mit der Namensverleihung (1,4) – und daß der Vf durch diese Anspielung veranlaßt wurde, die traditionelle Gedankenführung aufzunehmen. Vieles spricht aber dafür, daß er von Anfang an die Absicht hatte, diese Gedankenkette heranzuziehen und auszubauen. Das schließt aber letzten Endes nicht aus, daß die Anspielung auch im »Hymnus« vorhanden war. Die zweite Möglichkeit wäre, daß der Vf einen zweiten Teil des »Hymnus« (nach 3a.b.c) mit Hilfe der Gedankenkette (3e) und mit Rücksicht auf sein späteres Thema (so 3d) neuformuliert hat, um so die Bedeutung der Erhöhung weiter hervorheben zu können. Es besteht kein Zweifel daran, daß die Hand des Vf in der Formulierung von 1,4 zu erkennen ist[21], aber der Inhalt selbst wäre durchaus aus der Gedankenkette zu erklären.

Zwischen beiden Alternativen läßt sich nicht mit Sicherheit eine Entscheidung treffen. Angesichts der bewußten Struktur[22] des Briefes neigen wir dazu, in 3d die programmatische[23] Formulierung des Vf und in 3e seine Absicht zu erkennen, die Bedeutung der Erhöhung zu erläutern. Wie der »Hymnus« 3a, b, c weitergeht, ist also nicht mehr mit Sicherheit festzustellen. Jedenfalls dürfte nach 3c eine Aussage über das irdische Leben oder den Tod und die Erhöhung bzw Rückkehr folgen, wie aus anderen neutestamentlichen Hymnen zu vermuten ist (vgl Phil 2,6ff; Kol 1,15ff).

2. Auch der Anfang des »*Hymnus*«[24] ist nicht deutlich. Zwar steht ὅς sehr klar am Anfang von V 3, und von hier an ist der Sohn Subjekt, aber 2bb kann auch den Anspruch erheben, zum »Hymnus« zu gehören. Zunächst wird auch er vom Vf nicht weiter aufgegriffen. Erst später spricht der Vf von der Schöpfertätigkeit des Sohnes (1,10ff), und zwar durch ein Zitat. Denkt man zweitens an die anderen Stellen des NT, die von der Schöpfungsmittlerschaft Jesu sprechen, so ist festzustellen, daß sie alle (außer Hb 1,10ff) in Hymnen oder hymnusartigen Formulierungen vorkommen, die von der Weisheitslehre beeinflußt sind. Die Zusammenhänge mit diesen Stellen sind zu beachten. Wo immer die Herrlichkeit bzw das Verhältnis zur Welt mit Hilfe dieser Vorstellung zum Ausdruck kommt (Kol 1,15ff; Joh 1,1ff; vgl 1Kor 8,6), wird ohne Ausnahme von der Schöpfungsmittlerschaft gesprochen. Dazu kommt oft eine Aussage über das jetzige und das künftige Verhältnis zur Welt[25].

Gerade diese Überlegungen lassen vermuten, daß nicht nur 2bb, sondern auch 2ba ursprünglich zum »Hymnus« gehört haben könnte[26]. Man be-

---

21 So ua *Wengst*, Christologische Formeln S. 166f; *Sanders*, Christological Hymns S. 19f; *Grässer*, Hb 1,1–4 S. 63f. Zur Herkunft der Motive in 1,4 vgl oben S. 18.

22 Zur Struktur vgl bes die Arbeit von *Vanhoye*, Structure.

23 Vom programmatischen Verfahren des Vf in 1,1–4 spricht ua *Grässer*, Hb 1,1–4 S. 62 (mit Bezug auf 1,1–2a) u. S. 66f (mit Bezug auf 3d als möglich), vgl auch unten S.75.

24 1,1–2a sind ganz sicherlich Formulierungen des Vf, so *Grässer*, Hb 1,1–4 S. 62.

25 *Fullers* Vorschlag (Foundations S. 220), daß der Vf die Vorstellung 2bb eingefügt habe, weil sie in dem »Hymnus« fehlte, ist wenig überzeugend.

26 Für die Vertreter dieser Meinung vgl Anm. 14 oben. Auch *Michel* S. 96 Anm. 1 u. S. 97; *Deichgräber*, Gotteshymnus S. 138 und *Grässer*, Hb 1,1–4 S. 62 erkennen, daß hier eine bekenntnisartige Formulierung vorhanden ist, und *Bornkamm*, Bekenntnis S. 199 schließt eine

merkt zunächst das πάντων in 2ba, das sehr oft in kosmologischer Christologie vorkommt. Vielleicht stand ursprünglich auch ein τὰ πάντα in 2bb. Τοὺς αἰῶνας gehört zur Terminologie des Vf[27]. Weiter ist auf die beiden Relativa hinzuweisen (ὅν . . . δι' οὗ); zudem ist die Verbindung mit 2a sehr locker[28].

Es scheint daher möglich, daß auch hinter 2ba und 2bb ein »Hymnus« zu vermuten ist. Er könnte vielleicht die folgende Form gehabt haben[29]:

2ba εἰς ὅν / δι' ὅν (ἔστιν) τὰ πάντα
2bb δι' οὗ (ἔστιν) τὰ πάντα

oder vielleicht ὅς (ἔστιν) κληρονόμος πάντων δι' οὗ τὰ πάντα ἐγένετο. Wenn das der Fall ist, dann hat der Vf die ersten Zeilen neu formuliert, wie er es auch uE mit den letzten getan hat. Fragt man nach den Gründen, so ist zunächst festzustellen, daß in diesen Sätzen (2ba, bb) die typische Terminologie des Vf vorliegt. Das gilt für τοὺς αἰῶνας, vielleicht auch für κληρονόμον; wenn unsere Hypothese richtig ist, stammen auch ἔθηκεν und ἐποίησεν von ihm. Aber warum? Wir haben schon bemerkt, daß man nach 1,2a eine weitere Erklärung der Botschaft erwarten würde, daß aber sofort christologische Aussagen vorkommen, gerade weil die Soteriologie in der Christologie verwurzelt ist. Daher ist es keine Überraschung, wenn der Vf sofort von der zukünftigen Herrschaft Jesu spricht (1,2ba). Es läßt sich leicht beweisen, daß der Vf sich der weiteren Gedankenführung seines Briefes bewußt ist, so sehr, daß man von einer gewissen Strukturierung im Brief sprechen kann. Das ist sicherlich hier der Fall. Der erste Gedanke, den er entwickeln will, ist die Herrschaft Jesu und ihre Bedeutung für unser Heil (1,4–2,9). Die Herrschaft führt er zunächst auf die Erhöhung zurück. Gerade hier in 1,2 geht es um die Herrschaft Jesu (ὅν ἔθηκεν κληρονόμον πάντων)[30].

Der Gedanke wird aufgegriffen in 3e. Auch unmittelbar auf κεκληρονόμηκεν in 1,4 wird oft hingewiesen, als ein Wortspiel mit κληρονόμον (1,2ba)[31]. Dabei muß gesehen werden, daß die Vorstellung in 1,4 anders als in 1,2ba ist. Während in 1,2ba der Sohn als Erbe eingesetzt wird, erbt Jesus in 1,4 gerade die Sohnschaft! Diese letzte Sohnschaftsvorstellung ist aus einer

Verbindung mit dem »Hymnus« nicht aus, hält sie jedoch für unwahrscheinlich. *Wengst*, Christologische Formeln S. 159 hält eine Verbindung für ausgeschlossen, weil sonst 3c eine Wiederholung wäre. Daß 3c keine Wiederholung ist, werden wir später zeigen (S. 66). Wenn 2ba und bb eine Gestaltung des Vf sind und keine Verbindung mit dem »Hymnus« haben (so *Grässer* S. 63), dann muß man fragen, warum der Vf die Aussage 2bb gemacht hat. Allein um den Hinweis auf die Endzeit in 2ba einem entsprechenden Hinweis auf die Urzeit zu kontrastieren? Warum hat dann der Vf den »Hymnus« in 1,3 angeführt, wenn keine Verbindung mit 1,2ba und bb besteht?

27 Dazu vgl ua *Michel* S. 96 Anm. 2; *Bruce* S. 4; *Grässer*, Hb 1,1–4 S. 83.
28 So auch *Grässer*, Hb 1,1–4 S. 60 u. 62.
29 Im Vergleich mit 1,4 könnte man behaupten, daß hier eine anders aufgefaßte Vorstellung von »Erbe« vorhanden ist, und so dieses Wort für ursprünglich halten.
30 Vgl τὰ πάντα δι' αὐτοῦ εἰς αὐτὸν ἔκτισται (Kol 1,16); δι' οὗ τὰ πάντα (1Kor 8,6); πάντα δι' αὐτοῦ (Joh 1,2).
31 So ua *Vanhoye*, Structure S. 68; *Grässer*, Hb 1,1–4 S. 59ff.

anderen Gedankenwelt heraus entstanden. Daher ist es nicht ohne weiteres richtig, das Wortspiel als Beweis dafür heranzuziehen, daß ἔϑηκεν κληϱονόμον πάντων auf die Erhöhung zu beziehen ist[32]. Wie ist diese Wendung zu verstehen? Die Sache wird dadurch kompliziert, daß die Verbindung mit 1,1 u. 2a zunächst zu klären ist.

Stünde das Gleichnis von den Weingärtnern im Hintergrund, so wäre der Sohn schon vor seiner Sendung der Erbe. Es ist durchaus möglich, daß der Vf diese Tradition in irgendeiner Form gekannt hat. Auch wenn das nicht sicher ist, so besteht die Möglichkeit, daß der Sohn als Erbe eingesetzt wurde und daß, wie wir schon Erben sind, aber noch nicht zur vollen Erbschaft gekommen sind, so der Sohn erst mit der Erhöhung die Erbschaft angenommen hat[33]. Die Frage ist nicht mit Sicherheit zu beantworten. Sicher ist aber, daß die Aussage die Erhöhung impliziert. Wahrscheinlich ist die Aussage im Blick auf seine Ausführungen über die Erhöhung vom Vf bewußt neu formuliert worden. Auf diese Neuformulierung hat sehr wahrscheinlich Ps 2,8 (vgl Ps 2,7 in 1,5) eingewirkt (so κληϱονόμον, auch κεκληϱονόμηκεν in 1,4)[34].

Der Vf hat also sehr wahrscheinlich einen Satz des »Hymnus« in 1,2ba neu formuliert und damit sein Thema angekündigt. Das geht aber nicht nur aus 1,3e, dem Wortspiel κεκληϱονόμηκεν in 1,4 und dem Einfluß von Ps 2 hervor. Wenn er bewußt die Absicht hatte, den Herrschaftsgedanken mit Hilfe der Gedankenkette weiter auszulegen, dann ist es nicht unwahrscheinlich, daß die πάντα-Aussage (1,2ba, vielleicht auch ursprünglich hinter 1,2bb) hier an die πάντα-Aussagen erinnerte, die feste Bestandteile dieser Gedankenkette waren, nämlich Ps 8,7 (πάντα ὑπέταξεν ὑποκάτω τῶν

---

32 Für eine unmittelbare Beziehung dieser Aussage auf die Erhöhung sprechen sich folgende Exegeten aus: *MacNeill*, Christology S. 56, der durch καί in 1,2bb einen Gegensatz zwischen Urzeit und Endzeit als beabsichtigt erkennen will, und in ihren Komm. z.St. *Windisch*, *Riggenbach*, *Michel* u. *Montefiore*. Folgende Exegeten möchten eher von einem vorzeitigen Ereignis sprechen: *Bleek*, *Westcott*, *Peake*, *Moffatt* z.St.; auch *Hofius*, Katapausis S. 142.219 Anm. 880. Oft wird die Frage mit dem anderen Problem verbunden, seit wann Jesus den Sohnestitel trägt, und dann mit 1,4 zusammengebracht (so *Grässer*, Hb 1,1–4 S. 79ff). Das führt aber nicht zur Klarheit, weil damit mehrere Traditionen in einen Topf geworfen werden. Ganz sicherlich liegt in 1,4f eine Tradition vor, nach der Jesus erst mit der Erhöhung die Bezeichnung »Sohn« bekam. Aber diese Sohnschaftstradition mit jener zu verwechseln, die in 1,2 (auch 5,8) und unmittelbar vor 1,2ba vorkommt, ist irreführend. Eine genauere Exegese muß diese Vielfältigkeit berücksichtigen.

33 *Riggenbach* S. 6 Anm. 9 und *Michel* S. 94 Anm. 1 (beide in Anlehnung an Stephanus, Thesaurus ling. Graec zu κληϱονόμος), weisen mit Recht darauf hin, daß τίϑημι τινά τι nicht als Rechtsterminologie für die Bestimmung oder die Einsetzung zum Erben nachgewiesen ist. Die Wahl eines allgemeineren Ausdrucks berechtigt aber nicht zur Behauptung, daß der Vf nicht an eine Vorausbestimmung Jesu als Erbe denkt. Wie die Christen Erben sind, so ist Jesus zum Erben bestimmt worden. Nur ist er in diese Erbschaft erst mit der Erhöhung eingetreten. Vielleicht stand ursprünglich bloß ἔστιν κληϱονόμος im »Hymnus«. In diesem Fall hat der Vf mit Rücksicht auf sein in 1,3e folgendes Thema den κληϱονόμος-Hinweis als vorzeitige Bestimmung aufgefaßt. Ursprünglich stand vielleicht der Zeitpunkt überhaupt nicht im Vordergrund. Vielleicht kommt aber andererseits das Wort κληϱονόμος aus einer Anspielung des Vf auf Ps 2,8. Das liegt näher als Gen 17,5 (ὅτι πατέϱα πολλῶν ἐϑνῶν τέϑεικά σε), das *H. Langkammer*, Den er zum Erben von allem eingesetzt hat Hb 1,2, BZ 10 (1966) S. 273–280, hier im Hintergrund sieht. Interessanterweise bekam auch Abraham einen Namen, der seine neue Stellung zum Ausdruck brachte (vgl 1,4).

34 So ua *Bruce* S. 4; *Strathmann* z.St.

ποδῶν αὐτοῦ, jetzt in 2,8; vgl 2,5) und die Gottesaussage, die in 2,10 lautet: δι' ὃν τὰ πάντα καὶ δι' οὗ τὰ πάντα.
Gerade die Aussage in 2,10a ist höchst interessant, weil nach unserer Hypothese eine ähnliche oder möglicherweise die gleiche Aussage hinter 1,2ba u. b steckt! Jedenfalls läßt sich aus diesen πάντα-Aussagen erklären, warum 1,2ba und bb theozentrisch gestaltet oder umgestaltet sind. Der Subjektwechsel zwischen 1,2 u. 3 dürfte also an sich kein Argument gegen die Auffassung sein, daß auch hinter 1,2ba u. bb ein »Hymnus« zu vermuten ist. Die Umgestaltung paßt sehr gut zur Theologie des Vf, nach der die Würde des Sohnes niemals bedeutet, daß Gott in eine distanzierte Untätigkeit zurücktritt (vgl 2,9f; 1,1; 10,29ff; 12,18ff).

Eine weitere Möglichkeit, den »Hymnus« zu definieren, indem man 1,2ba ausschaltet und nur 1,2bb zum »Hymnus« rechnet (etwa mit Hinweis auf καί als Spur der Nahtstelle), ist abzulehnen. καί dürfte vom Vf stammen, bedeutet aber nicht mehr, als daß in 1,2bbf andere Gedanken des »Hymnus« vorkommen als der, den er als Ankündigung seines Themas benutzt hat. 1,2ba als πάντα-Aussage gehört mit der kosmologischen Aussage in 1,2bb eng zusammen.

Um unsere *bisherigen Ergebnisse* zusammenzufassen, können wir folgendes sagen: Der Vf hat am Anfang seines Briefes einen »Hymnus« herangezogen, dessen erste beiden Zeilen er neu formuliert hat. Ein wahrscheinlich unverändertes Stück des »Hymnus« liegt in 3a.b.c vor, während der Vf den übrigen Teil wahrscheinlich durch 3d.e ersetzt hat, an dem man seine Absicht erkennen kann, eine traditionelle Gedankenkette heranzuziehen und aufzuarbeiten.
Wir wenden uns jetzt den Zeilen zu, die als Zeilen des »Hymnus« erkannt worden sind *(1,3a.b.c).* Sowohl ἀπαύγασμα als auch χαρακτήρ könnten entweder passiv oder aktiv verstanden werden. Eine genaue Bestimmung ist nicht leicht und vielleicht nicht möglich, weil wir es mit der Sprache eines »Hymnus« zu tun haben. Während gegenüber der Exegese der griechischen und lateinischen Väter die heutigen Ausleger häufig ein passives Verständnis vorziehen, ist *Michel* zuzustimmen, wenn er schreibt: »Der Abglanz ist vom Licht abhängig, strahlt jedoch von sich aus weiter; der Abdruck wird vom Wesen her genommen, gibt aber ein selbständiges Bild«[35]. Was die Begrifflichkeit betrifft, steht SapSal 7,26 am nächsten: ἀπαύγασμα γάρ ἐστιν φωτὸς ἀιδίου καὶ ἔσοπτρον ἀκηλίδωτον τῆς τοῦ θεοῦ ἐνεργείας καὶ εἰκὼν τῆς ἀγαθότητος αὐτοῦ.
Beide Begriffe finden sich auch bei Philo, wo sie ua auf den Logos bezogen sind. Damit erweisen sie sich als mit εἰκών austauschbar[36], ein Begriff, der

35 Vgl die Zusätze des Klemens (1Klem 36,2).
36 Dazu vgl ua *Michel* S. 97 Anm. 1; *Williamson,* Philo and the Epistle to the Hebrews (ALGHL IV), Leiden 1970, S. 36ff u. 74ff. Vgl auch *F. W. Eltester,* Eikon im Neuen Testament (BZNW 23), 1958, S. 150; *E. Schweizer,* Kolosser 1,1–15, in: EKK 1 (1969) S. 7–31, hier S. 10ff. *F. Bovon,* Le Christ, la foi et la sagesse dans l'épître aux Hébreux, RevTheolPhil 18 (1968) S. 129–144, weist auf die Weisheitsliteratur als Hintergrund für 1,3 und auch für c. 11 hin. Im ersten Fall handle es sich um göttliche Weisheit, im zweiten um menschliche Weisheit.

aus dieser Sophia-Logos-Tradition auf Jesus übertragen wurde, und zwar in
Texten, in denen wie im Hb das Verhältnis zum Kosmos im Mittelpunkt
stand[37].

In dieser Doppelaussage wird die Würde Jesu hervorgehoben, und zwar in
einer Weise, in der seine wesenhafte Zusammengehörigkeit mit Gott unterstrichen wird. Er ist die Offenbarung der Wirklichkeit Gottes; die unbe-
greifliche Herrlichkeit[38], Gott selbst, ist in ihm begriffen.

Die Aussage in 3c ist mit den Gedanken (wie auch mit den wahrscheinlich
dahinterliegenden Zeilen) von 1,2ba u. bb verwandt. Was heißt aber
φέρων? Zunächst ist zu bemerken, daß, obwohl der Sohn Subjekt ist, die
Wirkung von dem Wort ausgeht. Eine Anspielung auf Jesus als den Logos
liegt also gerade nicht vor (auch nicht in 4,12f)[39]. Jesus wird mit diesem
Wort nicht gleichgesetzt, auch wenn die Terminologie an Logos-Spekula-
tion erinnert. Dieses machtvolle Wort könnte auf das Schöpfungswort bezogen werden[40] (wie 11,3); in 11,3 wie auch in der Schöpfungstradition ist
dabei das Wort Gottes gemeint. Es ist aber ziemlich sicher, daß das αὐτοῦ
auf Jesus zu beziehen ist, so daß die Möglichkeit besteht, daß der »Hymnus«
sogar das Schöpfungswort als Wort des Sohnes aufgefaßt hat. Damit stünde
es der Auffassung von 1,10ff nahe, wo der Herr Jesus sogar Schöpfer ist.
Aber die Auslegung hängt nicht zuletzt von der Bedeutung von φέρων ab.
Daß φέρω hier wie bei Philo »schaffen« bedeute[41], ist sehr unwahrscheinlich, weil damit die Wiederholung nach 1,2bb unerklärbar wäre. Vom
Schöpfungswort scheint also nicht die Rede zu sein[42]. Φέρω kann aber auch
»tragen« bzw »vom Zusammenbruch abhalten« bedeuten[43]. Daß hiermit
eine Funktion der Weisheit bzw des Logos auf Jesus übertragen worden ist,
wie auch die gleich vorangegangenen Aussagen aus dieser Tradition entstanden sind, ist wahrscheinlich. So ist es möglicherweise im »Hymnus«
verstanden worden. Danach bewahrt Jesus die Welt vor dem Untergang.
Wieweit unser Vf diese Aussage so versteht, ist eine andere Frage. Jedenfalls dürfte φέρω bei ihm auch im Sinne von »regieren« verstanden werden[44]. Es geht hier in 1,3c nicht um ein zeitloses Prinzip, das die Welt ewig

---

37 Vgl bes Kol 1,15 und dazu vor allem *Schweizer*, Kol 1,15–20 S. 10ff.

38 So ua *Bruce* S. 6; *Grässer*, Hb 1,1–4 S. 84f; *Michel* S. 98.

39 Vgl Joh 1,1; Apk 19,13 und zu Hb 4,12f *Michel* S. 96.

40 So *Grässer*, Hb 1,1–4 S. 85; *Käsemann*, Gottesvolk S. 63. Gegen *Michel* S. 101 (Wort der
Verkündigung).

41 ZB Mut 256; vgl auch diese Deutung von φέρων in Hb 1,3c in GregNyssa MPG XLVI 265.

42 Gegen *Käsemann*, *Grässer* (vgl oben Anm. 40).

43 Für diese Deutung sprechen in ihren Komm. z.St. die folgenden Ausleger: *Moffatt, Win-
disch, Strathmann, Michel, Montefiore, Bruce*; vgl auch *Grässer*, Hb 1,1–4 S. 85; vgl auch
SapSal 7,24f u. 8,1; auch Philo, Somn I 241; Plant 8; Heres 7; Migr 6; ua (dazu *Williamson*,
Philo and Hebrews S. 95ff); vgl Kol 1,17.

44 So *H. F. Weiss*, Art. φέρω, ThWNT IX, S. 61; früher Chrysostomus, Theodoret ua.
Diese Bedeutung für φέρω ist in PlutLuc 6 belegt. Hier in Hb 1,4 dürfte φέρω weder auf »tragen« noch auf »regieren« beschränkt sein, sondern beide Aspekte enthalten (so mit Recht *Seeberg* S. 11; *Keil* S. 31).

in ihrem jetzigen Zustand hält, sondern um Jesus, der im Himmel tätig ist, der herrscht und herrschen wird, auch wenn diese Welt vergeht (1,10ff; vgl 12,27f). Auch für den »Hymnus« selbst dürfen wir ebenfalls diesen Satz nicht ohne weiteres so verstehen, daß Jesus die Welt ewig vor dem Untergang bewahrt.

Die Bedeutung von 1,1–4 für die Christologie des Vf

Nachdem wir diese exegetischen Fragen kurz gestreift haben, müssen wir nach der *christologischen Bedeutung* dieses »Hymnus« fragen. Wenn wir die anderen Texte vergleichen, die unter dem Einfluß der Weisheitslehre entstanden sind oder die eine Verwandtschaft damit zeigen (Kol 1,15–20; 1Kor 8,6; Joh 1,1ff; vgl Phil 2,6ff), so ist folgendes zu bemerken[45]: In zwei Fällen handelt es sich um Hymnen (Kol 1,5–20; Phil 2,6ff), in einem um eine hymnusartige Vorlage (Joh 1,1ff) und in einem um einen formelhaften Ausdruck (1Kor 8,6). Damit ist im Auge zu behalten, daß der Sitz im Leben der Hymnen der Gottesdienst ist[46].

Im *Kolosserhymnus* steht die Würde des Sohnes im Mittelpunkt. Es geht grundsätzlich um den Sohn und seine Würde in der Gegenwart, auch wenn von der Vergangenheit gesprochen wird. Erhöhungsaussagen und sogenannte Präexistenzaussagen sind zu einer Einheit verbunden. Sie beziehen sich auf den Sohn in der Gegenwart der Gemeinde.

Auch die Aussage in *1Kor 8,6* bezieht sich auf den jetzigen Herrn (vgl V 5), auch wenn von der Vergangenheit gesprochen wird. Dies gilt grundsätzlich auch für das *Johannesevangelium*, obwohl hier die Geschichte im Vordergrund steht. Die Hauptsache bei Johannes ist, daß der Sohn, der offenbart worden ist, auch für uns der Sohn bleibt, der Weg zum Vater.

Nur die Aussagen im *Philipperhymnus* (vgl auch 2Kor 8,9) vermitteln den Eindruck, daß die Würdeaussagen allein auf die Vergangenheit zu beziehen sind. Aber auch hier ist ja nicht eine dauerhafte Erniedrigung des Herrn gemeint. Die Würdebezeichnungen von 2,6 sind nicht weniger gültig nach seiner Erhöhung.

Mit der möglichen Ausnahme vom Philipperhymnus sind alle diese kosmologisch-christologischen Aussagen grundsätzlich auf den Sohn und seine Stellung in der Gegenwart bezogen.

---

45 Auf die besondere Gemeinsamkeit zwischen Hb 1,3 und Kol 1,15–20 geht vor allem *Wengst*, Christologische Formeln S. 169ff, ein.

46 Für den Sitz im Leben des Hb-»Hymnus« 1,3 hält *Bornkamm*, Bekenntnis S. 196ff die Eucharistie; *Friedrich*, Lied S. 102 denkt an die Taufe. Wir stimmen *Deichgräber*, Gotteshymnus, zu, daß eine solche genaue Bestimmung nicht möglich ist. Der Hymnus gehört zum Gottesdienst (S. 140). Ähnlich *Michel* S. 94f Anm. 3; *Grässer*, Hb 1,1–4 S. 69. Zum Hintergrund des Kolosserhymnus vgl ua *Schweizer*, Kol 1,1–15, zum Philipperhymnus, *Wengst*, Christologische Formeln S. 144–156; *Deichgräber*, Gotteshymnus S. 119–133; *Sanders*, Christological Hymns S. 58–74 und zum Johannesprolog ders. S. 29–57.

Wenn man den Kontext dieser Aussagen betrachtet, so ist zunächst mit Erstaunen festzustellen, daß die *Schöpfungsmittlerschaft-Aussagen* von den Verfassern nicht aufgegriffen, entwickelt oder besonders ausgewertet worden sind. Im Gegenteil, diese Vorstellungen werden beiseite gelassen. Nur der Vf des Hb hat sie für seine Argumentation benutzt (1,10ff). Es scheint also sehr unwahrscheinlich, daß diese Vorstellung der Anhaltspunkt war, von dem aus die kosmologische Christologie sich entwickelt hat[47]. Außerdem steht sie niemals isoliert (außer in 1Kor 8,6; aber gerade hier ist betont vom präsenten Herrn die Rede).

Es läßt sich also vermuten, daß *die Entwicklung dieser besonderen Christologie der Schöpfungsmittlerschaft* von gegenwarts- oder zukunftsbezogenen kosmologischen Aussagen ausgegangen ist. Dies braucht nicht unbedingt eine geradlinige Entwicklung gewesen zu sein. Unter den denkbaren Möglichkeiten würde eine darin bestehen, daß die christologischen πάντα-Aussagen sich aus ähnlichen theologischen Aussagen entwickelt haben (zB Röm 11,36: ἐξ αὐτοῦ καὶ δι' αὐτοῦ καὶ εἰς αὐτὸν τὰ πάντα). Danach konnte εἰς αὐτὸν τὰ πάντα (Röm 11,36) von Christus gesagt werden. Wehrt sich Paulus in 1Kor 15,27f gegen die Gefahr dieser Vorstellung? Aber diese Erklärung würde nur für die »Zukunfts- und Gegenwarts-πάντα-Aussagen« reichen, wenn wir nicht annehmen wollen, daß die »Schöpfungs-πάντα-Aussagen« analog mit herangezogen wurden.

Eine zweite Möglichkeit ließe sich so skizzieren: Die Bezeichnungen πρωτότοκος, υἱός, ἀρχή, βασιλεύς, θεός ua haben zwei Dinge gemeinsam. Sie sind Bezeichnungen sowohl für den Erhöhten als den Herrscher, den messianischen König, wie auch für den Logos bzw die Weisheit (im Judentum). Nur die εἰκών- und verwandte Aussagen sind nicht als Erhöhungsterminologie in diesem Sinne belegt, obwohl andererseits εἰκών auch zur Weisheitsterminologie gehört.

Wenn man in Betracht zieht, daß Weisheitsterminologie im kosmologischen Sinne tatsächlich auf Jesus übertragen worden ist (so zB πρωτότοκος Kol 1,15 vgl πρωτότοκος Kol 1,18 u. Apk 1,5), dann ergibt sich die folgende Möglichkeit. Im Urchristentum sind im Gottesdienst nicht nur ursprünglich messianische Bezeichnungen auf den präsenten Sohn übertragen worden. Einige von diesen konnten auch von der Weisheitstradition her verstanden werden, weil nach einer bestimmten Weltanschauung die Rolle der Weisheit jetzt von Jesus übernommen ist bzw Jesus mit der Weisheit identifiziert wurde und weil diese Bezeichnungen schon als Prädikate der Weisheit im Gebrauch waren. So war es nur zu erwarten, daß auch andere Weisheit-Würdebezeichnungen auf Jesus übertragen wurden, um seine jetzige Herrschafts- und Würdestellung, die ja auch für die Zukunft nicht ohne Bedeutung war, zum Ausdruck zu bringen. Die Einheit dieser aus sehr verschiedenen Traditionen stammenden Würdebezeichnungen besteht in ihrer Gegenwartsbezogenheit im Lobpreis der Gemeinde. Wenn sich nun die Präexistenzvorstellung schon durch andere Traditionen entwickelt hatte, so war es kein großer Schritt, auch die Schöpfungsmittlerschaft-Aussagen, die so sehr mit den Gegenwartsaussagen der Weisheitstradition zusammenhingen, auf Jesus zu beziehen. Dabei möchten wir nicht behaupten, daß die Präexistenzvorstellung erst durch diese Entwicklung zustande kam, die Schöpfungsmittlervorstellungen jedoch schon. Das geschah nicht, um etwas über seine Vergangenheit zu sagen, sondern um die Anbetung des präsenten Sohnes zu vervollständigen[48].

---

47   So R. *Schnackenburg,* Die Aufnahme des Kolosserhymnus durch den Verfasser des Kolosserbriefes, in: EKK 1 (1969) S. 33–50, hier S. 38. – Zum Hintergrund der πάντα-Vorstellungen vgl W. *Pöhlmann,* Die hymnischen All-Prädikationen in Kol 1,15–20, ZNW 64 (1973) S. 53–74 und R. *Kerst,* 1Kor 8,6 – ein vorpaulinisches Taufbekenntnis?, ZNW 66 (1975) S. 130–139.
48   Vgl *Schnackenburg,* Kol 1,15–20 S. 37; *Schweizer,* Kol 1,15–20 S. 24; *Hengel,* Sohn Gottes S. 78ff.

Wie vor allem in Kol 1,15–20 die Einheit messianischer und kosmologischer Herrschaftsaussagen in der Gegenwart des Gottesdienstes zu finden ist, so verbindet auch der Vf des Hb beide Traditionen, denn in c. 1 hebt der Vf die gegenwärtige Herrschaft Jesu einerseits durch die messianische Herrschaftstradition, die hinter den Erhöhungsaussagen steht, und andererseits in derselben Ausführung durch den Hinweis auf die Schöpfertätigkeit des Herrn (1,10ff) hervor. Aufgrund derselben gottesdienstlichen Gegenwartsbezogenheit kann der Vf am Anfang dieser Ausführung durch den »Hymnus« diese zwei Traditionen und ihre verschiedenen Christologien nebeneinanderstellen.

Nach unseren Überlegungen sollte schon klar sein, daß ἀπαύγασμα τῆς δόξης und χαρακτὴρ τῆς ὑποστάσεως αὐτοῦ grundsätzlich auf die Gegenwart zu beziehen sind und nicht auf das irdische Leben selbst als Offenbarungsereignis[49]. Aber gerade die Aussage über die vorzeitliche Tätigkeit (1,2b) und das Kommen des Sohnes (1,2a) bedeuten, daß diese Würdebezeichnungen ihrem Inhalt nach nicht auf den Erhöhten beschränkt sind, sondern auch für die Präexistenz gelten. Jesus ist der präexistente Sohn. Mit dieser Sohnschaftsvorstellung ist nicht gemeint, daß Jesus Gott ist (vgl 1,9). Was diese Sohnschaft für das ontologische Verständnis bedeutet, hat der Vf wahrscheinlich nicht überlegt.

Ob die oben genannten Bezeichnungen daher auch auf den irdischen Jesus als Offenbarungsereignis zu beziehen sind, ist nicht sicher und sogar unwahrscheinlich[50]. Die Inkarnation ist schließlich eine Erniedrigung unter die Engel (2,9). Im ganzen ist daran festzuhalten, daß die Christologie, die der Vf in den Anfang des Briefes eingearbeitet hat, seine Gedanken im übrigen Brief bestimmt.

2. Die Würde des Sohnes

Wir haben gesehen, wie der Vf am Anfang seines Briefes einen »Hymnus« eingearbeitet hat, der eine explizite Christologie enthält. Daß diese Christologie vom Vf selbst vorausgesetzt wird und in seinen Ausführungen bestimmend ist, möchten wir jetzt aufzeigen.

Die Präexistenz Jesu im Hb

Zunächst wenden wir uns den Aussagen zu, die eindeutig von einer *Präexistenz Jesu* sprechen. Dazu zählen jene, welche vom Inkarnationsakt sprechen. Jesus nahm Fleisch und Blut an (2,14; 2,17). Er wurde niedriger als die

---

49 Gegen *Büchsel*, Christologie S. 16ff.
50 Gegen *Williamson*, Philo and Hebrews S. 78f; *Michel* S. 99.

Engel (2,7; 2,9). Hier wird von mehr als einer apokalyptischen Sendung gesprochen, eine Vorstellung, die wahrscheinlich hinter ἀπόστολος[1] steht (3,1). Es geht um einen freiwilligen Akt des Gehorsams: Ἰδοὺ ἥκω . . . τοῦ ποιῆσαι ὁ θεὸς τὸ θέλημά σου (10,9). Zum Heil der Menschen ist Jesus am Ende der Zeiten erschienen (9,11; 9,26b).

Ehe wir zu anderen Aussagen übergehen, die dieser Christologie entsprechend die Würde des Sohnes hervorheben, sind kurz einige weitere Argumente zu besprechen, die für die Präexistenz herangeführt worden sind.

1. Außer den oben genannten Hinweisen, die deutlich die Präexistenz belegen, möchte *Hanson*[2] zB aufgrund der Aufnahme von Ps 110,4 durch den Vf beweisen, daß, weil wir mit Recht annehmen dürfen, daß die Verfasserschaft Davids für diesen Psalm dem Autor unseres Briefes bekannt war (vgl 4,7), Jesus als schon zur Zeit Davids lebend aufgefaßt sei. Mit dieser Argumentation könnte man auch die folgenden Zitate als Beweise heranziehen, die als Jesu eigene Worte gefaßt (2,12; 2,13a; 2,13b; 10,5ff) oder über ihn oder zu ihm gesagt sind (1,5a; 1,6; 1,8f; 1,10ff; 1,13; 2,6ff; 5,5; 5,6; 7,17; 7,21). Aber dieser Beweisführung mangelt es an Kenntnis über die exegetische Methode der Zeitgenossen des Vf und des Vf selbst. In zwei Fällen haben wir eine bestimmte Zeitangabe für die Zitatanrede, nämlich in 1,6 und 10,5ff. Im ersten Falle handelt es sich sehr wahrscheinlich um die Parusie, so daß eine Datierung der Anrede in der atlichen Zeit unmöglich ist. Im zweiten Fall handelt es sich um das Ereignis des ersten Kommens bzw um die Inkarnation, die aber kaum zur Zeit Davids stattfand. Auch die Stellen, deren implizierte Datierung die Erhöhung ist (1,5a; 1,13; 5,5; 5,6; 7,17; 7,21), schließen eine solche Deutung aus.

2. *Hansons* weitere Beweise sind ebensowenig stichhaltig, wenn er zB zeigen möchte, daß nach Meinung des Vf Jesus mit Melchisedek identisch wäre, so daß Abraham Jesus schon begegnete. Gerade die Wendung κατὰ τὴν τάξιν schließt diese Identifizierung aus[3]. Auch der Versuch, den Redenden in 12,25ff mit Christus zu identifizieren, ist nicht überzeugend[4]; gleiches gilt für die Behauptung, daß in 3,1–6 vom Haus Christi gesprochen werde, zu dem Mose gehörte, und daß deshalb Mose Christus gesehen hätte[5].

3. *Hanson* steht nicht allein, wenn er in der Wendung τὸν ὀνειδισμὸν τοῦ Χριστοῦ (11,26), die im Zusammenhang mit Mose gebraucht wird, einen Hinweis auf die Präexistenz Christi erkennen will. Hier handelt es sich aber um eine bevorzugte Ausdrucksweise des Vf (vgl 13,13; auch 10,33), die er typologisch[6] anwendet.

---

1   Siehe dazu S. 81f.
2   *A. T. Hanson*, Christ in the Old Testament according to Hebrews, in: StEv II = TU 87 (1964) S. 393–407; vgl auch *Synge*, Hebrews and the Scriptures S. 10.
3   Zur Bedeutung von Melchisedek im Hb siehe unten S. 212ff.
4   *Hanson*, Christ in the OT S. 403ff. Aber ganz offensichtlich hat der Vf in V 25 die ganze Ausführung 12,18ff im Auge. Gott hat damals am Sinai gesprochen. Jetzt spricht er durch den Sohn (1,2) vom Himmel her. Die oben zitierten Wörter aus V 25 und 26 sind also auf Gott zu beziehen. So ua in ihren Komm. z.St. *Riggenbach, Windisch, Kuss, Michel, Bruce*; vgl *Moffatt, Montefiore*.
5   So *Hanson*, Christ in the OT S. 397. Vgl Joh 12,41.
6   So ua in ihren Komm. z.St. *Bleek, Westcott, Moffatt, Montefiore*. Gegen *Hanson*, Christ in the OT S. 393; *Riehm*, Lehrbegriff S. 310; *Strathmann* z.St.; vgl auch *Schröger*, Schriftausleger S. 98 Anm. 2. Hinzu kommt wahrscheinlich noch der Gedanke, daß als Glied des Gottesvolkes Mose wie wir diese Schmach getragen hat. So *Riggenbach* S. 371; *Bruce* S. 320. Zu τοῦ Χριστοῦ vgl Ps 88,52b LXX; Hb 11,26. Dazu ua *Michel* S. 409; *Bruce* S. 320 Anm. 182.

Auch wenn wir uns dieser Beweisführung nicht anschließen möchten, so bleibt außer Zweifel, daß die Präexistenz Jesu unbedingt zur Christologie des Vf gehört. Diese Christologie läßt sich auch in anderen Texten erkennen, die von der Würde Jesu sprechen. Die Steigerung vom Propheten zum Sohn (1,1f) ist ja aus den folgenden Sätzen zu erklären, die mit den Worten des »Hymnus« Jesu Verhältnis zu Gott und zur Welt schildern (1,2f). Auch wenn der Vf zunächst die Herrschaftsstellung Jesu anhand seiner Sohnschaftsvorstellung ausführt, deren Wurzeln in der königlichen Messianologie zu erkennen (1,4ff) sind, so kehrt diese Präexistenz-Christologie allmählich wieder, so daß die Überlegenheit über die Engel auf das Wesen des Sohnes zurückgeführt wird. Der Sohn kann also als Gott angesprochen werden (1,8f). Die Engel dürfen nicht einmal wie in der LXX Söhne heißen (1,6b)[7]. Und diese Sohnschaft ist nicht auf die Zeit nach der Erhöhung beschränkt, obwohl es dem Vf grundsätzlich darum geht, vom präexistenten Jesus zu sprechen, sondern gilt auch für die Präexistenz. Der Sohn, der Schöpfer, bleibt (1,10ff).

Mose und der Sohn Gottes (3,1–6)

1. Besondere Aufmerksamkeit verdient *der Vergleich mit Mose* in 3,1–6. Ὅθεν (3,1) bezieht sich auf das vorhergehende Kapitel, besonders auf dessen letzte Verse. Damit werden ἀρχιερεύς und πιστός aufgegriffen (3,1f vgl 2,17). Der erhöhte Jesus wird (wie in 12,2 und 2,9) vor unsere Augen gestellt. Warum sollen wir diese Stellung Jesu beachten? Die Antwort wurde schon in 2,17f gegeben: weil er ein treuer Hoherpriester ist, der mit uns Mitleid hat und uns helfen wird (vgl 4,14ff). Aber in 3,1f wird insbesondere das Wort πιστός aufgegriffen und nicht nur auf die irdische Treue zu seiner Aufgabe bezogen[8], sondern auch auf seine jetzige Tätigkeit als Hoherpriester, der uns in der Versuchung hilft[9]. In dieser Hinsicht ist er wie Mose, von dem in Num 12,7 auch gesagt wird, daß er treu war. Auch Mose war ein Gesandter, auch er trat für das Volk vor Gott auf[10]. Und er war Gott bzw τῷ ποιήσαντι gegenüber treu wie Jesus, und dabei ist mit τῷ ποιήσαντι nicht

7 Angenommen, daß hinter 1,6 Dtn 32,43 LXX steckt.
8 So besonders in 2,17. Er ist in der Versuchung treu geblieben; vgl 4,15.
9 Das geht besonders aus V 5f hervor, wo ganz offensichtlich von der jetzigen Stellung Jesu gesprochen wird (vgl auch 10,21). Das Treusein darf also nicht auf das irdische Leben beschränkt werden, gegen *Grässer*, Glaube S. 20 Anm. 44 (vgl aber als Korrektur S. 22), noch als nur vorbildhaft verstanden werden (auch S. 22). Seine Treue ist auch Grund unserer Treue und unseres Glaubens.
10 Vgl Ex 32,11ff.31f; Num 14,33ff. Daß der Vf in 3,1 an Mose als Hohenpriester denkt, wie dies etwa bei Philo geschieht (Praem 9; VitMos II 1f), ist sehr unwahrscheinlich. Vgl *Williamson*, Philo and Hebrews S. 465f. Möglich ist aber andererseits, daß unser Vf irgendwie mit einer vorgegebenen Anwendung dieses Zitates vertraut war. Vgl Targum zu 1Chron 17,14 und dazu *S. Aalen*, »Reign« and »House« in the Kingdom of God in the Gospels, NTS 8 (1961/62) S. 215ff; auch *Billerbeck* III, S. 683; *Bruce* S. 57 Anm. 15.

in erster Linie an die Schöpfung zu denken[11], sondern an die Beauftragung[12]. Diesen Auftrag hat Mose ἐν (ὅλῳ)[13] τῷ οἴκῳ αὐτοῦ vollendet; »Haus« bedeutet dabei »Volk«. Αὐτοῦ bezieht sich auf Gott[14] wie ursprünglich im Zitat und wie auch in 3,6. Ein Bezug auf Jesus wäre überraschend[15] und sicher vom Vf aufgegriffen worden. Das γάρ (3,3) wäre dann gerade auf das αὐτοῦ (3,2) zu beziehen[16] und 3,2 als Gegensatz zu verstehen. Zunächst ist aber zu bemerken, daß bei einer Auffassung von 3,2 als Gegensatz auch ein sprachlicher Hinweis vom Vf zu erwarten wäre (wie in anderen Gegensatzstellen[17]). Die Stellung von πιστόν wie auch ὡς καί zeigt aber, daß hier kein Gegensatz beabsichtigt ist. Also ist αὐτοῦ auf Gott zu beziehen.

2.   Warum aber dieser Bezug auf Mose? Zunächst, weil hier vielleicht Elemente einer Mose-Typologie im Hintergrund liegen[18]; zweitens aber, weil der Vf so zu einem Gegensatz zwischen Jesus und Mose übergehen konnte. Dieser Gegensatz wird aber erst in 3,3ff explizit[19].

Wenden wir uns also 3,3 zu. Das γάρ bezieht sich offensichtlich auf den ganzen Satz 3,1f. Es wird der Grund angegeben, warum die Leser auf den Hohenpriester, der treu ist, schauen sollen: die Stellung, die Würde Jesu als des Erhöhten (vgl 2,7.9; 5,5). Der Vf hätte diese aber nennen können, ohne unbedingt Mose zu erwähnen. Er tat dies, weil die Versuchung, vor der die Leser standen, in der Rückkehr zum Judentum aus Furcht vor Verfolgung lag[20]. Der Vf spricht diese Situation an. Die Hoffnung der Leser liegt dabei in ihrem Bekenntnis zum erhöhten Sohn, der einerseits fürbittender Hoherpriester und andererseits größer als Mose ist.

Worin besteht aber diese Überlegenheit, die V3 zum Ausdruck bringen will? Zunächst ist eine falsche Deutung des Verses abzuwehren. Der Vf sagt nicht: Mose ist wie ein Haus, und Jesus ist wie der Erbauer[21]. Seine Aussage

---

11   Gegen ua *Strathmann* z.St.; *Michel* S. 175 Anm. 4.

12   So in ihren Komm. z.St. ua *Riggenbach, Westcott, Montefiore, Bruce*; vgl 1Kg 12,6; Dtn 32,15; Mk 3,14; Jes 17,7. In diesem Beauftragen dürfte zweierlei berücksichtigt werden. Erstens seine Aufgabe auf Erden; zweitens seine Aufgabe im Himmel als Hoherpriester-Fürbitter, die er nach dem Tode wahrgenommen hat. Diese Momente kommen durch ἀπόστολον und ἀρχιερέα zum Ausdruck.

13   Zum Textproblem vgl *Schröger*, Schriftausleger S. 95.

14   So in ihren Komm. z.St. ua *Windisch, Bruce, Michel*, auch *C. W. Otto*, Der Apostel und Hohepriester unseres Bekenntnisses, 1861, S. 57. So auch ausdrücklich in 10,21 (»Haus Gottes«), wo 3,6ff aufgegriffen wird.

15   Gegen *Bleek* z.St.; *Hanson*, Christ in the OT S. 394ff; *Kent* S. 65; *J. Swetnam*, Form and Content in Hebrews 1–6, Bibl 53 (1972) S. 368–385.

16   So *Riggenbach* S. 70.

17   So etwa mit einer μέν . . . δέ-Konstruktion. Vgl 3,5f und ua 1,7f; 7,18f.28; 10,11f.

18   Dazu siehe unten S. 114f.137.197f.

19   So *Schröger*, Schriftausleger S. 98.

20   Dazu vgl auch unten S. 254ff.

21   Das wird immer wieder angenommen. So ua *Riehm*, Lehrbegriff S. 309; *Ungeheuer*, Priester S. 16 und in ihren Komm. z.St. *Riggenbach, Windisch, Moffatt, Montefiore, Strathmann, Michel. Bruce* S. 57 und *Schröger*, Schriftausleger S. 97 setzen eine trinitarische Lösung voraus.

lautet: der Unterschied zwischen Jesus und Mose entspricht dem Unterschied zwischen dem Erbauer eines Hauses und dem Haus selbst. Das Haus greift offensichtlich »Haus« (= das Volk) aus dem Zitat auf und wird selbst in 3,4 weitergeführt in einer Weise, die zeigt, daß wir es hier mit einem Allgemeinplatz zu tun haben. 3,4 soll 3,3 stützen. Was besagt der Gegensatz in 3,3b zwischen dem Erbauer und dem Haus für die Stellung und Würde Jesu? Wenn 3,4 gefehlt hätte, würde man annehmen, daß der Vf behaupten wolle, Jesus sei der Begründer des Hauses. Aber offensichtlich ist das hier nicht seine Absicht, weil er sofort eine Erklärung gibt (3,4). Diese enthält zunächst die Feststellung, daß jedes Haus einen Erbauer habe (4a). Der Zusammenhang des Zitates sagt nichts über den Erbauer des Hauses aus, und deshalb fügt der Vf diesen Gedanken hinzu. Aber er geht noch weiter und sagt aus: »Gott hat alles geschaffen«. Hat diese Aussage etwas mit seiner Argumentation zu tun? Oder knüpft der Vf mit ihr an 4a an, um den Vers abzurunden[22]? Θεός hier auf Jesus zu beziehen käme unvorbereitet und wäre unwahrscheinlich[23]. Diese Aussage (4b) spielt uE doch eine Rolle in der Argumentation. Der Vf will damit sagen, daß Jesus Mose so gegenübersteht wie Gott der Schöpfung[24]. Jesus gehört auf die Seite Gottes, Mose auf die Seite des Volkes.

3. Diese Auslegung wird durch 3,5f bestätigt. Die Absicht des Vf in ihrer Vielfalt ist auch hier zu erkennen. Grundsätzlich liegt ein Gegensatz zwischen Mose, dem Diener (θεράπων)[25], und Jesus, dem Sohn über das Haus, vor. Das Bild ist klar. Gott hat das Haus gebaut. Es ist und bleibt sein Haus. Mose gehörte als Diener zu diesem Haus[26]. Jesus gehört aber – bild-

---

22 Die Verlegenheit der Ausleger, die den Erbauer des Hauses mit Christus identifizieren, wird an diesem Punkt ganz offensichtlich. So muß 3,4b als »an edifying aside« erklärt werden (*Moffatt* S. 42); vgl *Strathmann* z.St.; *Windisch* S. 29; *Hanson*, Christ in the OT S. 396.
23 Gegen *A. Stebler*, Beweisstelle für die Gottheit Jesu Christi. Zu Hb 3,1–6, ThPQ 76 (1923) S. 461–468, bes S. 467, vgl *Ungeheuer*, Priester S. 27. Vgl 1,2 u. 1,10. Aber in 2,10, dessen Vorstellungen gerade am Ende von c. 2 nochmals hervortreten, wird betont, daß Gott das All, πάντα (wie hier), geschaffen hat. Daß der Übergang vom »Hausgedanken« zum Gedanken über das All die philonische Konzeption von οἶκος zum Hintergrund hat, wie *Sowers*, Hermeneutics S. 117 (ähnlich *Schierse*, Verheißung S. 111) behauptet, ist sehr unwahrscheinlich. Dazu *Williamson*, Philo and Hebrews S. 462.
24 So mit Recht in ihren Komm. z.St. *de Wette, Delitzsch, Hofmann*; vgl auch *Westcott*.
25 Zu θεράπων mit Bezug auf Mose vgl außer Num 12,7: Ex 4,10; SapSal 10,16; Barn 14,4.
26 Es wird nicht von verschiedenen Häusern in 3,1–6 gesprochen, sondern konsequent von nur einem Haus. So ua *Otto*, Apostel S. 93; *Ungeheuer*, Priester S. 115. Zum atlichen Bild vom Volk als Haus Gottes im NT vgl 1Tim 3,15; 1Pt 4,17. Das Wort οἶκος birgt in sich keine gnostische Spekulation einer συγγένεια (gegen *Käsemann*. Gottesvolk S. 97). Dazu siehe weiter unten S. 128f. Wir als das Gottesvolk sind sein Haus. Glieder des alten Bundes sind aber von der Vollendung auch nicht ausgeschlossen, wie gerade c. 11 zeigt (bes 11,39f). Anhaltspunkte für eine Gleichsetzung dieser Vorstellung mit der σῶμα-Lehre in den Deuteropaulinen liegen nicht vor (gegen *Schierse*, Verheißung S. 108ff; vgl auch *Schröger*, Schriftausleger S. 100 Anm. 2). Das würde zudem eine unzutreffende Exegese von πάντα implizieren. Ebensowenig ist es zulässig, mit *Ungeheuer*, Priester, S. 116ff aufgrund einer aus anderen neutestamentlichen Schriften (vgl Eph 2,21f) gewonnenen Tempelvorstellung »Haus« mit der differierenden Tempelvorstellung des Hb zu identifizieren.

lich gesprochen – zur Familie des Erbauers. Die Frage, ob Jesus als der Sohn
schon einen Anteil an der Gründung des Hauses (des Volkes) hatte, wird
vom Vf hier nicht angeschnitten[27]. Sie wäre aufgrund der Schöpfungsmittlerschaft des Sohnes vielleicht positiv zu beantworten.
In 3,1–6 kommt also diese Christologie des Vf nochmals deutlich zum Ausdruck. Jesus gehört auf die Seite Gottes, nicht auf die des Volkes und der
Schöpfung. In diesen Versen (bes 5f) wird auch die Ausrichtung seiner Gedanken erkennbar. Wenn er einen Gegensatz zwischen dem Sohn und Mose
konstruiert, so möchte er dabei Mose keineswegs abwerten, sondern er versucht, dessen Stellung zu klären[28]. Dieser Schritt wäre unnötig, wenn er
und seine Leser nicht ein lebendiges Interesse an Mose hätten.

Die These, daß der alte Bund nur eine Folie sei, müssen wir auch aufgrund anderer Stellen[29]
entschieden verneinen[30]. Die Alternative, entweder für oder gegen Mose, ist falsch. Als Seelsorger möchte unser Vf vielmehr seinen Lesern helfen, wie die Engel so auch Mose richtig einzuordnen. Dabei handelt es sich nicht um eine akademische Frage, sondern um eine, die für die
Leser von großer Relevanz war. Er begegnet dem Anspruch des Mose nicht mit einer vollkommenen Absage, die Leser, die unter dem Einfluß jüdischer Gedanken waren, in Verwirrung
stürzen und einige zum Abfall ins Judentum zwingen würde, sondern mit einer theologischen
Einordnung. Was er ihnen damit theologisch anbietet, ist praktische Hilfe und Ermutigung
(vgl 13,22 und vor allem 10,25). Als Versuchte können sie nicht nur Hilfe von der Fürsprache
Jesu erwarten, sie bekommen vom Vf theologischen Zuspruch, um der Versuchung zu widerstehen.

Gerade in der Verfolgungssituation ist der Nachweis wichtig, daß Mose
doch eine Funktion als Zeuge für das Evangelium hatte (εἰς μαρτύριον τῶν
λαληθησομένων 3,5)[31]. Aber das wichtigste ist, die Stellung Jesu zu unterstreichen, weil er Sohn über das Haus ist, und zu diesem Haus gehören wir,
solange wir nur aushalten (3,6; vgl 3,14)[32].

---

27 Gegen *Hanson*, Christ in the OT S. 397.
28 *Schierse*, Verheißung S. 199, ist zuzustimmen, daß es »eine armselige Verkümmerung
des Inhalts von 1,1–4,1« wäre, »wollte man alles auf das Schema reduzieren: Christus erhabe-
ner als die Engel, als Moses, als Josua«.
29 Vgl unten S. 254ff.
30 Gegen *Grässer*, Glaube S. 19f.
31 Das Wort λαληθησομένων bezieht sich auf die Verkündigung der kommenden Güte (vgl
9,11; 10,1), also auf das Evangelium Christi, nicht auf Mitteilungen, die Mose gegeben wurden (gegen *Michel* S. 177; ua). Zwar ist vielleicht mit μαρτύριον auch an diese Mitteilungen
gedacht, nicht zuletzt an die σκηνὴ τοῦ μαρτυρίου, aber im Sinne von Zeugen für das Evangelium. Dazu vgl *Bruce* S. 58 Anm. 16. Damit wird dieser Satz ein Schlüsselsatz für die Hermeneutik des Vf.
32 In 3,14 ist ἀρχή keine christologische Bezeichnung wie in Kol 1,18. Vielmehr geht es um
das »Festhalten an der Ausgangslage«. So *Hofius*, Katapausis S. 133f; ähnlich *Bornkamm*, Bekenntnis S. 191. Vgl auch *Grässer*, Glaube S. 99ff u. 16ff.

Der Sohn Gottes im übrigen Brief

Es ist dieser Sohn Gottes unseres Bekenntnisses[33], der als großer Hoherpriester mit uns Mitleid hat und uns helfen möchte (4,14ff). *Die Bedeutung dieser Sohnschaft für die Hohepriesterschaft Jesu* wird besonders in c.7 aufgegriffen. Hier läßt sich nochmals deutlich erkennen, was unter dieser Sohnschaft zu verstehen ist. Zunächst wird von Melchisedek gesagt, daß er ἀφωμοιωμένος . . . τῷ υἱῷ τοῦ θεοῦ ewig bleibt (7,3). Die Auslegung in 7,8 (bes ὅτι ζῇ) macht deutlich, daß dabei an den Grund der Dauerhaftigkeit der Priesterschaft gedacht ist. Ohne daß wir auf die Frage eingehen, wie der Vf über Melchisedek denkt, bleibt unbestritten, daß die Ausführung vor allem den Wert der Priesterschaft Jesu unterstreichen will. Er ist Priester nach der τάξις Melchisedeks. Nach dieser τάξις bleibt er Priester in Ewigkeit. Aus welchem Grund? Die Bedeutung dieser τάξις in bezug auf Jesus kommt in 7,15ff klar zum Ausdruck. Während die alten Hohenpriester κατὰ νόμον ἐντολῆς σαρκίνης (7,16) ihren Dienst aufnahmen, ist Jesus κατὰ δύναμιν ζωῆς ἀκαταλύτου (7,16) Priester geworden (vgl 7,8 ὅτι ζῇ). Jesus gehört nicht zum schwachen σάρξ-Bereich. Das sarkische Gesetz setzt Menschen als Priester ein, deren Priesterschaft mit ihrem Tod aufhört (vgl 7,28). Grundlage für Jesu Priestertum ist aber nicht das sarkische Gesetz, sondern sein unzerstörbares Leben, kraft dessen er Priester in Ewigkeit bleibt. Das ist es ja, was das Wort aus Ps 110,4 besagt (V 17). Jesus gehört zum himmlischen Bereich; er ist sogar Sohn Gottes. Aufgrund dieser Sohnschaft bzw der Kraft seines unzerstörbaren Lebens ist er Priester auf ewig, so daß er für uns Teleiosis leisten (7,18f) und uns vollkommen retten kann (7,25)[34]. Auch in 7,15ff geht es dem Vf grundsätzlich darum, die gegenwärtige Stellung Jesu zu schildern. Gerade in dieser Darstellung kommen die wesensmäßigen Züge seiner Christologie deutlich zur Geltung[35].

Wenn man im Auge behält, was diese Sohnschaft nach Meinung des Vf bedeutet, wird man verstehen, warum er von so fürchterlichen Konsequenzen für jene spricht, die für sich selbst durch ihre Apostasie den Sohn Gottes kreuzigen oder mit Füßen treten (6,6; 10,29). Einmal haben Menschen diesen Sohn Gottes gekreuzigt. Auch in der Schilderung dieses Ereignisses kommt das Wort »Sohn« im vollen Sinn vor (5,8)[36]. Obwohl er sogar Sohn

---

33 Zu diesem Problem vgl unten S. 207ff.

34 Δύναμις (7,16) ist keine »Macht«, die den Christus trägt«, sondern eine Eigenschaft (gegen *Michel* S. 273). Er fühlt sich zu diesem Ergebnis gezwungen, weil bei der üblichen Lösung das Problem entstehen würde, wie Christus dann sterben konnte (so S. 272). Das Problem, das *Michel* hier sieht, ist nicht zuletzt mit der Frage verwandt, wie der Sohn der göttliche Präexistente sein konnte und zugleich erst mit der Erhöhung die Sohnschaft erbt. Dazu siehe unten S. 116ff.

35 Hier wird mehr gesagt, als daß Jesus aufgrund seiner Auferweckung Priester geworden ist. Die Ewigkeit seiner Priesterschaft beruht auf der Tatsache, daß sein Leben sogar ἀκατάλυτος ist, also auf der Gottessohnschaft selbst.

36 Zu 5,7ff vgl unten S. 97ff. Das Leiden gehört nicht zum Wesen dieser Sohnschaft. Das Erstaunen darüber wird durch καίπερ ὢν υἱός zum Ausdruck gebracht.

war, hat er durch sein Leiden gelernt, gehorsam zu sein. Mit der Artikellosigkeit hier wie auch bei dem Gebrauch von υἱός in 1,2; 3,6 und 7,28 soll die
volle Bedeutung der Sohnschaft hervorgehoben werden.

Zwar heißen auch die Christen Söhne[37], aber damit wird die Sohnschaft
Jesu und der Christen keineswegs gleichgesetzt. Das zeigt die Tatsache, daß
der Vf im unmittelbaren Bezug auf die Söhne und den Sohn sagen kann, daß
der Sohn sich nicht schämt, diese Menschen Brüder zu nennen (2,11b). Das
setzt gerade voraus, daß sie ihm nicht gleich sind.

Zusammenfassung

Wir können feststellen, daß die Christologie, die in den ersten Versen des
Briefes zu erkennen ist, wesentlicher Bestandteil der Christologie des Vf ist
und eine wichtige Rolle in seinen Gedanken spielt. Obwohl sein Blick auf
den gegenwärtigen Jesus gerichtet ist und ihn daher die jetzige Würde des
Sohnes beschäftigt, ist für ihn vollkommen klar, daß diese Würde nicht auf
die Erhöhung beschränkt werden darf. Der, den er bevorzugt Sohn nennt,
war sowohl in der Vorzeit als auch auf Erden tätig. Diese Erkenntnis darf
aber nicht nur auf Aussagen, die ausdrücklich den Titel »Sohn« gebrauchen,
beschränkt werden, sondern muß für die ganze Christologie des Vf vorausgesetzt werden.

Wie verhält sich diese Sohnschaftschristologie, die von Präexistenz und
göttlicher Würde spricht, zu der der Erhöhungsüberlieferung, die in Adoptionsaussagen der messianischen Deutung wurzelt und ebenfalls im Brief
gut belegt ist? Ehe wir zu dieser Frage übergehen können, müssen wir auch
die Aussagen in Betracht ziehen, die vom irdischen Leben Jesu sprechen.

---

37   Dazu vgl unten S. 130f.

IV. Jesus der Menschgewordene

1. Der Verkündiger des Heils

In 2,1–4 steht das Wort der Engel dem Wort des Herrn gegenüber; der Vf versucht, die Ernsthaftigkeit christlicher Verkündigung und der Antwort darauf zu betonen[1]. Dieses Wort des Heiles ist durch den Herrn gesprochen worden. Man würde vielleicht zunächst das Wort »Sohn« erwarten, weil der Gegensatz bisher vor allem die Engel und den Sohn betraf; aber der Abschnitt 2,1–4 ist nicht der Gipfel dieses Vergleichs, sondern eine paränetische Hinzufügung des Vf. Sie dient dazu, die Leser auf den Ernst ihrer Situation aufmerksam zu machen.

Der Gegensatz zwischen altem Wort und neuer Botschaft beruht auf dem Gegensatz zwischen den Mittlern. Wenn das alte Wort gültig war und seine Ablehnung Konsequenzen hatte, dann wird um so mehr – hier kommt die Steigerung – der Ungehorsam der neuen Botschaft gegenüber Folgen haben. Der Vf begründet den Gegensatz mit dem Hinweis auf den Anfang, denn dieses neue Wort ist durch Jesus, den Herrn, in seinem irdischen Leben verkündigt worden. Dieses geschichtliche Ereignis, die Verkündigung des Heils durch den Herrn, und die geschichtliche Verbindung zu uns (2,3), sind für den Vf von allerhöchster Bedeutung.

Jesus als Verkündiger des Heils im übrigen Brief

Eine ähnliche Steigerung findet man in 10,28f, wo die Leser davor gewarnt werden (unter Erinnerung an 6,4–6), das christliche Leben aufzugeben, und auch in 12,25, wo vor einem Abweichen von dem, der durch Jesus vom Himmel gesprochen hat, gewarnt wird.

1. Diese Vorstellung von *Jesus als dem, durch den Gott gesprochen hat,* kommt im Brief sehr häufig vor. Gleich am Anfang des Briefes (1,1f) – und damit am Anfang seiner Theologie – wird gesagt, daß Gott gesprochen hat. Er hat durch den Sohn gesprochen. Diese Vorstellung steht sehr wahrscheinlich auch hinter τὸν ἀπόστολον (3,1) und sicherlich hinter κλήσεως ἐπουρανίου im selben Vers. Hier ist eine Doppeldeutigkeit vorhanden: Einerseits kommt der Ruf Gottes durch die Inkarnation des Sohnes vom Himmel, andererseits werden die Hörer zugleich zum Himmel gerufen.

Der *Gebrauch des Wortes* ἀπόστολος als Bezeichnung für die ersten führenden Männer der Urkirche hält den Vf nicht davon ab, sie auf Jesus zu übertragen. Es ist keine Spur von Polemik

---

1 Zu 2,1–4 vgl vor allem E. *Grässer*, Das Heil als Wort. Exegetische Erwägungen zu Hebr 2,1–4, in: Neues Testament und Geschichte (Festschrift für O. Cullmann), 1972, S. 261–274.

gegen irgendwelche Apostel zu erkennen². Vielmehr hat der Vf eine wahrscheinlich traditionelle Bezeichnung Jesu aufgenommen, die im Zusammenhang mit der ὁμολογία stand, vielleicht sogar schon in Verbindung mit dem Hohenpriestertitel³. Wie die Bezeichnung »Hoherpriester« nicht erst durch den folgenden Hinweis auf Mose, dem Philo priesterliche Züge zu-
spricht⁴, sondern durch 2,17 und die ὁμολογία gegeben ist, so dürfte auch ἀπόστολος nicht
erst durch den Hinweis auf Mose als Gottes Beauftragten, sondern schon durch die Vorstellungen der vorangegangenen Verse gegeben sein. Dort wird ja von Jesus als dem Beauftragten
Gottes gesprochen, der gesandt wurde, das Heil zu verkündigen⁵. Die Bedeutung von ἀπόστολος als Beauftragter, Gesandter, Bote dürfte sich auch in κλήσεως ἐπουρανίου μέτοχοι sowie
τῷ ποιήσαντι αὐτόν (3,2) widerspiegeln. Es ist vielleicht an Mose als Beauftragten Gottes gedacht, auch wenn er nur als Diener, Jesus aber als Sohn bezeichnet wird (3,5)⁶.

2. Der Vergleich, der in 10,28f, 12,25 und 2,1–4 vorliegt, begegnet in
ähnlicher Weise in 3,7–4,13 zugleich als Warnung (3,7–4,2) und Ermunterung. Das Wort, das wir gehört haben (4,2 ὁ λόγος τῆς ἀκοῆς), ist zugleich
ein Wort der Verheißung (4,1). Es ist eine gute Botschaft (vgl 4,2 ; 4,6). Sie
verspricht Ruhe in der himmlischen Welt, aber für die Ungehorsamen ist sie
ein drohendes, richtendes Wort (4,12f).
3. Durch die Auslegung der ὁμολογία (4,14) möchte der Vf zeigen, daß
die Verheißung der Botschaft erfüllbar ist (vgl am Ende dieser Auslegung:
κατέχωμεν τὴν ὁμολογίαν τῆς ἐλπίδος ἀκλινῆ, πιστὸς γὰρ ὁ ἐπαγγει-
λάμενος 10,23). Diese Kenntnis der Wahrheit (10,26), die Kenntnis der
Heilsbotschaft sollen wir nicht aufgeben. Wir sollen auf unsere Hoffnung
warten, wie auch die Väter es getan haben (11,2 und c. 11 passim). Nach den
Ermunterungen und Warnungen in c. 12 steht dieses Thema auch in c. 13 im
Mittelpunkt.
4. Es geht hier wie im ganzen Brief um die Treue zum Wort Jesu und darum, was dieses verheißt. Wir sollen daran festhalten, was die Führer zu uns
gesprochen hatten, und deren Lebensweise nachahmen (13,7 vgl auch
6,12). Wir sollen nicht von anderen Lehren umgetrieben werden (13,9),
weil die Botschaft sich nicht geändert hat (13,8). Jesus Christus, der das

2 Gegen *Vielhauer*, Rezension S. 218f. Zu der oben erwähnten Doppeldeutigkeit vgl ua *Michel* S. 171 und *Windisch* S. 28.
3 Dazu siehe unten S. 207ff.
4 Vgl PhiloPraem 9; VitMos II 1.
5 Vgl JustApol I 12,9; 63,10.
6 Daß darüber hinaus Jesus als ἀπόστολος und ἀρχιερεύς Mose und Aaron gegenübergestellt ist, halten wir für sehr unwahrscheinlich; gegen *K. H. Rengstorf*, Art. ἀπόστολος,
ThWNT I, S. 419ff, hier S. 424; *Riggenbach* S. 65ff. Denn von Aaron ist in diesem Kontext
nicht die Rede. Außerdem wird Jesus in seiner Stellung über das Haus, wie sie im Vergleich mit
Mose hervorgehoben wird, in 10,21, der dieses Motiv aufgreift, als »Priester über das Haus«
bezeichnet. Wir erkennen auch keinen Grund, warum die Bezeichnung Jesu als Beauftragter
und Gesandter in 3,1 als gnostisch zu bewerten sei. Dabei möchten wir nicht verkennen, daß in
späteren gnostischen Schriften Erlösergestalten eine ähnliche Bezeichnung tragen. So *Käsemann*, Gottesvolk S. 96; *Grässer*, Glaube S. 96; *Theissen*, Untersuchungen S. 43. Nur darf
nicht übersehen werden, daß die Darstellung von Jesus als Gesandten und Boten Gottes sehr
früh entstanden ist (vgl ua Mk 9,37 parr; Mt 10,40; 15,24; Lk 10,16; Joh passim; Gal 4,4) und
unserem Vf geläufig war.

Wort am Anfang gesprochen hatte, ist derselbe, und er bleibt und wird bleiben bei seinem Wort. Die bekenntnisartige Aussage in 13,8 ist vom Vf ganz deutlich auf die Festigkeit und Unveränderlichkeit des Verkündungswortes hin interpretiert[7]. Die Vorstellung von Jesus als dem Verkündiger des Heils zieht sich durch den ganzen Brief hindurch.

In 13,8 ist nicht nur an den irdischen Jesus als Verkündiger gedacht, sondern auch an Jesus als Inhalt der Botschaft, die von den verstorbenen Lehrern verkündigt worden war. Der Ausdruck »gestern und heute« ist eine im AT gebräuchliche Zeitangabe für die jüngste Vergangenheit und die augenblickliche Gegenwart[8]. Hier wird also nicht hervorgehoben, daß Jesus von Ewigkeit her derselbe ist, sondern, daß der Jesus, der »gestern« auf Erden das Heil verkündet und uns zugänglich gemacht hat, derselbe bleibt[9]. Er ist auch der, der dabei Versuchung und Leiden erlebt hat und für uns betet. Mit 13,8 wird auch zum Ausdruck gebracht, daß er als Erhöhter noch herrscht (vgl 1,8f; u. bes 1,10ff, wo es heißt: »Du aber bleibst derselbe, und deine Jahre werden nicht aufhören«). Die christologische Vorstellung, die in 13,8 zu Wort kommt, entspricht also sehr exakt der Auffassung des Vf. Daß er diese Aussage vorgefunden hat[10], scheint uns sehr wahrscheinlich zu sein; denn sie steht zwar in deutlicher Verbindung mit dem Gedankengang des Kontextes, kommt aber in dieser Form unvorbereitet. Die Formulierung ist liturgisch gestaltet (vgl den vollen Titel »Jesus Christus« – sonst in 13,21 im liturgischen Zusammenhang; und in dem liturgisch abgerundeten Satz 10,10; vgl auch die dreigestaltige Zeitangabe und εἰς τοὺς αἰῶνας, was in dieser Form nur hier und im liturgischen Text 13,20f vorkommt)[11]. Vielleicht wurde diese Aussage ursprünglich als Akklamation verstanden, ohne daß an bestimmte Zeitpunkte gedacht wurde. Der Vf hat sie aber im Rahmen seiner christologischen Auffassung verstanden und sie in Verbindung mit der Ermahnung über falsche Lehrer gebracht. Wieweit ähnliche Deutungen des Jahwenamens oder ähnlich lautende Formulierungen der hellenistischen Umwelt auf die ursprüngliche Aussage eingewirkt haben, läßt sich nicht mehr mit Sicherheit feststellen[12].

2,3 als christologisches Problem

Wenn dieses Wort durch den Herrn gesprochen wurde (2,3), wie ist *der Inhalt* zu bestimmen? Dieses ist das Wort des Heils (τηλικαύτης . . . σωτηρίας, ἥτις ἀρχὴν λαβοῦσα λαλεῖσθαι διὰ τοῦ κυρίου 2,3). Wenn wir von diesem Heil reden, sprechen wir von der kommenden Welt bzw der himmlischen Welt (2,5: »Denn nicht den Engeln hat er die zukünftige Welt unterworfen, von der wir reden«). Deshalb kann der Vf an anderen Stellen des Briefes von der Verheißung, der Hoffnung, der Botschaft sprechen und damit die himmlische Welt, die Ruhe, die himmlische Stadt usw meinen[13].

7 Anders *Strathmann* z.St.
8 *Michel* S. 490.
9 So *Delitzsch* S. 673; *Spicq* II S. 422, vgl *Filson*, Yesterday S. 31.
10 So auch ua *Michel* S. 490ff; *Grässer*, Glaube S. 29.
11 Vgl sonst εἰς τὸ διηνεκές 7,3; 10,12 und εἰς τὸν αἰῶνα 7,28 (durch den Einfluß von Ps 110,4).
12 Dazu vgl *Billerbeck* III, S. 750; *Michel* S. 490; *Bruce* S. 395f Anm. 45.
13 Vgl 9,15; 10,36, auch 6,12; 11,9.13.39 (ἐπαγγελία) und 6,18 (ἐλπίς).

Aber gerade diese Bestimmung des Inhalts überrascht, besonders wie sie in 2,1–4 und 5 vorausgesetzt ist.

Man würde erwarten, daß die Verkündigung Jesus selbst zum Inhalt haben würde. Aber hier kommt die Auffassung deutlich zum Ausdruck, daß *Jesus selbst der erste Verkündiger dieser Botschaft war* und daß diese Botschaft von seinen Hörern wiedergegeben wurde[14]. Eine solche Auffassung findet man bei Paulus nie[15]. Um auf den berühmten Satz von *Bultmann* anzuspielen[16], scheint es zunächst fast, als ob hinter dieser Aussage die Vorstellung steht, daß Jesus immer noch der Verkündiger ist und noch nicht der Verkündigte. Aber wie ist unser Text zu verstehen?

Was ist nun genauer der Inhalt dieser Botschaft, die durch den Herrn verkündigt worden ist und von dessen Hörern zum Vf und seinen Leser gekommen ist (so 2,3)? Gibt es Hinweise im Brief darauf, was zB den Ungläubigen verkündigt worden ist?

Das »ABC« der Botschaft

1. Die Aufforderung des Vf

Es gibt tatsächlich ein ABC der Botschaft (vgl τὰ στοιχεῖα τῆς ἀρχῆς τῶν λογίων τοῦ θεοῦ 5,12[17]). Wir finden es in dem paränetischen Abschnitt *5,11–6,8*, bes 6,1f. Der Vf wirft seinen Lesern vor, daß sie als Christen noch nicht erwachsen sind (5,11b.12f).

Τέλειος bzw τελειότης (6,1) ist nicht mit τελείωσις zu verwechseln[18]. τέλειος/τελειότης bedeuten hier Reife, vor allem in bezug auf die Fähigkeit, Lehre aufzunehmen (und auch weiterzugeben, so V 12)[19]. Es geht dabei nicht in erster Linie um ethische Reife[20]. Das Bild von Speisen für Säuglinge und Erwachsene war in der antiken Welt weit verbreitet, besonders unter den stoischen Philosophen, und kommt auch bei Philo häufig vor[21]. Auch auf die urchristliche Paränese hat es eingewirkt[22]. Τέλειος bedeutet aber nicht »eingeweiht«[23] und ist nicht als Termi-

---

14 Für die Übersetzung von ἥτις, ἀρχὴν λαβοῦσα λαλεῖσθαι διὰ τοῦ κυρίου als »die seinen Anfang dadurch nahm, daß sie durch den Herrn verkündigt wurde« sprechen folgende Gründe: Zunächst ist das Heil dem Gesetz gegenübergestellt. Durch Engel wurde das Gesetz übermittelt, durch den Herrn das Heil. Zweitens haben die Hörer von 2,3ff offensichtlich Jesu Wort, das Heilswort, gehört. Schließlich ist ἀρχὴν λαβοῦσα eine bekannte Wendung (so *Moffatt* z.St.). Das Heil wurde verkündigt durch den Herrn. So ua *Klappert*, Eschatologie S. 42; *Grässer*, Heil S. 263ff; *G. Delling*, Wort Gottes und Verkündigung im Neuen Testament (SBS 53), 1971, S. 75 und die meisten Ausleger. Anders *Theissen*, Untersuchungen S. 43.

15 So *Windisch* S. 19; vgl auch *Grässer*, Glaube S. 77.

16 *R. Bultmann*, Theologie des Neuen Testaments, [7]1977, S. 35.

17 Das γάλακτος (V 12) wie auch die Parallele mit 6,1 schließen die Deutung dieser Aussage auf das AT aus, gegen *Williamson*, Philo und Hebrews S. 278.

18 So ua *Michel* S. 231. Vgl auch Anm. 2 zu A.II.1.

19 So *Delling*, Art. τέλειος κτλ., ThWNT VIII, S. 78; *Michel* S. 234.

20 Gegen *W. Manson* S. 61.

21 Dazu vor allem *Williamson*, Philo and Hebrews S. 277ff.

22 Vgl 1Kor 3,1ff und *W. Grundmann*, Die νήπιοι in der urchristlichen Paränese, NTS 5 (1958/59) S. 188–205.

nus der Mysterienreligion belegt[24]. Die bei ihnen beliebte Speise heißt ja »Milch«[25]. Es ist also kaum überzeugend, wenn *Käsemann* unter Berufung auf gnostische Texte schreibt: »Der Vf erweckt an dieser Stelle eine bekannte gnostische Stilform zu neuem Leben«[26]. Hier geht es nicht um die Mitteilung von »Geheimlehre« gnostischer Art, wie *Käsemann* behauptet. Τελειότης ist nicht eine Bezeichnung dieser Lehre, sondern meint den Zustand des τέλειος-Seins. Auch der Versuch, τέλειοι als Bezeichnung für die Getauften zu erklären, übersieht, daß die Leser, die ja schon getauft worden sind (φωτισθέντες 6,4), noch nicht τέλειοι sind. Mit *Delling*[27] ist es wichtig zu erkennen, daß die Unterscheidung hier »paränetisch bedingt« ist. Der Vf will also 5,11–14 als »Aufruf, erwachsen zu werden, verstanden wissen«.

Deshalb äußert der Vf seine Bedenken darüber, daß seine Leser seine weitere Auslegung richtig annehmen werden (5,11). Wir sollten uns an diesem Punkt nicht scheuen, von der Technik des Vf zu sprechen[28]. Die menschliche Reaktion auf solche Worte ist im allgemeinen ein völliges Abschalten oder positiv der Entschluß, den Vorwurf des Redners durch ein verändertes Verhalten zu widerlegen und dadurch dem Wunsch des Redners zu entsprechen. Diese rhetorische Technik kannte der Vf, und er benutzt sie hier. Er wirft den Lesern vor, daß sie sich immer noch auf die Anfangsworte beschränken (5,12), und wir dürfen annehmen, daß er dabei an die einfache Darstellung des Evangeliums denkt, die sie am Anfang gehört hatten. Er will sie weiterführen und ihnen Implikationen ihrer Homologie erklären; damit scheinen die Ausführungen über die Hohepriesterlehre gemeint zu sein. Sie sollen dadurch gestärkt werden, so daß sie einerseits in ihrer Situation bestehen, andererseits dazu fähig sind, andere zu unterrichten (5,12)[29] und vielleicht auch eine bessere Verteidigung ihrer Lehre zu geben, wenn τῶν διὰ τὴν ἕξιν τὰ αἰσθητήρια γεγυμνασμένα ἐχόντων πρὸς διάκρισιν καλοῦ τε καὶ κακοῦ (5,14) nicht bloß ethisch zu verstehen ist[30]. Dadurch werden sie nicht ἄπειροι λόγου δικαιοσύνης sein, was sehr wohl »unfähig« bedeutet, das Wort über die δικαιοσύνη zu behandeln. Dabei meint δικαιοσύνη nicht »Gerechtigkeit« im paulinischen Sinne, sondern ist ein weiterer Begriff für das Heil, die himmlische Welt, wie in 11,7 und wahrscheinlich in 12,11.

Die Deutungen von λόγος δικαιοσύνης, in dem die Säuglinge unerfahren sind, sind unter den Auslegern sehr verschieden. Wenn man sich streng an das Bild hält, könnte hier davon gespro-

---

23 Gegen *Grundmann*, Paränese S. 192.
24 Dazu vgl oben S. 48.
25 So *Michel* S. 236.
26 *Käsemann*, Gottesvolk S. 124.
27 *Delling*, Art. τέλειος κτλ., ThWNT VIII, S. 78 Anm. 61.
28 So ua W. *Wrede*, Das literarische Rätsel des Hebräerbriefes (FRLANT 8), 1906, S. 36. Die Leser sind tatsächlich unreif, und der Vf macht sich Sorgen deswegen. Die Schilderung ihrer Situation ist aber zugleich eine Aufforderung an sie, nicht so zu bleiben. Vgl auch *Michel* S. 230 Anm. 1 und IV Esr 4,10ff.
29 Wir lesen τινά, nicht τίνα; dazu vgl ua *Michel* S. 235; *Riggenbach* S. 141.
30 Es geht in diesem Abschnitt um die Lehre und die Befähigung, einerseits diese Lehre anzunehmen, andererseits aber falsche Lehrer abzulehnen. Daß die Leser tatsächlich von falscher Lehre bedroht sind, zeigt nicht zuletzt 13,9. Vgl 1Joh 4,1ff.

chen sein, daß Säuglinge »richtige Rede« nicht verstehen[31] oder nicht von sich geben, also nicht sprechen können[32]. Im übertragenen Sinn, der in diesem Abschnitt vorauszusetzen ist, läßt das Bild einige Deutungen zu. »Without experience of moral truth«[33] wäre auch möglich, aber es geht hier nicht bloß um »ethische Reife«[34]. Auch der Vorschlag von *Owen*[35] (»principle of righteousness«) ist also nicht zutreffend. Gegen die Beschränkung von λόγος δικαιοσύνης auf den Taufunterricht[36] spricht das Vorkommen von γάλακτος unmittelbar vor diesen Wörtern. Γάλα ist der Taufunterricht (so vgl V 12), so daß nicht zu erwarten wäre, daß der Sinn πᾶς γὰρ ὁ μετέχων γάλακτος ἄπειρος »γάλακτος« wäre! Ist dann an die vollkommene Lehre zu denken[37], also die feste Speise? Dann wäre der Gedankengang kaum zu verstehen und müßte lauten: Sie brauchen keine feste Speise (V 12), weil sie in »fester Speise« unerfahren sind. Ἄπειρος λόγου δικαιοσύνης ist vielmehr in Verbindung mit V 12a (διδάσκαλοι . . .!, διδάσκειν) zu verstehen. Die Wendung muß hier »unerfahren und deshalb unfähig ua, das Wort der δικαιοσύνη zu lehren bzw zu behandeln« heißen. Es liegt also nahe, das Wort der δικαιοσύνη als Bezeichnung für christliche Lehre zu verstehen, ohne daß damit ausschließlich an Taufunterricht oder Lehre für Fortgeschrittene gedacht wird. Δικαιοσύνη im paulinischen Sinne zu verstehen[38] ist nicht überzeugend, weil wir damit eine gute Kenntnis der paulinischen Botschaft voraussetzen müßten, was gerade nicht zu beweisen ist (vgl aber 11,7). Allerdings dürfte die Bezeichnung der Botschaft des Christentums als λόγος δικαιοσύνης möglich gewesen und hier vorauszusetzen sein, auch wenn man nur an δικαιοσύνη als Heil bzw Vorbedingung für das Heil denkt[39].

Mit den Worten τὸν τῆς ἀρχῆς τοῦ Χριστοῦ λόγον (6,1) wird daher τὰ στοιχεῖα τῆς ἀρχῆς τῶν λογίων τοῦ θεοῦ (5,12) aufgegriffen. Wenn man die Technik des Vf versteht, ist das διό nicht überraschend, auch wenn es zunächst ein Widerspruch zu sein scheint. Mit dem ἀφέντες ist keineswegs eine Ablehnung gemeint, sondern ein Versuch, die Leser von dieser Beschränkung auf die einfache Form des Wortes, wie es zu ihnen am Anfang gekommen war, wegzubringen.

2. *Das Summarium (6,1f)*
a) Was aber war dieses »Anfangswort«? Der aus sechs Bestandteilen bestehende *Inhalt dieses Stückes (6,1f)* hat viele Probleme bereitet. Einige haben von einem jüdischen Stück gesprochen[40], aber gerade das τοῦ Χριστοῦ schließt diese Deutung aus; wäre τοῦ Χριστοῦ als »über den Messias« zu

31 So *Riggenbach* S. 143f.
32 So *Strathmann* z.St.; *Michel* S. 236; *Grässer*, Glaube S. 139 Anm. 444.
33 *Montefiore* S. 103.
34 Gegen *Moffatt* S. 71.
35 H. P. *Owen*, The »Stages of Ascent« in Hebrews 5,11–6,3, NTS 3 (1956/57) S. 243–253, hier S. 244f.
36 So *Käsemann*, Gottesvolk S. 120 u. 122.
37 So *Windisch* S. 48; *Grundmann*, Paränese S. 193.
38 So *Spicq* II S. 145; *Héring* S. 55.
39 Zu δικαιοσύνη als Gegenstand des Heils vgl ua Mt 5,6; 6,33; Joh 16,8.10; Röm 5,17; 6,16; 10,10; Gal 5,5; 2Tim 4,8; vor allem vgl PolPhil 9,1 τῷ λόγῳ τῆς δικαιοσύνης. Vgl auch Hb 11,7.
40 So ua *B. Collins*, Tentatur nova Interpretatione Hb 5,11–6,8, VD 26 (1948) S. 144–151 u. 193–206; *S. L. Johnson*, Some Important Mistranslations in Hebrews, BS 110 (1953) S.

übersetzen, bliebe gerade das Fehlen weiterer Erwähnung in der Liste unerklärbar.

Wir gehen davon aus, daß wir es hier mit *einem christlichen Stück* zu tun haben[41]. Die vorherige Diskussion von 5,11ff wie auch der Zusammenhang dieses Stückes mit der Taufe, was 6,4ff (vgl φωτισθέντες V 4) beweist, machen es wahrscheinlich, daß wir ein Summarium der christlichen Botschaft vor uns haben. Ob dieses Summarium vollständig ist, ist nicht leicht zu bestimmen, aber es hat sicherlich eine abgerundete Form[42].

Andererseits ist zunächst nicht sicher, ob wir nicht von zwei Teilen sprechen sollten; diese Frage hängt sehr eng mit dem Textproblem zusammen, ob in 6,2 διδαχῆς oder διδαχήν zu lesen ist[43]. Wenn wir uns für die zweite Lesart entscheiden würden, dann könnte man vom Fundament (θεμέλιον) sprechen, das aus »der Abkehr von toten Werken« und »dem Glauben an Gott« besteht, und von der Lehre, die in βαπτισμῶν und der Handauflegung, in der Auferstehung der Toten und dem ewigen Gericht vorliegt. Dann könnte man etwa sagen, daß der erste Teil die Botschaft selbst sei und der zweite Teil den Unterricht vor der Taufe und gleich nach der Taufe meine. Daß zwei solche Stufen hier zu erkennen sind, ist zu bezweifeln. »Die Auferstehung der Toten« und »das ewige Gericht«, die zusammengehören, würden kaum in der Botschaft selbst fehlen und geben ua den Grund für die »Abkehr von toten Werken«. Daß die Botschaft Lehre enthält, ist nicht unmöglich, besonders in der Frage der Taufe. Die schwächer bezeugte Lesart διδαχήν benötigt solch eine Teilung sowieso nicht, so daß es besser scheint, die Zusammengehörigkeit der Glieder zu behaupten und das Ganze als ein Summarium der Verkündigung aufzufassen.

Michel[44] unterscheidet zwischen »allgemeine Verkündigung« und »Katechumenenunterricht«, *Theissen*[45] möchte die Abendmahlslehre als dritte Stufe bezeichnen, die τελειότης heißt. Auch *Owen*[46] möchte drei Stufen erkennen, allerdings nicht aufgrund der Unterscheidung zwischen θεμέλιος und διδαχή in 6,1f. Die erste Stufe meine die νήπιοι, die zweite sei grundsätzlich ethisch (nach ihm durch 5,14 geschildert); die höchste Stufe, die der τέλειοι, ermögliche durch besondere Weisheit den Aufstieg zu Gott. Dieses philosophische παιδεία-Schema von propädeutischer Unterweisung, praktischer Übung und Aufstieg zu Gott kommt häufig bei Philo vor, wie *Owen* zeigt, und findet sich auch bei Epiktet, allerdings wird, wie auch oft bei Philo, von nur zwei Stufen gesprochen. Auch *Michel* stimmt *Owen* zu und möchte die drei Stufen im Brief erkennen[47]. Aber dieses Schema auf den Hb zu übertragen ist kaum über-

25–31, bes S. 28. Vgl auch *Kosmala*, Hebräer Essener Christen S. 17ff.

41 So ua A. *Seeberg*, Der Katechismus der Urchristenheit, 1903, S. 249; *Bornkamm*, Bekenntnis S. 190; *Bruce* S. 112; *Grässer*, Glaube S. 141; *Theissen*, Untersuchungen S. 53.

42 Siehe weiter dazu unten S. 90f.

43 Zum Textproblem siehe *Michel* S. 238.

44 *Michel* S. 238; vgl auch S. 230. *Delling*, Wort Gottes S. 115, will das Ganze nicht als Verkündigung, sondern als Lehre verstehen.

45 *Theissen*, Untersuchungen S. 56.

46 *Owen*, Stages passim.

47 *Michel* S. 233 Anm. 1.

zeugend. Aufstieg zu Gott bzw Eintritt in die himmlische Welt ist sicherlich ein Thema des Vf, allerdings, wie *Owen* hervorhebt, »of mystic rapture there is no hint«[48]. Dieses Thema gehört aber zur Substanz der Verkündigung des Heils, wie in 2,3 u. 5 deutlich ist, also schon zur Grundstufe, weil der Vf die traditionelle Terminologie von 6,2 in diesem Rahmen versteht. Und von *Owens* mittlerer Stufe ist im Hb auch kaum die Rede.

Die Versuche, mit νήπιος und τέλειος zwei Gruppen zu identifizieren, die zur Struktur der Gemeinde gehören, sind abzulehnen. Das schließt die Möglichkeit keineswegs aus, daß der Vf gewisse Stufen im christlichen Leben kannte, wie etwa die Zeit des Katechumenats vor der Taufe und die Zeit nach der Taufe. Aber τέλειος ist hier kein technisches Wort für die Getauften. Die Leser sind Getaufte, sind aber nicht τέλειοι – deshalb die Aufforderung des Vf. Sie heißen νήπιοι (so die getauften Korinther 1Kor 3,1), weil sie wie Milch-Säuglinge geworden sind (5,12 u. 13). Das sollten sie nicht *werden* (ἵνα μὴ νωθροὶ γένησθε 6,12)! Die Institutionalisierung dieser Wörter ist also für den Hb entschieden abzulehnen.

Es ist auch kaum vorstellbar, der Taufunterricht »beinhalte(t) . . . nur Themen, die aus jüdischer Tradition stammen bzw diese betreffen« (gegen *Hahn*[49]). Viel eher würde man erwarten, daß von der Verkündigung Christi gesprochen wird, natürlich auch mit Bezug auf den jüdischen Glauben. Es muß eine einfache Darstellung der Botschaft gewesen sein, die gelehrt wurde, nicht etwas anderes oder vorläufiges. Daß die Christen auch nach der Taufe an dieser Grundlage festhielten, ist selbstverständlich.

Wenn wir hier ein Summarium der Verkündigung haben, dann ist durchaus zu erwarten, daß es nicht nur in der Verkündigung selbst gebraucht wurde, sondern auch im Taufunterricht und für die Neugetauften. Das wird in 5,11ff vorausgesetzt. Nur sollen die Getauften nach Meinung des Vf nicht dabei stehenbleiben (6,1), sondern weitergehen.

Der Vf hat also dieses Stück wahrscheinlich aus der Tradition übernommen. Dafür sprechen die Terminologie und Begrifflichkeit, die nicht die des Vf sind[50]. Es fehlen auch die Artikel. Das Stück lag dem Vf vielleicht in dieser Form vor[51].

b)   Ehe wir versuchen, diesen Text traditionsgeschichtlich einzuordnen, müssen wir genauer auf den *Inhalt der einzelnen Glieder* eingehen.

α)   Für μετανοίας ἀπὸ νεκρῶν ἔργων ist die Bedeutung Bekehrung von den Werken des Gesetzes[52] sicherlich nicht richtig, weil die Kritik des Vf am Gesetz darin besteht, daß die Werke des Gesetzes das Gewissen von toten Werken gerade nicht reinigen können, also nicht mit den toten Werken selbst identisch sein können (vgl 9,9f mit 9,14). Auch der Vorschlag, daß hier der Götzendienst gemeint sei, scheitert daran, daß die Leser und der Vf höchstwahrscheinlich aus dem Judentum gekommen sind, an das diese Botschaft gerichtet war. Außerdem sind die λατρεύοντες (9,9f), deren Gewissen von toten Werken nicht gereinigt werden konnte, ganz deutlich Glieder

---

48   *Owen*, Stages S. 251. Vgl *Grässer*, Glaube S. 137 Anm. 433, der sogar Stadien im Leben Jesu im Hb erkennen möchte.

49   F. *Hahn*, Der urchristliche Gottesdienst (SBS 41), 1970, S. 70 Anm. 26.

50   So erweist sich die Auferweckungsvorstellung ἀπὸ νεκρῶν ἔργων in 9,14 als traditionelle Terminologie. Zu αἰώνιος vgl 5,9; 9,12.14.15; 13,20.

51   Anders *Seeberg*, Katechismus S. 249; *Owen*, Stages S. 248.

52   Gegen *Westcott* S. 144; *Bleek* z.St.; *Peake* S. 141f.

des alten Bundes, also nicht Heiden. Die toten Werke sind die, die zum Tode bzw zur Hölle führen[53].

Die Vorstellung, daß »*Grundartikel der Heidenmission*« (*Windisch*[54]) vorliegen, ist weit verbreitet[55]. Warum nicht für die Mission unter Juden oder wenigstens ua *auch* für die Mission unter Juden? Einen großen Einfluß auf dieses Urteil hat zweifellos die weitverbreitete Meinung gehabt, daß der Hb grundsätzlich an Heidenchristen geschrieben sei, eine Auffassung, die wir für sehr unwahrscheinlich halten, jedenfalls in dieser Exklusivität. *Wilckens*[56] weist auf die Ähnlichkeit des Anfangs dieses Stückes mit 1Thess 1,9 hin, der ohne Zweifel von Heiden spricht, und setzt in seinen Ausführungen voraus, daß wir es in beiden Fällen mit dem Predigtschema der Heidenmission zu tun haben. Aber Hb 6,1 (sogar 6,1f) hat auch andere Parallelen, die keineswegs nur aus der Heidenmission stammen (vgl Mk 1,15 . . .»Das Reich Gottes ist herbeigekommen. Tut Buße und glaubt an das Evangelium«. Vgl Johannes der Täufer: Mt 3,2).

β) Aus dem gleichen Grund lehnen wir die Auslegung von πίστεως ἐπὶ θεόν als »Glaube, daß es einen Gott gibt«, ab. Der Glaube, daß Gott existiert, ist für den Vf zwar wichtig (vgl 11,6). Aber hier wird vielmehr an Glauben als Vertrauen gedacht, nicht zuletzt an den Glauben, daß Gott uns vergeben und uns retten wird (vgl etwa Mk 1,15). Um so mehr ist diese Deutung vorzuziehen, da die Leser und der Vf dieses Briefes Juden oder Gottesfürchtige waren.

Selbstverständlich schließt der *Glaube an Gott* auch den Glauben, daß er existiert, ein (11,6). Auch unter Juden und gegenüber Juden wurde immer wieder hervorgehoben, daß es einen Gott gibt. In unserem Stück jedoch ist mehr an das, was Gott getan hat, gedacht. Daß unser Vf Gott als »lebendig« bezeichnet, bedeutet keine direkte Polemik gegen angebliche Götzendienstvorstellungen der Leser. Diese Bezeichnung Gottes gehört offensichtlich zur Terminologie des Vf (vgl 3,12; 9,14; 10,31; 12,22). 9,14 meint keinen Gegensatz, sondern zeigt nur noch einmal die literarische Technik des Vf (so νεκρῶν-ζῶντι; vgl 3,14; 12,2).

γ) Daß den Juden gerade die Taufe erklärt werden mußte, ist selbstverständlich[57]. Wenn die Christen sagten: »Tut Buße, und lasse sich ein jeglicher taufen« (vgl Apg 2,38), meinten sie nicht, daß sie nur eine Waschung anböten! In erster Linie ist also an die verschiedenartigen Waschungen des

---

53 Vgl IV Esr 7,119. So *Michel* S. 239; vgl auch Röm 6,21.23; *Hofius*, Katapausis S. 202 Anm. 626; *Bruce* S. 113.
54 *Windisch* S. 49.
55 So ua *Wilckens*, Missionsreden S. 82f; *Michel* S. 239; *Grundmann*, Paränese S. 192; *Kuss* S. 77; *Grässer*, Glaube S. 66; *Theissen*, Untersuchungen S. 54.
56 *Wilckens*, Missionsreden S. 82.
57 So *Peake* S. 142. Ähnlich denken an jüdische Waschungen *Grässer*, Glaube S. 192 Anm. 5 und die meisten Komm. (*Michel* und *Strathmann* denken auch an die Proselytentaufe). Anders, aber kaum überzeugend, *Theissen*, Untersuchungen S. 54f. Für βαπτισμός als Bezeichnung für die christliche Taufe statt βάπτισμα vgl Kol 2,12; dazu vgl *Bruce* S. 115 Anm. 20. Für die, die an die Heidenmission denken, müßte hier auf irgendwelche heidnischen Waschungen verwiesen sein, dagegen vgl διαφόροις βαπτισμοῖς 9,10 mit deutlich jüdischem Zusammenhang. Vgl *Grässer*, Glaube S. 192 Anm. 5; *Moffatt* S. 75.

Judentums (vgl 9,9f διαφόροις βαπτισμοῖς) zu denken. Wenn dieses Summarium früh entstanden ist, wäre eine Abgrenzung gegen die Johannestaufe auch denkbar[58]. Das würde sehr stark für eine palästinische Herkunft des Stückes sprechen. Es wäre auch möglich, daß von verschiedenen christlichen Taufhandlungen die Rede ist[59], obwohl das in ein Summarium der Verkündigung schlecht passen würde.

δ) Mit ἐπιθέσεώς τε χειρῶν ist an die Verleihung des Geistes zu denken (vgl 6,4)[60].

ε) Die beiden letzten Glieder sind nicht typisch für den Vf. Sie gehören zum Bereich der Apokalyptik. Dem Inhalt nach sind sie sowohl Drohung als auch Verheißung. Sehr wahrscheinlich wird vorausgesetzt, daß alle am Jüngsten Tag auferstehen werden, um vor Gericht zu erscheinen. Für die, die Buße tun, bedeutet das Heil.

Versuchen wir, die Gedanken zusammenzufassen, so ergibt sich folgendes: Wir sollen Buße tun und an Gott glauben. Wir sollen uns taufen lassen und die Handauflegung empfangen. Wenn wir dann auferstehen, werden wir vor Gericht bestehen können.

c)   Wie verhält sich dieses Stück zur Tradition?

Der Ruf zur Buße kommt nicht nur in der Verkündigung Johannes des Täufers und Jesu vor (vgl Mt 3,2; Mk 1,4; Mk 1,15), sondern auch in der Verkündigung der Urgemeinde (vgl vor allem Mk 6,6bff, bes V 12 u. parr; Lk 10,9ff; Mt 10,7)[61]. Der Gedankengang ist sehr ähnlich: Buße – Glaube – eschatologische Perspektive. In den Reden der Apostelgeschichte findet sich derselbe Gedankengang. Die einzelnen Elemente unseres Stückes kommen fast alle vor. Buße: Apg 2,38; 3,19; 14,15–17; 17,30; 20,21; 26,20; Glaube an Gott: 14,15–17; 15,9; 17,24–28; 20,21; bzw was er getan hat: 2,22–36; 3,12–18; Taufe ua 2,38; 8,38; 9,17f u. passim; Handauflegung – Geistverleihung: ua 2,38; 8,14–17; 19,1–7; Auferweckung: 17,18.31; 26,23; Gericht: 17,31; 24,25. Der oben aufgezeigte Gedankengang ist deutlich zu erkennen (vgl vor allem 2,[22–36]38; 3,[12–18]19f usw). *Wilckens*[62] hat deutlich gezeigt, wie schwierig es ist, lukanische Redaktion und Tradition in diesen Reden zu trennen. Die lukanische Prägung dieser Reden wird von ihm besonders hervorgehoben. Nach ihm sind sie »in hervorragendem Sinne Summarien . . . seiner (Lukas) theologischen Konzeption; sie sind nicht als Zeugnisse alter oder gar ältester urchristlicher Theologie, sondern lukanischer Theologie des ausgehenden ersten Jahrhunderts zu werten«[63]. Daß Lukas alte Traditionen gekannt hat, die die Botschaft diesem Gedankengang entsprechend darstellten, läßt sich durch Lk 10,9ff belegen[64].

---

58   Vgl *Kuss* S. 77; *Michel* S. 239; *Montefiore* S. 106. Βαπτισμός wird von Jos Ant XVIII 116–119 für die Taufe des Johannes gebraucht.
59   Vgl TertAdvPrax 26 (dazu *Kuss* S. 77; *Windisch* S. 50; *Wilckens*, Missionsreden S. 83 Anm. 2). Vgl auch *Bruce* S. 116; *Moffatt* z.St.; *Michel* S. 239. Auf Wasser- und Geisttaufe ist kaum angespielt (gegen ua *Seeberg*, Katechismus S. 253f; *Theissen*, Untersuchungen S. 55).
60   So ua W. *Bieder*, Pneumatologische Aspekte im Hebräerbrief, in: Neues Testament und Geschichte (Festschrift für O. Cullmann), 1972, S. 251–259, hier S. 253f. Es wird kaum an eine gnostische Salbung gedacht sein (gegen *Theissen*, Untersuchungen S. 55).
61   Dazu vgl F. *Hahn*, Das Verständnis der Mission im Neuen Testament (WMANT 13), 1963, S. 32ff.
62   *Wilckens*, Missionsreden.

α) Zu 6,1f ist zunächst festzustellen, daß, obwohl außer τὸν τῆς ἀρχῆς τοῦ Χριστοῦ λόγον am Anfang vom Christus überhaupt nicht die Rede ist, eine christologische Auslegung und Begründung dieser Botschaft keineswegs auszuschließen ist. Dafür bieten sich verschiedene Möglichkeiten an: Glaube an Gott zB könnte als Glaube, daß Gott Jesus auferweckt hat, aufgefaßt sein; oder als Glaube, daß Gott durch Jesus Sühne gewirkt hat.

β) Aber andererseits ist die *Orientierung dieses Stücks* in erster Linie nicht christologisch[65]. Sie entspricht der Vorstellung, daß die Botschaft des Heils von Jesus selbst verkündigt worden ist, und erinnert also an diese Auffassung, die immer wieder im Brief auftaucht. Selbst der Ausgangspunkt des Summariums spiegelt diese Vorstellung wider. Es wird nämlich von der Botschaft Christi gesprochen, dh von der Botschaft, die er verkündigt hat. Zwar dürfte τοῦ Χριστοῦ auch als genitivus objectivus verstanden worden sein (vgl Kol 3,16). Aber nicht nur andere Texte im Brief (wie etwa 2,3) machen die Auffassung von τοῦ Χριστοῦ als genitivus subjectivus wahrscheinlich[66]. Auch das Stück selbst deutet in diese Richtung. Wir halten es also für sehr wahrscheinlich, daß dieses Stück in seiner ursprünglichen Intention und auch nach Meinung des Vf als Summarium der Botschaft, die der Herr verkündigt hat, aufgefaßt worden ist.

γ) Dabei möchten wir uns aber keineswegs der These von *Adams* anschließen, daß der Vf ein Summarium aus Daten der synoptischen Tradition über den historischen Jesus aufgearbeitet habe oder wiedergebe[67]. Allerdings ist der Zusammenhang zwischen 6,1f und 2,3 zu unterstreichen und daraus zu schließen, daß der Vf glaubte, diese Botschaft stamme vom irdischen Jesus. Die Botschaft, nach der wir in der Behandlung von 2,3 gefragt haben, dürfte wenigstens dem Inhalt nach in 6,1f zu erkennen sein. Eine Zurückführung dieses Stückes auf Jesus selbst halten wir für ausgeschlossen. Es fehlt jeglicher Bezug auf das Gottesreich. Die vorliegende Terminologie ist in den Jesuslogien nicht oder nur schlecht bezeugt. Die Aussagen über Taufe und Handauflegung setzen die nachösterliche Situation voraus.

δ) Es dürfte also ein nachösterliches Summarium der Botschaft Jesu vorliegen. Dazu wäre die Zusammenfassung bei Markus zu vergleichen:»Die Zeit ist erfüllt, und das Reich Gottes ist herbeigekommen. Tut Buße, und glaubt an das Evangelium« (1,15).
Die Vorstellung von Jesus als Boten und von der Aufgabe der Christen in der Weiterverkündigung der Botschaft ist in der synoptischen Tradition fest belegt. Trotz aller Schwierigkeiten im Blick auf das Ostergeschehen dürfte zu-

---

63 *Wilckens,* aaO S. 185.
64 *Wilckens,* aaO S. 181.
65 So auch ua *Owen,* Stages S. 248; *Michel* S. 233.
66 So *Seeberg,* Katechismus S. 248.
67 J. C. *Adams,* Exegesis of Hebrews 6,1f, NTS 13 (1966/67) S. 378–385. Er sieht daher zB in βαπτισμῶν διδαχῆς einen Bezug auf Jesu Worte über Waschungen (Mk 11,30 parr; usw) und in ἐπιθέσεώς τε χειρῶν einen Bezug auf die Heilungen (Mk 5,23; Mt 9,18 usw).

treffen, daß durch die Auferweckung Jesu Botschaft vom Reich Gottes von Gott bestätigt wurde. Vielleicht klingt dies auch noch in einigen Texten der Apostelgeschichte nach (vgl 2,38; 3,19). Jedenfalls dürfte unser Summarium aus der Tradition von der Aufgabe der Christen hinsichtlich der Weiterverkündigung des Wortes Jesu entstanden sein.

Die Traditionen hinter 2,3f und 6,1f im Kontext der Christologie des Vf

Daß diese Tradition dem Vf schon bekannt war, zeigt gerade 2,3f. In 2,4 (»Und Gott selbst gab Zeugnis durch Zeichen, Wunder, mannigfache Krafttaten und Zuteilung des heiligen Geistes nach Gottes Willen«) wird eine Tradition aufgenommen, die auch Paulus[68] und Lukas[69] bekannt war. In einer sekundären Entwicklung dieser Tradition, die unser Vf wahrscheinlich nicht kannte, macht Paulus diese Begleiterscheinungen zu Zeichen des Apostels (2Kor 12,12)[70].
Aber nicht nur 2,4 dürfte Tradition aufgreifen. Dasselbe gilt wahrscheinlich auch für 3b (ἥτις ἀρχὴν λαβοῦσα λαλεῖσθαι διὰ τοῦ κυρίου ὑπὸ τῶν ἀκουσάντων εἰς ἡμᾶς ἐβεβαιώθη); denn diese Aussage hängt eng mit V 4 zusammen. Daß der Vf diese Sätze stilisiert hat, steht außer Zweifel[71]. Deshalb ist es fast unmöglich, die Form, in der ihm die Vorstellungen bekannt waren, zu erkennen. Die Vorstellung von Jesus als Verkündiger dürfte traditionell sein. Vielleicht kannte der Vf diese Vorstellung in Verbindung mit dem in seinem Brief sonst selten vorkommenden κύριος-Titel[72]. Hat diese Tradition den Titel als Bezeichnung vom irdischen Jesus als »Meister« benutzt[73]? Dann hat der Vf ihn aufgenommen, allerdings als vollen Würdetitel. Auch der Satz über die Hörer könnte traditionell sein.
Die im Hb häufige Vorstellung von Jesus als Verkündiger des Heils dürfte also der Vf aus der Tradition entnommen haben, was nicht zuletzt 6,1f wie auch 2,3f zeigen[74]. Diese Vorstellung, die auch in der synoptischen Tradition und in den Reden der Apostelgeschichte zu erkennen ist, reicht sehr weit zurück, wahrscheinlich bis in die frühen palästinischen Gemeinden[75]. Danach wäre die Botschaft grundsätzlich als Botschaft, die der Herr Jesus

---

68 Röm 15,18f; 2Kor 12,12; später wurden solche Zeichen auch negativ gedeutet, vgl 2Thess 2,9; Mk 13,22; Joh 4,48; Apk 13,13f; 19,20; 16,14.

69 Apg 4,30; 5,12; 14,3; 15,12, vgl auch 2,22 (von Jesus); 2,43; 4,22; 6,8 und dazu K. H. Rengstorf, Art. σημεῖον ThWNT VII, S. 259f. Später wirkt Jesus dann selbst vom Himmel (Mk 16,16ff).

70 Vgl auch Röm 15,18f. Der Hb kann ἀπόστολος für Jesus gebrauchen, kennt also diesen technischen Gebrauch wahrscheinlich nicht.

71 Vgl die symmetrischen Entsprechungen der Vokabeln in 2,1–4.

72 Dazu vgl unten S. 123.

73 In diesem Sinne ist Hahn, Hoheitstitel S. 94 Anm. 2 zuzustimmen. Vgl auch 7,14. So läßt sich das für den Hb plötzliche Auftreten des Titels erklären. Vgl 1,10 im Zitat.

74 Vgl auch Apg 10,36f.

75 So ua Michel S. 233.

verkündigt hat und die durch seine Auferweckung durch Gott und die Sendung des Geistes bestätigt worden ist, anzusehen. Vor dem unmittelbar bevorstehenden Ende ist es unsere Aufgabe, sein Wort zu predigen. Diese Vorstellung ist offensichtlich lebendig geblieben. Sie war nicht nur unserem Vf bekannt, sondern hat stark auf seine Christologie eingewirkt. Jesus ist der Verkündiger des Heils, auch wenn das, was der Vf unter eschatologischem Heil versteht, wesentlich anders ist als die Auffassung der Tradition. Aber dieser Gedankengang muß deshalb im Zusammenhang der Gesamtkonzeption des Vf gesehen werden. Schon in den ersten Versen des Briefes wird deutlich, daß das Wort durch den Sohn als Boten gesprochen wurde. Das Ereignis selbst und die Person des Sohnes sind zur Botschaft geworden. Seine Herrschaft in der himmlischen Welt, seine Tätigkeit als mitleidsvoller und fürsprechender Hoherpriester und sein einmaliger Opfertod garantieren die Sicherheit des Heils. Anhand der Homologie hat der Vf die Festigkeit des Heils und die Erfüllbarkeit der Verheißung unterstrichen. Aber gerade weil seine Christologie überwiegend Argumentation[76] ist und auf Ermunterung und Warnung für die Leser hinzielt, darf man nicht sagen, daß es ihm nicht um den Inhalt dieser Aussagen geht. Jedoch läßt sich erklären, wie er manchmal verschiedene Vorstellungen und Traditionen, die in einer gewissen Spannung zueinander stehen, aufgreifen kann.

Es ist also wichtig, daß die Dynamik seiner Christologie durch die Vorstellung von Jesus als dem Verkündiger des Heils bestimmt wird. Die Verkündigung des Verkündigers, nicht der Verkündiger steht letzten Endes im Mittelpunkt, auch wenn man feststellen muß, daß der Verkündiger für den Vf wegen seiner Person und seines Werkes die Verheißung dieser Verkündigung ermöglicht. Daß diese Verkündigung am Anfang durch den irdischen Jesus stattfand, der der Sohn ist, ist der Ausgangspunkt seines Briefes und seiner Theologie[77].

2. Versuchung und Leiden

Jesus kennt Leiden und Versuchung und bittet daher für die Seinen

1. Jesus hat nicht nur das Heil verkündigt und ist nicht nur in die himmlische Welt, die Heilswelt, als Erhöhter eingesetzt worden, er hat auch als

---

76 So *H. Braun*, Die Gewinnung der Gewißheit in dem Hebräerbrief, ThLZ 96 (1971) Sp. 321ff, bes Sp. 325. Die argumentierende Christologie wird von *Braun* negativ bewertet. Vgl die positive Bewertung in *E. Grässers* Auseinandersetzung mit Braun: Zur Christologie des Hebräerbriefes, in: Neues Testament und christliche Existenz (Festschrift für H. Braun), 1973, S. 195–206.

77 Anders als in gnostischen Vorstellungen tritt Jesus nach dem Hb nicht als Offenbarer von Geheimnissen auf, auch nicht von Geheimnissen über den Heilsort.

Mensch gelitten. Mit dem Zitat aus Ps 8 geht es dem Vf nicht nur darum, die Herrschaft Jesu zu unterstreichen, sondern auch hervorzuheben, daß dieser Erhöhte für kurze Zeit niedriger als die Engel gewesen ist *(2,9)*. Gerade wegen seines stellvertretenden Leidens bzw seines Sterbens ist er von Gott gekrönt worden (2,9). Der Vf bemüht sich darum, von der jetzigen Situation auszugehen (vgl Perfekt in 2,9, und was wir jetzt sehen in 2,8); er will mit 2,9 einen neuen Gedanken über den Herrn der Gemeinde einführen. Der Erhöhte ist der, der für uns gelitten hat.

2. Das eigentliche Ziel des Verfassers in den folgenden Versen besteht nicht in erster Linie darin, die Bedeutung des Sühnetodes hervorzuheben, sondern darin, die Tatsache *des Leidens selbst und seine Bedeutung* zu betonen. Der Hinweis auf den Sühnetod in 2,9 dient als Überleitung zu den Gedanken über das Leiden selbst. Der Übergang wird durch das Stichwort πάθημα gekennzeichnet (vgl τὸ πάθημα 2,9; διὰ παθημάτων 2,10). In 2,9 steht das Erleiden des Todes als Sühneakt im Vordergrund, wie der ὅπως-Satz zeigt: ὅπως χάριτι θεοῦ ὑπὲρ παντὸς γεύσηται θανάτου. In 2,10 steht die Tatsache des Leidens selbst im Vordergrund, und zwar mit Blick auf das Leiden der Leser. Nach 2,10 war es durchaus sinnvoll, daß der Weg des ἀρχηγός durch Leiden führte, als er sein Heilswerk vollbrachte. Warum? Die Leser kennen die Antwort nur zu gut. Aber zunächst will der Vf nicht sofort auf ihr Leiden und auf den Weg, den sie in der Nachfolge des Sohnes gehen müssen, hinweisen. Er will vielmehr den Zusammenhang zwischen den Söhnen und dem Sohn ausarbeiten. Ohne auf die Einzelheiten von 2,10–16 einzugehen, genügt die Feststellung, daß diese Explikation folgende Form hat: Zunächst wird die Gemeinsamkeit hervorgehoben, die zwischen Sohn und Söhnen besteht (2,11a). Diese Gemeinsamkeit geht aus der Inkarnation hervor, die ja dem Heilsakt am Kreuz, der Überwindung der Todesmacht, zugrunde liegt (2,11b–15). In 2,16 wird nochmals unterstrichen, daß es die Absicht Jesu war, nicht den Engeln, sondern uns, dem Samen Abrahams, zu helfen. Nach dieser Betonung der Solidarität Jesu mit uns (2,11–16) nimmt der Vf den Hauptgedanken, den er in 2,10 formuliert hatte, wieder auf[1]. Es ist richtig, daß Jesus als Mensch gelitten hat (2,10), also in jeder Hinsicht Mensch geworden ist (κατὰ πάντα τοῖς ἀδελφοῖς ὁμοιωθῆναι 2,17a; vgl 2,14)[2], damit er ἐλεήμων γένηται καὶ πιστὸς ἀρχιερεὺς τὰ πρὸς τὸν θεόν, εἰς τὸ ἱλάσκεσθαι τὰς ἁμαρτίας τοῦ λαοῦ (2,17b). Dieser Satz enthält eine Menge Gedanken, die in späteren Stellen einzeln wiederkehren, und die besondere Art dieser Aussage müssen wir später besprechen. Was aber von 2,17 in 2,18 aufgegriffen wird (nicht εἰς τὸ ἱλάσκεσθαι τὰς ἁμαρτίας τοῦ λαοῦ!), läßt deutlich erkennen, worauf der Vf in der Argumentation von 2,10ff hinzielt[3]. Es ist gut, daß der ἀρχηγός

---

1 Vgl den ähnlichen Beginn beider Verse.
2 In 2,14 liegt der Nachdruck auf der Teilhabe an Fleisch und Blut, in 2,17 auf dem Ausmaß der Inkarnation. Bei παραπλησίως liegt der Nachdruck nicht auf der Intensität der Gleichheit, sondern allgemein auf der Gleichheit.
3 Dazu siehe unten S. 132 und 201f.

unseres Heils den Leidensweg gegangen ist, denn so kann er uns helfen, die wir in Versuchung und Leiden stehen, weil er versteht, was es bedeutet, im Leiden Gehorsam bewahren zu müssen. In 2,18 geht es um Hilfe für die Versuchten, die der Erhöhte, der mitleidende Hohepriester, gibt[4].

3. In *3,1ff* wird nochmals auf die Stellung des Sohnes aufmerksam gemacht, der ein ἐλεήμων καὶ πιστὸς ἀρχιερεύς ist. Daß der, der den Weg des Leidens schon vor uns gegangen ist und unsere Situation deshalb gut kennt, gerade diese Stellung als Sohn hat, ist kein kleiner Trost (weiter aufgegriffen in 10,21). Deshalb sollen wir nicht abfallen, sondern treu bleiben, damit wir an diesem Heil teilnehmen können (vgl 3,6 und 3,7.13).

4. Auch in *4,14ff* wird der Blick auf den Erhöhten gerichtet, der von 2,17 her Hoherpriester genannt wird. Der Gedanke von 2,10 und 2,17f wird deutlich aufgegriffen. Was wir jetzt haben, ist der, der für unsere menschliche Schwäche Mitleid hat, weil er selbst wie wir versucht worden ist (οὐ γὰρ ἔχομεν ἀρχιερέα μὴ δυνάμενον συμπαθῆναι ταῖς ἀσθενείαις ἡμῶν, πεπειρασμένον δὲ κατὰ πάντα καθ᾽ ὁμοιότητα χωρὶς ἁμαρτίας 4,15). Er war allerdings πιστός (2,17) und χωρὶς ἁμαρτίας (4,15), was den Lesern und dem Vf aus der Tradition schon bekannt war[5]. Der Vf fügt diese Notiz hinzu, nicht nur um mögliche Mißverständnisse zu vermeiden[6], sondern wahrscheinlich auch um zu zeigen, daß die Aufgabe, treu zu bleiben, auch für die Leser gilt. Gerade weil Jesus selbst treu geblieben ist, kann er ihnen richtig helfen. Vor allem diese Kenntnis unserer Situation und das Mitleid Jesu verhelfen uns dazu, daß wir mit Zuversicht vor Gott treten können, um rechtzeitig Hilfe zu erfahren (4,16)[7]. Ταῖς ἀσθενείαις bezieht sich hier nicht auf Sünden, sondern auf Schwäche[8], die allerdings bei uns und den Hohenpriestern zu Sünde führt (5,2f; 7,28). Daß Jesus diese Schwäche, die Sarx (vgl 5,7; 2,14 ua), auf sich genommen hat, wird nicht bestritten. Deshalb kann er Mitleid haben. Aber diese Schwäche, zu der Sterblichkeit und Neigung zur Sünde gehören, disqualifiziert ihn nicht, Hoherpriester zu sein, weil er einerseits erhöht worden ist bzw εἰς τὸν αἰῶνα τετελειωμένον (7,28) ist und andererseits die Neigung abgelehnt hat.

4,16 ist die praktische Konsequenz des Gedankens, den der Vf von 2,10 an entwickelt hat und die sich durch 2,17f und 4,14 hindurchzieht. Hier wird zwar von Gott gesprochen und nicht unmittelbar vom Sohn. Aber die Vorstellung von der Fürbitte des Sohnes, die später ausdrücklich erwähnt wird (7,25), ist schon vorauszusetzen[9]. Er sitzt zur Rechten des Thrones (8,1 vom Hohenpriester Jesus, vgl auch 1,3.13; 10,12; 12,2).

---

4 *Grässer*, Glaube S. 21 Anm. 47; *Michel* S. 169; gegen *Strathmann* z.St.; *Schierse* S. 39.
5 Zu χωρὶς ἁμαρτίας siehe weiter S. 124f unten. Eine Verleugnung der Versuchbarkeit Jesu würde der Paränese des Vf den Boden entziehen (vgl *Ungeheuer*, Priester S. 43ff).
6 ZB, daß Jesus vielleicht tatsächlich gesündigt hatte.
7 Auch in 4,16 (βοήθειαν) ist wie in 2,18 (βοηθῆναι) überwiegend an Hilfe für die Versuchten gedacht (gegen *Strathmann* z.St.).
8 So *Michel* S. 208.
9 So *Michel* S. 209.

5. Auch mit 4,16 kommt dieser Gedankengang nicht zum Abschluß. Der Vf greift in 5,1 das Wort ἀρχιερεύς auf und will aufgrund einiger Charakteristika des alten Hohenpriestertums die Bedeutung des Hohenpriestertums Jesu auslegen. In einer Formulierung, die an 2,17 erinnert (τὰ πρὸς θεόν, ἵνα προσφέρῃ δῶρά τε καὶ θυσίας ὑπὲρ ἁμαρτιῶν 5,1b), erwähnt er die Sühneaufgabe des Hohenpriesters, aber hier wie dort geht es ihm nicht um die Sühnehandlung an sich, auch nicht in 5,3, wo nur die Folgen der Schwäche der alten Hohenpriester verdeutlicht werden sollen. Ihre Notwendigkeit, erst für sich selbst Sühne zu leisten, ist ein Thema, das erst später vom Vf aufgegriffen wird (7,27). Der Zweck dieser Ausführungen in 5,1–3 ist es, die Menschlichkeit der Hohenpriester hervorzuheben; die es ihnen ermöglicht, gegenüber unwissenden und wissenden Sündern eine gewisse, nicht beurteilende Haltung (μετριοπαθεῖν)[10] zu haben, weil sie selbst schwach waren, was in ihrem Fall Sünde bedeutet, wie das Versöhnungsritual zeigt. Diese düstere Schilderung präludiert späteren Ausführungen des Vf. Die Gemeinsamkeiten mit dem vorhergehenden Bild von Jesus dürfen nicht übertrieben werden[11]. Wir haben es nur mit einer ungenauen Parallele zu tun. In 5,1–3 geht es nicht um die Versuchten, sondern um wissende und unwissende Sünder. Es geht nicht um Mitleid, wohl aber um eine angemessene Haltung eines Sünders zum anderen. Trotzdem möchte der Vf den Vergleich ziehen, um die Menschlichkeit und die sich daraus ergebende verstehende Haltung der Hohenpriester hervorzuheben.

Hinzu kommt, daß die Hohenpriester von Gott eingesetzt werden (5,4). So nahm auch Christus, der Erhöhte, das Hohepriestertum nicht von sich aus an, sondern wurde von Gott eingesetzt (5,5f). 5,4 kehrt also als Überleitung zu Christus zurück. Mit der Erhöhung begann Jesu Tätigkeit als fürsprechender Hoherpriester. Wir sind damit wieder zum erhöhten Herrn der Gemeinde zurückgekehrt (vgl 2,9.10.17f; 3,1ff; 4,14ff).

---

10 Zu μετριοπαθεῖν vgl vor allem Michel S. 210; E. J. Yarnold, μετριοπαθεῖν apud Hebraeos 5,2, VD 38 (1960) S. 149–155.

11 Daß der Vf zwischen 4,14ff und 5,1–3 Gegensätze aufzeigen will, wie Friedrich, Lied S. 114, behauptet, ist kaum überzeugend (ähnlich Thurén, Gebet S. 137 Anm. 1). Daß nach 5,1 jeder Hoherpriester von Menschen abstammen muß, soll keinen Gegensatz zur Sohnschaft Jesu (4,14) bilden. Und die Schwachheit, die, wie Friedrich richtig bemerkt, in 7,27f als Gegensatz zum υἱὸν εἰς τὸν αἰῶνα τετελειωμένον hervorgehoben wird, wird in 5,2 zunächst nicht in dieser Weise ausgewertet. Jesus nahm an der Schwäche des Fleisches teil (so 2,14.17; 5,7. Gegen Thuren, Gebet S. 137 Anm. 2; zu Friedrich und Thurén vgl unten Anm. 12). Der Vf bemüht sich hier zunächst nicht um einen Gegensatz, sondern um (freilich nicht präzise!) Entsprechungen; diese Ungenauigkeiten führen zu wichtigen Unterschieden, die der Vf aber erst später herausarbeitet (so 7,27f). Das γάρ (5,1) bezieht sich vor allem auf den Leitgedanken 4,15. Als Entsprechung zu 5,1–3 dient auch 5,7f, wo gerade Jesu Teilnahme an der Menschheit und die dadurch gegebene Schwäche hervorgehoben wird.

Die Auslegung von 5,7–10

Die folgenden Verse *(5,7–10)* sind schwierig nicht nur für die Übersetzung, sondern auch, was die Frage nach dem traditions- und religionsgeschichtlichen Hintergrund betrifft[12].

1. Zur Satzkonstruktion

In V 7–10 haben wir zwei Hauptverben (ἔμαθεν V 8; ἐγένετο V 9), die zwei von ὅς abhängige Sätze bilden und durch καί verbunden sind (erster Satz: ὃς ἐν ταῖς ἡμέραις τῆς σαρκὸς αὐτοῦ . . . ἔμαθεν . . . τὴν ὑπακοήν; zweiter Satz: καὶ . . . ἐγένετο . . . αἴτιος σωτηρίας αἰωνίου). Die Zitate in V 5f beziehen sich auf Christus und sind Belege für den Hauptgedanken: ὁ Χριστὸς οὐχ ἑαυτὸν ἐδόξασεν γενηθῆναι ἀρχιερέα (V 5). Nur wenn man das berücksichtigt, bietet das ὅς, also die dritte Person im Gegensatz zur zweiten Person der Zitate, keine Schwierigkeit[13]. Ὅς bezieht sich auf ὁ χριστός bzw αὐτόν (V 5a). Trotzdem wirkt das ὅς ziemlich abrupt, wie wenn damit der zweite Punkt einer Liste angezeigt werden soll. Aber das entspricht tatsächlich der Absicht des Vf. Der erste Punkt ist V 5f und entspricht V 4 in der alten Ordnung der Hohenpriesterschaft. Der zweite Punkt, genauer V 7 und 8, entspricht chiastisch den Versen 1–3.

---

12 Wir verweisen auf die folgenden Einzeluntersuchungen: *J. Jeremias*, Hb 5,7–10, ZNW 44 (1952/53) S. 107–111; *A. von Harnack*, Zwei alte dogmatische Korrekturen im Hebräerbrief, in: Studien zur Geschichte des Neuen Testaments und der alten Kirche I, 1931, S. 234–252; *M. Dibelius*, Gethsemane, in: ders., Botschaft und Geschichte I, 1953, S. 258–271; ders., Der himmlische Kultus nach dem Hebräerbrief, in: ders., Botschaft und Geschichte II, 1956, S. 169–172; *A. Strobel*, Die Psalmengrundlage der Gethsemane-Parallele Hb 5,7ff, ZNW 45 (1954) S. 252–266; *G. Schille*, Erwägungen zur Hohepriesterlehre des Hebräerbriefes, ZNW 46 (1955) S. 81–109; *M. Rissi*, Die Menschlichkeit Jesu nach Hb 5,7–8, ThZ 11 (1955) S. 28–45; *F. Scheidweiler*, Καίπερ nebst einem Exkurs zum Hebräerbrief, Hermes 83 (1955) S. 220–230; *R. E. Omark*, The Saving of the Savior, Exegesis and Christology in Hb 5,7–10, Interpr 12 (1958) S. 39–51; *G. Braumann*, Hb 5,7–10, ZNW 51 (1960) S. 278–280; *G. Friedrich*, Das Lied vom Hohenpriester im Zusammenhang von Hb 4,14–5,10, ThZ 18 (1962) S. 95–115; *T. Boman*, Der Gebetskampf Jesu, NTS 10 (1963/64) S. 261–273; *E. Grässer*, Der Hebräerbrief 1938–1963, ThR 30 (1964) S. 138–236, bes 189ff.219ff; ders., Der historische Jesus im Hebräerbrief, ZNW 56 (1965) S. 63–91; *T. Lescow*, Jesus in Gethsemane bei Lukas und im Hebräerbrief, ZNW 58 (1967) S. 215–239; *E. Brandenburger*, Text und Vorlage von Hb 5,7–10, NovTest 11 (1969) S. 190–224; *P. Andriessen/A. Lenglet*, Quelques passages difficiles de l'Epître aux Hébreux, Bibl 51 (1970) S. 207–220, bes 208–212; *Thurén*, Gebet; *H. T. Wrege*, Jesusgeschichte und Jüngergeschick nach Joh 12,20–33 und Hebr 5,7–10, in: Der Ruf Jesu und die Antwort der Gemeinde (Festschrift für J. Jeremias), 1970, S. 259–288; *C. Maurer*, »Erhört wegen der Gottesfurcht«, Hebr 5,7, in: Neues Testament und Geschichte (Festschrift für O. Cullmann) 1972, S. 275–284; *N. R. Lightfoot*, The Saving of the Savior: Hebrews 5:7ff, Restoration Quarterly 16 (1973) S. 166–173.

13 So mit Recht *Riggenbach* 1S. 130; *Deichgräber*, Gotteshymnus S. 174 Anm. 4. Gegen *Brandenburger*, Vorlage S. 210; ähnlich *Friedrich*, Lied S. 99; *Strobel*, Psalmengrundlage S. 259.

Daß *5,1–4 und 5,5–10* einander *chiastisch* entsprechen, ist oft erkannt worden[14]. In 5,1–3 wird die Menschlichkeit und die daraus folgende Haltung der alten Hohenpriester hervorgehoben. Dem entspricht 5,7f, in dem die Menschlichkeit Jesu hervorgehoben wird (V 7) und anschließend der Grund für sein Mitleid (V 8). In 5,4 u. 5 entsprechen die Berufungen einander. Wie schon gezeigt, korrespondieren die Gedanken in 5,1–8 nicht genau. So wird das Darbringen nicht auf Jesus angewandt[15]. In 5,7 geht es nicht um Sühnopfer[16]. *Dibelius'* Versuch, sieben entsprechende Gedanken zwischen 5,1–4 und 5,5–10 zu finden[17], hat *Friedrich* mit Recht abgelehnt[18]. Aber 5,7–10 ist kaum als Ergänzung des Berufungsgedankens von 5,4 und 5f aufzufassen[19]. *Friedrich* zieht mit Recht eine Verbindung zwischen μετριοπαθεῖν 5,2 und συμπαθῆναι 4,15; aber nachdem er festgestellt hat, daß »Jesus als Gehorsam-Lernender mit den Menschen, die gehorchen sollen, verbunden« ist, »da er Urheber ihres Heils ist«, schreibt er: »Das hat aber mit dem μετριοπαθεῖν nichts zu tun«[20]. Offensichtlich hat *Friedrich* den Zusammenhang zwischen dem Gehorsam Jesu im Leiden, der es ihm ermöglicht hat, für die (gegenüber dem Gehorsam) angefochtenen leidenden Christen Mitleid zu haben, und der Versuchungssituation der Leser nicht verstanden. Mit Recht weist er aber darauf hin, daß in 5,9f 5,5f aufgegriffen wird[21]. 5,1–3 entspricht nur 5,7f, nicht 5,9–10.

Wenden wir uns dem *ersten Relativsatz* (V 7f) zu. Er besteht aus drei einander folgenden Partizipialsätzen (δεήσεις τε καὶ ἱκετηρίας πρὸς τὸν δυνάμενον σῴζειν αὐτὸν ἐκ θανάτου μετὰ κραυγῆς ἰσχυρᾶς καὶ δακρύων προσενέγκας-καὶ εἰσακουσθεὶς ἀπὸ τῆς εὐλαβείας – καίπερ ὢν υἱός), einem Hauptsatz (ἔμαθεν . . . τὴν ὑπακοήν) und einem daran angeschlossenen Relativsatz (ἀφ' ὧν ἔπαθεν). Die beiden letzten, die man zusammennehmen muß, bilden also den Hauptgedanken des ersten Relativsatzes und enthalten die folgende Aussage: er lernte aufgrund seines Leidens Gehorsam (ἔμαθεν ἀφ' ὧν ἔπαθεν τὴν ὑπακοήν).

2. *Der Hauptgedanke 5,8b*
Welche Bedeutung hat dieser Satz im Zusammenhang der Ausführungen des Vf? Es wird vom Leiden gesprochen. Das erinnert an die vorhergehende Diskussion, wo das Leiden und die Versuchung Jesu verbunden waren (2,17f; 4,15). Das Wort τὴν ὑπακοήν dürfte den Zusammenhang unseres Satzes mit diesem Thema sichern. Es geht auch hier um Leiden und Versuchung bzw Gehorsam. Der Satz stellt also keinen Nebengedanken, sondern die Fortsetzung des Themas dar[22].

---

14 Vgl ua Delitzsch S. 169f.183; *Michel* S. 214f; *Bruce* S. 94.97f; *Rissi*, Menschlichkeit S. 36ff; *Lescow*, Gethsemane S. 224f; *Brandenburger*, Vorlagen S. 221f.
15 Dazu siehe unten Anm. 54.
16 Gegen *Lescow*, Gethsemane S. 224 Anm. 52.
17 *Dibelius*, Kultus S. 169–172.
18 *Friedrich*, Lied S. 95f.
19 Gegen *Strathmann* z.St.; *Schille*, Hohepriesterlehre S. 101.67; *Jeremias*, Hb 5,7–10 S. 110; *Friedrich*, Lied S. 95f.112f. Und vgl Anm. 62.
20 *Friedrich*, Lied S. 96.
21 *Friedrich*, aaO S. 98.
22 Gegen *Jeremias*, Hb 5,7–10 S. 109f; *Friedrich*, Lied S. 108; *Michel* S. 224f; vgl *Brandenburger*, Vorlagen S. 200, mit Bezug auf 5,8: »Auch das Motiv vom Gehorsam im Leiden . . .

Aber was bedeutet hier ἔμαθεν . . . τὴν ὑπακοήν? Es kann kaum aufgefaßt sein als das Lernen aus dem Leiden, das aus Ungehorsam erfolgt, gehorsam zu sein, weil Jesus »ohne Sünde« (4,15) war. Eine Verbindung mit τελειωθείς (V 9) hilft nicht weiter, weil τελείωσις im Hb weder die ethische Entwicklung zur Vollkommenheit noch die vollkommene Ausrüstung für eine Aufgabe bedeutet. Vielmehr ist an Leiden und Versuchung Jesu im Zusammenhang mit seiner jetzigen Tätigkeit als fürsprechender Hoherpriester zu denken. Danach bedeutet ἔμαθεν ἀφ' ὧν ἔπαθεν τὴν ὑπακοήν, daß Jesus Gehorsam kennenlernte, damit er ein ἐλεήμων ἀρχιερεύς (2,17) werden könnte. Die Absicht des Vf, die Bedeutung Jesu und seiner Stellung für die in Versuchung stehenden Leser hervorzuheben, wird also fortgesetzt. Diese Aussage ist genauso an der Situation der Leser orientiert wie die christologischen Aussagen in 4,14f und 2,17f.

Diese Erkenntnis bietet einen aufschlußreichen Ansatzpunkt für die Exegese der übrigen Teile des Abschnittes und bestätigt zugleich, daß ὅς einen zweiten Punkt einleitet, nämlich die Menschlichkeit und die sich daraus ergebende Haltung, das Mitleid Jesu (so chiastisch 5,1–3 entsprechend).

3. Wenden wir uns nun den übrigen Teilen des ersten Relativsatzes zu (V 7f).

a) ἐν ταῖς ἡμέραις τῆς σαρκὸς αὐτοῦ gehört zum Hauptsatz, aber bestimmt als Zeitangabe den Gesamtsatz V 7f. Es geht um die irdische Lebenszeit Jesu, obwohl man daraus nicht schließen darf, daß deshalb in V 7 nicht an ein besonderes Ereignis oder an eine bestimmte Zeit[23] gedacht wird. Wie in 2,9f wird vom Leiden Jesu im Zusammenhang mit seinem Sterben am Kreuz gesprochen. Weil es hier um die irdische Lebenszeit Jesu, nachdem er Fleisch und Blut auf sich genommen hatte, geht (vgl 2,14.17a), ist diese Aufforderung für die Leser besonders relevant.

b) Der erste *Partizipialsatz* bietet ein sehr menschliches Bild an. Jesus betet. Wie es hier geschildert wird, darf man annehmen, daß eine positive Antwort auf dieses Gebet die Trauer und den Ernst beseitigen würde. Wir wissen aus dem zweiten Partizipialsatz, daß dieses Gebet erhört wurde. Was war der Inhalt dieses Gebets? Offensichtlich hatte Jesus Angst, wie aus dem Bild im ersten Partizipialsatz hervorgeht (μετὰ κραυγῆς ἰσχυρᾶς καὶ δακρύων). Wovor? Wenn der Vf τὸν δυνάμενον σῴζειν αὐτὸν ἐκ θανάτου

---

ist nur mit Gewalt dem Kontext 5,1–10 zuzurechnen«. Jesus wurde im Leiden versucht (2,17; 4,15); er mußte im Leiden Gehorsam kennenlernen (5,8). Haben »Versuchung« und »Gehorsam« so wenig miteinander zu tun? Gerade weil Jesus weiß, was es bedeutet, im Leiden Gehorsam zu bewahren bzw Anfechtungen abzuwehren, kann er für die Leser mitleidvoll eintreten, die ähnlich im Leiden Gehorsam bewahren müssen. Das Motiv vom Gehorsam dem Zusammenhang nicht zuzurechnen, heißt den Zusammenhang nicht verstehen. Die Argumentation ist kaum ohne Bezug auf 4,15 und damit auf 2,17f.

23 Gegen *Rissi*, Menschlichkeit S. 39; er möchte »an Ereignisse denken, die sich während der ganzen Erdenzeit wiederholten« (ähnlich *Spicq* II S. 112). Der Zusammenhang mit dem Leiden Jesu hier ist unbestreitbar. Vgl 2,18 mit 2,9 u. 10; 13,12 u. 13; 12,2f.

nicht bloß als Umschreibung für Gott benutzte[24], sondern auch dabei den Inhalt meinte, dann ist eine Antwort möglich. Daß der Vf die Wendung tatsächlich auf Jesus bezogen hat, zeigt das αὐτόν. Der Satz besagt also: Jesus betete zu dem, der sein Gebet erhören konnte. Der Inhalt des Gebetes ist daher von σῴζειν αὐτὸν ἐκ θανάτου abzuleiten.

Weil auch der Vf weiß, daß Jesus gestorben ist, ist das Gebet kaum als eine Bitte um die Vermeidung des Sterbens zu verstehen[25]. Der einzige Weg, den Text zu verstehen, ist die Auffassung des Gebetes als Bitte um Rettung aus dem Tode[26].

Diese Auffassung läßt sich bestätigen, wenn wir andere Stellen im Brief vergleichen. In 13,20 ist es gerade der Todesbereich, aus dem Jesus gerettet wurde. In 2,14f wird von dem gesprochen, der die Macht des Todes hat, und gesagt, daß, weil Jesus ihn überwunden hat, die Christen keine Angst mehr zu haben brauchen. Aber das bedeutet keineswegs, daß sie nicht sterben

---

24 Ein »feierliches Gottesprädikat«, so *Windisch* S. 43 mit Recht, ähnlich *Bruce* S. 100 Anm. 50; *Jeremias*, Hb 5,7–10 S. 109; *Lescow*, Gethsemane S. 237, vgl auch *Deichgräber*, Gotteshymnus S. 176. Jesus bittet hier für sich selbst, nicht für andere. Es geht deshalb nicht um seinen Fürbittedienst (gegen *Rissi*, Menschlichkeit S. 39.41).

25 Gegen *Harnack*, Korrekturen S. 249; *Windisch* S. 43; *Bultmann*, Art. εὐλαβής, ThWNT II, S. 751; *Montefiore* S. 98; *Grässer*, Hebräerbrief S. 220; *Riggenbach* S. 130; *Cullmann*, Christologie S. 96; *Strobel*, Psalmengrundlage S. 259ff; *Schille*, Hohepriesterlehre S. 100 Anm. 67; *Lescow*, Gethsemane S. 227 (dazu vgl unten S. 109f). Diese Ausleger müssen postulieren, daß dieses Gebet entgegen 7b nicht erhört wurde. *Harnack* und nach ihm *Windisch* und *Bultmann* ua behaupten deshalb, daß ein οὐκ vor εἰσακουσθείς aus dogmatischen Gründen gestrichen wurde, und weisen auf die Gottverlassenheit hin, die man mit der Lesung χωρὶς θεοῦ in 2,9 erkennen könnte (dazu siehe unten S. 195f). Außerdem würde der Bericht in 5,7 dabei mit den synoptischen Gethsemanedarstellungen übereinstimmen, nach denen Jesu Gebet nicht erhört wurde (weiter dazu siehe unten S. 109f). Die Handschriften lassen keine Rückschlüsse auf eine derartige Konjektur zu. Wenn man vom bestehenden Text ausgeht, dann bleiben alle diese Versuche unbefriedigend (so mit Recht *Brandenburger*, Vorlagen S. 192). Das Gebet ist kaum erhört worden, wenn Jesus von »Angst« befreit worden ist. Und davon, daß das Gebet dadurch erhört wurde, daß Jesus sich letzten Endes Gottes Willen angeschlossen habe, ist in unserem Text nicht die Rede (gegen ua *Riggenbach* S. 135f; *Kuss* S. 74; *Lenski* S. 163). Gegen die Auffassung von *Rissi*, Menschlichkeit, daß hier von der Fürbitte Jesu für andere während seines irdischen Lebens gesprochen wird (S. 39ff), spricht eindeutig das αὐτόν. Die Bitte ist von πρὸς τὸν δυνάμενον σῴζειν αὐτὸν ἐκ θανάτου her zu bestimmen, ist also auch nicht als Bitte um Hilfe, seine Sohnschaft und Hohepriesterschaft treu zu bewahren, zu verstehen (gegen *Omark*, Savior S. 45) noch als eine Bitte um Kraft durchzuhalten (*Graf* z.St.; vgl *Neil* S. 63f). *Boman*, Gebetskampf S. 268.272f, nimmt sie als Bitte um Rettung vom Tode bzw von der Macht Satans, ein Kampf, der vor Gethsemane stattfand. Aber es geht hier deutlich um seinen Tod und seine Auferweckung, wie 5,9 zeigt, und nicht um irgendein Ereignis, das damit nicht im Zusammenhang steht.

26 So ua *Westcott* S. 126; *Vos*, Priesthood S. 585; *Ungeheuer*, Priester S. 129; vor allem *Jeremias*, Hb 5,7–10 S. 109; vgl auch *Friedrich*, Lied S. 104f; *Zimmermann*, Hohepriester-Christologie S. 12; *Braumann*, Hb 5,7–10 S. 278; *Brandenburger*, Vorlagen S. 217. Jesus wurde aus dem Todesbereich gerettet. Zum Todesbereich vgl *G. von Rad*, Theologie des Alten Testaments I, [6]1969, S. 400ff. Hier wird man erkennen müssen, daß, wenn von Errettung Jesu aus dem Tode gesprochen wird, sein Tod schon vorausgesetzt ist (ähnlich *Brandenburger*, Vorlagen S. 217). Die Angst (5,7a) bestand daher nicht vor dem Akt des Sterbens, sondern vor dem Todesbereich nach dem Sterben.

werden. Es ist nicht das Sterben selbst, vor dem man Angst hatte, sondern das Bleiben im Todesbereich.

c) Kehren wir zu Jesus zurück. Sein Gebet wurde erhört. Aber das bedeutet, daß er noch leiden mußte. Durch die Kenntnis seiner Erhörung war jedoch die Angst überwunden worden. Aber die *Aufgabe zu leiden und zu sterben blieb bestehen.* Wenn wir die paränetische Orientierung des Vf beachten, so wird die Relevanz dieser Aussage über Jesus deutlich. Wie wir mußte auch er aus dem Tode gerettet werden. Wie wir wurde auch er erhört (die Parallele ist allerdings nicht genau, denn unsere »Erhörung« ist christologisch begründet). Wie wir mußte auch er den Weg des Leidens und Sterbens gehen. Diese paränetische Orientierung ist auch in den folgenden Sätzen deutlich erkennbar (vor allem 5,9 πᾶσιν τοῖς ὑπακούουσιν αὐτῷ, vgl V 8 ὑπακοήν).

Immer wieder hat die *Verhältnisbestimmung zwischen V 7 und 8* den Exegeten Schwierigkeiten bereitet. »Der Bruch« zwischen V 7 und 8 hat geradezu programmatische Bedeutung für *Brandenburger*[27]: »Hier ist der eigentlich neuralgische Punkt des Textes«. Dies ist das Problem: Warum kommt eine Aussage über das Leiden-Müssen (V 8) gleich nach einer anderen Aussage (V 7), die von einer Bitte im Leiden spricht, die erhört wurde? Es sieht so aus: Er litt, er betete um Errettung (vom Leiden), er wurde erhört, dann mußte er leiden! Aber damit ist der Gedankengang nicht richtig verstanden. Das Leiden von 5,8 ist nicht mit dem Leiden (Tränen usw) von 5,7 zu identifizieren. Jesus bittet vielmehr leidenschaftlich um Errettung aus dem Tode[28]. Durch dieses Bild kommt die Menschlichkeit klar zum Ausdruck (5,1 entsprechend). Das Leiden von V 7 entspricht nicht dem Leiden der Gemeinde. Das Leiden im Beten hört auf, wenn man weiß, daß das Gebet erhört worden ist. In dieser Weise leiden die Christen nicht, weil sie wissen, daß ihr Heil sicher ist. Nun wurde Jesu Bitte erhört. Diese Erhörung verspricht Rettung, ist aber nicht selbst Rettung; τελειωθείς und εἰσακουσθείς sind nicht gleichzeitig[29]. Jesus bleibt also auf Erden und steht vor seiner Aufgabe. Der Aspekt der Aufgabe, der hier aufgegriffen wird, liegt in der Notwendigkeit, daß Jesus lernt, was es bedeutet, im Leiden treu zu bleiben, wie die Christen es müssen. Deshalb bittet er verständnisvoll für sie. Er kennt ihre Probleme. Es gibt also keinen Bruch zwischen V 7 und 8, sondern eine Gedankenfolge, die aus der paränetischen Absicht des Vf zu erklären ist[30]. *Thuréns* Versuch, die »Spannung« dadurch zu lösen, daß V 7 und 8 zwei Vorbedingungen für die Hohepriesterschaft Jesu darstellen, ist kaum gelungen[31]. V 7 ist nicht als das Darbringen eines Opfers zu verstehen, erst recht nicht für sich selbst. Der Gehorsam wird hier auch nicht als Grund für die Erhörung geschildert.

Die Erhörung verspricht die Erhöhung, geschah aber vor der Erhöhung, weil Jesus leiden mußte. Die paränetische Absicht des Vf läßt vermuten, daß Jesus nach seiner Meinung schon wußte, daß er erhört worden war. Er

---

27 *Brandenburger,* Vorlagen S. 195, vgl S. 191.
28 Dazu vgl S. 112.
29 Gegen *Thurén,* Gebet S. 138f.
30 Zur Bedeutung dieser Schilderung als Vorbild für das Leben der Christen vgl auch *Wrege,* Jesusgeschichte S. 277ff. Für eine Weisheitschristologie, die *Wrege* in c. 5 zu erkennen glaubt, finden wir keinen unmittelbaren Beweis.
31 *Thurén,* Gebet S. 144. Vgl auch *Buchanan* S. 254, der behauptet, daß Jesus im Hb für die eigene Sünde Opfer darbringt.

wurde nun erhört ἀπὸ τῆς εὐλαβείας. Was bedeutet das? Behalten wir die Argumentation des Vf im Gedächtnis, so liegt die Antwort nahe, daß er aus demselben Grund erhört wurde, aus dem wir erhört werden können. Er wurde erhört wegen seiner Gottesfurcht[32]. Diesen Sinn hat εὐλάβεια auch in 12,28 (λατρεύωμεν εὐαρέστως τῷ θεῷ μετὰ εὐλαβείας καὶ δέους, vgl auch 11,7 πίστει χρηματισθεὶς Νῶε περὶ τῶν μηδέπω βλεπομένων εὐλαβηθείς).

Daß die paränetische Absicht mitschwingt, dürfte auch durch πᾶσιν τοῖς ὑπακούουσιν αὐτῷ (ὑπακοήν V8) in V9 bestätigt sein.

Andere Deutungen von εὐλάβεια sind vorgeschlagen worden, passen aber weniger gut. »Wegen seiner Angst«[33] wäre eine Wiederholung des Angstmotivs aus dem ersten Partizipialsatz, die in diesem knappen Satz nicht zu erwarten ist. Dasselbe gilt für die Übersetzung »von seiner Angst«[34] oder »aus der Situation seiner Angst bzw anschließend an diese Angstsituation«[35]. Daß Jesus »wegen seiner Angst« gerettet wurde, paßt schlecht zu der paränetischen Absicht des Vf. Die Christen werden nicht wegen ihrer Angst gerettet! Zwar sind nach 2,14f die Christen »von Angst« (φόβος) gerettet worden, aber es liegt näher, εὐλάβεια hier dem Gebrauch in 12,28 entsprechend mit Gottesfurcht zu übersetzen. Außerdem bietet sich die paränetische Parallele in V9 an (πᾶσιν τοῖς ὑπακούουσιν αὐτῷ).

d)   Der dritte Partizipialsatz bietet auch Schwierigkeiten. Normalerweise darf ein καίπερ-*Satz* nicht als Vordersatz stehen[36]. Der Versuch, den Satz auf εὐλαβείας (mit der Bedeutung »Angst«) zu beziehen, weil nicht zu erwarten sei, daß der Sohn Gottes Angst hätte, überlastet den zweiten Partizipialsatz und liest sich sehr ungeschickt[37]. Der Vorschlag von *Blass-Debrunner*[38], den dritten Satz mit ἀπὸ τῆς εὐλαβείας anzufangen, überlastet wiederum den Hauptsatz. Die Bedeutung wäre eindeutig, wenn man καίπερ

---

32   So in ihren Komm. z. St. ua: *Delitzsch, Westcott, Riggenbach, Peake, Michel, Kuss, Bruce, Kent,* auch *Büchsel,* Christologie S. 45f; *Ungeheuer,* Priester S. 130; *G. Schrenk,* Art. ἀρχιερεύς, ThWNT III, S. 281; *Rissi,* Menschlichkeit S. 38; *Bauer,* Wörterbuch: zu εὐλάβεια; *Jeremias,* Hb 5,7–10 S. 107 Anm. 1; *Friedrich,* Lied S. 106; *Zimmermann,* Hohepriester-Christologie S. 12; *Maurer,* Gottesfurcht S. 276f; *Stadelmann,* Christologie S. 192; *Lightfoot,* Savior; vgl *Theissen,* Untersuchungen: »Die Grundstimmung des Hb ist . . . das Erschrecken vor der göttlichen Majestät« (S. 86).

33   Vgl *Michel* S. 223.

34   Erhört, also befreit von seiner Angst. So *Montefiore* S. 99; *Bultmann,* ThWNT II, S. 751; *Harnack,* Korrekturen S. 246ff; *Windisch* S. 43; *Strobel,* Psalmengrundlage S. 258 Anm. 19; *Thurén,* Gebet S. 141; *Nomoto,* Hohepriester-Typologie S. 82; *Brandenburger,* Vorlagen S. 194 u. 218; *Buchanan* S. 97. Aber sachlich ist diese Deutung unangemessen. Die Errettung Jesu war nicht bloß eine Errettung von Angst, sondern vom bzw aus dem Tode.

35   So *Andriessen/Lenglet,* Passages difficiles S. 208ff.

36   Diese Schwierigkeit veranlaßte ua *Harnack* zu seiner berühmten Konjektur (siehe oben Anm. 25). Vgl auch *Michel.*

37   Vgl *Rissi,* Menschlichkeit S. 42 Anm. 28, der den καίπερ-Satz auf den ganzen V7 bezieht. Dagegen vgl *Scheidweiler,* καίπερ S. 226 Anm. 1.

38   *Blass-Debrunner,* Grammatik § 211. Dazu *Michel* S. 223; *Friedrich,* Lied S. 108; *Bruce* S. 103.68; *Brandenburger,* Vorlagen S. 194.

ὧν υἱός doch auf den Hauptsatz (ἔμαθεν ἀφ' ὧν ἔπαθεν τὴν ὑπακοήν) beziehen könnte und nicht auf das Vorhergehende, weil dieses Leiden und Leiden-Kennenlernen des Sohnes unerwartet ist[39] und der Gesamtsatz dann einfacher wäre. Die Frage, ob diese Konstruktion möglich ist, wird von *Jeremias* bejaht[40]. Er weist auf einige Stellen hin, die den Gebrauch eines καίπερ-Satzes als Vordersatz beweisen sollen[41], und auf *Jeremias* stützen sich viele Forscher. Allerdings sind die Beispiele nicht klar und eindeutig[42]. Sie beweisen nur so viel, daß ein καίπερ-Satz als Vordersatz dienen darf, wenn innerhalb eines Zusammenhanges oder einer Periode das unmittelbar Vorhergehende den Gebrauch begünstigt, so daß, obwohl der καίπερ-Satz hauptsächlich auf den nachfolgenden Satz zu beziehen ist, ein gewisser Bezug auch auf das Vorhergehende möglich ist. *Scheidweiler* kommt zu einem ähnlichen Ergebnis, und aufgrund von *Jeremias'* These, daß ἔμαθεν ἀφ' ὧν ἔπαθεν τὴν ὑπακοήν nur eine parenthetische Aussage ist, lehnt er diesen Bezugspunkt in dem καίπερ-Satz ab. Aber gerade unsere Analyse hat gezeigt, daß diese Aussage keineswegs parenthetisch ist, sondern unmittelbar der Absicht der Gedankenführung entspricht. Damit wird *Scheidweilers* Einwand hinfällig.

Innerhalb des Satzgefüges von V 7f ist καίπερ ὧν υἱός also auf den Hauptsatz zu beziehen. Damit ist die geschickte Konjektur *Harnacks*[43], οὐκ vor εἰσακουσθείς zu lesen und den καίπερ-Satz darauf zu beziehen, überflüssig geworden. Mit dem Hinweis auf die Sohnschaft wird dieser Akt des Leiden-Lernens um so beeindruckender[44].

Zusammenfassung der Auslegung von 5,7f und Verbindung mit 9–10

Wir sind damit zum Ende des ersten Relativsatzes von V 7f gekommen und haben aufgrund des Hinweises auf die paränetische Orientierung der christologischen Aussagen sowie auf die Bedeutung von Jesu Leiden als Grundlage für seine jetzige Tätigkeit als Fürbitter den Text erklären können[45]. Es wird die Menschlichkeit Jesu unterstrichen (V 7), besonders der Aspekt, der den Vf von 2,10 an vor allem beschäftigt hat, das Leiden und das Ver-

---

39 Zum Verhältnis von 5,7f zum Thema »Sohnschaft und Leiden« siehe unten S. 137ff.
40 *Jeremias*, Hb 5,7–10 S. 108 Anm. 4.
41 Prov 6,8; 2Makk 4,34; 4Makk 3,10; 3,15; 4,13; 15,24; und bei SymmQoh 4,14.
42 Vgl *Scheidweiler*, καίπερ. Er bestätigt, »daß es tatsächlich Schriftsteller gegeben hat, die καίπερ c. partic. auch in einem Vordersatz anwenden« (S. 225 Anm. 2), bestreitet aber, daß ein καίπερ-Satz ein Satzgefüge einleitet. Erst innerhalb eines Satzgefüges kommt dieser ungewöhnliche Gebrauch vor. Vgl auch *Brandenburger*, Vorlagen S. 220 Anm. 1.
43 Dazu siehe oben Anm. 25.
44 Vgl *Brandenburger*, Vorlagen S. 196.
45 *Brandenburger*, aaO, möchte große Schwierigkeiten in dem Ablauf der Sätze in V 7f sehen, weil in Gestalt von zwei aoristischen Partizipien und einem folgenden präsentischen Partizipium »alle drei scheinbar dem ἔμαθεν κτλ. untergeordnet« sind. Aber die temporalen Partizipien schildern zwei Ereignisse. Danach folgt ein drittes Ereignis (V 8 – der Mittelpunkt der Aussage), das von einem konzessiven Partizipialsatz eingeleitet wird.

sucht-Werden im Leiden bzw Gehorsam im Leiden (V 8)[46]. Diese Verse entsprechen 5,1–3 insofern, als sie die Menschlichkeit und die sich daraus ergebende Haltung unterstreichen. Die Haltung Jesu ist sein Mitleid als Erhöhter und fürsprechender Hoherpriester für die Versuchten[47]. Daß tatsächlich
gleich anschließend in V9f auf die Erhöhung und die Einsetzung als Hoherpriester hingewiesen wird, überrascht also nicht. Es geht nicht nur um die
Aufzählung der folgenden Ereignisse. Der Vf will den Blick wieder auf den
Herrn der Gemeinde richten. Er ist es, der gelitten hat; er ist es, der uns helfen wird.

In V 9 wird zunächst von der Erfüllung der Erhörung gesprochen (τελείωσις), die auch den Christen gilt, wenn sie gehorsam sind. Damit wird 5,5,
die Aussage über die Erhöhung, indirekt wieder aufgegriffen (vgl 7,28;
2,10). Dieser Erhöhte ist αἴτιος σωτηρίας αἰωνίου geworden (vgl wieder
2,10 τὸν ἀρχηγὸν τῆς σωτηρίας αὐτῶν . . .). Durch τελείωσις hat er das
Heil erreicht; jetzt ist er αἴτιος σωτηρίας αἰωνίου geworden, eine Wendung, die eine weit umfassendere Bedeutung hat und sicherlich seine Tätigkeit als Fürsprecher für die Versuchten mit einschließt (vgl 7,25). Damit
kann ἀρχιερεύς sogar das Zitat von 5,6 wieder aufgreifen (προσαγορευ-
θεὶς ὑπὸ τοῦ θεοῦ ἀρχιερεὺς κατὰ τὴν τάξιν Μελχισέδεκ, vgl wieder
7,28 ὁ λόγος . . . τῆς ὁρκωμοσίας = Ps 110,4 . . . υἱὸν εἰς τὸν αἰῶνα τετελειωμένον). Der Vf möchte nämlich anhand dieses Zitats die Hohepriesterschaft Jesu als des Fürsprechers für die Versuchten verdeutlichen.

Der Hintergrund von 5,7–10

Ehe wir aber zu den weiteren Ausführungen übergehen, müssen wir kurz
auf den Hintergrund des Abschnittes 5,7–10 eingehen.
1.　Nehmen wir zunächst die Wörter und Wendungen in 5,7–10 in Betracht. Im ersten Relativsatz V7f kommt ein bekanntes Wortspiel vor, das
der Vf benutzt hat[48]: ἔμαθεν ἀφ' ὧν ἔπαθεν (V 8)[49]. Im ersten Partizipialsatz hat er wahrscheinlich eine Umschreibung für Gott aufgegriffen und an-

46　Thurén, Gebet S. 144 Anm. 1, versucht ein Schema in 5,7–10 zu finden, nach dem jeweils
ein Akt Christi von einem Akt Gottes bestätigt wird.»Das Opfern wird durch die Erhörung angenommen; das Lernen wird durch die Vollendung anerkannt; das Werden wird durch die
neue Anrede bestätigt.« Aber erstens ist in V 7 nicht von Opfern die Rede, und zweitens hat das
Lernen unmittelbar nichts mit der Vollendung zu tun.
47　5,7f soll also nicht beweisen, daß Jesus das Priesteramt nicht für sich nahm (gegen
Strathmann z.St.; Nomoto, Hohepriester-Typologie S. 57.76; Friedrich, Lied S. 115). Es geht
auch weder darum zu zeigen, daß Gebete nicht immer erhört werden oder anders erhört werden, als wir es uns vorstellen (gegen Bruce S. 102; Montefiore S. 99; vgl auch Michel S. 210
Anm. 4), noch darum, daß Jesus für seine Sühnetätigkeit jetzt qualifiziert ist (gegen Thurén,
Gebet S. 140).
48　Dazu vgl vor allem H. Dörrie, Leid und Erfahrung – die Wort- und Sinn-Verbindung πα-
θεῖν – μαθεῖν im griechischen Denken (Akad d. Wiss. u. d. Lit. in Mainz 5), 1956.
49　Vgl auch G. Bornkamm, Sohnschaft und Leiden, in: Judentum – Urchristentum – Kirche
(Festschrift für J. Jeremias) (BZNW 26), ²1964, S. 188–198, hier S. 195f; Michel S. 224 Anm.
1.

gewandt: τὸν δυνάμενον σῴζειν (αὐτὸν) ἐκ θανάτου (V7). Im allerletzten Satz zitiert er einen Teil von Ps 110,4, offensichtlich im Rückgriff auf 5,6. In V9 kommt der beliebte Begriff τελείωσις[50] vor, sogar im Zusammenhang mit einer Bezeichnung Jesu als Heilsbringer (αἴτιος σωτηρίας αἰωνίου)[51], die auch in ähnlicher Form in 2,10 in Verbindung mit dem τελείωσις-Begriff erscheint (. . . ἀρχηγὸν τῆς σωτηρίας . . . τελειῶσαι; vgl auch 12,2 τὸν τῆς πίστεως ἀρχηγὸν καὶ τελειωτήν). Auch das Nebeneinander von τελείωσις-Begriff und Hohenpriestertitel ist im Brief schon vorgekommen (2,10 in 2,17 aufgegriffen, vgl auch 7,28 ὁ λόγος δὲ τῆς ὁρκωμοσίας = Ps 110,4 [καθίστησιν] . . . υἱὸν εἰς τὸν αἰῶνα τετελειωμένον). Die eigene Terminologie, die wiederum zweifellos traditionsgeprägt ist, ist also besonders in V9 und 10 erkennbar. Auch τοῖς ὑπακούουσιν (vgl V8 τὴν ὑπακοήν und 11,8) dürfte hierher gehören[52].

Aber besonders in V7, der nicht so knapp formuliert ist wie die anderen Teile[53], kommen Wörter vor, die im Brief einmalig sind: δεήσεις, ἱκετηρίας, κραυγῆς, εἰσακουσθείς, προσενέγκας mit πρός vgl mit Dativ 9,14; 11,4, sonst ohne indirektes Objekt). Das Gebet ist kaum als Opfer aufzufassen, erst recht nicht als Opfer für den Betenden selbst. Außerdem wird das Wort häufig ohne kultischen Sinn gebraucht. Wenn kultische Opfertätigkeit gemeint wäre, würde man den Dativ, aber nicht πρός erwarten[54].

Zwar ist dies die einzige Stelle, an der der Vf vom Gebet Jesu spricht, und man erwartet deshalb andere, besondere Termini, aber trotzdem ist zu fragen, ob seine Terminologie durch Schilderungen von ähnlichen Ereignissen beeinflußt ist. Man denkt vor allem an *Formulierungen einiger Psalmen in der LXX*[55]. Während die Angst der Psalmbeter in den meisten Fällen Angst vor Leiden und Sterben ist und sie deshalb darum beten, von Leiden und

---

50 Nicht anders verstanden als im übrigen Brief. So oben S. 43f gegen *Friedrich*, Lied, S. 104ff; *Brandenburger*, Vorlagen S. 207.

51 Zur Wendung αἴτιος σωτηρίας im hellenistischen Judentum vgl *Michel* S. 229. Daß 2,10 »ganz deutlich vom Gedanken 5,8–10 aus entworfen« ist, ist unwahrscheinlich (gegen *Brandenburger*, Vorlagen S. 199). In 2,10 liegen deutlich andere Einflüsse vor (vgl vor allem ἀρχηγός; dazu siehe unten S. 241f).

52 So *Grässer*, Glaube S. 69f. Allerdings weist *Brandenburger* mit Recht darauf hin, daß der Gehorsam Christus gegenüber im Brief einmalig ist (Vorlagen S. 206). Aber die Haltung Christus gegenüber ist schließlich Gehorsam seiner Botschaft gegenüber, eine Auffassung, die nicht erst hier vorkommt (vgl 2,1ff).

53 Zum stilistischen Unterschied zwischen V7 und V8ff vgl *Brandenburger*, Vorlagen S. 198; auch *Lescow*, Gethsemane S. 229.

54 So ua *Riggenbach* S. 131 Anm. 46; *Bruce* S. 98 Anm. 43; *Friedrich*, Lied S. 96f; gegen *Strathmann* z.St.; *Montefiore* S. 97; *Rissi*, Menschlichkeit S. 37; *Boman*, Gebetskampf S. 268; *Thurén*, Gebet S. 136; *Brandenburger*, Vorlagen S. 219. Höchstens kommt hier ein Wortspiel mit προσφέρῃ im Rückgriff auf 5,1ff vor, aber das besagt überhaupt nicht, daß die Wörter die gleiche Bedeutung haben, und erst recht nicht, daß die zwei Handlungen einander entsprechen sollen. Das wäre der Christologie des Vf vollkommen fremd. Jesus brauchte für sich kein Opfer darzubringen.

55 A. *Loisy*, Les Livres du Nouveau Testament, 1922, S. 183, dachte besonders an einen Einfluß aus Ps 21 LXX; ähnlich *Kistemaker*, Psalm Citations z.St.; *Dibelius*, Gethsemane S. 262ff, und ders., Kultus S. 172, denkt an Ps 30,23 LXX und 38,13 LXX; *Michel* z.St. auch an

Sterben befreit zu werden, ist eine Übertragung von Rettung vom Tode auf Rettung aus dem Tode bzw Todesbereich durchaus denkbar und sogar in Apg 2,25–31 klar belegt.

Unter den vielen Psalmen, die möglicherweise unseren Abschnitt beeinflußt haben könnten, hebt *Strobel Ps 114 LXX* hervor[56]. Dazu zieht er auch Ps 115 LXX heran. Aber die Abweichungen in den angeblichen Anspielungen (die sich über 16 Verse der Psalmen erstrecken) schließen eine direkte Abhängigkeit aus. Wenn überhaupt, so liegt eher ein Einfluß dieser Psalmen aus dem Gedächtnis des Vf vor. Die Beweise für eine Verbindung mit Ps 115 LXX überzeugen nicht[57]. Zu Ps 114 ist folgendes festzustellen: Motive und Gedankengang kommen auch in vielen anderen Psalmen vor, die ebenso das Bild von angstvollem Beten (wie Hb 5,7) um Rettung aus dem Tode schildern. So lassen sich Gemeinsamkeiten mit Hb 5,7 nicht nur in Ps 114,1.2.6.8 feststellen, sondern in gleichen Ausmaß in Ps 21,3.6.9.16.22 (vgl 23 = Hb 2,12).25; und Sir 51,9ff; vgl. auch Ps 6,5ff; Ps 85,1ff.6f.13.16; Ps 30,17f.23; Ps 33,5.7.16.18; Ps 16,1.6; Ps 54,2f.5f.17.19f. Wir möchten die Bedeutung von Ps 114 als Parallelstelle keineswegs verleugnen. Nur darf nicht übersehen werden, daß diese Stelle eine unter anderen ist. Unter ihren Hb 5,7 entsprechenden Wörtern gehören zwei zu einer bekannten Formulierung (so δεήσεις . . . εἰσακουσθείς)[58], zwei weitere zu einem Gottesprädikat, das dem Vf wahrscheinlich unabhängig von Ps 114 bekannt war[59]. Es bleibt dann nur der Hinweis auf die Tage und die Tränen übrig. Aber auch der letzte dürfte mit κραυγῆς zu einer traditionellen Wendung gehören[60], und ἐν ταῖς ἡμέραις war kein ungewöhnlicher Ausdruck[61]. Es läßt sich daher vermuten, daß in Hb 5,7 eine Terminologie und ein traditionelles Bild[62] gebraucht werden, die sich nicht aus *einer* schriftlichen Stelle ableiten lassen[63]. Das gilt auch für die Wörter (für die sich sowieso keine Parallelen in Ps 114 anbieten): μετὰ κραυγῆς ἰσχυρᾶς, ἱκετηρίας, προσενέγκας, δυνάμενον. Sie gehören zum allgemeinen Sprachgebrauch des hellenistischen Judentums in solchen Situationen[64]. In 5,7 liegt also eine Schilderung vor, die Motive und Terminologie aus den Psalmen und dem hellenistischen Judentum übernommen hat.

68,4; ähnlich *Rissi*, Menschlichkeit S. 37. *Strobel*, Psalmengrundlage, denkt ausschließlich an Ps 114 und 115 LXX. Ihm folgen *Schröger*, Schriftausleger S. 120f und *Brandenburger*, Vorlagen S. 211ff.
56   *Strobel*, Psalmengrundlage. Die Parallelstellen sind bei *Schröger*, Schriftausleger, aufgeführt (S. 121f).
57   Εὐλάβεια bedeutet in Hb 5,7 sowieso nicht »Angst« und hat daher mit ἔκστασις (Ps 115,2 LXX) nichts zu tun. Υἱός in 5,8 läßt sich schwerlich mit υἱὸς τῆς παιδίσκης (Ps 115,7 LXX) verbinden. Vgl auch *Brandenburger*, Vorlagen S. 212 Anm. 10; *Thurén*, Gebet S. 139 Anm. 1. *Strobel* erwähnt auch die folgenden möglichen Parallelen: ἐγὼ δὲ ἐταπεινώθην . . . 115,1b (ἔμαθεν ἀφ᾽ ὧν ἔπαθεν τὴν ὑπακοήν Hb 5,8); ποτήριον σωτηρίου λήμψομαι 115,4a (καὶ τελειωθεὶς . . . αἴτιος σωτηρίας Hb 5,9). Sie sind aber kaum überzeugend.
58   Vgl noch LXX Ps 27,2.6; 39,2; 60,2; 105,44; 65,19; 129,2; 140,1.
59   Vgl oben Anm. 24.
60   So vgl Pesiqt r 36; Jalqut Schim 101 zu Gen 22,9; 1Esr 5,61; 3Makk 1,16; 2Makk 11,6; 3Makk 6,14f; u. vgl *Boman*, Gebetskampf S. 266f.
61   Vgl Mt 23,30; Lk 4,25; Apg 5,3; Apk 2,13.
62   Vgl auch 1QH V12f; vgl IX 1; VIII 28f.
63   So ua *Lescow*, Gethsemane S. 237; *Boman*, Gebetskampf S. 266; *Thurén*, Gebet S. 143 Anm. 2; und nach ihm *O. Linton*, Hebréerbrevet och den historiske Jesus, SvenskTeolKv 26 (1960) S. 335–345; vgl auch *Michel* S. 220; *Nomoto*, Hohepriester-Typologie S. 79. Vgl *Strobel*, Psalmengrundlage S. 262 Anm. 33; *Brandenburger*, Vorlagen S. 212.
64   Zu δεήσεις τε καὶ ἱκετηρίας vgl Hiob 40,27; Philo Cher 47; Legat 228.276; Polyb II 6,1; III 112,8; 2Makk 11,6; IsokrDePace 138. Zu προσενέγκας vgl oben Anm. 54 und JosBell III

2. Es ist immer wieder versucht worden, *hinter 5,7–10 einen Hymnus zu erkennen.*

In der Hauptsache sind *vier Versuche* aufzuzählen: Nachdem *Schille* den ganzen V 6, ἐν ταῖς ἡμέραις τῆς σαρκὸς αὐτοῦ (V 7) und πᾶσιν τοῖς ὑπακούουσιν (V 9) ausgesondert hat, gewinnt er einen Hymnus, der aus einer Themenzeile und vier Dreizeilern besteht[65]. *Friedrich* bestreitet, daß V 5 zum Hymnus gehört, und erkennt einen Hymnus, der aus zwei Dreizeilern besteht[66]. Zu den von *Schille* als Zusätze des Vf gerechneten Stücken zählt *Friedrich* noch den ganzen V 8 und κατὰ τὴν τάξιν Μελχισέδεκ (V 10)[67]. *Lescow* erkennt einen ursprünglichen Hymnus von vier Zeilen (V 5a, V 8 ohne den καίπερ-Satz und V 9 ohne τελειωθείς), der aber schon durch ein lyrisches Stück (V 7 weitere drei Zeilen ohne εἰσακουσθείς ἀπὸ τῆς εὐλαβείας) ergänzt wurde[68]. *Brandenburger* geht von einem Bruch aus, den er zwischen V 7 und 8 erkennen will (uE kann man V 7 von V 8ff nur aus stilistischen Gründen abheben – insofern haben sowohl *Lescow* als auch *Brandenburger* recht), und möchte V 8ff als Hymnus ohne Zusätze (vielleicht habe man ursprünglich ὅς statt καίπερ am Anfang gelesen) erkennen[69].

Der Einfluß aus der Terminologie der Psalmen schließt die Möglichkeit eines Hymnus nicht aus. Dennoch sind die Argumente dafür nicht überzeugend: Lange Perioden mit Partizipien gehören zum Stil des Vf (vgl 9,11f; 6,4ff; 6,7f ua). Auch die Artikellosigkeit ist aus grammatikalischen Gründen zu erklären[70]. Die einzige Ausnahme ist die besondere Verdoppelung δεήσεις τε καὶ ἱκετηρίας und μετὰ κραυγῆς ἰσχυρᾶς καὶ δακρύων[71] (schon im Sprachbereich des Vf bekannt). Deshalb kann man die vielen Substantive kaum als überzeugenden Beweis für einen Hymnus anführen. Der Wortschatz läßt sich anders erklären, wie wir gesehen haben. Auch das ὅς hat durch die Exegese eine befriedigende Erklärung gefunden, obwohl die Abruptheit dieses ὅς nicht geleugnet werden kann. In V 9f sind Vorstellungen und beliebte Begriffe des Vf unverkennbar[72]. Die Verse stammen ohne Zweifel vom Vf. Auch V 8 mit dem traditionellen Wortspiel[73] dürfte auf ihn zurückgehen. Hier erkennt man seine hochentwickelte Sohnschaftschristologie[74]; zugleich wird die paränetische Orientierung dieses Stückes deutlich. Dies wird auch am Ende von V 7 erkennbar.

353. Zu ἱκετηρίας/ἱκετεία vgl Hiob 40,27; 2Makk 5,25; 8,9; 9,18; 10,25; Sir 51,9ff; *Spicq* II S. 112f; *F. Büchsel*, Art. ἱκέτης, ThWNT III, S. 297ff.
65 *Schille*, Erwägungen S. 97ff.
66 *Friedrich*, Lied S. 99ff.
67 Zur Kritik an *Schille* und *Friedrich* vgl ua *Deichgräber*, Gotteshymnus S. 174ff; *Brandenburger*, Vorlagen S. 196ff.
68 *Lescow*, Gethsemane S. 229f.
69 *Brandenburger*, Vorlagen S. 198.
70 So *Deichgräber*, Gotteshymnus S. 164f.
71 Siehe Anm. 64.
72 Damit möchten wir nicht bestreiten, daß der Vf traditionelle Wendungen verschiedenen Ursprungs eingearbeitet hat (zB αἴτιος σωτηρίας, τελειωθείς, προσαγορευθείς . . . ἀρχιερεὺς κατὰ τὴν τάξιν Μελχισέδεκ deutlich aus Ps 110,4 in Zusammenhang mit dem Hohepriester-Titel, vgl 4,14f; 2,17; ἀρχιερεύς). Und vgl oben Anm. 52.
73 Dazu siehe oben Anm. 48.
74 Das ist keineswegs dem Zusammenhang fremd (gegen *Brandenburger*, Vorlagen S. 206). Er weist auf folgende Wörter, die für einen Hymnus sprechen sollen, hin (S. 206f): προσαγο-

In V 7 einen Hymnus anzunehmen, hat auch keine überzeugenden Gründe[75]. Daß der Vf auf der anderen Seite traditionelle Wendungen verschiedenen Ursprungs benutzt hat, die sich zT auch sonst im Brief finden, möchten wir nicht bestreiten[76]. Das gilt auch für christologische Vorstellungen wie Erhöhung und Einsetzung als Hoherpriester[77].

3. Die Vorstellung in 5,7a jedoch, die von der Angst Jesu spricht (er betet mit Tränen), ist im Brief einmalig. Sonst wird der Erniedrigte immer so geschildert, daß er sich dessen bewußt war, daß Gott ihn retten würde oder daß er in den Himmel zurückkehren würde (vgl 2,14f; 10,5ff.12f; 12,2f). Mit diesem Bewußtsein hat er gelitten, wie auch die Christen mit diesem Bewußtsein leiden. Nach 5,7 gab es aber eine Zeit, in der der Sohn sich seiner Rettung nicht sicher war. Wenn der Vf sonst an das Leiden Jesu denkt,

ϱεύω ist Singular (das ist aber kaum überraschend, wenn der Vf 5,6 aufgreifen will). Zu αἴτιος σωτηρίας, einer bekannten Wendung, siehe oben Anm. 51; zu ὑπακούειν siehe oben Anm. 52. Ὑπακοή kommt zwar erst hier vor, paßt aber sehr genau zum Thema des Hb (siehe oben Anm. 22). Wenn die Wendung ἔμαθεν ἀφ᾽ ὧν ἔπαθεν als solche geläufig war, dann hat es kaum einen Sinn, sich über das Fehlen von μανθάνειν im Brief Gedanken zu machen. Τελειοῦν wird nicht anders als im übrigen Brief gebraucht, spricht also eher für die Hand des Vf. Und auch der υἱός-Begriff kommt als Vorstellung keineswegs nur noch 1,2 vor (vgl schon 3,6 und siehe oben S. 75ff). Es stimmt nicht, daß Jesus erst nach 5,10 mit der Erhöhung Hoherpriester wurde (vgl schon 5,6; 2,17 und unten S. 245ff), und was das Sühnemotiv betrifft, so ist es ein weit verbreiteter Irrtum, daß der Vf des Hb sich nur dafür interessiert. Dagegen spricht seine Gesamtargumentation von 2,10 bis 8,1. Aus dem Bruch (uE nur stilistisch) zwischen 5,7 u. 8 gewinnt *Brandenburger* die Einsicht, daß V 7 und V 8ff einem unterschiedlichen Ursprung entstammen. Das trifft zu. V 7 enthält ein bestimmtes traditionelles Bild, das der Vf in seinen Text eingearbeitet hat. Aber V 8ff stammen unmittelbar vom Vf und sind kein traditioneller Hymnus.

75 So *Brandenburger*, Vorlagen S. 197f mit Recht.
76 *Friedrich*, Lied S. 104ff, weist auf folgende Worte hin: σῴζειν mit Gott als Subjekt (sonst aber kaum anders als in 7,25, wo letzten Endes auch Gott der Retter ist, vgl auch 4,16); θάνατος (aber vgl 2,14, wo auch der hiesige Sinn nachklingt); προσφέρω hier anders als sonst im Brief (das bedeutet nicht mehr, als daß der Vf auch diesen Gebrauch des Wortes kannte); εὐλάβεια, das hier nicht »Angst« wie angeblich in 12,28 und 11,8 bedeutet (aber jedenfalls in 12,28 ist es Furcht vor Gott, also Gottesfurcht). Τελειοῦν wird kaum different verwandt. Das Wort ἀρχιερεύς kommt hier kaum »unvermittelt« vor (gegen *Michel* S. 225, vgl 2,17; 4,15, die als Leitgedanken auch für unseren Abschnitt gelten) und wird auch vom Vf im Blick auf Jesus als Fürsprecher nur vom Erhöhten benutzt (2,17; 3,1; 4,14), ist also an sich kaum Beweis für eine Vorlage (gegen *Schille*, Hohepriesterlehre S. 99).
77 Dazu siehe unten S. 245ff. *Brandenburger*, Vorlagen, weist auf das Wegschema hin: Präexistenz, Menschwerdung (vorausgesetzt), Erniedrigung, Erhöhung und Phil 2,6ff als Parallele (S. 200ff). Dazu ist folgendes zu bemerken: Erstens ist dieses Schema dem Vf vertraut; zu *Brandenburgers* Auffassung, daß das Leiden in Gehorsam nicht zum Zusammenhang paßt, siehe Anm. 22 und oben S. 101. Es spricht nicht unbedingt für einen Hymnus an dieser Stelle. Wenn man zweitens diesen Zusammenhang ernstnimmt, so kann man kaum behaupten, daß der Vf hier die volle Bedeutung der Heilstat beschrieben hat, wenn er vom Gehorsam im Leiden spricht. Ihm geht es hauptsächlich darum zu zeigen, daß Jesus wie wir Gehorsam im Leiden bewahren mußte. Schließlich kommt das Schema Präexistenz – Erniedrigung – Erhöhung häufig im Brief vor und darf nicht als Hinweis auf eine Vorlage bewertet werden. Zum Verhältnis zwischen der Christologie des Vf und der des Philipperhymnus läßt sich sagen: Im Hb wird grundsätzlich vom Gehorsam Jesu auf Erden analog zu dem der Christen und nicht nur von der Inkarnation als dem Gehorsamsakt wie im Philipperhymnus gesprochen.

hat er vor allem das Leiden am Kreuz vor Augen[78]. Wie ist die singuläre Vorstellung in 5,7 zu erklären? Kannte der Vf eine Tradition, die vom Gebet Jesu in dieser Weise gesprochen hat? Denkt er an ein bestimmtes Ereignis? Nach den synoptischen Evangelien betete Jesus in *Gethsemane* darum, dem Leiden zu entgehen, gab aber diesen Wunsch auf, weil er schließlich Gottes Willen tun wollte. In unserem Text wird nur ein Gebet erwähnt, das erhört wurde. Außer der Gethsemane-Szene haben wir jedoch in den synoptischen Evangelien kein weiteres Beispiel, daß Jesus eine Bitte für sich selbst äußert.

Viele Exegeten haben auf einen *Zusammenhang von Hb 5,7 mit dem synoptischen Gethsemane-Bericht* hingewiesen[79]. *Lescow* möchte eine dem synoptischen Bericht nahestehende Vorlage für Hb 5,7 erkennen[80]. Er schlägt vor, daß der Vf zwei Kennzeichen eines Hohenpriesters, ἵνα προσφέρῃ δῶρά τε καὶ θυσίας ὑπὲρ ἁμαρτιῶν und μετριοπαθεῖν δυνάμενος . . . ἀσθενείαις, durch das Heranziehen einer Vorlage als Kennzeichen Jesu belegen will. So brachte Jesus ein Opfer dar (V7) und lernte Gehorsam in dem, was er erlitt (V8). Auch ein drittes Kennzeichen (V4) sei durch die Vorlage belegt (V5a ὁ Χριστὸς οὐχ ἑαυτὸν ἐδόξασεν). Sein Hymnus V5a, V7a, V8 (ohne den καίπερ-Satz), V9 (ohne τελειωθείς) enthielt nicht die Wörter καὶ εἰσακουσθεὶς ἀπὸ τῆς εὐλαβείας (V7b) und entsprach somit den synoptischen Berichten. Aber man kann V7b und 7a kaum voneinander lösen; gleiches gilt für V8a und V8b (so mit Recht *Brandenburger*)[81]. Für seine Hypothese kann *Lescow* also keine überzeugenden Gründe anführen.

Zu *Bomans* Versuch, eine geschichtliche Erklärung zu geben[82], schreibt *Grässer* mit Recht: »Doch dürfte diese These wegen der völlig unkritischen Verwertung aller Evangelientexte und der stellenweise geradezu phantastischen Kombinatorik kaum irgendwo Anklang finden«[83]. Daß hier an ein bestimmtes Ereignis und nicht an den ganzen Leidensweg Jesu zu denken ist, dürfte klar sein[84]. Dazu ist hinzuzufügen, daß der Vf an Leiden und Versuchung (die ja zusammengehören, 2,18; vgl 4,15 und vor allem 5,8) denkt und zugleich das Leiden der Passion im Auge hat (vgl 2,9f und 13,12f). Deshalb ist an ein Ereignis im unmittelbaren Zusammenhang mit der Passionsgeschichte zu denken. Das Ganze gehört zusammen. Gemäß 5,7f schließt das Leiden, von dem gesprochen wird (V8), an das Gebet an. Jesus betet also, und obwohl ihm die Antwort sicher war (wie sie den Christen sicher ist), mußte er leiden. Das ist genau die gleiche Reihenfolge wie in der Passionsgeschichte: Gethsemane, das Leiden und das Kreuz. Ist das zufällig? Kannte der Vf diesen Zusammenhang?

Eine gewisse Entwicklung in der Gethsemane-Tradition ist immerhin erkennbar[85]. Von den

---

78 Vgl 2,9f; 13,12f.

79 Folgende Ausleger denken an Gethsemane: in ihren Komm. z.St. *Bruce, Michel, Montefiore, Strathmann, Spicq*, vgl auch *Grässer, Jesus* S. 77; *Schille*, Hohepriesterlehre S. 81; *Harnack*, Korrekturen S. 245; *Braumann*, Hb 5,7–10 S. 278f; *Omark*, Savior S. 40; *Immer*, Die Versuchten S. 92; *Nomoto*, Hohepriester-Typologie S. 79.

80 *Lescow*, Gethsemane S. 225ff.

81 *Brandenburger*, Vorlagen S. 194 Anm. 6.

82 *Boman*, Gebetskampf S. 264.268. Dazu siehe oben Anm. 25.

83 *Grässer, Jesus* S. 77 Anm. 71.

84 Gegen *Rissi*, Menschlichkeit S. 39; *Spicq* II S. 112; *Friedrich*, Lied S. 110. Vgl auch oben Anm. 23. Dabei ist nicht an den Schrei am Kreuz (Mk 15,34 par) zu denken, sondern an die Gethsemaneszene.

85 Zu den Gethsemaneberichten im NT vgl vor allem K. G. *Kuhn*, Jesus in Gethsemane, EvTh 12 (1952/53) S. 260–285; *Dibelius*, Gethsemane; ders., Kultus S. 169ff; *Lescow*, Gethsemane; *Boman*, Gebetskampf; R. S. *Barbour*, Gethsemane in the Tradition of the Passion, NTS 16 (1969/70) S. 231–251.

beiden Traditionen, die nach *K.G. Kuhn* in dem Markusbericht zu erkennen sind (»A«
14,32.35.40.41; »B« 33.34.36–38; Redaktion 39), ist »A« christologisch und eschatologisch
und »B« paränetisch orientiert. Der Bericht im Lukasevangelium (22,39–46) legt sehr viel
Nachdruck auf das Leidenschaftliche[86]. Darin steht er unserem Text näher als die markinischen
Berichte. Das Johannesevangelium hat zwar keine Gethsemane-Szene wie die Synoptiker, aber
immerhin einen Bericht, der damit verwandt ist (12,27f)[87]. Es wird von Leiden und Angst gesprochen. Ein Gebet, das inhaltlich den synoptischen Darstellungen entspricht, wird von Jesus
selbst erwähnt, aber abgelehnt (12,27). Dennoch äußert er ein Gebet, das über das synoptische
»doch nicht, was ich will, sondern was du willst« (Mk 14,36) hinausgeht: »Vater, verkläre dei-
nen Namen!« (Joh 12,28). Dieses Gebet gilt unmittelbar dem Vater, aber im Zusammenhang
der Christologie des Vf auch Jesus selbst (vgl 13,31 u. 17,5). Die Verherrlichung ist zugleich die
Erhöhung durch das Kreuz. Wenn dieses Gebet letzten Endes die Bitte um die Erhöhung Jesu
und die Verherrlichung Gottes ist, so steht der johanneische Bericht Hb 5,7a sehr nahe[88].

Es scheint uns wahrscheinlich zu sein, daß der Vf des Hb eine Gethsemane-Tradition gekannt hat, die analog zu anderen Texten der Passionsgeschichte durch Formulierungen der Psalmen beeinflußt worden ist[89]. Diese
Tradition ist mit keinem vorliegenden Bericht identisch, zeigt aber eine
Verwandtschaft mit dem lukanischen Bericht auf der einen und dem johanneischen auf der anderen Seite. Sie wurde vom Vf aufgenommen, weil sie
vor allem die Menschlichkeit Jesu darstellte. Daß sie hymnische Gestalt hatte, ist unwahrscheinlich. Denn weder in V7 noch in 8–10 lassen sich ein
Hymnus oder Fragmente eines solchen erkennen.

Jesu Erfahrung als Mensch als Grundlage seiner fürbittenden Tätigkeit im
übrigen Brief

Nach dem Abschnitt 5,1–10 will der Vf die Bedeutung der Hohenpriesterschaft Jesu als Fürsprecher für die Versuchten weiter auslegen durch eine
kühne Exegese von Ps 110,4 mit dem Hinweis auf die priesterliche Ordnung
Melchisedeks. Zunächst weckt er die Aufmerksamkeit der Leser (5,11ff).
Erst nach Wiederaufnahme des Zitates in 6,20, wo mit πρόδρομος an den
Erhöhten als den Menschgewordenen erinnert wird, beginnt der Vf erneut
mit diesem Thema (c. 7). Die Dauerhaftigkeit und damit Überlegenheit dieser Priesterschaft wird begründet. Das Ziel dieser Ausführung zeigt 7,25:
ὅθεν καὶ σῴζειν εἰς τὸ παντελὲς δύναται τοὺς προσερχομένους δι' αὐ-

---

86   Dazu ua *Barbour*, Gethsemane S. 232ff u. 238ff.

87   Dazu vgl ua *Barbour*, Gethsemane S. 241f; *Michel* S. 233; *Wrege*, Jesusgeschichte S.
259ff und in ihren Komm. z.St. *Bultmann, Brown.*

88   Der Unterschied zwischen dem zuversichtlichen Jesus des Johannesevangeliums und dem
unter Leiden Betenden des Hb ist nicht zu verkennen. Nur darf man die Ähnlichkeiten nicht
übersehen. Vom Leiden wird auch im Johannesbericht gesprochen. Auch das Gebet hat im wesentlichen denselben Inhalt (gegen *Brandenburger*, Vorlagen S. 216). Vgl auch *Wrege*, Jesusgeschichte S. 259ff.

89   Wir sehen hier keine Alternative wie *Dibelius*, Gethsemane S. 258ff; ders., Kultus S. 172;
Windisch S. 26. Vgl *Grässer*, Jesus S. 81.

τοῦ τῷ θεῷ, πάντοτε ζῶν εἰς τὸ ἐντυγχάνειν ὑπὲρ αὐτῶν. Jesus spricht für uns, die wir uns in Versuchung befinden. Unsere Rettung ist damit gesichert. Diese Hohepriesterschaft des Erhöhten (7,28; vgl 5,9; 2,10.17f) ist Hauptthema seiner Erläuterung (8,1).

Die Fürbitte des mitleidsvollen Hohenpriesters ist nicht das einzige, worauf unsere Hoffnung sich stützt; dies zeigt die weitere Entwicklung der Hohenpriestertypologie, die die Bedeutung des einmaligen Opfers (9,1–10,18) hervorhebt. Sie ist aber von grundlegender Bedeutung und findet sich immer wieder[90]. Gleich nach dieser Ausführung wird nochmals betont: ». . . und da wir einen Hohenpriester über das Haus Gottes haben, so lasset uns mit wahrhaftigem Herzen in völligem Glauben hinzutreten« (10,21f; vgl 3,1ff und 4,16).

Der Vf orientiert sich an der Situation der Leser und weist sie immer wieder auf den Herrn der Gemeinde hin, der den Weg vor ihnen gegangen ist (so auch 12,2f). So wird ausdrücklich der Weg Jesu als Vorbild dargestellt (vgl auch 5,7ff), zugleich klingt auch der Gedanke vom Fürsprecher in den Wendungen τὸν τῆς πίστεως ἀρχηγὸν καὶ τελειωτήν nach. Auch uns erwartet die χαρά (12,2). Wir müssen aushalten, wie er es getan hat (vgl 12,4ff). Auch in 13,12ff wird auf das Erleiden des Todes als Sühne hingewiesen. Und ähnlich wie in 2,9 wird die Doppelbedeutung von πάσχω genutzt, um von dem Gedanken des Sühnetodes zur Tatsache des Leidens überzugehen. Wir sollen den Schutz des Judentums verlassen und die Schmach tragen (11,26). Das Gehorsam-Sein Jesu im Leiden wird vom Vf zu einem Hauptthema der Christologie gemacht, und das nicht nur, um Jesus als Vorbild darzustellen, sondern vor allem, um seine mitleidsvolle Fürbitte für die versuchte und leidende Gemeinde als Trost und Ermutigung hervorzuheben.

Diese Fürbitte geschieht nicht, um die Vergebung der Sünden der Gemeinde zu erreichen. Das ist durch seinen Sühnetod geschehen. Die Fürbitte ist für die Christen auf dem Leidensweg. Jesus versteht sie, weil auch er diesen Gehorsamsweg gegangen ist. Er hat gelitten und ist treu geblieben. Deshalb bittet er um Hilfe für sie. Dies ist die Christologie eines Seelsorgers. Damit gewinnt das irdische Leben Jesu an Bedeutung, nicht allein wegen dessen, was geschehen ist, sondern vor allem, weil der Herr der Gemeinde in unserer Gegenwart derselbe Jesus ist und für uns tätig ist.

3. Die Errettung des Siegers über den Tod

Nach 5,7 mußte Jesus aus dem Tod gerettet werden. Nach 2,14f aber ist er Sieger über den Tod. Die Spannung zwischen diesen Vorstellungen ist nicht nur in diesen Stellen zu spüren, sondern spiegelt sich im ganzen Brief wider. Ehe wir uns direkt diesem Problem zuwenden, müssen wir zunächst 2,14f genauer untersuchen.

---

90 So schon 9,24. Dazu siehe unten S. 170.

Die Entmachtung des Teufels

Es geht in 2,14f um eine Handlung Jesu, deren Ergebnis in 2,15 geschildert wird. Dort geht es um die Situation der Menschheit; durch Angst vor dem Tode sind sie ihr ganzes Leben lang in Knechtschaft gebunden. Worin besteht diese Knechtschaft? Etwa in dem Gebundensein an Fleisch und Blut? Nicht direkt. Die Gefangenschaft besteht darin, daß die Menschen Furcht vor dem Tode haben (φόβῳ θανάτου). Geht es um Angst vor dem Sterben bzw vor dem Akt des Sterbens? Oder haben wir auch hier (vgl 5,7) an den Todesbereich zu denken? Die Christen sind durch Jesus von der Angst befreit; niemand zweifelt aber, daß sie sterben werden. Es geht also hauptsächlich um die Angst vor dem Todesbereich[1]. Die Gefangenschaft besteht also bzw bestand nicht im Gebundensein an Fleisch und Blut[2]. Die Christen, die Befreiten, befinden sich ja noch in Fleisch und Blut.

Ὁ διάβολος waltet über den Todesbereich (2,14). Sterben und Todesbereich unterliegen seiner Gewalt. Durch den Tod hat Jesus den Teufel entmachtet (2,14) und uns damit von der Angst befreit. Wir sterben, aber wir werden nicht im Todesbereich bleiben, weil der, der über diesen Todesbereich waltet, durch Jesus entmachtet worden ist. Vernichtet ist er zwar nicht, er ist noch tätig. Aber vor seiner Macht brauchen wir aufgrund des Sieges Jesu keine Angst mehr zu haben.

Aber wie ist der Sieg zu verstehen? Die Grundlage für den Sieg ist offensichtlich Jesu Annahme von Fleisch und Blut (so 2,14a). Von seinem Schmecken des Todes wird in 2,9 berichtet. Wie weit dieser Vers für die Interpretation von 2,14f von Bedeutung ist, wird erst anhand des Hintergrundes von 2,14 deutlich.

Zum Hintergrund der Vorstellung von der Entmachtung des Teufels ist folgendes zu beachten[3]:

1. Die Hoffnung auf den Sieg Gottes über die Feinde gehört zu den ältesten Traditionen Israels. Sie wird auch auf den messianischen König übertragen[4].

---

1   Zur Furcht vor dem Tode in der hellenistischen Welt vgl *Windisch* S. 23f; *Moffatt* S. 35f.

2   *Käsemann,* Gottesvolk S. 98ff, möchte 2,14f auf dem Hintergrund gnostischer Vorstellungen auslegen, die in Schriften späterer Jahrhunderte enthalten sind. Die Gefangenschaft bestehe im Gebundensein an Fleisch und Blut. Der Erlöser schlägt jedoch eine Bresche in die Mauer der Materie, und dadurch gewinnen die Seelen der Menschen freie Bahn zum Himmel. (Zu 10,19f in diesem Zusammenhang vgl unten S. 175f.) Ganz abgesehen von der Frage, ob zur Zeit der Abfassung unseres Briefes ein solcher Mythos existierte und dem Vf bekannt war, paßt diese Auslegung zur Soteriologie des Vf nur schlecht, so daß selbst *Käsemann* zugeben muß, daß an unserer Stelle »der Naturalismus des Mythos nicht aufgenommen worden« ist (S. 94) und daß der Weg zum Himmel eigentlich erst durch die Beseitigung der Sünde frei wird (S. 104f). Zur Kritik an *Käsemann* vgl *Michel* S. 161; *Lohse,* Märtyrer S. 166; *Nomoto,* Herkunft und Struktur der Hohenpriestervorstellung im Hebräerbrief, NovTest 10 (1968) S. 10–25, hier 10.

3   Zur ausführlichen Behandlung dieses Hintergrundes verweisen wir auf die maschinenschriftliche Fassung dieser Arbeit S. 129–133.

4   Dazu vgl *G. von Rad,* Der heilige Krieg im alten Israel, ⁵1969. Vgl auch Jes 11; 9,6ff; Mich 5,2ff; Am 9,11ff; Sach 9,9; und in der nachalttestamentlichen Zeit: ua PsSal 17; SyrBar 72,2–6; CD XIX 10ff; 1QSb V24–29; 4QFlor 7ff.

2. In der Literatur der Apokalyptik verlagert sich der Sieg in die himmlische Welt. Man hofft auf die endgültige Entmachtung des Teufels und seiner Mächte[5].

3. Schon im AT, aber vor allem im nachalttestamentlichen Judentum wird der Teufel als Zerstörer mit dem Todesengel identifiziert[6].

4. Die Hoffnung auf die endzeitliche Unterwerfung des Teufels und seiner Mächte gehört auch zur Tradition des Urchristentums. Dabei wird auch an die Überwindung des Todes als Feind des Menschen gedacht (vgl vor allem 1Kor 15,20ff; Apk 20,14; 21,4 vgl Jes 25,8)[7]. Vor allem bei Paulus und in den Deuteropaulinen wird deutlich herausgestellt, daß die entscheidende Schlacht schon stattgefunden hat – am Kreuz. Dabei wird das Siegesmotiv in Verbindung mit der Vorstellung von der Sühnewirkung des Todes Jesu gebracht (so ausdrücklich 1Kor 15,54ff; Kol 2,13b–15; Eph 2,15; 2Tim 1,10; vgl aber auch Apk 5,5ff; 1Joh 3,8; Joh 12,31).

Wie hat der Vf des Hb dieses Motiv verstanden?

1. Kehren wir zu *Hb* 2,14f zurück, so können wir feststellen, daß der Vf eine *traditionelle Vorstellung* wiedergibt.

Das gilt nicht nur für die Vorstellung selbst, sondern auch für die Formulierungen. καταργέω ist bei Paulus und in den paulinischen Gemeinden besonders beliebt[8]. Hinzu kommt, daß das Wort besonders im Zusammenhang mit der Siegesvorstellung auftaucht[9]. Bei Paulus findet man ὁ διάβολος nie; dagegen kommt das Wort in deuteropaulinischen Schriften häufig vor. Δουλεία wird nur von Paulus als Schilderung der Not der Menschen gebraucht: im Zusammenhang mit der Angst und der Sterblichkeit des Fleisches[10]. Die Befreiung von Knechtschaft ist ein bekanntes Motiv der urchristlichen Tradition für die Beschreibung des Heilswerkes Christi[11]. Das Wort ἀπαλλάσσω kommt im Zusammenhang mit dieser Vorstellung nur hier vor. Auch die Formulierung διὰ τοῦ θανάτου ist vielleicht traditionell[12].

In Hb 2,14f werden so zwei Vorstellungen der Tradition verknüpft: das Kreuz als Sieg und als Befreiung. Die Vorstellungen sind leicht vereinbar und lagen dem Vf vielleicht schon verbunden vor. Die Vorstellung vom Kreuz als Sieg findet sich besonders in paulinischen und deuteropaulinischen Schriften. Daß das Motiv der Befreiung im Hb und seinen Traditionen im Zusammenhang mit dem Sühnegedanken stand – allerdings mit der Vokabel (ἀπο)λύτρωσις – zeigen 9,12 u. 15. Das spricht dafür, daß in 2,14f der Sühnegedanke als Mittel der Auslegung dient.

---

5 Dazu vgl vor allem Dan 10,13; 12,1; AssMos 10,1ff; Jes 24,21ff; TLevi 18,12; TDan 5,10; TJud 25,3; OrSib III 63ff; IHen 10,13ff; IV Esr 13,1–58; vgl auch 1QM I, XI, XIII, XV, XVIIf; 1QH VI 29ff.

6 Zum Todesengel in der Exodusgeschichte vgl Ex 12,23; Jub 49,2; EzechTrag 159, vgl 187; SapSal 18,15ff (vgl Hb 11,26ff). Der Todesengel wird im Laufe der Zeit zum Feind und zum Satan selbst. Vgl auch außerhalb der Exodustraditionen 1Chr 21,15ff; 4Makk 7,11; TAbrah 13,1ff; SyrBar 21,22; TLevi 18,10; SapSal 2,23f; 1,13; Baba Batra 16a. Vgl auch *Billerbeck* I, S. 144ff; *Michel* S. 160.

7 Zum Teufel als Todesengel im NT vgl 1Kor 10,10; 5,5; Joh 8,44; 9,11. Zur Überwindung der Mächte vgl den Gebrauch von Ps 110,1 u. Ps 8,7 im NT.

8 Sonst nur Lk 13,7 u. Hb 2,14.

9 So 1Kor 15,24.26; 2,6; Eph 2,15; 2Tim 1,20; vgl auch 2Thess 2,8 u. 1Kor 1,28.

10 Röm 8,15 u. 8,21; vgl auch Gal 5,1.

11 Vgl auch in Hb 9,12.15 im Zusammenhang mit der Sünde.

12 Vgl Röm 5,8 und außerdem nur Kol 1,22; vgl aber Hb 2,9 διὰ τὸ πάθημα τοῦ θανάτου.

2. Der Vf hat diese Vorstellung offensichtlich in Verbindung mit dem Tode Jesu gebracht, falls diese Verbindung nicht vielleicht schon vor ihm bestand. Interessant ist, daß auch hier (wie in 1Kor 15 und Röm 8) die Siegesvorstellung in Verbindung mit der Gedankenkette aus Ps 110 steht. In 1Kor 15 findet sie sich im Zusammenhang mit der Unterwerfung der Mächte. War diese Verbindung dem Vf des Hb schon bekannt? Ist die Unterwerfung der Mächte (1,4ff.13; 2,5.8) daher in 2,14f aufgegriffen? Das würde für 2,16 einen guten Sinn geben: den Engeln und darunter dem Engel des Todes habe er nicht geholfen. Das wäre aus 2,14 klar. Die Schwierigkeiten entstehen aber dadurch, daß Engel nicht bloß negativ dargestellt werden und die Unterwerfung in 1,4ff bis hin zu 2,8 mit der Erhöhung in Zusammenhang steht (nicht unmittelbar mit dem Tod). Vielleicht kannte der Vf eine lose Verbindung, aber er hat das nicht zu erkennen gegeben.

3. In 2,9 setzt der Vf das Erleiden des Todes, das mit der Erniedrigung verbunden ist, in Gegensatz zur Erhöhung. Das Erleiden des Todes wird durch die Hinzufügung erläutert, daß Jesu Tod damit den Tod für alle gekostet hat. Auch hier geht es also um seinen und unseren Tod. Nach den weiteren Ausführungen des Briefes hat Jesus das dadurch getan, daß er für die Sünde starb[13]. Anhand dieser Auslegung hat der Vf wahrscheinlich auch die Vorstellung in 2,14f, die schon durch 2,9 vorbereitet war, verstanden, wie diese Vorstellung auch anderswo im NT interpretiert wurde[14].

Das wird von den meisten Auslegern klar erkannt. Man muß aber vorsichtig sein. Zwar hat der Vf seine Tradition ganz sicherlich so verstanden; sehr wahrscheinlich wurde sie auch von ihm so ausgelegt. Aber man darf nicht verkennen, daß dahinter ursprünglich eine Tradition steckt, die nicht unmittelbar mit Sühne zu tun hatte. Außer der gnostischen Auslegung unseres Textes[15] sind auch andere Vorschläge vorgebracht worden, wie der Teufel überwunden wurde. Einige denken an die Auferstehung, durch die Jesus die Bande des Todes und damit des Teufels gebrochen hat[16], oder an eine »Überschreitung seiner Machtbefugnisse« durch den Teufel (*Windisch* erwähnt dies als Möglichkeit[17]). Dies alles sind sehr plausible Hypothesen, sie finden aber keinen Anhaltspunkt am Text.

4. Es bleibt noch die Möglichkeit, daß die *Exodustypologie* hier eingewirkt hat[18]. Dazu wären sowohl Gefangenschaft und Befreiung als auch das Motiv vom σπέρμα ’Αβραάμ (2,16) und die Vorstellung vom Todesengel zu zählen (vgl 11,25ff). Nach der von uns vermuteten Christus-Typologie in 11,25ff waren die πρωτότοκα (11,28; vgl πρωτοτόκων = Christen 12,23)

---

13 Schon unmittelbar nach 2,14f, in 2,17, steht dieser Gedanke (vgl auch am Anfang 1,3).
14 So die meisten Ausleger, ua *Delitzsch, Westcott, Riggenbach, Windisch, Kuss*, auch *Riehm*, Lehrbegriff S. 556ff; *MacNeill*, Christology; *Immer*, Die Versuchten S. 158; *Ungeheuer*, Priester S. 53f; *G. Klein*, Hb 2,10–18, GPM 18 (1964) S. 137–143; *Nomoto*, Hohepriester-Typologie S. 28f; *Klappert*, Eschatologie S. 39 Anm. 77; *Vanhoye*, Situation S. 353f.
15 Dazu siehe oben Anm. 2.
16 Vgl ua *Kögel*, Söhne; *Montefiore* z.St.
17 *Windisch* S. 23; vgl auch *Strathmann* z.St.
18 Zur Exodustypologie in 11,25ff siehe unten S. 197f. Vgl auch S. 137.

durch das Passa und das Blutbesprengen (11,28), also durch den Tod Christi, vor dem Zerstörer bewahrt worden, damit sie als Gottesvolk aus dem Ägypten der Welt in das verheißene Land der Ruhe kommen konnten. Inwieweit wir in 2,14f mit dem Einfluß dieser Vorstellung rechnen können, ist nicht mit Sicherheit festzustellen[19]. Jedenfalls würde eine solche Auslegung unterstreichen, daß dieser Sieg grundsätzlich vom Vf als Sühneleistung Jesu angesehen wurde.

Die Spannung zwischen Aussagen über den Tod Jesu im Hb

1. Wenn wir nun aber feststellen, daß der Sieg darin besteht, daß Jesus für die Sünde gestorben ist, dann dürfen wir aus 2,14f nicht schließen, daß nach dem Glauben des Vf Jesus dem Tod mit voller Macht entgegengetreten ist und den Sieg durch seine übermenschliche Kraft errungen hat[20]. *Gyllenberg* möchte aufgrund der Vorstellung in 2,14f eine große Spannung im Brief erkennen[21]. Aber das beruht, wie *Seesemann* mit Recht zeigt[22], auf einem falschen Verständnis dieser Aussage. Der Sieg braucht nach der Meinung des Vf nicht mehr zu bedeuten, als daß Jesus sich selbst für die Sünde darbrachte und dies in der Kenntnis tat, daß er wieder zum Vater zurückkehren würde. Daß der Teufel ihn nicht halten konnte, ist vorausgesetzt, weil er von Sünden, die er tilgen will, sowieso frei ist. Aber inwieweit trifft das wirklich die Auffassung des Vf?

2. Zunächst ist festzustellen, daß es doch eine gewisse *Spannung* gibt zwischen der Tradition vom Sieg, die hinter 2,14 steht, und anderen Aussagen des Briefes (etwa 5,7), auch wenn diese Tradition in die Christologie des Vf ohne große Schwierigkeit eingebettet werden kann.

a) Die Opfertodtypologie der Hohenpriesterlehre setzt voraus, daß Jesus nicht nur sich selbst dargebracht hat, sondern auch, daß er selbst das Allerheiligste betrit bzw in den Himmel eingetreten ist (9,11.24). Und wenn früher in c.7 die Dauerhaftigkeit seiner Hohenpriesterschaft mit der Tätigkeit als Fürsprecher begründet wird, ist dies ua ein Beweis dafür, daß er der Sohn ist, dessen Leben unzerstörbar ist (7,16). Zwar ist dieser Beweis auf die Dauer seiner jetzigen Tätigkeit gerichtet, aber der Grund selbst setzt deutlich voraus, daß der Sohn dem Wesen nach unsterblich ist. Das kommt auch nicht überraschend, nachdem wir festgestellt haben, daß der Vf eine

---

19 Wir kennen bisher keinen Versuch, eine solche Auslegung durchzuführen (am nächsten kommen die Ausführungen *Schilles;* dazu Anm. 33 zu B II.3. unten). Zur Exodustypologie vgl weiter unten S. 197f.

20 Gegen *Käsemann,* Gottesvolk S. 98ff.135.145ff; *Grässer,* Hebräerbrief S. 111; *Schierse,* Verheißung S. 37; *Gyllenberg,* Christologie S. 685.

21 Nach *Gyllenberg,* Christologie, ist eine Spaltung im Brief zu erkennen zwischen Handlungen von oben, wie dem Opfertod Jesu, und denen von unten, wie der Überwindung des Todes, die »das Bild von innen her sprengen« (S. 677).

22 *Seesemann,* Christologie S. 65ff. Dieses Motiv von der Überwindung des Todes kommt nur hier im Brief vor.

hochentwickelte Sohnschaftschristologie vertritt. Der Sohn ist also der Führer des Volkes, der vor ihm in den Himmel gegangen ist (6,20). Wir haben
es deutlich mit dem unsterblichen Sohn Gottes zu tun.
b)   Auf der anderen Seite stehen solche Aussagen wie 5,7, die voraussetzen, daß Jesus gerettet werden mußte. Dazu sind noch die Erhöhungsaussagen[23] zu nennen und die Auferweckungsaussagen, die passivisch formuliert
sind. Hierher gehört auch der Gebrauch von Ps 2,7 in 1,5 und 5,5, der von
einer Einsetzung in die Sohnschaft erst nach dem Tode spricht.

Die Spannung zwischen Sohnschaftsaussagen des Vf

Einerseits mußte Jesus gerettet, auferweckt, erhöht und als Sohn eingesetzt
werden. *Andererseits* ist er der unsterbliche Sohn göttlichen Ursprunges,
der gekommen ist, um ein Opfer für die Sünde darzubringen, und nach dem
Tode in den Himmel zurückgekehrt ist[24]. Wie ist diese Spannung zu lösen?
1.   Zunächst ist zu bemerken, daß *diese Vorstellungen nicht allein vom Vf
geschaffen worden sind.* Er steht nicht allein, sondern ist Glied einer urchristlichen Gemeinde. Das bedeutet keineswegs, daß er nicht schöpferische
Gedanken entwickeln konnte. Aber es läßt sich wahrscheinlich machen, daß
Traditionen auf seine Gedanken eingewirkt haben. Gerade das haben wir
schon häufig gezeigt. Dadurch bekommen wir einen wichtigen Einblick in
Gedanken und Traditionen von Teilen des Urchristentums.
Zurückblickend können wir also feststellen, daß der Vf den Gebrauch von
messianischen Stellen im spiritualisierten Sinn im Zusammenhang mit der
Erhöhung Jesu gekannt hat, daß er weiter mit einer Gedankenkette vertraut
war, die bei Paulus und den Deuteropaulinen eine Rolle gespielt hat, und
daß er wahrscheinlich eine Variante der Gethsemanegeschichte gekannt
hat. Auf der anderen Seite ist die hochentwickelte Sohnschaftschristologie
keineswegs eine Erfindung des Vf. Hier ist nicht zuletzt auf den vermuteten
»Hymnus« in 1,2f hinzuweisen. Von diesen Beispielen her sollte klar sein,
daß die Spannung schon in der Tradition vorlag. Wir möchten später zu diesem Problem zurückkehren, aber zunächst wollen wir fragen, wie der Vf
selbst dieses Problem gelöst hat.
2.   Zwar sollte man nicht behaupten, daß der Vf ein abgerundetes christologisches System darstellen will[25], aber andererseits ist er nicht so unsyste-
matisch, daß man den Versuch einer Einheit sofort aufgeben sollte[26]. Daß er

---

23   Dazu gehören auch die passiven Aussagen über τελείωσις.
24   *Windisch* beruft sich auf *Holtzmann*, Theologie S. 337ff, wenn er schreibt: »Die Christologie des Hb beruht auf der Zusammenschau zweier Wesen: (1) des himmlischen Gottessohnes
. . ., (2) eines Menschen, der (etwa wie Herakles) auf Erden ein Werk verrichtet hat und zum
Lohn dafür über die Engel erhoben worden ist« (S. 12f). Vgl *W. Manson* S. 102ff.
25   So mit Recht *Seesemann*, Christologie S. 65 u. 82.
26   Auch nicht, weil er nur funktional denkt. Vgl *Gyllenberg*, Christologie, der schreibt, daß
»die Bezeichnungen Christi als Sohn Gottes und Erstgeborener im Hb keine metaphysischen

das Problem nicht in allen Einzelheiten analysiert, vielleicht nicht einmal erkannt hat, bedeutet keineswegs, daß wir die Frage nicht stellen sollen. Der Vf zeigt sich als ein intelligenter Mensch, der Argumente liefern kann und der seine Arbeit bewußt strukturiert hat. Er hat diese Traditionen nicht gedankenlos nebeneinandergestellt.

3. Aber zugleich muß *vor harmonisierenden Versuchen gewarnt* werden, die die Traditionen nicht zur Geltung kommen lassen. Diese Harmonisierungen werden immer wieder versucht. Auf der einen Seite geht zB *Käsemann* von den Erhöhungsaussagen über den Sohn aus und behauptet, daß die anderen Sohnschaftsaussagen (1,2; 5,8), die eine höher entwickelte Sohnschaftschristologie voraussetzen, als »proleptisch« zu bezeichnen sind[27]. Eine solche Reduzierung wird dem Material kaum gerecht. Auf der anderen Seite versucht zB *Ungeheuer* alles von der ewigen Sohnschaft her zu verstehen und dabei die Aussagen, die ganz klar zur Erhöhungsvorstellung gehören (1,5a.b und 5,5), als Darstellungen der ewigen Zeugung zu interpretieren[28]. Ähnlich befremdlich ist der Versuch *Michels*, Ps 2,7 von der Erhöhung zu trennen oder als Anerkennungsformel der Erfüllung der Sohnschaft zu bezeichnen[29]. Diese Versuche scheitern daran, daß sie die Stellen aus ihrem christologischen Zusammenhang herausreißen. Man sollte die Stellen in ihrem jeweiligen Kontext zur vollen Geltung kommen lassen.

4. Unbefriedigend ist auch der Versuch, die Spannung dadurch zu überbrücken, daß man Gedanken einführt, die in beiden Zusammenhängen keine oder nur eine beiläufige Rolle spielen, wie *Büchsel* es tut, wenn er das unzerstörbare Leben des Menschen Jesus sowie seine Sohnschaft dadurch erklären will, daß Jesus der Geistbesitzer sei[30]. Dieser Versuch, der auf nur zwei Einzelversen (7,16 u. 9,14) beruht, und zwar auf einer falschen Exegese wenigstens von einem (7,16), mag wertvoll sein, um in der Systematik das Problem der Inkarnation zu lösen, ist aber in unserem Brief nicht nachweisbar. In unserem Brief ist Jesus von Natur der Sohn, und seine Einsetzung in die Sohnschaft in anderen Texten hat nichts mit Geistbesitz zu tun, sondern mit Herrschaft.

Spekulationen sind, sondern soteriologische Aussagen« (S. 679). Es ist schon wahr, daß es keine metaphysischen Spekulationen sind, aber dennoch haben sie soteriologische und funktionale Bedeutung gerade wegen ihres Inhalts. Der Sohn ist im Hb nicht bloß ein funktionaler Begriff. Jesus ist der Sohn und gehört wesensgemäß auf die Seite Gottes.

27 Vor allem *Käsemann*, Gottesvolk S. 59f. Vgl *Brandenburger*, Vorlagen S. 207f zu 3,6; 6,6 u. 10,29; *Stadelmann*, Christologie S. 170.

28 *Ungeheuer*, Priester S. 15f u. 18ff; ähnlich *Immer*, Die Versuchten S. 104f.

29 So zu Hb 1,5 *Michel*; *Bruce*; auch *Cody*, Sanctuary S. 103; *Nakagawa*, Christology S. 81; *Luck*, Geschehen S. 206.

30 *Büchsel*, Christologie S. 24.26.50ff. Er erkennt messianische und Schöpfungsmittlertraditionen (S. 24).

Versuch einer Lösung

Wir haben mit Absicht nicht nur von den Traditionen gesprochen, die von
der Erhöhung bzw Auferweckung oder der Unsterblichkeit des Sohnes handeln, sondern auch von denen, die mit der Sohnschaft zu tun haben, weil die
beiden Probleme sehr eng miteinander zusammenhängen.

1.a)   Wenn wir von zwei Vorstellungen der Sohnschaft im Brief sprechen,
ist es sicherlich falsch, die höhere dem Verfasser abzusprechen. Das hat *Ungeheuer* richtig erkannt[31]. Deshalb dürfen Vorstellungen wie das unzerstörbare Leben des Sohnes, der Eintritt in den Himmel und die modifizierte
Siegesvorstellung der Christologie des Vf zugerechnet werden. Wir stehen
daher auf sicherem Boden, wenn wir feststellen, daß die höhere Sohnschaftschristologie und die sich daraus ergebenden Vorstellungen über den
Tod Jesu zur Christologie des Vf gehören. Wie steht es dann mit den anderen Vorstellungen von Erhöhung und Einsetzung?

b)   Daß diese Vorstellungen aus der Tradition stammen, steht außer Zweifel. Aber mit dieser Feststellung ist das Problem noch nicht gelöst. Allerdings ist auch die höher entwickelte Sohnschaftschristologie schon in der
Tradition vorhanden; und auch die passivischen Aussagen sind vom Vf aufgegriffen worden und deshalb kaum ohne Bedeutung für ihn.

2.   Zunächst ist die Tatsache hervorzuheben, *daß der Vf sich grundsätzlich
um die jetzige Situation der Leser bemüht*. Für die Christologie bedeutet
dies, daß er besonders auf die jetzige Stellung Jesu hinweist. Es geht ihm in
c. 1 vor allem nicht darum zu beschreiben, *wie* es dazu gekommen ist, daß
der Sohn die Herrschaftsstellung besitzt, sondern zu unterstreichen, *daß* er
sie besitzt. Deshalb kann er in derselben Reihe von Beweisen dafür einmal
Aussagen über die Erhöhung im engeren Sinne und einmal Aussagen über
die Schöpfertätigkeit des Sohnes anführen. Diese Aussagen sind hauptsächlich unter der Perspektive herangezogen worden, daß sie etwas über den gegenwärtigen Herrn der anbetenden Gemeinde aussagen und nicht primär
über Ereignisse der Vergangenheit. Diese gottesdienstliche Perspektive ist
wichtig für ein richtiges Verständnis des Briefes wie auch für die Traditionen, die darin vorkommen.

3.   Aber das konnte nicht bedeuten, daß die Erhöhungsakte selbst, die keineswegs nur in Aussagen in c. 1 vorkommen, irgendwie außer acht gelassen
wurden. Der Vf hat diese Aussagen kaum ohne Rücksicht auf ihren Inhalt
aufgegriffen. Eine weitere Erklärung, wie er sie aufgreifen konnte, ist, daß
Gott letztes Endes Gott bleibt, auch der Gott Jesu (vgl 1,9). Durch die hochentwickelte Christologie des Vf ist Gott nicht überflüssig geworden. Der Vf

---

31 *Ungeheuer*, Priester S. 12. Vgl aber *H. M. Schenke*, Erwägungen zum Rätsel des Hebräerbriefes, in: Neues Testament und christliche Existenz (Festschrift für H. Braun), 1973, S.
421–437, der von einer merkwürdigen Wiederbelebung der adoptianischen Christologie
spricht (S. 428). Wenn überhaupt eine Wiederholung stattgefunden hat, dann müßte man mE
von einer neuen Verarbeitung alter Traditionen, ohne daß die Voraussetzungen der Präexistenz-Christologie irgendwie aufgegeben werden, sprechen.

denkt grundsätzlich theozentrisch (vgl dazu ua 10,5; 2,9; 2,10a; 1,9). Das Kommen und das Sterben des Sohnes, sein Leben nach dem Tode, das alles war Gottes Wille (vgl 10,5ff). Deshalb kann der Vf zugleich von der Auferweckung und Unzerstörbarkeit des Sohnes sprechen. Durch seinen eigenen Sohn hat Gott gehandelt (1,2). Diese Theozentrizität verleugnet keineswegs die hochentwickelte Sohnschaftschristologie des Vf. Vielmehr erklärt sie, warum der Vf auch diese alten Traditionen aufgreifen konnte.

4. Daß der *Erhöhungsakt nicht bloß passivisch* verstanden wurde, zeigt sich darin, daß ursprünglich passivische Erhöhungsaussagen in aktiver Form auftauchen. Jesus handelt und setzt sich dann zur Rechten Gottes (1,3; 8,1; 10,12; 12,2; vgl 1,13; vgl auch vor allem 4,14, wonach Jesus durch die Himmel hindurchschreitet). Man bemerkt auch die Gedankenentwicklung in c.2, wo nach dem passivisch formulierten Zitat aus Ps 8 (2,6–8.9) bald dieselben Vorstellungen vom Vf aktiv weitergegeben werden. Er selbst kommt (2,12), nimmt Fleisch und Blut an (2,14) und handelt gegen den Teufel (2,14). Es ist kaum überraschend, daß sich viele passivische Aussagen in Zitaten finden (1,5; 1,8f; 1,13; 2,6ff; 5,5; vgl auch 13,20). Auch viele andere passivische Aussagen sind deutlich aus der Tradition übernommen, vgl 1,4; 2,5; 2,9; 5,7; 13,20. Das Wort τελειοῦν stammt wahrscheinlich auch aus traditioneller Terminologie[32].

5. Noch ein Grund, warum der Vf die passivischen Traditionen aufgreifen konnte, ist, *daß er funktional denkt*. Das zeigt sich besonders in der Sohnschaftsaussage in 1,5. Hier geht es nicht um einen Versuch, das Wesen des Sohnes zu erklären, sondern um einen Versuch, seine jetzige Funktion, seine Stellung als Herrscher hervorzuheben. Er kannte den Zusammenhang zwischen Königsherrschaft und Sohnschaft. Mit diesem Zitat aus der Tradition will er sagen, daß mit der Erhöhung Jesu seine jetzige Herrschaft angefangen hat, wobei auch hier nicht der Zeitpunkt, sondern die jetzige Wahrheit seiner Herrschaft als Königssohn im Vordergrund steht.

Dazu gehören auch die Texte, die das Wort γίνομαι benutzen (1,4; 7,26; vgl 2,17; 5,9; 6,20; 7,16; 9,11), wo es nicht um eine wesenhafte Änderung geht, als ob er jetzt etwas anderes geworden sei als vorher, sondern um die Funktion[33]. Mit der Erhöhung beginnt eine neue Tätigkeit. Eine gewisse Spannung ist aber auch hier zu erkennen, weil der Präexistente in Kategorien beschrieben wird, die auch mit Herrschaft zu tun haben; aber dieses Problem werden wir behandeln, wenn wir auf die Inkarnation zu sprechen kommen.

---

32 So läßt sich das Verständnis des Vf von Erhöhungsaussagen wie auch von τελείωσις-Aussagen am besten erklären.

33 Zu Aussagen über das »Hohepriesterwerden« vgl unten S. 245ff.

Das Problem von 5,7

1. Wir sind von Aussagen über den Tod Jesu ausgegangen und haben erkannt, daß die zwischen ihnen bestehende Spannung einen weiteren Kreis von Aussagen umfaßt, so daß wir von einer Spannung zwischen passivischen und aktivischen Aussagen sprachen, was den Tod, das Leben nach dem Tod und die Sohnschaft Jesu betrifft. Wir haben versucht zu zeigen, wie es für den Vf möglich war, solche Aussagen und Vorstellungen nebeneinanderzustellen, und was seine eigene Christologie war. Aber es bleibt noch die schwierige Stelle, die wir am Anfang dieses Abschnittes erwähnt haben, nämlich 5,7, wo Jesus bittet, aus dem Tod gerettet zu werden. Offensichtlich haben wir es hier mit einem Menschen zu tun, der vor dem Tode Angst hat, und nicht mit dem unsterblichen Sohn Gottes, der gekommen ist, handeln will und nachher in den Himmel zurückkehren wird. Sogar die Christen selbst brauchen keine Angst zu haben. Sie wissen, daß das Heil da ist. Auf das Problem der Unwissenheit Jesu in diesem Fall werden wir in der Behandlung der Inkarnation eingehen, aber ganz sicher ist: nach der Aussage dieses Verses mußte Jesus gerettet werden. Unser Hinweis auf die Theozentrizität hilft uns in diesem Vers nicht sehr weit. Hier haben wir es mit einer wirklichen Notsituation zu tun. Es kann kaum behauptet werden, daß dieser Vers eine untergeordnete Rolle im Zusammenhang spielt. Wie wir gezeigt haben, liegt gerade hier der Nachdruck auf der Menschlichkeit Jesu.

2. Das Problem wird zwar nicht gelöst, aber wir kommen einen großen Schritt weiter, wenn wir erkennen, daß hier sehr wahrscheinlich eine mit der Gethsemanegeschichte verwandte Tradition im Hintergrund steht. Dann muß man fragen, warum und wie der Vf diese Schilderung einer Notsituation aufgreifen konnte.

Zunächst ist zu bemerken, daß sich dieses Gebet und das Erhören des Gebetes dem Text, aber auch der Passionsgeschichte entsprechend, vor dem Leiden am Kreuz abgespielt hat. Entsprechend der paränetischen Absicht des Vf ist es wahrscheinlich, daß Jesus vollen Wissens über seine Errettung, wie auch die Christen jetzt, in den Tod ging. Das Problem bleibt aber, daß es einen Zeitpunkt gab, wo Jesus seiner Errettung nicht sicher war. Der Vf wollte mit dieser Tradition die echte Menschlichkeit Jesu hervorheben. Die dahinterliegende christologische Vorstellung fügt sich mit der Christologie des Vf gut zusammen. Vielleicht gibt seine paränetische Orientierung in dieser Passage eine Erklärung, warum er das tun konnte: er denkt etwa an den Schrei der Menschheit um Errettung, die durch die Übernahme der Botschaft des Heils verliehen und versprochen wird.

Abschließende Bemerkungen

1. Erstens haben wir vom Vf gesprochen, und zwar, daß es ihm möglich war, diese Traditionen so nebeneinanderzustellen. In der Tat ist *diese theo-*

logische Tätigkeit nicht erst mit dem Vf in Gang gekommen, sondern war schon vor ihm in der Kirche vorhanden. Er setzte die hochentwickelte Sohnschaftschristologie voraus, wie wir gesehen haben, so daß man feststellen kann, daß die Spannung schon vorhanden war, und was wir für den Vf als Lösungen vorgeschlagen haben, gilt genausogut für die christologischen Entwicklungen vor ihm. Die Bedeutung dieser Feststellung möchten wir am Ende des folgenden Abschnittes behandeln.

2. Zweitens ist nach der *Bedeutung dieser Sohnschaftschristologie für die Auffassung vom Tode Jesu* zu fragen. Der Tod ist in dieser Christologie nicht eine Tragödie, die durch die Auferweckung aufgehoben wird.

Einmal liegt der Nachdruck nicht mehr auf der Auferweckung oder Auferstehung, sondern auf der Erhöhung, und dabei auch nicht so sehr auf dem Akt der Erhöhung, sondern auf der Würdestellung, die daraus folgt. Daraus erklärt sich, warum die Auferweckung eine so kleine Rolle in der Argumentation des Briefes spielt und so selten vorkommt.

Einerseits wird der Tod selbst als eine Handlung angesehen, und zwar als Sühnehandlung. Die Handlung ist wichtig, und der Vf bemüht sich in c. 9–10,18, ihre Bedeutung herauszustellen. Aber sie ist nur eine unter anderen Handlungen des Sohnes. Was von gleichem Rang ist und was eigentlich viel mehr Platz in seinem Brief für sich beansprucht, ist das Leiden und Versuchtwerden als Vorbereitung für den jetzigen Dienst Jesu als Fürsprecher, dh daß er den Weg der Versuchten vor ihnen gegangen ist. Der Anstoß des Kreuzes liegt nicht darin, daß Jesus sterben mußte, sondern daß *er* sterben mußte (12,3). Das Sterben ist daher an sich kein Anstoß, sondern eine Handlung für die Sünde[34]. Weil der Vf es so betrachtet, ist es verständlich, daß er durch die Hohepriestertypologie so abstrakt darüber spekulieren kann und sogar die Geschichtlichkeit dieser Handlung fast außer Sicht lassen kann, wie wir zeigen werden.

Wenn man daher nach der Struktur seiner Christologie fragt, so bleibt der Tod von entscheidender Bedeutung als Handlung für die Sünde, wird aber kaum als Anstoß oder Paradox geschildert (einzige Ausnahme bildet das Bild in 5,7 aus der Tradition). Paradox ist das Leiden beim Sterben (so 5,8), aber Liebe macht auch das (vgl 2,9) verständlich. Danach ist das entscheidende Ereignis nicht das Auferwecktwerden bzw das Leben nach dem Tode – das ist für den Sohn selbstverständlich –, sondern der Eintritt in die himmlische Würde- und Herrschaftsstellung.

---

34 Der Vf scheint sich nicht sehr darum zu bemühen, das Skandalon des Kreuzes zu problematisieren, wie *Kuss*, Grundgedanken S. 312ff, behauptet (vgl bes 9,15ff). Wenn überhaupt, so geht es ihm um den Anstoß, den das Leidenmüssen für die Leser bedeutete; deshalb weist er auf Christus hin, der als Vorbild, aber auch als Vorgänger und damit als Fürbitter für die ihm folgenden leidenden Menschen eintritt.

4. Die Inkarnation Jesu

Das Menschsein Jesu

1. Der Vf läßt keinen Zweifel daran, daß der Sohn einmal als Mensch leb-
te. Dieses »einmal« war *das einmalige Ereignis in der Geschichte*, durch das
Gott zu uns Menschen gesprochen hat. Jesus kam als Bote Gottes (1,1f;
2,3). Durch ihn hat das Wort des Heiles seine anfängliche Erörterung gefunden (2,3; vgl 6,1; 13,8).
Er ist gestorben, wie wir Menschen sterben (9,27f; 9,15). Das wird vorausgesetzt in den vielen Aussagen, die von der einzigartigen Bedeutung dieses
Todes sprechen (1,3; 2,9; 9,11f usw). Es geht dem Vf nicht darum, den Tod
selbst zu beschreiben; aber trotzdem gibt er uns im Laufe seiner Ausführungen einige Einzelheiten darüber. Die Kreuzigung wird erwähnt (12,2 vgl
6,6). Daß Jesus außerhalb der Stadt getötet wurde (13,2), geht sehr wahrscheinlich auf Tradition zurück[1]. Das gilt sicherlich auch für die Abstammung aus Juda[2], die auch wegen des Messianitätsanspruches im Gedächtnis
der Tradition blieb (7,15), sowie auch für Aussagen über sein Leiden im Zusammenhang mit der Passion (2,10; vgl 2,9; 5,7f). Es erscheint auch sehr
wahrscheinlich, daß er eine Tradition kannte, die von der Bitte Jesu um Rettung für sich sprach[3]. Schließlich kannte er auch den Namen »Jesus« aus der
Tradition.

Der Name »Jesus« kommt im Hb 14mal vor, einmal für Josua (4,8). Daß in 4,14 Jesus, der
Sohn Gottes, zu diesem Jesus bzw Josua in einen Gegensatz gesetzt wird, als derjenige, der sein
Volk in die wirkliche Ruhe gebracht hat, halten wir mit *Grässer* nicht für unmöglich[4]. Er weist
auf *Synge*[5] hin, der in dem Namen »Jesus« eine Anspielung auf den Hohenpriester Jesus in
Sach 3,1 sieht, was uns allerdings sehr unwahrscheinlich scheint[6]. Aber *Grässer* hat kaum
recht, wenn er die Häufigkeit des Namens im Brief aus der Anspielung auf den Josua des Exodus erklären will. Der Name wird nicht erst in diesem Zusammenhang benutzt. Außer den
Stellen, in denen der Name mit anderen Titeln in Verbindung steht (4,14; 10,10; 13,8; 13,20;
13,21), kommt der Name an fünf Stellen vor, die vom Erhöhten als dem sprechen, der einmal
als Mensch gelebt hat; sie legen also besonderen Nachdruck auf das Menschsein Jesu (2,9; 3,1;
12,2 – in diesen drei Stellen im Zusammenhang mit dem »Sehen« des Glaubens; und 6,20; vgl
4,14). Hier scheint tatsächlich mit dem Namen der Mensch Jesus besonders hervorgehoben zu
sein. In den drei übrigen Stellen wird der Name zweimal im Zusammenhang mit dem Bundesgedanken benutzt (7,22; 12,24) und einmal im Zusammenhang mit dem Blut als Blut Jesu
(10,19; vgl 10,10; aber auch 12,24, wo neben dem Bundesgedanken das Blut erwähnt wird).

1   Zum irdischen bzw historischen Jesus im Hb vgl *Grässer*, Jesus, hier S. 82.
2   *Grässer*, Jesus S. 73ff.
3   Dazu S. 109f oben.
4   Vgl auch *Windisch* S. 37; *Grässer*, Jesus S. 72; *Stadelmann*, Christologie S. 175, der es für
möglich hält, daß der Vf an die Etymologie des Namens denkt.
5   *Synge*, Hebrews and the Scriptures S. 19ff.
6   Dazu siehe unten S. 223.

Die Bezeichnung χύριος kommt mit Bezug auf Jesus einmal in einem Zitat (1,10), einmal in einer liturgischen Formel mit dem Namen Jesus (13,20) und sonst nur an zwei weiteren Stellen vor (2,1; 7,14; in 12,14 ist χύριος wie in 8,2 auf Gott zu beziehen, wie auch in 7,21; 8,8.9.10.11; 10,16; 10,30; 12,5.6; 13,6). Διὰ τοῦ κυρίου in 2,3 wird im Gegensatz zu δι' ἀγγέλων gebraucht und hat eine hohe christologische Bedeutung, dürfte aber ursprünglich zu einer an dieser Stelle bearbeiteten Tradition gehören, in der χύριος als Titel für den irdischen Jesus verstanden wurde, ohne daß die durch die Parusie- und Erhöhungsüberlieferung gewonnene besondere Bedeutung dieses Titels mitgewirkt hat. Vielleicht klingt auch in 7,14 dieser Gebrauch nach, wo der Titel mit Bezug auf den irdischen Jesus und unvorbereitet vorkommt[7]. Der Vf kennt den Titel auch in seinem weiteren Gebrauch aus der liturgischen Tradition, hebt ihn aber nicht hervor, auch nicht, obwohl Ps 110,1 eine so große Rolle in seinem Brief spielt. Eine besondere Verbindung mit diesem Text kannte er offensichtlich nicht.

Das Wort Χριστός kommt im Hb 12mal vor. Von der möglichen Ausnahme von 5,5 abgesehen, wo messianische Tradition aufgegriffen wird[8], wird Χριστός als Name verwendet. So in Vers 3,6, der in 3,14 wieder aufgegriffen wird. An anderen Stellen haben wir es sehr wahrscheinlich mit geprägten Formulierungen zu tun, in denen der Name Christus vorkommt. Das gilt wahrscheinlich für τοῦ Χριστοῦ λόγον (6,1); τὸ αἷμα τοῦ Χριστοῦ (9,14)[9], Ἰησοῦς Χριστός (10,10; 13,8; 13,21), vielleicht auch für τὸν ὀνειδισμὸν τοῦ Χριστοῦ (11,26; vgl 13,13). Daß der Vf seine Ausführungen über die Sühnetätigkeit Jesu gerade mit dem Χριστός-Namen einführt (9,11.24; vgl 10,10), ist vielleicht daraus zu erklären, daß er an die »Pistis-Formel« denkt, mit der die von ihm in c. 1f aufgenommene Gedankenkette sonst eingeleitet wurde[10]. Ὁ Χριστός in 9,28 ist in seiner Form mit Artikel (mit Nominativ-Artikel sonst nur 5,5) vielleicht durch Formulierungen in der Tradition des Vf über die Parusie bestimmt (vgl Kol 3,4; Mk 14,62; 1Joh 2,28 mit V22; vgl auch 1Pt 1,5.7; 4,13; 5,1.4; 1Kor 15,23; 2Tim 4,1).

2. *Jesu Leiden* wird vom Vf besonders hervorgehoben. Sicherlich ist dieser Nachdruck aus der Absicht des Vf, die Leser anzusprechen, zu erklären. Aber das Leiden selbst, wahrscheinlich einerseits als ἀντιλογία (12,3) unter den Händen der Juden und andererseits als physisches durch die zivilen Behörden[11], war ihm ja schon aus der Tradition bekannt. In dieser Hinsicht beruht seine Argumentation auf zwei Voraussetzungen: erstens war dieses Leiden kein Scheinleiden, sondern ein wirkliches Leiden, das eine Ähnlichkeit mit dem Leiden der Leser ua darin hatte, daß es Jesus unter Druck setzte, seine Treue zu Gott aufzugeben; und zweitens blieb Jesus trotz dieser Anfechtung treu. Kenntnis von bestimmten Traditionen über Versuchungen Jesu, wie etwa in den synoptischen Wüstenerzählungen, zeigt der Vf nicht[12]. Aus dem Leiden und der Treue Jesu ergab sich für den Vf seine Vorbildlichkeit und sein Verständnis für die Christen, die sich in seiner Fürbitte für sie ausdrückt.

---

7 So *Hahn*, Hoheitstitel S. 94.
8 Dazu siehe oben S. 10.
9 Dazu siehe unten S. 196.
10 Dazu siehe oben S. 16.
11 Dazu siehe unten S. 254ff.
12 Gegen *Michel* S. 208.211; *Bruce* S. 53. Zur angeblichen Verbindung mit der synoptischen Tradition in 10,19f u. 5,7 siehe unten S. 176 und Anm. 79 zu A.IV.2. Vgl auch Mk 8,32f; Lk 22,28 u. den Gethsemanebericht. Dazu oben S. 109f.

3. Der Vf will kein *Biograph* sein. Er setzt voraus, daß Jesus gelebt hat, gekommen ist und das Heil verkündigt bzw geschaffen hat. Auf die Geschichtlichkeit und Wirklichkeit vor allem seines Leidens kommt alles an. Der Herr der Gemeinde ist auch der, der unter den gleichen Umständen des Menschseins um Gottes willen wirklich gelitten hat. Aber dem Vf geht es nicht darum, Einzelheiten eines Lebenslaufes für sich darzustellen. Er will vielmehr mit Nachdruck den irdischen Jesus als Menschen darstellen. Eine Abschwächung des *Menschseins Jesu* in diesem Sinne würde eine Abschwächung seiner ganzen Argumentation bedeuten[13].

Jesus der Sohn Gottes

1. Andererseits ist dieser Jesus zugleich *der »göttliche Sohn Gottes«*. Daß der Vf in verschiedenen Weisen von einem Inkarnationsakt spricht, setzt das voraus (2,14a; 2,17a; 2,7a.9a; 10,5a u. b). Seine Schilderungen implizieren auch, daß das Bewußtsein Jesu von seiner Sohnschaft nicht verloren gegangen war, sowohl in dem Akt der Inkarnation als auch in seinem Leben als Mensch (vgl 10,5ff.10). Daß er Bote war, ist nicht in bloß prophetischem Sinne verstanden. Der Herr ist mit einer Botschaft über die himmlische Welt gekommen (2,3.5; vgl 2,1f; 1,1f). Er kannte seine Aufgabe sehr genau und hat sie bewußt erfüllt (10,5ff): er brachte sich für die Sünde dar. Daß er seiner Aufgabe treu blieb (»ohne Sünde« 4,15; vgl 2,17), wird vom Vf nicht von dieser Sohnschaft abgeleitet, etwa in dem Sinne, daß er deshalb nicht sündigen konnte. Er hält es offensichtlich für möglich, daß der Sohn wie wir sündigen konnte. Als Sohn kannte er seine Aufgabe und ist ihr trotz allem treu geblieben.

Wie kam der Vf dazu, von der *Sündlosigkeit Jesu* zu sprechen? Philo bezeichnet den Hohenpriester-Logos als sündlos (SpecLeg I 230; Fug 108; SpecLeg I 113; Somn II 185; VitMos II 66), aber hier im Hb zeigen sich keine weiteren Verbindungen mit der philonischen Vorstellung. Hier geht es um Vorstellungen, die auf den irdischen Jesus bezogen sind, nicht um spekulative Ideen. Stammt die Vorstellung aus messianischen Traditionen? Für das Rabbinat ist nur von der Erwartung eines vollkommenen Gerechten zu sprechen, nicht aber von einem sündlosen Messias[14]. Daß der Messias von Sünde rein wird, weiß PsSal 17,36 (vgl auch 17,21ff.30.37). Aber auch hier zeigt sich keine direkte Verbindung zu unserem Text. Dem Vf des Hb geht es hauptsächlich darum, die Treue Jesu in Leiden und in Versuchung hervorzuheben (vgl 2,18; 2,17 u. 3,1f). Das hätte er daraus folgern können, daß Jesus tatsächlich die ihm von Gott gegebene Aufgabe treu erfüllt hatte[15]. Zweifellos spiegelt sich darin das Interesse des Vf. Doch gab es schon in seiner Tradition die Vorstellung von der Sündlosigkeit Jesu, wie 9,14 deutlich zeigt (vgl im Zusammenhang mit dem Opfergedanken 1Pt 1,19; vgl Ex 29,1; Lev 22,17–25). Aber unser Zusammenhang handelt nicht von der Opfervorstellung; dafür gibt es auch andere Tra-

---

13 So *Grässer,* Jesus S. 90 u. 71; *Luck,* Geschehen S. 194; *Vielhauer,* Rezension S. 217. Vgl dagegen *Windisch* S. 26.
14 Dazu *Michel* S. 211f.
15 Vgl ähnlich *Michel* S. 212; *Nomoto,* Hohepriester-Typologie S. 52.

ditionen über die Sündlosigkeit Jesu (1Pt 2,22ff in Anlehnung an Jes 53,8; auch 2Kor 5,21; 1Joh 3,5.7; 1Pt 3,18). Daß Jesus sündlos war, kannte der Vf offensichtlich aus der Tradition (vgl die spätere Entwicklung bei Joh 7,18; 8,46; 14,30). Er aber stellt diese Sündlosigkeit paränetisch in einen Zusammenhang mit der Versuchung Jesu im Leiden und damit in Zusammenhang mit der Passion. Es geht ihm also nicht darum zu sagen, daß Jesus jede Versuchung kennt, die wir kennen[16], sondern daß er genauso wie wir, also genauso wie die Leser, Gehorsam durch Leiden bewahren mußte[17]. Man darf aber die Versuchung, von seinem Auftrag abzuweichen, und die allgemeine Versuchung zu sündigen nicht scharf trennen, wie *Bornhäuser* es tut[18]. In beiden Fällen geht es um die Versuchung zu sündigen, und Jesus war zu beidem fähig[19], blieb aber gehorsam.

Der Sohn wußte aber auch, daß er nach seinem Tode zur »Freude« der himmlischen Welt zurückkehren würde (12,2)[20]. Wir haben schon gesehen, daß außer der Stelle 5,7 ein solches Wissen vorauszusetzen ist und daß deshalb das Sterben als eine Handlung, ja eine Aufgabe, betrachtet wird. Zusammenfassend können wir sagen: Jesus wußte, daß er gekommen war, warum er gekommen war und wohin er gehen würde. Der Sohn ist gekommen und kraft seines unzerstörbaren Lebens (7,16) zurückgekehrt. Wie verhält sich diese Auffassung zu den Aussagen über das Menschsein Jesu?

Wie verhalten sich Mensch-Sein und Sohn-Sein zueinander?

1. Beide Aspekte passen sehr gut zusammen. Die Vorbildlichkeit Jesu und seine Mitleidsfähigkeit für die Leidenden wird dabei keineswegs in Frage gestellt. Jesus kannte den Willen Gottes. Den kennen die Christen jetzt auch. Er wußte, daß er nach dem Tod in die himmlische Welt zu Gott kommen würde. Das gilt auch für die Christen. Durch die Juden und die Behörden mußte Jesus leiden und dabei Gehorsam bewahren. Das müssen die Christen auch.

2. Aber zusammen mit der Inkarnationsvorstellung gibt es grundlegende

16 Dazu vgl *Windisch* S. 39; *Moffatt* S. 59.
17 *K. Bornhäuser*, Die Versuchungen Jesu nach dem Hebräerbrief, in: Theologische Studien M. Kähler dargebracht, 1905, S. 73.77ff.83.
18 *Bornhäuser*, Versuchungen S. 71ff.
19 Gegen *Ungeheuer*, Priester S. 45.
20 Es wäre sprachlich auch möglich, ἀντὶ τῆς προκειμένης αὐτῷ χαρᾶς als Hinweis auf die Präexistenz zu verstehen, etwa analog zu Phil 2,6f (so GregNaz bei Oecum). Dabei würde man aber das Bild vom Kampfpreis (vgl V 1 u. 4) verlieren. Außerdem wird das Leben Christi hier als Vorbild dargestellt, und dazu paßt insbesondere, daß Jesus, wie wir, durch Leiden mit dem Trost der kommenden Herrlichkeit in eschatologische Freude ging (vgl χαρά 12,11). Diese χαρά lag also vor Jesus (so προκειμένης) in der Zukunft. So ua in ihren Komm. z.St. *Riggenbach, Michel, Bruce;* vgl auch *Grässer*, Glaube S. 61.58.269. An eine irdische Freude, auf die Jesus verzichtet, ist nicht gedacht (vgl 11,25; *Westcott* S. 395; *A. Schulz*, Nachfolgen und Nachahmen (StANT 6), 1962, S. 295f. Vgl auch *P. E. Bonnard*, La traduction de Hébreux 12,2: »C'est en vue de la joie que Jésus endura la croix«, NRTh 97 (1975) S. 415–423, und die Gegendarstellung bei *P. Andriessen*, Renonçant à la joie qui lui revenait, NRTh 97 (1975) S. 424–438.

Schwierigkeiten, die vom Vf kaum besprochen sind. In welchem Verhältnis stehen Menschsein und Sohnsein zueinander? Der Sohn nahm Fleisch und Blut an (2,14a) und wurde wie wir, und das in jeder Hinsicht (2,17a κατὰ πάντα; vgl 4,15), wobei hier in 2,17a vor allem an das Leiden gedacht ist. Es war nicht bloß eine Frage, daß der Sohn einen menschlichen Leib annahm, um ihn als Sühnopfer darzubringen (vgl 10,5ff). Jesus unterzog sich tatsächlich der Erfahrungswelt der Menschheit und nahm die Schwäche des Menschseins auf sich[21]. Er wurde wie wir; er litt wie wir. Er war kein Scheinmensch. Auf die Wirklichkeit dieses Menschwerdens kommt für die Argumentation des Vf alles an.

Die Wörter παραπλησίως *und* ὁμοιωθῆναι (vgl Röm 8,3; Phil 2,7) heben entweder Ähnlichkeit im Gegensatz zur Gleichheit oder die Gleichheit selbst hervor. Die Bedeutung in 2,14 und 2,17 ist aus dem Zusammenhang klar zu erkennen: Der Vf möchte nicht die Andersartigkeit, sondern die Gleichheit betonen: so 2,17 ὅθεν ὤφειλεν κατὰ πάντα τοῖς ἀδελφοῖς ὁμοιωθῆναι; vgl auch 4,15.
Hier wird aber auch deutlich, daß diese Gleichheit unter einem bestimmten Blickwinkel herausgestellt wird. Es geht dem Vf in diesen Aussagen nicht darum, eine möglichst vollständige Theorie der Inkarnation zu entwickeln, ähnlich wie es in der Aussage über die Sündlosigkeit nicht um jede denkbare einzelne Möglichkeit zum Sündigen ging, sondern um die Gleichheit Jesu mit den Söhnen, die darin besteht, daß er wie sie Gehorsam im Leiden bewahren mußte.
Vielleicht kannte der Vf einen Gebrauch von ὁμοιόω mit Bezug auf das Menschwerden in der Tradition (vgl Röm 8,3; Phil 2,7); jedenfalls hat er den Gedanken in seinem besonderen Interesse benutzt.
Ἐπιλαμβάνεται in 2,16 ist als starker Ausdruck für »helfen« zu verstehen[22], nicht als Beschreibung des Inkarnationsaktes, wie die alte Exegese der Kirchenväter Chrysostomus, Theodoret und Ambrosius ihn verstanden hat. Daß von unserem Standpunkt aus dieses Menschsein nicht in jeder Hinsicht wie das unsere war, zeigt schon die Tatsache, daß Jesus sein Wissen über die Zukunft und die himmlische Welt vom Himmel mitgebracht hat, während die Christen es erst von ihm lernten.

Exegese von 2,10–18: I. Syntaktische Klärung

Ehe wir nun zur Frage übergehen, wie er so betont die göttliche Sohnschaft und zugleich das Menschsein Jesu behaupten konnte, müssen wir uns der Passage zuwenden, in der unmittelbar auf die Inkarnation und ihre Bedeutung Bezug genommen wird: *2,10–18.*
Fangen wir mit *2,10* an. Αὐτῷ bezieht sich auf Gott[23], auch wenn eine ähnliche Aussage wie δι' ὃν τὰ πάντα καὶ δι' οὗ τὰ πάντα in 1,2b vom Sohn gemacht wird, weil Gott offensichtlich das Subjekt des erklärenden Infini-

---

21　Die Schwäche der Versuchlichkeit. Nur bei ihm führte diese Schwäche nicht zu Sünden. Vgl 4,15; 2,18.
22　So ua *Michel* S. 162; *Bruce* S. 41 Anm. 56; vgl auch *Kögel, Söhne* S. 85.
23　Gegen *Seeberg* S. 19f u. 26, auch ders., Zur Auslegung von Hebr 2,5–18, Neue Jahrbücher für deutsche Theologie 3 (1894) S. 435–461, hier S. 449.

tivsatzes πολλοὺς . . . τελειῶσαι ist. Aber auch innerhalb des Satzes sind
Beziehungen zu klären. Zunächst folgt nach dem Dativ αὐτῷ ein Akkusa-
tivpartizipium (ἀγαγόντα), das sich auch auf Gott bezieht[24]. Ἀγαγόντα
mit τὸν ἀρχηγόν zusammenzunehmen würde größere Probleme bereiten
und eine überladene Konstruktion ergeben. Τὸν ἀρχηγὸν τῆς σωτηρίας
αὐτῶν wäre dann eine ungeschickte Wiederholung von πολλοὺς υἱοὺς εἰς
δόξαν ἀγαγόντα[25]. In der Tat ist es viel leichter, ἀγαγόντα auf Gott zu beziehen und den Akkusativ damit zu erklären, daß das Partizipium nicht
gleich auf αὐτῷ folgt und daß der Appositionssatz πολλοὺς . . . ἀγαγόντα
zum Akkusativ gezogen worden ist, der sowieso das Subjekt eines Infinitiv-
satzes in indirekter Rede nach einem Wechsel des Subjekts wiedergibt[26].

Exegese von 2,10–18: II. Die Interpretation von 2,10

Trotz dieser syntaktischen Klärung wird *der Inhalt von 2,10 verschieden
verstanden*.

1. Häufig wird der Sinn der Aussage so verstanden: Es ziemte sich, daß
Gott uns durch das Leiden Jesu rettete, dh daß Gott Jesus für uns bzw für
unsere Sünden leiden ließ[27]. Auch diejenigen, die ἀρχηγόν mit ἀγαγόντα
zusammennehmen, legen den Vers so aus[28].
a) Wenn man den Vers so versteht, wird dadurch die Exegese der folgenden Verse stark beeinflußt. Was soll danach *V11* erklären (vgl γάρ)? Ein
Hinweis darauf wird oft in πολλοὺς υἱούς (*V10*) gefunden. Das Heilsereignis war deshalb angemessen, weil der Heiland und die Geheilten aus einem
seien. Sie seien beide Söhne Gottes; ἐξ ἑνός bedeute dementsprechend »aus
Gott«. Nach *Käsemann* könne dieses »aus Gott« nicht bloß auf die Schöpfung bezogen werden. Daraus würde sich auch eine Solidarität mit den Engeln ergeben. Ihnen hilft er nicht (2,16). Vielmehr sei hier auf eine besondere Solidarität Bezug genommen, eine συγγένεια, die in der gemeinsamen
Sohnschaft bestehe. So entsteht eine Auslegung von 2,10ff, nach der der Vf
das Heilsereignis deshalb als besonders passend hervorhebt, weil dadurch
der eine Sohn seine Brüder auf Erden rettete. Die Ähnlichkeit zwischen dieser Auffassung und den verschiedenen Schemata des späten Gnostizismus,
in denen eine Erlösergestalt seine Brüder aus der Gefangenschaft des Flei-

---

24 So vor allem *H. Krämer*, Zu Hb 2,10, Wort und Dienst 5 (1952) S. 102–107; vgl auch *Kögel*, Söhne S. 56f, und in ihren Komm. z.St. *Windisch, Riggenbach, Michel*; vgl auch *Vanhoye*, Situation S. 308; *Schierse*, Verheißung S. 154.
25 Gegen *G. Delling*, Art. ἀρχηγός, ThWNT I, S. 486; *Käsemann*, Gottesvolk S. 89; *Seeberg* S. 26; *Klein*, Hb 2,10–18 S. 137.
26 So ua *Moffatt* S. 31; *Krämer*, Zu Hb 2,10 S. 104; *Blass-Debrunner*, Grammatik § 410;
Apg 11,12; 15,22; 25,27; Lk 1,73f.
27 So ua *Schierse*, Verheißung S. 105 u. 154; *Michel* S. 147; *Strathmann* zu 2,11; *Kögel*,
Söhne S. 49ff; und in ihren Komm. z.St. *Westcott, Riggenbach, Montefiore, Kuss.*
28 So *Käsemann*, Gottesvolk S. 89f.

sches rettet, wird von *Käsemann* mit Recht besonders hervorgehoben, auch wenn damit eine genealogische Verbindung nicht gewonnen wird.

Von *2,11* schreibt *Käsemann:* »Bei Gott ist nicht nur das Ziel, sondern auch die ursprüngliche Heimat der Erlösten«[29]. Aber bei *Käsemann* wird die Sache dadurch kompliziert, daß diese συγγένεια nicht als gemeinsame Sohnschaft beschrieben werden darf: »Insofern die Erlösung als Anagennesis betrachtet ist, werden die Erlösten Gottessöhne nur, indem sie primär Söhne oder Kinder des Erlösers werden«[30]. Das paßt zur Vorstellung *Käsemanns,* daß Jesus erst bei seiner Erhöhung Sohn geworden ist[31]. Nach dieser Darstellung »werden die Erlösten Gottessöhne« erst durch ihre Erlösung. Vor dieser Erlösung kann man nur proleptisch von einer Gottessohnschaft bzw einer Bruderschaft mit Jesus, einer συγγένεια sprechen. Aber trotzdem möchte *Käsemann* 2,11 als Darstellung einer συγγένεια erklären, die darin bestehe, daß dabei an eine Präexistenz der Seelen gedacht sei. *Käsemann* sieht für die Erklärung von 2,11 nur eine Möglichkeit: »An dieser Stelle bricht das gnostische Mythologem durch, das metaphysisch das Erlösungsgeschehen aus der gemeinsamen himmlischen Präexistenz von Erlöser und Erlösten ableitet«[32]. Er mahnt allerdings zur Vorsicht: In keiner Weise wird »der göttliche Ursprung als naturhaft Erlöser und Erlöste verbindend charakterisiert, wie das im Mythos selbstverständlich und grundlegend ist«[33]. Wichtig für die Beurteilung der *Käsemannschen* Exegese unserer Passage ist die Tatsache, daß er »Söhne«, »Brüder«, »Kinder« wie auch später »Sperma Abrahams« durchgehend proleptisch verstehen muß. Unkomplizierter wäre eine Auslegung, die die Sohnschaft und damit die συγγένεια als schon in der Präexistenz begründet sehen würde[34]. In der Tat ist *Käsemann* in dieser Hinsicht nicht konsequent, weil er niemals ausdrücklich sagt, daß gemäß seiner Darstellung die συγγένεια, die in 2,10; 2,11b; 2,12f; 2,14a u. 17a proleptisch verstanden werden muß. Stattdessen spricht er aber immer wieder von einer durch gemeinsame Heimat bei Gott begründeten συγγένεια als Grund für das Heilsereignis. Der *Käsemannschen* Auslegung schließen sich ua *Vielhauer*[35], *Bultmann*[36], *Grässer*[37], *Klein*[38], *Theissen*[39] und *Schierse*[40] an. *Käsemann* bemüht sich darum zu zeigen, wie der Vf vom Mythos abrückt. So hebt er hervor, daß die Erlösung nicht naturhaft begründet wird, daß in 2,10 von »vielen Söhnen« und in V 13 von »den Kindern, die Gott mir gegeben hat« gesprochen wird, und weist auf das ἔπρεπεν von V 10[41] hin. Nicht so vorsichtig ist die Auslegung von *Theissen,* der nicht nur behauptet, daß »in den Menschen ein versprengter göttlicher Funke steckt«[42] – hier ist die συγγένεια keineswegs proleptisch gemeint –, sondern auch anhand von 2,16 und mit deutlicher Anspielung auf das Gleichnis vom verlorenen Sohn schreibt: »Die Ri-

29 *Käsemann,* Gottesvolk S. 90ff.
30 *Käsemann,* aaO S. 92.
31 Dazu siehe oben S. 14.
32 *Käsemann,* aaO S. 91.
33 Daß Gnosis kein rein natur-bestimmtes Heil sei, hat *L. Schottroff,* Animae naturaliter salvandae, in: Christentum und Gnosis, hg. v. W. Eltester (BZNW 37), 1969, S. 65–97, deutlich herausgestellt.
34 So bei *Schierse,* Verheißung S. 104f.
35 *Vielhauer,* Rezension S. 216.
36 *Bultmann,* Theologie S. 181ff.
37 *Grässer,* Glaube S. 209f u. 95f.
38 *Klein,* Hb 2,10–18 S. 138.
39 *Theissen,* Untersuchungen S. 62f.
40 *Schierse,* Verheißung S. 105. Vgl auch *Nakagawa,* Christology S. 114; *Schenke,* Erwägungen S. 426. Vgl auch *Stadelmann,* Christologie S. 179.
41 *Käsemann,* Gottesvolk S. 94.
42 *Theissen,* Untersuchungen S. 62.

valität von Engeln und Menschen ist die Rivalität des verlorenen Sohnes und des zu Hause ge-
bliebenen – in mythologische Sprache übertragen. Aber beide finden wieder zusammen in der
ἐκκλησία πρωτοτόκων«. »Das πάντες in ἐξ ἑνὸς πάντες (2,11) umschließt alle Geister«[43]. Er
stützt sich weiter auf die Annahme, daß πρωτότοκος eine Bezeichnung für präexistente Wesen sei und πνεῦμα auch Präexistenz voraussetze, und erschließt aus der Anwendung beider
Wörter im Zusammenhang mit den Erlösten (12,23; vgl 12,16; 11,28 u. 12,23; vgl 12,9), daß
sie präexistent waren. Beide Annahmen sind aber falsch. An keiner Stelle im Brief wird eine
Präexistenz der Seelen angedeutet, geschweige denn eine Engel einschließende vorzeitliche
Gottesdienstgemeinschaft der Funken. Auch κεκοινώνηκεν in 2,14 darf nicht so ausgelegt
werden, als ob an das Ereignis gedacht sei, in dem die Kinder wie Christus Fleisch und Blut an-
nahmen. Mit κεκοινώνηκεν liegt der Nachdruck auf dem Zustand (vgl 2,17a), nicht auf dem
Akt selbst. Es ist auch nicht ohne Bedeutung, daß für Christus der Aorist benutzt wird (μετέσ-
χεν), für die Kinder das Perfekt (κεκοινώνηκεν), um den Zustand zu beschreiben (gegen
Theissen)[44].

b) Es ist nicht schwer zu erkennen, wie eine solche Exegese die folgenden
Verse auslegen würde. Nach 2,11b sei diese Bruderschaft weiter hervorgehoben. So verkündige Jesus seine Absicht, zu seinen Brüdern zu gehen (in-
karniert zu werden?), schon als der Präexistente (vgl 10,5ff). Auch παιδία
(V 13) könnte zu einer solchen Interpretation passen, wobei nicht an Kinder
des Sohnes gedacht wäre, sondern an Kinder Gottes, die Gott ihm gegeben
hätte[45].
c) In 2,14f fände diese Auslegung ihre Bestätigung. Hier sei der Gipfel der
Argumentation erreicht. Es sei angemessener, daß Gott den Sohn sende und
sterben lasse, damit der Sohn den Brüdern helfen könne (2,16) und sie aus
der Gefangenschaft des Fleisches dadurch befreien könne, daß er den Teufel
überwinde und eine Bresche in die Mauer der Materie schlüge (2,14f). Auch
hier klängen spätere gnostische Gedanken an[46].
d) Letztlich als Anknüpfung an diese geschlossene Argumentation
komme ein neuer Gedanke des Vf hinzu: 2,18 (bzw 17f). Dieses Menschwerden bedeutet demnach auch, daß Jesus mit uns Mitleid haben kann.
2.a) Aber schon mit dieser letztgenannten Behauptung ist die Analyse in
Frage gestellt. Ist *2,18 (bzw 17f)* wirklich nur eine Anknüpfung an die vorhergehende Diskussion? Oder ist dieser Satz nicht selbst der Gipfel der Argumentation? Schon der ähnliche Anfang mit 2,10 (ἔπρεπεν γὰρ αὐτῷ
2,10; ὅθεν ὤφειλεν κατὰ πάντα τοῖς ἀδελφοῖς ὁμοιωθῆναι 2,17) spricht
für die letztere Auffassung. Es ist auch nicht zufällig, daß das Wort παθημάτων (2,10) in 2,18 wieder aufgenommen wird (πέπονθεν). Man muß
auch im Auge behalten, daß das Thema »Leiden und Versuchung« im Mittelpunkt der Ausführungen des Vf von hier an bis c. 8 steht; 2,14f wird sowieso nicht weiter aufgegriffen. Der Gedankengang in 2,10ff muß nochmals untersucht werden.

---

43 *Theissen*, aaO S. 66.
44 *Theissen*, aaO S. 122.
45 Anders aber *Käsemann*, Gottesvolk S. 92f.
46 Dazu siehe Anm. 2 u. 3 zu A.IV.3.

b)   *Wie ist 2,10 zu verstehen?* Unmittelbar zuvor steht der Hinweis auf den Erhöhten *(2,9)*. Der Blick der Leser wird im Brief immer wieder auf den Herrn der Gemeinde gerichtet (vgl schon 3,1, auch 12,2 ; vgl 4,14; 10,19ff). Denn er ist der, der kurze Zeit niedriger als die Engel war und wegen des Erleidens des Todes erhöht wurde. Dieses Erleiden des Todes wird durch den ὅπως-Satz inhaltlich ergänzt. Durch 2,9 wird damit der Übergang zu einem neuen Gedanken geschaffen. Jetzt wird die Bedeutung der Tatsache ausgearbeitet, daß der Erhöhte um unseres Heiles willen Mensch wurde und gelitten hat.

c)   Das alles war Gottes Wille, was sowohl in 2,9 durch χάριτι θεοῦ[47] zum Ausdruck gebracht wird als auch durch 2,10a. Er steht ja nicht nur hinter diesem Ereignis, sondern ist auch der, δι' ὃν τὰ πάντα καὶ δι' οὗ τὰ πάντα sind.

d)   Wie ist nun *2,10b* zu verstehen? Ἀγαγόντα ist offensichtlich ein Aorist der Koinzidenz[48], weil diese Tat kaum vor dem Leiden stattfand, von dem διὰ παθημάτων τελειῶσαι berichtet. Durch das Heilsereignis, den Tod Jesu für alle (2,9), werden viele[49] Söhne zum Heil gebracht. Das besagt πολλοὺς υἱοὺς εἰς δόξαν ἀγαγόντα.

Die Wörter τὸν ἀρχηγὸν τῆς σωτηρίας αὐτῶν beziehen sich auf Jesus. So war es also die Aufgabe Jesu, dieses Heil zu ermöglichen. Streng genommen kann man von dem Heil der Söhne (τῆς σωτηρίας αὐτῶν) erst nach dem Heilsereignis sprechen; aber der Vf redet von der Perspektive der gegenwärtigen Situation aus. Ähnlich dürfte auch υἱούς hier streng genommen nur proleptisch verstanden werden[50]. Söhne werden sie ja erst nach dem Heilsereignis. Wir dürfen annehmen, daß die Bezeichnung der Christen als Söhne dem Vf bekannt war (vgl 12,4ff; 12,23).

Schon vom Zusammenhang her ist das deutlich: *Die Söhne* sind die ἁγιαζόμενοι und das σπέρμα Ἀβραάμ, Bezeichnungen, die ohne jeden Zweifel auf die Christen bezogen sind. Auch in 12,5–8 wird die Sohnschaft der Christen vorausgesetzt. Sohn-Sein bedeutet Heil, eschatologisches Leben, Teilnahme an Gottes Heiligkeit, Gottesschau, Friede und Gerechtigkeit (12,9–11). In 12,23 wird von denen gesagt, deren Namen im Himmel geschrieben sind (. . . ἀπογεγραμμένων ἐν οὐρανοῖς ist deutliche Beschreibung der Christen, vgl Lk 10,20; Phil 4,3; Apk 3,5; 13,8; 17,8; 20,12.15; 21,27 und Ex 32,32f; Ps 69,28; Dan 12,1; IHen 103,2f), daß sie πρωτότοκοι sind. Damit wird die Sohnschaft der Erlösten bzw der Christen

---

47   Für diese Lesung siehe unten 195f.
48   Hier werden »zwei koinzidente Handlungen Gottes« geschildert, so *Krämer*, Zu Hb 2,10 S. 106. Ähnlich in ihren Komm. z.St. *Westcott, Riggenbach, Moffatt, Bruce, Montefiore*; vgl auch *Kögel*, Söhne S. 55ff; *Blass-Debrunner*, Grammatik § 339; *Vanhoye*, Situation S. 309f. Gegen das Verständnis des Partizipiums als ingressiver Aorist (wie *Michel* S. 147; *Delling*, Art. ἀρχηγός, ThWNT I, S. 486 Anm. 13; *Käsemann*, Gottesvolk S. 89 es verstehen) wendet *Krämer* ein, daß der ingressive Aorist nur mit Verben des Zustands vorkommt und bei ἄγω nicht zu erwarten ist (S. 104f). Jedenfalls müßte dieses Einführen damit proleptisch verstanden worden sein, denn die Söhne sind noch nicht zur Herrlichkeit gekommen.
49   Gleich »alle« wie in Mk 10,45, so *Vanhoye*, Situation S. 310f; *Hofius*, Katapausis S. 215 Anm. 818. Gegen *Ungeheuer*, Priester S. 37; *Strathmann* z.St.; *Kögel*, Söhne S. 52.
50   So *MacNeill*, Christology S. 102.

vorausgesetzt und schon im Zusammenhang mit dem κληρονομία-Gedanken erweitert, wie die typologischen Anspielungen in 12,16f (Esau-Geschichte) und wahrscheinlich 11,28 (Exodus-Darstellung) zeigen. Hinter dieser Entwicklung, die offensichtlich schon in der Tradition des Vf stattgefunden hat (er gebraucht die Bezeichnung ohne Erklärung), steckt die Verbindung zwischen Erbe- und Sohn-Sein, die schon bei Paulus deutlich vorkommt, Röm 8,17; vgl aber auch Gal 3,29, wo Sohn-Sein und Erbe-Sein auch σπέρμα-᾽Αβραάμ-Sein bedeutet (vgl Hb 2,16), mit 4,7. Daß die Christen Erben sind, sogar Erben der Verheißung (vgl Gal 3,29; Röm 4,13f), ist fester Bestandteil der Tradition des Vf (1,14; 6,12.17; 9,15). Daß er jedoch an keiner dieser Stellen ausdrücklich die Verbindung zwischen Erbe- und Sohn-Sein ausarbeitet (vgl aber 12,16f, wo durch die Typologie der Zusammenhang klar dargestellt ist), bedeutet überhaupt nicht, daß er sie nicht kannte und erst recht nicht, daß ihm die Bezeichnung »Söhne« für die Christen nicht vertraut war. Es trifft also nicht zu, wenn *Michel*[51] schreibt: »Bei Paulus ist Sohnschaft Adoption im Kreuz Christi . . ., im Hb ist die Sohnschaft und die Anrede ›Sohn‹ durch das AT gegeben«. Vielmehr ist *Kögel*[52] zuzustimmen: »Der Erlösungsgedanke liegt darin. Er bildet ausschließlich das Bindeglied zwischen dem Sohn und den Söhnen«.

Mit πολλοὺς υἱοὺς εἰς δόξαν ἀγαγόντα und τὸν ἀρχηγὸν τῆς σωτηρίας wird ganz deutlich auf das Heilsereignis in seiner Wirkung Bezug genommen. Damit wird in anderen Worten die Schilderung des Heilsereignisses als Zweck der Inkarnation in 2,9 wiedergegeben. In 2,9 wurde der Blick der Leser aber hauptsächlich auf den jetzigen Herrn der Gemeinde gerichtet. Er ist der, der dazu Mensch wurde. Diese Perspektive wird in 2,10 nicht aufgegeben. Vielmehr will 2,10 die Bedeutung dieses Menschwerdens und des Erleidens des Todes für die Stellung und Funktion als Herr der Gemeinde in der Gegenwart herausstellen.

Wird in 2,9 der Blick auf den jetzigen Herrn (so vgl bes das Tempus der Partizipien) gerichtet, so wird in 2,10 die Tatsache hervorgehoben, daß dieser Herr in seiner Tätigkeit für unser Heil gelitten hat. So heißt der Satz: ἔπρεπεν γὰρ αὐτῷ . . . τὸν ἀρχηγὸν . . . διὰ παθημάτων τελειῶσαι.

In 2,10 wird also anhand des Stichwortes παθημάτων (vgl 2,9 πάθημα) das Leiden Jesu betont. Warum wird hier besonders hervorgehoben, daß Jesus bei der Erfüllung seiner Heilsaufgabe gelitten hat? Welche Relevanz hat das Leiden für die Funktion und Stellung des Herrn der Gemeinde in der Gegenwart, auf den der Blick der Leser gerichtet ist? Ohne Zweifel besteht die Antwort darin, daß, weil dieser Herr bei der Erfüllung seiner Heilsaufgabe gelitten hat, er uns in unserer jetzigen Situation verstehen kann und mit uns Mitleid haben kann[53]. Es war angemessen, daß er gelitten hat, damit er ein barmherziger Hoherpriester würde und uns mit seiner Fürbitte helfen würde. So wird 2,10 in 2,17f wieder aufgegriffen.

---

51   *Michel* S. 148. Ähnlich *Kurtz* S. 98f; *Leonard*, Authorship S. 59.
52   *Kögel*, Söhne S. 58.
53   Der Akzent liegt auf dem gemeinsamen Schicksal. So *Kögel*, Söhne S. 22. Wie er den Weg zur δόξα ging (2,9), so sind die Christen auf dem Wege. Er heißt Sohn, sie heißen Söhne. Er ist nicht nur Ursache ihres Heils; er ist ihnen vorausgegangen (ἀρχηγός). Auch er ist den Weg durch Leiden zur τελείωσις gegangen.

Dabei ist schon darauf hingewiesen, was später ausführlich zu behandeln ist[54], daß 2,17 eine offensichtlich *abgerundete Aussage* ist, die formelhaft klingt und Traditionen aufgreift, jedoch als Leitsatz für die Gesamtgedankenentwicklung über die Hohepriesterschaft dient. Von den vielen in 2,17 enthaltenen Gedanken ist es äußerst wichtig herauszustellen, was für den Gedankengang des Zusammenhangs im Mittelpunkt steht. Glücklicherweise wird das durch 2,18 sehr deutlich. Das Leiden bzw das Gehorsambewahren im Leiden wird hervorgehoben. Damit ist festzustellen, daß in 2,17 nicht das Sühnewerk, sondern das πιστός-Sein des Hohenpriesters im Leiden und die sich daraus ergebende Barmherzigkeit für die im Leiden Versuchten im Vordergrund stehen. Erst durch 2,18 wird deutlich, daß 2,17f das Thema von 2,10 aufgreift, auch wenn dabei durch geprägte Formulierungen weitere Themen vom Vf angedeutet werden.

Exegese von 2,10–18: III. Der Gedankengang

Ein richtiges Verständnis von 2,10 ist wichtig für die Auslegung des ganzen Abschnittes 2,10–18. 2,10 besagt nicht: Es war angemessen, daß Gott Jesus leiden ließ, damit er viele Söhne zur Herrlichkeit bringen konnte, als ob ἀγαγόντα in Verbindung mit τελειῶσαι final zu verstehen wäre[55]. Vielmehr ist der Sinn folgender: Es war angemessen, daß in dem Akt, durch den viele zur Herrlichkeit gebracht wurden, Jesus gelitten hat. Es war angemessen, als Gott viele Söhne zur Herrlichkeit führte bzw als er dies ermöglichte (πολλοὺς υἱοὺς εἰς δόξαν ἀγαγόντα), daß er den, durch den er dieses Heil ermöglichte, leiden ließ. Nicht das Heilsereignis an sich, sondern das damit verbundene Leiden steht hier im Vordergrund. Warum es angemessen war, kommt in 2,17f deutlich zum Ausdruck. Der Vf möchte aber nach 2,10 diesen Gedanken sorgfältig vorbereiten.

1.a) Zunächst wird auf die Solidarität zwischen dem, der heiligt, nämlich Jesus, und denen, die geheiligt werden, hingewiesen *(V11)*. Sie besteht darin, daß sie »aus einem« (ἐξ ἑνός) sind. Man könnte zunächst an die Inkarnation des Sohnes und an das gemeinsame Menschsein denken. Das ist zwar für die Argumentation über das Mitleid des Hohenpriesters äußerst wichtig. Es würde bedeuten, daß man ἐξ ἑνός etwa als »aus Adam«[56] oder aus einem Wesen zu verstehen hätte. Das wäre für sich nicht unmöglich. Der Gestalt Adams als des Ahnherrn der Gattung wird zur Zeit des Vf oft besondere Aufmerksamkeit beigemessen; sie brauchte als solche keine besondere Vor-

---

54 Siehe unten S. 201f.
55 Gegen ua *Windisch* S. 21; *Michel* S. 147.
56 So in ihren Komm. z.St. ua *Hofmann, Seeberg, Riggenbach, Kent, Lenski*; vgl auch *O. Procksch*, Art. ἁγιάζω, ThWNT I, S. 113; *Immer*, Die Versuchten; *Nomoto*, Hohepriester-Typologie S. 25f. Andere Ausleger denken an Abraham (so *B. Weiss* z.St.; *Buchanan* S. 32). Trotz 2,16 (σπέρματος ᾿Αβραάμ) und einer möglichen Anspielung auf die Exodusgeschichte in 2,10 durch ἀρχηγός (so *Vanhoye*, Situation S. 311, der in 2,10 von Söhnen Abrahams spricht – eine sehr unwahrscheinliche These –, jedoch in 2,11 ἐξ ἑνός als aus Gott versteht, S. 331), wäre ein solches Verständnis von ἐξ ἑνός zu unvorbereitet. Ἑνός als Neutrum aufzufassen und durch αἵματος oder σπέρματος zu ergänzen, ist nach *Riggenbach* S. 51 Anm. 25; *Kögel*, Söhne S. 59; *Michel* S. 150 Anm. 2 mit Recht abzulehnen; es fehlen sprachliche Analogien dafür.

bereitung⁵⁷. Aber diese Deutung ist im Licht der folgenden Verse abzulehnen. Die Bruderschaft in 11b und 12f würde dann in dem gemeinsamen Menschsein bestehen. Aber die Sohnschaft der Christen und ganz sicher auch die Sohnschaft Jesu besteht nicht darin, daß sie Nachfahren Adams sind. Die Christen (οἱ ἁγιαζόμενοι 2,11) heißen Brüder, weil sie Söhne Gottes (2,10) bzw Kinder Gottes (2,13 und 14) sind. Ἐξ ἑνός muß also »aus Gott« bedeuten⁵⁸. V11a will also zunächst die Gemeinsamkeit, die zwischen dem Sohn und den Söhnen besteht, hervorheben.

b) Der Vf tut das nicht, um zu zeigen, warum es geziemend war, daß Jesus sie rettete. Darum geht es in 2,10 in der Hauptsache nicht. Außerdem heißen die Christen erst nach dem Heilsakt Söhne, was aus οἱ ἁγιαζόμενοι deutlich wird. Es geht hier nicht um eine gemeinsame Sohnschaft, die darin besteht, daß der Sohn und die Söhne am göttlichen Wesen teilhaben, wobei die Söhne im Fleisch gefangen sind. Die Christen heißen und werden Söhne Gottes erst nach dem Heilsakt Jesu. Von der gegenwärtigen Perspektive her kann der Vf proleptisch sagen, daß Gott viele Söhne gerettet hat (2,10). Daß die Sohnschaft der Christen nicht identisch ist mit der des Sohnes, zeigt die Formulierung in V11b: er schämt sich nicht, sie Brüder zu nennen – nicht weil er sonst die Tatsache verleugnen würde, daß sie Söhne seien, sondern weil sie jetzt erst durch das Heilsereignis Söhne geworden⁵⁹ sind. Mit ἐξ ἑνός wird also auf das Christwerden hingewiesen, nicht auf die ursprüngliche Schöpfung. Sonst könnte dasselbe von allen Geschöpfen gesagt werden⁶⁰.

Wichtig ist der Hinweis von *Ungeheuer:* »Es liegt nahe, den gemeinsamen Ursprung in dieser Sphäre des ἁγιάζειν zu suchen«⁶¹. Aber dann möchte er die Gemeinsamkeit darin sehen, daß »heiligen« zunächst eine von Gott gegebene Aufgabe ist. Der Nachdruck liegt freilich auf einem anderen Punkt. Erst durch die Heiligung entstand die *Bruderschaft,* denn erst dadurch wurden die Christen Söhne Gottes. Der Vf betont diese Bruderschaft darum, weil sie jetzt exi-

57 Vgl Apg 17,26 ἐποίησέν τε ἐξ ἑνὸς πᾶν ἔθνος ἀνθρώπων . . . Vgl auch 1Tim 2,13f und ua SapSal 7,1; 10,1; Sir 33,10; SyrBar 17,2; 18,2; GrBar 4,8.16; IV Esr 3,10.21.26; 6,54.56; Jub 3,1ff; 4,7ff; die Adamsschriften passim; I Hen 32,6; II Hen 30,10ff; 31,1ff; OrSib III 24; 1QH XIII 15; CD III 20; 4QpPs 37 III 1f usw. *Nomoto,* Hohepriester-Typologie S. 25 weist auf die in Röm 5,12–21 häufig vorkommende Wendung δι' ἑνός (vgl δι' ἑνὸς ἀνθρώπου 5,12) und auf die Adamtypologie in 1Kor 15,21f und 44–49 hin. Trotz der gemeinsamen Gedankenkette zwischen 1Kor 15,20ff und Hb 1 u. 2 überzeugt seine These nicht, daß im Hb die Gestalt Adams auch mitschwingt oder mit Ps 8 verbunden ist. Die Gedankenkette kommt sonst ohne diesen Zusammenhang vor.
58 So die meisten Komm. Auch *Kögel,* Söhne S. 55ff; *Ungeheuer,* Priester S. 36f. Zu ὁ εἷς als Umschreibung für Gott vgl *Michel* S. 150; gegen *Riggenbach* S. 50. Überhaupt ist die Häufung geprägter Termini in diesen Versen zu beachten: außer ἑνός und δι' ὃν τὰ πάντα κτλ. vgl auch υἱούς; δόξαν; ἀρχηγὸς τῆς σωτηρίας; τελειῶσαι; ἁγιάζω; χάριτι θεοῦ.
59 Zu ἐπαισχύνεται vgl *Kuss* S. 43; *Michel* S. 157. Daß in 2,11 Mk 8,38 parr nachwirkt, ist sehr unwahrscheinlich (gegen *Nomoto,* Hohepriester-Typologie S. 26f).
60 Gegen ua *Windisch* S. 22; *Kögel,* Söhne S. 60.
61 *Ungeheuer,* Priester S. 38.

stiert und aufgrund dieser Bruderschaft Jesus, der Herr der Gemeinde, seinen Brüdern auf dem Wege helfen wird. Das ist der Sinn der Gesamtargumentation in 2,10–18.

Auch der Versuch von *Hofius*[62] ist unbefriedigend, die Bruderschaft von der Bruderschaft der Priester (vgl kultische Begriffe in 2,11) abzuleiten (vgl Lev 21,10). Die Bruderschaft ist nicht von der Sohnschaft getrennt zu behandeln, und bei der Sohnschaft der Christen geht es um ihr Christsein. Daß die Sohnschaft der Christen spezifisch als Priestersein verstanden ist, ist im Brief nicht zu erkennen.

Eine richtige Exegese von 2,10–18 steht und fällt mit der Auslegung von 2,11a und damit, wie die darin angedeutete Gottessohnschaft verstanden wird. Diese Gottessohnschaft, von der auch in 2,10 und 2,11b gesprochen wird, ist nur aus der dem Vf geläufigen Vorstellung von den Christen, den Geheiligten, als Söhnen Gottes zu erklären. Das Bild von der Wiedergeburt bzw Geburt des Menschen, wie es in anderen neutestamentlichen Schriften zu erkennen ist (Joh 1,13; 3,3ff; Tit 3,5; 1Joh 2,29; 3,9; 4,7; 5,1.4.18; vgl 1Kor 4,15), liegt in der Formulierung von 2,11 (ἐξ ἑνός) nahe, obwohl der Vf es nie ausdrücklich erwähnt (vgl aber auch das Bild von den Säuglingen und den Reifen in 5,11f, das wahrscheinlich im Zusammenhang mit der Sohnschaft der Christen verstanden wurde). Der Vf geht von der gegenwärtigen Perspektive aus, wenn er von einer gemeinsamen Sohnschaft zwischen dem jetzigen Herrn der Gemeinde und den Gläubigen spricht. Dabei verleugnet er keineswegs die Andersartigkeit der Sohnschaft Jesu. Aber in seiner Darstellung von dem Heilsereignis selbst behält er die Bezeichnung bei und benutzt sie proleptisch. Ob hinter diesem proleptischen Gebrauch eine Vorstellung von Prädestination steckt, ist schwer zu erkennen (vgl 3,1 κλήσεως ἐπουρανίου μέτοχοι).

c) Mit Blick auf den Herrn der Gemeinde (2,9) sagte der Vf, daß es angemessen war, daß der Sohn in der Ausführung des Heilsaktes gelitten hat (2,10). Denn (γάρ) die Christen sind in der gleichen Lage wie Jesus. Sie sind mit ihm »aus einem«, dh Gottessöhne, auch wenn ihre Sohnschaft ontisch anders zu begreifen ist. Sie müssen ähnliche Erfahrungen wie Jesus durchmachen: Versuchung und Leiden! Das besagen V 11ff. Der Vf beginnt seine Erläuterung dieser Aussage mit dem Hinweis auf die Gemeinsamkeit der Christen mit dem Sohn, dem Herrn der Gemeinde (2,11a). Daß Jesus sich nicht schämt, die Christen Brüder zu nennen, wird durch drei Zitate bewiesen (2,12.13a.13b)[63]. Er verkündigt ihnen den Namen Gottes (ἀπαγγελῶ[64] τὸ ὄνομά σου τοῖς ἀδελφοῖς μου). Man braucht hier keineswegs an eine Aussage des Präexistenten zu denken. Wenn wir das Tempus von ἀπαγγελῶ streng nehmen würden, wäre es am besten, den Vers als eine Erklärung seiner Intention zu verstehen, auf Erden den werdenden Söhnen seine Botschaft zu verkündigen[65]. Mit ihnen als Söhnen, vielleicht mit ihnen im Gottesdienst, preist er Gott (ἐν μέσῳ ἐκκλησίας ὑμνήσω σε)[66]. In V 13a

---

62 *Hofius*, Katapausis S. 216 Anm. 830.

63 Dazu siehe ua *Schröger*, Schriftausleger S. 88ff; *Ahlborn*, Septuaginta-Vorlage S. 117.

64 Der Vf hat διηγήσομαι (LXX) bewußt durch ἀπαγγελῶ ersetzt, um das Verkündigen des irdischen Jesus stärker hervorzuheben. Dazu siehe *Schröger*, Schriftausleger S. 88; *Ahlborn*, Septuaginta-Vorlage S. 117; *Michel* S. 154.

65 *Vanhoye*, Situation S. 340; *Bruce* S. 45; *Montefiore* S. 63 denken an den Erhöhten.

66 Mit ἐκκλησίας ist an die Versammlung der Anbetenden zu denken, die irdische und himmlische Grenzen überspannt. Vgl *W. Schrage*, Ekklesia und Synagoge, ZThK 60 (1963) S. 186.

kommt die Solidarität mit den Christen besonders zum Ausdruck. Auch Jesus setzt sein Vertrauen auf Gott (ἐγὼ ἔσομαι πεποιθὼς ἐπ' αὐτῷ). Und in 13b wird noch ein weiterer Aspekt dieser Solidarität hervorgehoben[67]. Gott hat ihm diese seine Kinder gegeben (ἰδοὺ ἐγὼ καὶ τὰ παιδία ἅ μοι ἔδωκεν ὁ θεός)[68]. Er kam zu ihnen (12a), er preist Gott unter ihnen (12b), und wie sie setzt er sein Vertrauen auf Gott (13a) und ist ihr Führer (13b). Daß der Vf von der gegenwärtigen Perspektive der Gemeinde her denkt, ist damit deutlich.

2.   Einen zweiten Schritt in seiner Erklärung von 2,10 findet man in *2,14f*. In 2,11ff hatte er die Gemeinsamkeit des Herrn der Gemeinde mit den Seinen hervorgehoben. Jetzt greift er das Heilsereignis selbst wieder auf und gibt es in Form einer traditionellen Aussage wieder. Damit weist er auf die Inkarnation hin:»Da nun die Kinder an Blut und Fleisch Anteil empfangen haben, so nahm er auch in der gleichen Weise dieselbe Art an«. Wenn man παιδία nicht proleptisch verstehen würde, müßte man die These vertreten, daß die Christen schon Kinder bzw Söhne Gottes und Brüder Jesu waren, ehe Jesus Mensch wurde. Aber das ist nicht nötig; zudem würde man die Perspektive des Vf aus den Augen verlieren. Mit 2,14f wird also der Gedanke von 2,9, der wieder in 2,10 aufgegriffen wird (πολλοὺς υἱοὺς εἰς δόξαν ἀγαγόντα), erneut eingeführt. Es sieht fast so aus, als ob der Vf in seiner Erklärung von 2,10 schrittweise Aspekte des Verses erläutert. Mit einem ersten Schritt (2,11–13) geht er auf die Solidarität ein, die mit πολλοὺς υἱούς (2,10) angeschnitten ist; mit einem zweiten (2,14f) hebt er wieder die Inkarnation und das Heilsereignis hervor[69]. Aber wie in 2,10 ist es auch in seiner Erklärung die Hauptintention, eine Aussage über den Heilsakt und seine Bedeutung für unsere Rettung zu machen. Der Gipfel der Argumentation und damit das Wiederaufgreifen der Argumentation von 2,10 kommt erst nach V 16 in 2,17f. In V 16 wird aus dieser Solidarität mit den Söhnen der Schluß gezogen, daß es nicht Engel, sondern Christen (σπέρματος Ἀβραάμ) sind, denen er helfen will.

3.   Jetzt erst kommt der Schluß und Höhepunkt, allerdings auch in Formulierungen, die traditionsgeprägt sind. Wenn man aber *2,17 und 2,18* zusammennimmt, wird die Intention des Vf klar. Es war geziemend, daß der Sohn in jeder Hinsicht wie wir Christen wurde (das schließt vor allem das Leiden ein), damit er ein barmherziger, mitleidender Hoherpriester werden

---

67   Der Vf trennt Jes 8,17 LXX in 2,13 durch καὶ πάλιν, weil er darin zwei verschiedene Argumente sieht. So ua *Montefiore* S. 64; *Bruce* S. 47; *Schröger*, Schriftausleger S. 91 Anm. 2. Vgl auch *Michel* S. 234.

68   Es besteht kein Anlaß dazu, die Kindschaft hier – anders als in 2,10.11.12.14 u. 17 – als Kindschaft Christi zu verstehen (gegen *Käsemann*, Gottesvolk S. 92f; *Kuss* S. 43; *Bruce* S. 48), aber auch kein Anlaß, sie als Menschenkinder zu verstehen (gegen *Riggenbach* S. 54). So in ihren Komm. z.St. *Moffatt*, *Montefiore*; vgl auch *Schierse*, Verheißung S. 153; *Schröger*, Schriftausleger S. 94; *Vanhoye*, Situation S. 346f.

69   Vgl die ähnliche Auslegung von 2,17 in den folgenden Kapiteln; dazu vgl auch unten S. 201f.

konnte. Denn weil er Gehorsam im Leiden bewahren mußte, kann er uns Versuchten helfen. Deshalb war es geziemend, daß Gott ihn leiden ließ (2,10). Es ist auch nicht zufällig, daß gleich danach in 3,1 der Blick der Leser nochmals auf diesen Herrn der Gemeinde gerichtet wird (vgl 2,9).

Die meisten Ausleger sehen in 2,17f eine »Wiederaufnahme von 2,14« (Windisch)[70] und damit das Ziel der Argumentation. Aber dabei wird vor allem der Sühnegedanke mit Unrecht in den Vordergrund gestellt. Eine solche Auffassung wird der Intention des Gesamtabschnittes kaum gerecht. Überhaupt ist nicht außer acht zu lassen, daß Hb 2 eine Fülle von Traditionen enthält. Das gilt nicht nur für die Zitate, sondern auch für die Vorstellungen und die Terminologie, besonders in unserem Abschnitt[71].

Die Aufgabe des Auslegers ist es, angesichts dieser Tatsache zu prüfen, was das Gewicht der Argumentation trägt und was eine untergeordnete Rolle spielt, jedoch später zum Hauptthema wird. Nur bei Beachtung dieses Sachverhalts kann die Intention des Vf klar herausgestellt werden. Daß besonders 2,17 in dieser Hinsicht falsch eingeordnet worden ist, hat die Auslegung des Gesamtabschnittes erheblich erschwert. Aber gerade V 18 – die ›Inclusion‹, die 2,10 und 2,17f zusammenrückt – läßt die Intention des Vf deutlich erkennen. Nicht der Sühnegedanke steht im Vordergrund der Argumentation des Vf, sondern das Treusein und die Barmherzigkeit.

Exegese von 2,10–18: IV. Zusammenfassung

Wir sehen den Herrn der Gemeinde, der für unser Heil Mensch wurde. Dabei war es geziemend, daß er gelitten hat. Zunächst zur Klärung: wir sind seine Brüder geworden; um uns zu helfen und uns zu retten, nahm er Fleisch und Blut an. Dabei war es angemessen, daß er so wie wir gelitten hat, damit er uns in unserer Situation verstehen und uns helfen könnte. So wird in 2,9ff die Grundlage für das Thema des fürbittenden Hohenpriesters geschaffen, das die Ausführungen des Briefes bis c. 8 beherrscht. Von hierher erklärt sich die Sorgfalt, mit der der Vf dieses Thema vorbereitet.

Es gibt grundsätzlich *drei Modelle für die Auslegung von 2,11*.
1. Für die Auffassung, daß hier an Adam gedacht ist, spricht, daß dabei die Solidarität Jesu mit uns als Mensch betont wird; und darum geht es schließlich in der Erwähnung des Leidens. Als Mensch ist er diesen Weg gegangen. Darin besteht die Bruderschaft (11b). Aber an dieser Feststellung scheitert diese Auslegung. Die Menschen als Menschen seien Söhne Gottes, und das schließt Jesus, den Sohn, ein. Aber die Sohnschaft Jesu darf ebensowenig durch seine Menschwerdung erklärt werden wie die Sohnschaft der Menschen bzw der Christen durch ihr Menschsein. Dazu kommt noch, daß diese Bruderschaft vor der Menschwerdung Jesu bestanden zu haben scheint (2,14). Um diesem Sachverhalt gerecht zu werden, scheint es zunächst notwendig zu sein, daß irgendwie an ein vorzeitliches Verhältnis von Bruderschaft gedacht wird[72].

---

70 *Windisch* S. 24. Vgl auch *Klein*, Hb 2,10–18 S. 140; *Vanhoye*, Situation S. 381; *Ungeheuer*, Priester S. 41; *Nomoto*, Hohepriester-Typologie S. 33ff und die unter Anm. 27 erwähnten Ausleger.
71 Zu 2,10f in dieser Hinsicht und zu 2,14 vgl Anm. 58 u. S. 111ff.
72 Schon *Moffatt* hat darauf hingewiesen (S. 32).

2. Dafür käme eine gnostische Interpretation in Frage. Wenn man von der Vorstellung *Käsemanns* absieht, wonach erst durch die Erlösung selbst die Sohnschaft Wirklichkeit wird[73], scheint die gnostische Interpretation eine konsequente Auslegung zu geben, auch wenn man weiter nicht auf eine naturhafte Verbindung zwischen Jesus und den Seinen beharren würde, sondern von einer gemeinsamen Zugehörigkeit zur himmlischen Versammlung sprechen würde. Danach sei Jesus gekommen, um seine Brüder zu retten. Eine Variation dieser Interpretation, die uns im Laufe unserer Untersuchung aufgefallen und bisher in keiner uns zugänglichen Arbeit vertreten ist, würde lauten: wie Mose seine Brüder in Ägypten gerettet hat, so hat Jesus uns gerettet. Unterstützung könnte man dafür nicht nur durch ἀρχηγός (2,10) und ἀγαγόντα (2,10, vgl als Exodustypologie ἀναγαγών in 13,20)[74], sondern auch durch die Anwendung von 11,25ff als Exodustypologie in 2,14 (die Rettung vom Todesengel und damit die Befreiung aus Knechtschaft) finden[75]. Es wäre auch keine Schwierigkeit, auf eine solche Exodustypologie im Brief hinzuweisen; und dabei wäre es kaum zufällig, daß gleich nach diesem Abschnitt plötzlich von Mose gesprochen wird (3,1ff) und gleich danach von dem neuen Gottesvolk auf dem Weg zur verheißenen Ruhe (3,7ff); außerdem hat gerade dieses Schema in späteren gnostischen Schriften eine wichtige Rolle gespielt. So erhielte der Abschnitt eine auch dem sachlichen Interesse des Vf Rechnung tragende, konsequente gnostische Interpretation. Aber diese Interpretation, wie auch andere gnostische Interpretationen, scheitert an der Auffassung der Gottessohnschaft.

3. Wie auch *Käsemann* klar erkannte, heißen nur die Geheilten Söhne Gottes, und 2,11 ist nur im Zusammenhang mit dieser christlich aufgefaßten Sohnschaft zu verstehen. Sohnschaft, ἐξ-ἑνός-Sein, Bruderschaft, Kindschaft und σπέρμα-Ἀβραάμ-Sein sind eins. Sie beschreiben den Zustand der Christen. Deshalb können Aussagen wie 2,14a, die Ereignisse schildern, die stattfanden, ehe die Heilstat vollzogen wurde, nur proleptisch verstanden werden. Damit werden alle Spekulationen über eine gnostische συγγένεια-Lehre bzw über Präexistenz der Seelen hinfällig. Schließlich ist es auch kaum überraschend, daß der Vf in dieser proleptischen Weise redet, wenn man nicht vergißt, daß er immer von der gegenwärtigen Situation der Leser in ihrem Verhältnis zum Herrn der Gemeinde ausgeht.

Sohnschaft in 12,4ff

1. Ehe wir versuchen, das christologische Schema des Vf zusammenzustellen, müssen wir noch auf eine weitere Stelle eingehen, die von Söhnen spricht: *12,4ff*. In 12,1ff wird die Treue Jesu als Vorbild geschildert[76]. Damit sollen die Christen in ihrer schwierigen Situation ermutigt werden. Offensichtlich sind sie durch Leiden deprimiert und stehen in Gefahr nachzulassen (12,3.4). Deshalb führt der Vf ein Zitat aus Prov 3,11–12 an, das Leiden als Züchtigung Gottes beschreibt[77]. Ὡς υἱοῖς (V 5) ist kaum allein vom Zitat her abzuleiten und im alttestamentlichen Sinne zu verstehen. Die

---

73 Dazu vgl S. 128.
74 Vgl *Vanhoye* in Anm. 56.
75 Dazu ausführlich S. 197f.
76 So *Grässer*, Jesus S. 72.
77 Zu der intensiven Beschäftigung mit dem Thema »Leiden im Judentum« vgl ua *Michel* S. 438f; *G. von Rad*, Theologie des Alten Testaments II, ⁵1968, S. 429 Anm. 32; *Bornkamm*, Sohnschaft S. 189. Eine Anspielung auf Prov 3,11f kommt auch in Apk 3,19 vor; vgl Philo Congr 177; PsSal 3,4.

Christen sind Söhne (vgl 2,10ff), sogar Erstgeborene (12,23 vgl 11,25; 12,16), die ein Erbe bekommen werden (1,14; vgl 9,15; 12,17)[78]. Als solche sind sie mit diesem Text angesprochen. Es ist also nicht nur ein Wortspiel; der Vf versteht Sohnschaft im Zitat wie Sohnschaft im übrigen Brief. Die Leser sollen sich der Züchtigung unterziehen (12,7a)[79]. Dabei behandelt sie Gott als Söhne (12,7ab), was sie ja sind. Es ist selbstverständlich, daß er sie so behandelt (12,7b). Wenn das nicht der Fall wäre, dann wären sie nicht Söhne (12,8), also ohne Heil. Wenn sie den Sinn der Züchtigung in einer irdischen Familie anerkennen, sollten sie sie um so mehr anerkennen, wenn Gott, der sie zum Leben führt (12,9), sie als Söhne behandelt. Auch wenn es nicht leicht ist, lohnt es, sich der Züchtigung Gottes zu unterziehen, weil am Ende das Heil bevorsteht (12,10f)[80]. Die Orientierung des Vf ist kaum zu verkennen. Es geht hier um die Christen auf dem Weg zum Heil. Auch die Parallele zu 12,2f ist nicht zu übersehen.

2. Es wird die Frage beantwortet: warum muß ich als Christ leiden? Die Antwort wird aus jüdischen Vorstellungen heraus gegeben: das Leiden gehört zur Sohnschaft als Züchtigung; nur ist die Identität der Sohnschaft anders als im Judentum. *Bornkamm* weist daneben auf die Parallele zwischen den Christen und Jesus selbst hin (12,1ff und 12,4ff)[81]. Hier ist allerdings Vorsicht geboten. Erstens kommt das Wort »Sohn«, das wahrscheinlich zu erwarten wäre, wenn der Vf die Absicht hätte, das Leiden des Sohnes als Erklärung für das Leiden der Söhne heranzuziehen, in 12,1ff nicht vor. Während es zweitens zur Sache der Sohnschaft der Christen gehört, leiden zu müssen, gehört dies zur Sohnschaft Jesu sicherlich nicht hinzu. Jesus mußte Gehorsam im Leiden lernen, nicht weil, sondern obwohl er Sohn war (καίπερ ὢν υἱός 5,8). Und dieses Gehorsam-Kennenlernen im Leiden ist nicht gleichzusetzen mit der Notwendigkeit der Christen, nach 12,4ff als Söhne eine Züchtigung zu erfahren[82]. Jesus brauchte keine solche Züchtigung, und wie wir gesehen haben, wäre es auch falsch, den τελείωσις-Begriff so

---

78 So mit Recht *Bornkamm*, Sohnschaft S. 196ff; gegen *Michel* S. 447; ders., Zur Auslegung des Hebräerbriefes, NovTest 5 (1963) S. 190; vgl auch *Thurén*, Gebet S. 139; *Montefiore* S. 218f, der von »Sohn« als Bezeichnung für Schüler spricht.

79 Gegen *Bornkamm*, Sohnschaft S. 189 Anm. 3 und *Riggenbach* S. 396 lesen wir die am besten belegte Lesart εἰς, nicht εἰ. Dazu vgl *Michel* S. 441; *Bruce* S. 356 Anm. 58. Daß sich dabei allerdings παιδεία in 12,7 dem hellenistischen Gebrauch (Erziehung) annähert, ist unbestreitbar. Nach der jüdischen Auffassung, die hier anklingt, fallen die Züchtigung und die Erziehung zusammen.

80 Daß durch καὶ ζήσομεν (12,9), εἰς τὸ μεταλαβεῖν τῆς ἁγιότητος αὐτοῦ (12,10), χαρᾶς (12,11; vgl 12,2 ἀντὶ . . . χαρᾶς), καρπὸν εἰρηνικὸν . . . δικαιοσύνης (12,11 und vgl unten S. 232) auf das Heil angespielt wird, ist unverkennbar (vgl ὄψεται τὸν κύριον 12,14).

81 *Bornkamm*, Sohnschaft S. 198. Vgl auch *Büchsel*, Christologie S. 61; *Luck*, Geschehen S. 196; *Theissen*, Untersuchungen S. 123.

82 Auch *Bornkamm* scheut sich zu sagen, daß Jesus gelitten hat, weil er Sohn war. Er möchte aber die These vertreten, daß mit Hinweis auf diese Tatsache das Leiden der Christen als Züchtigung gerechtfertigt wird. Gerade das hat der Vf nicht getan. Andererseits ist auch gegen *Michel* einzuwenden, daß er die Sohnschaft in 12,5ff als spezifisch christlich verleugnet (dazu vgl oben Anm. 78).

zu verstehen. Aufgrund des Wortes »Sohn« wäre es möglich, das Zitat auch auf Jesus anzuwenden. Das hat der Vf aber nicht getan und nicht beabsichtigt. Zwei Argumentationslinien, die das Leiden der Christen betreffen, laufen nebeneinander her: erstens wird das Leiden Jesu und seine Treue als Vorbild dargestellt, zweitens wird der pädagogische Wert des Leidens für die Christen als Söhne Gottes hervorgehoben. Beide Linien werden im Brief nicht identifiziert. Die Ausführung in 12,7ff baut nicht auf die Christologie des Hb, sondern auf Prov 3,11–12 und die Analogie menschlicher Erfahrung auf.

Das christologische Schema des Vf – Rückblick über den Hauptteil A: »Jesus der Sohn«

1.a) Der Sohn, der an der Schöpfung beteiligt war (vgl 1,2.10), nahm nach Gottes Willen Fleisch und Blut an (vgl 10,5ff; 2,7.9.14a.17a), um die Menschen zu retten (vgl ua 2,9.14; 10,5ff; 9,26b). Dabei erfuhr er Leiden und Versuchung (vgl ua 2,10.17.18; 4,15; 5,7f). Er blieb trotz allem treu und erfüllte seine Aufgabe (vgl ua 2,17; 3,1; 4,15; 10,5ff; 5,8), verkündigte das Heil (vgl ua 1,1; 2,3; 2,12; 6,1) und starb für die Sünde. Er kehrte mit Ehre in die himmlische Welt zurück, von der aus er seine Herrschaft ausübt (7,25; 4,15f; 2,18) und uns durch seine Fürsprache hilft. Der Jüngste Tag bedeutet den endgültigen Untergang von allem, was nicht zu seiner Herrschaft gehört.

b) Informationen über den Ursprung des Sohnes bekommen wir nicht. Von einer Geburt ist ebensowenig die Rede wie von einer Mutter[83]. Immerhin ist er nicht bloß in die Reihe der Geschöpfe einzuordnen, sondern gehört auf die Seite Gottes (vgl 3,1ff). Vielleicht stellte sich der Vf das Verhältnis zwischen dem Sohn und Gott ähnlich vor wie das zwischen Logos bzw Sophia und Gott im Judentum, obwohl der Sohn ganz sicher als Person aufgefaßt wird. Direkte Aussagen über dieses Verhältnis sind bildhaft. Der Sohn gehört wesensmäßig auf die Seite Gottes, ist aber Gott selbst untergeordnet (vgl 1,9; 3,1ff).

c) Auch der Inkarnationsakt wird nicht ausführlich beschrieben. Der Sohn nahm Fleisch und Blut an und wurde in jeder Hinsicht wie wir. Der Vf hat keinen Zweifel am Menschsein Jesu, auch wenn er es nur in bestimmten Zusammenhängen hervorhebt. Er hat auch keinen Zweifel daran, daß dieser auch der bewußt handelnde Sohn Gottes war. Die Erniedrigung unter die Engel bzw die Annahme von Fleisch und Blut änderte nach der Auffassung des Vf nichts an der Tatsache, daß er der Sohn Gottes war und sich seiner Aufgabe bewußt war und daß sein Leben letzten Endes unzerstörbar blieb[84].

---

83 Zur Tatsache, daß Ps 2,7 im Brief nicht als physische Geburt aufzufassen ist, siehe S. 12 oben.
84 7,16, vgl aber 5,7.

Es bedeutete allerdings, daß er sich der Begrenzung und den Schwächen des Menschseins unterwarf, so daß er wußte, was es bedeutete, im Leiden als Mensch Gehorsam bewahren zu müssen. Und erst nach seinem Tod nahm er wieder die Stellung über die Engel als Herrscher an. Der Vf zeigt kein Interesse an der Frage, wieweit der Sohn vor seiner Inkarnation Herrschaft ausübte[85]. Wichtig für ihn ist, daß die endgültige Herrschaft und ihre endgültige Verwirklichung erst nach Ostern angefangen haben. Der Vf hat ein bestimmtes Interesse; dabei gibt er zu erkennen, daß er an dem wahren Menschsein Jesu sowie an seiner Gottessohnschaft unbedingt festhalten will. Er zeigt aber kein Bemühen, beide Sachverhalte systematisch in ein Verhältnis zueinander zu bringen.

d)   Das christologische Grundschema des Vf ist zweifellos aus der Tradition übernommen worden, auch wenn bestimmte Aspekte, wie das Leiden und die Treue und damit die Rolle Jesu als Fürsprecher und auch der Tod als Sühnopfer, besonders herausgearbeitet werden.

2.   Wir möchten anschließend einige Bemerkungen über dieses Schema aufgrund der im Brief erkennbaren Traditionen machen:

a)   *Im gesamten ersten Hauptteil* (A: Jesus der Sohn) über den Sohn haben wir zunächst Aussagen, die mit der Erhöhung zu tun haben. Diese werden vom Vf vor allem übernommen, um die gegenwärtige Stellung des Sohnes zu unterstreichen. Die Herrlichkeit des Sohnes in seiner jetzigen Stellung wird aber nicht nur durch Erhöhungsaussagen zum Ausdruck gebracht, sondern auch durch Aussagen, die mit der Vorstellung von seiner Präexistenz verbunden sind. Diese Verbindung von Erhöhungs- und Präexistenz-Aussagen ist schon vor dem Vf, wahrscheinlich im Lobpreis der Gemeinde, zustande gekommen. Wir möchten damit nicht behaupten, daß Gedanken über die Präexistenz Jesu nur von hierher zu erklären sind. Daß aber Präexistenzgedanken sich auch daraus entwickelt haben, als Gedanken, die mit bestimmten kosmischen Herrschaftsvorstellungen zusammenhingen und die eine Reihe von Würdebezeichnungen enthielten, die auch in der Erhöhungsüberlieferung enthalten waren, scheint wahrscheinlich zu sein. Gerade der Vf zeigt, daß diese Vorstellungskomplexe nebeneinander stehen konnten.

b)   Daneben kannte der Vf auch verschiedene Traditionen über den Tod Jesu und seine Verkündigung. Daß Jesus ein Mensch war, war fester Bestandteil seiner Tradition.

c)   Wenn man aber die Erhöhungsvorstellung, den Gedanken von der Präexistenz Jesu und die Tradition über den Menschen Jesus zusammenstellt, ist folgendes zu bemerken: Trotz der ursprünglich wohl vorliegenden Gegenwartsorientierung solcher Aussagen haben wir erstens Aussagen über eine Präexistenz Jesu. Daneben haben wir zweitens Aussagen über das irdische Leben Jesu und, von frühesten Zeiten an damit verbunden, Aussa-

---

85   Das wäre aus den Präexistenzaussagen zu entnehmen (vgl 1,3c und die Schöpfungsmittlerschaftaussagen 1,2 u. 10).

gen über seine Auferweckung, die bald als Auferstehung bzw Erhöhung verstanden wurden. Daß das unbestreitbare Nebeneinander dieser Traditionen zu einem Schema führte, nach dem der Schöpfungsmittler als Sohn Mensch wurde, um für uns zu sterben, und danach wieder erhöht wurde, ist zu erwarten. Diese Traditionen reden schließlich alle von derselben Person! Daß eine solche Entwicklung nicht stattgefunden hat, wäre kaum denkbar. Schwierigkeiten konnte es hauptsächlich nur bei der Menschwerdung geben, und das entspricht auch den Tatsachen (wie folgende Jahrhunderte erfuhren).

d) Wenn man diese selbstverständliche Entwicklung in der urchristlichen Tradition festgestellt hat, bedeutet das keineswegs, daß ein Einfluß nichtchristlicher Traditionen keine Rolle gespielt hat. Das wird vor allem an den Präexistenzaussagen klar, hinter denen sicherlich die Sophiavorstellung steckt. An vielen anderen Einzelvorstellungen könnte man ähnlich fremden Einfluß aufzeigen. Dennoch ist der Versuch, das Gesamtschema aus der Umwelt abzuleiten, wie etwa aus der Gnosis, kaum befriedigend, auch wenn ähnliche Schemata zur gleichen Zeit nachweisbar wären[86]. Das schließt keineswegs aus, daß solche Systeme das christliche Schema an verschiedenen Stellen beeinflussen konnten. Aber die eigentliche Erklärung ist aus der Dynamik der Tradition abzuleiten; das gilt auch für den Hb.

---

86 Zur Hypothese eines solchen gnostischen Schemas und zur Kritik daran vgl C. *Colpe,* Die Religionsgeschichtliche Schule (FRLANT 78), 1961; R. *McL. Wilson,* Gnosis and the New Testament, Oxford 1968. Vgl die Selbstverständlichkeit, mit der, mit *Grässer,* Hb 1,1–4, mit Bezug auf 1,3 schreiben kann: »Der gnostische Erlöser hat mit seiner Rückkehr zum Vater sein Erlösungswerk vollbracht« (S. 89).

Teil B

Jesus der Hohepriester

I. Jesus der Fürbitter

1. Der himmlische Hohepriester als Fürbitter

Jesus, der sich vor Gott für die Seinen einsetzt

Aus den exegetischen Überlegungen von Teil A unserer Darstellung läßt sich bereits folgendes zum Thema feststellen:

1. Nachdem der Vf in c.1 und in den ersten Versen von c.2 die Herrschaftsstellung Jesu unterstrichen hat, beginnt er in 2,6ff, die Bedeutung dieser Stellung Jesu weiter auszulegen. Wer ist der Erhöhte, der diese Stellung innehat (vgl 2,6)? Er ist einer, der in seiner Heilstätigkeit auf Erden gelitten hat (2,9). Es war geziemend, daß Gott ihn dabei leiden ließ (2,10), so daß er uns jetzt verstehen und helfen kann. Denn sofern er gelitten und sich der Versuchung unterzogen hat, kann er mit uns Versuchten auf demselben Leidensweg Mitleid haben. Das ist das eigentliche Ziel der Argumentation in 2,10ff, die in 2,17f zu ihrem Gipfel kommt. Jesus der Erhöhte ist Hoherpriester voller Mitleid und kann uns helfen. Zwar wird in der Häufung von Gedanken im Zusammenhang mit der Hohenpriesterschaft Jesu in 2,17 auch seine Sühnetätigkeit schon angedeutet, aber aus 2,18 wird klar, daß für den Gedankengang der Argumentation dieses Abschnittes die jetzige Tätigkeit Jesu als fürsprechender Hoherpriester im Mittelpunkt steht. So wird auch in 3,1ff der Blick auf den erhöhten Hohenpriester gerichtet.

2. Wie wir oben gezeigt haben (A IV 2: Versuchung und Leiden), besteht die *Hilfe für die Versuchten* darin, daß Jesus für sie bittet. Er bittet nicht um Vergebung für sie, nachdem sie den Versuchungen erlegen sind, sondern um Hilfe für sie, damit sie diesen widerstehen und das Leiden durchstehen können (2,18; 4,15f; 7,25). Das Thema der Hilfe beschäftigt den Vf auch nach dem paränetischen Abschnitt 3,7–4,13. Hier wird nochmals auf die jetzige Stellung Jesu als Hoherpriester hingewiesen (4,14) und auf seine Fähigkeit, uns in unserer Versuchung zu helfen (4,15). Wie wir ist auch er versucht worden; allerdings gab er nicht nach. Darum werden die Leser ermutigt, vor Gott zu treten, um von ihm Hilfe zu bekommen (4,16). Jesus selbst wird zwar in 4,16 nicht erwähnt, aber seine Tätigkeit als Fürsprecher steht zweifellos im Hintergrund.

3. Auch in 5,1–10 geht es um die Hohepriesterschaft Jesu als Fürsprecher.

Um die Einsetzung in dieses Amt auszudrücken, wird Ps 110,4 zitiert (5,6), ein Text, auf dessen Bedeutung für den Hintergrund dieser Vorstellung wir später eingehen werden. Daß die Einsetzung in Verbindung mit der Erhöhung steht, wird aus dem Zusammenhang klar (5,5; vgl auch 5,9f). Als einer, der das Menschsein kennt (5,7) und der Gehorsam im Leiden bewahren mußte (5,8), ist Jesus befähigt worden, Hoherpriester zu werden (vgl 5,1ff), das heißt für uns, mitleidsvoll vor Gott einzutreten, weil er den Weg vor uns gegangen ist. Nach seiner τελείωσις wurde er αἴτιος σωτηρίας αἰωνίου; er wurde als Hoherpriester eingesetzt (5,9). Daß er so erst als der Erhöhte diese Hohepriesterschaft annahm, entspricht der Tatsache, daß er erst nach dem Begehen des Leidensweges dazu befähigt worden war.

Auch in diesem Abschnitt 4,14–5,10 geht es also um die fürsprechende Hohepriesterschaft Jesu. Zwar wird in 5,1–3 vom Opfer im Zusammenhang mit den Hohenpriestern der alten Ordnung gesprochen, aber diese Thematik wird hier in den christologischen Ausführungen des Vf nicht aufgenommen.

4.   Aber auch mit 5,10 kommen die Bemühungen des Vf, Jesus als fürsprechenden Hohenpriester darzustellen, nicht zu Ende. Die Mahnung in 5,11ff zielt gerade darauf ab, die Leser auf weitere Erläuterungen aufmerksam zu machen. Diese neuen, komplizierten Gedanken gehen von Ps 110,4 aus, wie 5,10 zeigt. Der Vf weiß, was er vorhat, und man sieht, daß diese neuen Gedanken während der Mahnung latent bereits vorhanden sind.

Gottes Eideswort an Jesus (Ps 110,4) als Grund der Zuversicht

1.   Der paränetische Abschnitt wird in 6,12 zusammengefaßt. Danach folgt ein Hinweis auf *das Wort Gottes an Abraham*, mit dem Gott bei sich selbst schwor (6,13f). Abraham hielt an diesem Wort fest und erhielt, was versprochen war (6,15). Aber wozu dient diese Darstellung? Worin liegt der Vergleichspunkt, wenn wir hier ein Vorbild haben? Das wird in den folgenden Versen beantwortet. In *V*16 wird der Wert eines Eides unter den Menschen hervorgehoben. Der Vergleichspunkt hat also mit *dem Wert des Eides* zu tun. Das wird in *V*17 bestätigt. Wenn man nur *V*17 liest, wäre es möglich, τοῖς κληρονόμοις τῆς ἐπαγγελίας auf Abraham und die Patriarchen zu beziehen[1]. Aber *V*18 spricht eindeutig von Christen. Die Verse besagen, daß Gott auch uns ein Wort des Eides gegeben hat, das ein heilversprechendes Wort ist. Auf welches Wort bezieht sich der Vergleich? 7,20f wie auch 7,28 zeigen deutlich, daß der Vf dem Inhalt entsprechend Ps 110,4 als Eideswort aufgefaßt hat und deshalb auch hier meint[2].

---

1   So in ihren Komm. z.St.: *Riggenbach, Strathmann, Moffatt, Michel, Bruce*, die alle einen Bezug auf die Christen einschließen wollen.
2   So in ihren Komm. z.St. ua *Delitzsch, Seeberg, Peake*; vgl auch *Köster, Abraham* S. 105f; *Klappert, Eschatologie* S. 28; *O. Hofius*, Die Unabänderlichkeit des göttlichen Heilsratschlusses, ZNW 64 (1973) S. 135–145, bes S. 135f; dagegen in ihren Komm. z.St. ua *Windisch, Riggenbach, Michel, Spicq, Strathmann*, die an das Eideswort Gottes an Abraham denken.

2. Ps 110,4 steht also schon hinter der Ausführung in 6,13ff. Aber wie konnte dieses Wort als Verheißung verstanden werden? Wenn die Leser den Vf bisher verstanden hätten, hätten sie diese Frage sicherlich nicht gestellt. In ihrer Situation bedeutet die ewige Hohepriesterschaft Jesu als Fürsprecher, die dieser Text darstellt, die Garantie ihres Heils. Das verheißene Heil ist nicht zuletzt durch diese Tatsache gesichert. Jesus hilft ihnen auf dem Weg zum Heil. Durch diese doppelt gesicherte Verheißung – durch das Wort Gottes selbst und dazu durch seinen Eid[3] – werden sie ermutigt (6,18). Durch ihre Hoffnung sollen sie sicher und fest bleiben (6,19a). Das ist schließlich ihre Hoffnung, ihr sicherer und fester Anker, mit Gott zu sein. Sie ist erfüllbar, weil Jesus schon vor ihnen und für sie eingetreten ist: er ist Hoherpriester geworden *(6,20)*. Damit wird Ps 110,4 nochmals wörtlich aufgegriffen. Dieses Wort garantiert das Heil. Es wird also wiederum auf die jetzige Tätigkeit Jesu als fürsprechender Hoherpriester hingewiesen, die er nach der Erhöhung angefangen hat. Aber auch hier bekommen wir schon einen Hinweis auf das spätere Thema der Versöhnungstagtypologie (». . . in das Innere des Vorhangs«), aber wie früher steht auch hier der Opfergedanke noch nicht im Mittelpunkt.

Jesu bleibendes Priestertum als Fürbitte für die Versuchten (c. 7)

1. In *c. 7* beginnt der Vf, *die Bedeutung von Ps 110,4* ausführlich auszulegen. Dazu wird zunächst Μελχισέδεκ aufgegriffen und durch die Melchisedektradition, die ursprünglich auf Gen 14,17–20 zurückgeht, erklärt. Daß diese Tradition hier[4] der Auslegung von Ps 110,4 dienen soll, wird dadurch bestätigt, daß ein Teil dieses Textes am Ende der »Information« über Melchisedek paraphrasiert weitergegeben wird: μένει ἱερεὺς εἰς τὸ διηνεκές (7,3). Auch der vorhergehende Satz (ἀφωμοιωμένος δὲ τῷ υἱῷ τοῦ θεοῦ) zeigt, daß der Vf hauptsächlich vom Sohn sprechen will.
2.a) Zunächst aber unternimmt er einen Versuch, die Überlegenheit der Priesterschaft κατὰ τὴν τάξιν Μελχισέδεκ über die der Leviten zu zeigen *(7,4–10)*. Das Erheben des Zehnten durch Melchisedek von Abraham wird hervorgehoben (7,4). Das Erheben des Zehnten ist eigentlich Aufgabe des levitischen Priestertums, das unter den Nachkommen Abrahams entstanden ist (7,5). Dieser Hinweis ist wichtig, weil nicht Melchisedek und Abraham, sondern das Priestertum κατὰ τὴν τάξιν Μελχισέδεκ und das levitische Priestertum verglichen werden.
Dieser Melchisedek stammte nicht von den Leviten ab (7,6a); er hat nicht nur den Zehnten von Abraham genommen (7,6a), er hat ihn auch gesegnet

---

3 Es ist völlig abwegig, wenn *Köster*, Abraham, unter diesen beiden unverrückbaren Taten Ps 110,4 und Ps 2,7 versteht. Ähnlich *Schille*, Hohepriesterlehre S. 105f, und *Schröger*, Schriftausleger S. 129. Aus V 16f geht deutlich hervor, daß hier, wie bei dem Wort an Abraham, das Wort selbst und der Eid in Ps 110,4 gemeint sind.
4 Dazu siehe unten 208ff.

(7,6b). Daraus wird zunächst die Überlegenheit über Abraham erschlossen (7,7) und dabei implizit auch über die Leviten, was weiter dadurch bestätigt wird, daß sie nur sterbliche Menschen sind, während von Melchisedek mit Rückblick auf 7,3 und auf Ps 110,4 (σὺ ἱερεὺς εἰς τὸν αἰῶνα) ὅτι ζῇ gesagt wird (7,8). Schließlich wird in 7,9f das Argument aus dem Erheben des Zehnten zum Ziel gebracht; dadurch, daß sie die Nachkommen Abrahams sind, haben die Leviten den Zehnten an Melchisedek bezahlt. Das zeigt deutlich, daß die levitische Ordnung einen geringeren Wert besitzt. In 7,4–10 geht es dem Vf darum, die Überlegenheit der Ordnung Melchisedeks und dabei der Ordnung Jesu zu unterstreichen. Wenn also Jesus Hoherpriester κατὰ τὴν τάξιν Μελχισέδεκ ist, bedeutet das, daß er zu einer überlegenen Ordnung gehört. Die Beweisführung in 7,4–10 ist zweifach: erstens geschichtlich (7,4.5–7 u. 9f) und zweitens durch eine naturhafte Begründung, die die Sterblichkeit der Menschheit in Gegensatz zu der in Ps 110,4 implizierten Aussage setzt, daß Melchisedek lebt (ὅτι ζῇ 7,8). Dieser zweite Beweisgrund bezeichnet den grundlegenden sachlichen Unterschied zwischen beiden Ordnungen. Jesus hat eine ewige Priesterschaft.

b)   Ehe wir uns dem weiteren Verlauf der Argumentation zuwenden, müssen wir fragen, in welchem Verhältnis 7,4–10 zur Absicht des Vf steht, die Bedeutung von Ps 110,4 auszulegen. Das positive Ziel ist sehr klar; es besteht darin, den Wert dieser Ordnung Jesu hervorzuheben. Aber warum der Vergleich mit den Leviten? Werden sie nur als ein typisches Beispiel angeführt, das durch die Melchisedekgeschichte veranlaßt wurde? Ist der Hinweis auf die niedrige Ordnung nur aus dem Vorkommen der Wörter κατὰ τὴν τάξιν Μελχισέδεκ in Ps 110,4 zu erklären? Oder hat dieser Hinweis mehr als einen bloß explikatorischen Sinn? Unsere bisherigen Ergebnisse lassen vermuten, daß hier tatsächlich ein lebendiges Interesse vorhanden ist und der Vf zugleich gegen die Versuchung durch das Judentum polemisiert[5]. Damit bekommt der besondere Nachdruck, der auf der Überlegenheit der oben skizzierten Ordnung liegt, seinen eigentlichen Sinn. Diese Ansicht läßt sich in den folgenden Kapiteln bestätigen und bekräftigt unsere Auffassung, daß die theologischen Bemühungen des Vf durch die Situation der Leser veranlaßt worden und von dort aus zu erklären sind.

3.   Daß c. 7 der Exegese von Ps 110,4 untergeordnet ist, zeigt besonders 7,11, wo vorausgesetzt wird, daß die Leser diesen Text vor Augen haben: »Wenn nun durch das levitische Priestertum τελείωσις erreicht worden wäre – das Volk hat ja im Gesetz darüber Bestimmungen erhalten –, wozu war es dann noch nötig, einen anderen Priester nach der Ordnung Melchisedeks aufzustellen und ihn nicht nach der Ordnung Aarons zu nennen?« Die Implikationen dieser neuen Ordnung werden jetzt weiter ausgeführt; sie führen schließlich zu einer Entwertung des ganzen Judentums. Zunächst wird die Unfähigkeit des alten Priestertums, das Heil zu ermöglichen, daraus erschlossen, daß sonst kein neues Priestertum nötig wäre. Die Verände-

5   Vgl S. 172f.

rung des Priestertums bedeutet ferner Veränderung des Gesetzes (7,12). Das wird durch die Abstammung Jesu aus Juda – und nicht aus Levi – bestätigt (7,13f). Es geht hier also nicht um das Priestertum, sondern um das ganze »alte System«, den alten Bund. Die Veränderung des Gesetzes wird nach *V15ff* um so klarer, weil der Priester der neuen Ordnung tatsächlich gekommen ist, der sein Amt οὐ κατὰ νόμον ἐντολῆς σαρκίνης . . . ἀλλὰ κατὰ δύναμιν ζωῆς ἀκαταλύτου aufgenommen hat (7,16). Dieser wesenhafte Zug, das unzerstörbare Leben des Sohnes, wird ähnlich wie in 7,8 mit dem Hinweis auf Ps 110,4 bekräftigt (7,17). Daß die Gedanken des Vf über das Priestertum hinausführen, zeigt gerade die Zusammenfassung in *7,18f*. Einerseits wird von einer Abschaffung, einer Entwertung des Gesetzes und dh des Judentums gesprochen; andererseits wird das Eintreten vor Gott, das Heil, hervorgehoben, das nicht zuletzt durch die Tätigkeit des Hohenpriesters als Fürsprecher ermöglicht wird, wie 7,25 zeigt. In diesem Abschnitt 7,11–19 sind die polemischen Absichten des Vf so stark, daß das positive Ziel, die Bedeutung der Hohenpriesterschaft Jesu hervorzuheben, fast völlig in den Hintergrund tritt. Allerdings ist es unberechtigt, diese Entwertung nur als Folie für seine positive Aussage anzusehen. Jedoch darf zugleich nicht außer acht gelassen werden, daß die Kehrseite dieser Entwertung die Untermauerung der Endgültigkeit der neuen Ordnung ist.

4.   Auch *7,20f* geht von Ps 110,4 aus und dient dazu, sowohl die Priesterschaft Jesu hervorzuheben als auch die levitische zu entwerten. Der Vf legt die positive Bedeutung des Eides nicht weiter aus, weil er es schon getan hat (6,13ff; vgl 7,28). In 7,22 stellt er das bessere Neue dem Alten gegenüber und Jesus als Bürge vor, der für die Wirksamkeit des neuen Bundes durch seine Fürbitte sorgt (7,25). Dann greift er noch einen Teil von Ps 110,4 auf (σὺ ἱερεὺς εἰς τὸν αἰῶνα), um die Dauerhaftigkeit der Priesterschaft Jesu nochmals endgültig hervorzuheben (7,23f; vgl 7,16f; 7,3; 7,8). Diese Dauerhaftigkeit wird der Kurzfristigkeit der Priesterschaft der Leviten gegenüber wie in 7,8 (vgl auch 7,16) begründet. Die Leviten sind sterblich, Jesus hingegen bleibt, und das nicht nur aufgrund der Aussage in Ps 110,4, sondern auch aufgrund seines unzerstörbaren Lebens (7,16), was nach der Meinung des Vf Ps 110,4 besagt (7,17). Diese Dauerhaftigkeit ist der ausschlaggebende Faktor in der Überlegenheit der neuen Priesterschaft. Damit wird die Argumentation abgerundet und in 7,25 zu ihrem Ziel gebracht: ὅθεν καὶ σῴζειν εἰς τὸ παντελὲς δύναται τοὺς προσερχομένους δι᾽ αὐτοῦ τῷ θεῷ, πάντοτε ζῶν εἰς τὸ ἐντυγχάνειν ὑπὲρ αὐτῶν.

Diese Hohepriesterschaft Jesu garantiert unser Heil; wir Christen werden durch ihn das Ziel erreichen (σῴζειν εἰς τὸ παντελὲς . . . τοὺς προσερχομένους δι᾽ αὐτοῦ τῷ θεῷ). Er lebt für immer, um für uns Fürbitte zu leisten. Wie schon von 2,10 an, bemüht sich der Vf auch in c. 7 darum, diese Tätigkeit Jesu als fürsprechender Hoherpriester für die Seinen und ihre Bedeutung herauszustellen. Dazu dient vor allem die Auslegung von Ps 110,4, der die Ewigkeit dieser Priesterschaft unterstreicht. Während in den späteren Ausführungen über die Sühnetätigkeit Jesu die Einmaligkeit des Sühneaktes immer wieder betont wird, ist es in diesen Ausführungen über seine Tätigkeit als Fürsprecher für die Seinen, die auf dem Wege der Versuchung und des Leidens gehen, genau umgekehrt. Hier wird die Dauerhaftigkeit dieses Priesterdienstes unterstrichen. Entsprechend sind die Anklagen gegen den alten Bund anders: einerseits, daß immer wieder geopfert wird, und andererseits, daß die Priester sterblich sind.

Bis heute herrscht leider noch Unklarheit über *die Bedeutung der Fürsprecherschaft Jesu* im Hb. So stark wird die Sühnetätigkeit Jesu hervorgehoben, daß der Fürsprecherdienst irrtümlich darunter eingeordnet wird. *Grässer* steht keineswegs allein, wenn er schreibt, daß »das Eintreten Christi für die Glaubenden die Vergebung gelegentlicher gegenwärtiger Sünden bewirkt (7,25; vgl 2,17)«[6]. Auch wenn man dabei nicht an die Wiederholung des Sühnopfers[7] denkt und sehr klar zwischen der Tätigkeit Jesu in der Gegenwart und seiner Tätigkeit als opfernder Priester unterscheidet, wird offensichtlich vorausgesetzt, daß im Hb wie in 1Joh 2,1 die Fürsprache in bezug auf die Sünde stattfindet und daher »aufgrund seines einmaligen Werkes . . . wirkungskräftig ist«, wie *Cullmann* es formuliert[8]. *Klapperts* Ergebnis ist also zuzustimmen: »Die intercessio wäre somit als eine Funktion des kosmokratorischen Hohenpriesters, als ein Aspekt seiner universalen Herrschaft und gerade nicht als Applikation des kultisch-soteriologischen ἐφάπαξ zu verstehen«[9]. Aber nicht: weil er der Herrscher ist, kann er für uns eintreten, sondern: weil er zur Rechten Gottes sitzt, kann er für uns eintreten (so 8,1). Die Bitte Jesu ist keine Bitte um Vergebung für die Sünde der Christen, sondern eine Bitte um Hilfe auf dem Leidensweg.

5. Es ist nicht zufällig, daß gleich nach V 25 ein an 2,10 und 2,17 erinnernder ἔπρεπεν-Satz vorkommt, durch den der Blick der Leser nochmals auf den Erhöhten gerichtet wird (vgl 2,9; 3,1; 4,14; 6,20). In den traditionsgeprägten Formulierungen von 7,26 wird daneben die Heiligkeit Jesu hervorgehoben. In 7,27 wird zunächst von den Hohenpriestern der alten Ordnung gesagt, daß sie erst für sich selbst opfern mußten und dann für das Volk. Wenn Jesus mit ihnen verglichen wird, würde man erwarten, daß von ihm gesagt wird, daß er für sich selbst nicht opfern mußte, weil er sündlos war. Aber es folgt zunächst die Aussage, daß Jesus es (τοῦτο) einmal getan hat (τοῦτο γὰρ ἐποίησεν ἐφάπαξ ἑαυτὸν ἀνενέγκας 7,27b). Der Vergleich geht also nicht von der Sündlosigkeit aus, obwohl der Vf sie ja voraussetzt und mit τοῦτο keineswegs meint, daß Jesus auch für sich etwas darbringen mußte[10]. Nicht das Darbringen als Opfer für die Sünde bzw in seinem Fall, daß ein solches Opfer nicht nötig war, steht im Vordergrund, auch wenn das vielleicht zu erwarten wäre, nachdem in 7,26 die Sündlosigkeit erwähnt

---

6 *Grässer*, Glaube S. 161. So ua *Delitzsch* S. 308; *Westcott* S. 215; *Strathmann* zu 7,25; vgl auch *Ménégoz*, Théologie S. 100; *Vos*, Priesthood S. 582; *A. Nairne*, The Epistle of Priesthood, 1913, S. 201; *H. J. Holtzmann*, Lehrbuch der neutestamentlichen Theologie II,²1911, S. 343; *R. Zorn*, Die Fürbitte im Spätjudentum und im Neuen Testament, 1957, S. 153ff.
7 Vgl unten Anm. 19.
8 *Cullmann*, Christologie S. 106; vgl auch *Hahn*, Hoheitstitel S. 233f; *Luck*, Geschehen S. 104f; *Vanhoye*, Situation S. 381f.
9 *Klappert*, Eschatologie S. 35f.
10 Gegen *Thurén*, Gebet S. 140; *Nairne* S. 55.

wurde. Vielmehr geht es hier um die Handlung als solche, und man muß auf die Wörter καθ' ἡμέραν – ἐφάπαξ achten. Der Vers besagt also: Jesus hat seine Opfertätigkeit abgeschlossen, während die Leviten jeden Tag opfern müssen[11]. Später wird die Einmaligkeit des Opfers Jesu vom Vf als ein Argument gegen die alte Opferordnung herausgearbeitet. Hier benutzt er diesen Gegensatz noch nicht dafür, sondern möchte nur herausstellen, daß Jesus mit seiner irdischen Tätigkeit fertig ist. Deshalb ist er frei von solchen Belastungen, wie sie die Priester der alten Ordnung ständig haben, und kann sich als Erhöhter seinem Fürsprecherdienst für die Seinen widmen. Er ist also nach seiner τελείωσις (τετελειωμένον 7,28) als Hoherpriester eingesetzt worden, und zwar mit dem Wort aus Ps 110,4 (ὁ λόγος δὲ τῆς ὁρκωμοσίας τῆς μετὰ τὸν νόμον 7,28). Es geht immer noch um die jetzige Tätigkeit des Hohenpriesters, die er erst anfangen konnte, nachdem er mit seiner Handlung für die Sünde fertig war, nämlich nachdem er gestorben war. Auf der anderen Seite sind die Hohenpriester der alten Ordnung bloß Menschen (der Gegensatz in 7,28 ist zu beachten: ἀνθρώπους . . . ἔχοντας ἀσθένειαν – υἱόν, vgl 7,23.16.8.3), die wegen der Schwäche ihres Menschseins sündigen und sterben und nie fertig werden.

Jesus übt sein Amt als Fürbitter im himmlischen Heiligtum aus (c. 8)

1. Diese Hohepriesterschaft Jesu des Erhöhten als Fürsprecher für die Seinen wird gleich anschließend in 8,1 als κεφάλαιον δὲ ἐπὶ τοῖς λεγομένοις bezeichnet[12]. Der Blick der Leser wird wieder auf den Herrn der Gemeinde gerichtet, der jetzt als Diener im himmlischen Tempel seinen Dienst für sie ausübt als »Diener am Heiligtum und am wahren Zelt, das der Herr errichtet hat und nicht ein Mensch« (8,2). Solch einen Hohenpriester haben wir.
2.a) 8,3 bereitet aber Schwierigkeiten, nachdem wir schon in 7,27 gelesen haben, daß die Handlung für die Sünde einmalig war und jetzt abgeschlossen ist. Es scheint zunächst, als ob hier tatsächlich von einer Opfertätigkeit Jesu für die Sünde im Himmel gesprochen sei (πᾶς ἀρχιερεὺς εἰς τὸ προσφέρειν δῶρά τε καὶ θυσίας καθίσταται· ὅθεν ἀναγκαῖον ἔχειν τι καὶ τοῦτον ὃ προσενέγκῃ 8,3). Wenn wir diesen Vers aus dem Zusammenhang herausnehmen könnten und ihn gleich an den Anfang von c. 9 stellten, wäre er passend. Dann müßte man ἀναγκαῖον mit »es war nötig« übersetzen. Daß der Vf mit V 4 von seinem Gedankengang in V 3 abgewichen sei

---

11 Das τοῦτο bezieht sich also auf das Versöhnungshandeln als solches, nicht auf die einzelnen, im Falle Jesu unterschiedlich zu wertenden Taten als Einzelakte (gegen *Westcott* S. 196; *Riehm,* Lehrbegriff S. 608; *Peake* S. 165; *Strathmann* z. St.). Zum Problem, daß hier im Rahmen einer Versöhnungstypologie vom »täglichen« Darbringen gesprochen ist, siehe unten S. 199.

12 Sprachlich kann κεφάλαιον entweder »Summe« oder »Hauptsache« bedeuten. Dazu siehe ua *Michel* S. 287; *Riggenbach* S. 218. Der Kontext entscheidet hier für »Hauptsache« – angesichts der vorangegangenen Ausführungen (ἐν τοῖς λεγομένοις).

(denn die Opfertätigkeit Jesu in V 4 wird als himmlisch angesehen), der vom irdischen Opfer Jesu sprechen sollte, scheint uns unwahrscheinlich[13]. Die Verbindung zwischen 8,2 und 8,4ff ist nämlich zu stark. *8,4ff* will von dem himmlischen Tempel sprechen, ein Gedanke, der schon in 8,2 hervortritt. Außerdem wird in 8,2 und 8,6 sowie in 8,4 von dem jetzigen Dienst Jesu in diesem Tempel gesprochen (τῶν ἁγίων λειτουργός . . . 8,2; νυνὶ δὲ δια-φορωτέρας τέτυχεν λειτουργίας 8,6; εἰ μὲν οὖν ἐπὶ γῆς οὐδ' ἂν ἦν ἱε-ρεύς 8,4). Darum muß auch 8,3 sich auf diesen jetzigen Dienst Jesu beziehen. Wie ist 8,3 nun zu verstehen? Wenn man beachtet, daß in 8,2–6 nicht die Tätigkeit, sondern die Stellung des Dienstes Jesu im himmlischen Tempel und daher die Überlegenheit des neuen Bundes die eigentliche Pointe der Argumentation ist, so ist nicht zu erwarten, daß der Vf in 8,3 Nachdruck auf einen vollkommen anderen Gedanken legen will, nämlich das Todesopfer als Blutopfer für die Sünde, wie er später entwickelt wird. Vielmehr scheint es, als ob in der Tat hier nur gesagt wird, daß die Hohepriesterschaft Jesu eine wirkliche priesterliche Tätigkeit voraussetzt, was allgemein als das Darbringen von δῶρά τε καὶ θυσίας (8,3) zu bezeichnen ist. Von Sühnopfer ist hier nicht die Rede.

Es wird zB oft an das Darbringen des Blutes vor Gott im Allerheiligsten nach dem Tode Jesu gedacht[14]. Die Schwierigkeit dieser Auffassung ist, daß im Zusammenhang vom jetzigen Dienst gesprochen wird (so 8,2.6). Einige Ausleger haben daher in verschiedener Weise versucht, von einer gegenwärtigen Selbstdarstellung Jesu zu sprechen[15], den Fürbittedienst so aufzufassen[16] oder von einem Geltendmachen der Sühne zu sprechen[17]. Aber der jetzige Dienst Jesu wird im Brief nie so aufgefaßt. Der Versuch, den Vers auf die Sühnetat Jesu zu beziehen, kommt auch nicht um das Problem herum, daß diese Tat eigentlich auf Erden stattfand. Man darf diese Tat nicht in zwei Teile auseinanderbrechen. Jedenfalls müßte das Darbringen dann auch auf das Kreuzesereignis bezogen werden. Aus diesem Dilemma dadurch herauszukommen, daß man »himmlisch« auch für irdische Ereignisse benutzt, ist mit Sicherheit abzulehnen[18]. Der Versuch, hier einen Hinweis auf eine fortdauernde Opfertätigkeit für die Sünde zu erkennen, ist ebenfalls mit Entschiedenheit abzulehnen[19]. Wenn 8,3 auf das Heilsereignis anspielen soll, dann müßte es sich auf einen irdischen Vorgang beziehen[20]. Aber auch damit bleibt das Problem bestehen, daß im Zusammenhang vom gegenwärtigen Dienst gesprochen wird.

---

13 Gegen *Bruce* S. 164; *Ungeheuer*, Priester S. 96.121.
14 So ua in ihren Komm. z.St. *Bleek, Delitzsch, Michel*; vgl auch *Smith*, Priest S. 95ff; *A. Vanhoye*, De »Aspectu« oblationis Christi secundum Epistolam ad Hebraeos, VD 37 (1959) S. 32–38.
15 So in ihren Komm. z.St. *Riggenbach, Schäfer*; vgl auch *W. Milligan*, The Ascension and Heavenly Priesthood of our Lord, ²1894, S. 116ff; *E. Scheller*, Das Priestertum Christi, 1934, S. 103; *Cody*, Sanctuary S. 199.
16 So *Kuss* S. 107; *Snell* S. 103.
17 *A. Seeberg*, Hb 7,27 S. 370; *Nairne*, Priesthood S. 261.
18 Dazu siehe unten S. 188f.
19 Gegen *V. Thalhofer*, Das Opfer des alten und des neuen Bundes, 1870, S. 218f; *Zill* S. 353ff; vgl auch *Spicq* I S. 312.
20 So ua *Bruce* S. 163; *Westcott* S. 215; *Montefiore* S. 133ff.

b)   Der Sinn von 8,3 ist also der: Jesus übt den Dienst eines Hohenpriesters aus. Er benötigt selbstverständlich alles, was zu einem solchen Dienst gehört, nicht zuletzt einen Tempel. Es gibt schon einen solchen Priesterdienst auf Erden (8,4), der in einem Tempel stattfindet, der das Abbild des himmlischen ist (8,5). Die Schlußfolgerung einschließlich der polemischen Implikationen ist klar und wird sogar in V6 vorausgesetzt. Sie heißt ja: er ist in dem himmlischen Tempel tätig (8,6; vgl auch 8,2.4). Darum ist sein Dienst besser, weil die ganze Ordnung des neuen Bundes besser ist, und das ist schließlich auf die besseren Verheißungen zurückzuführen. Zu diesen Verheißungen ist ganz sicher Ps 110,4 zu zählen (8,6; vgl 7,22.18f; 6,13ff). Der Dienst Jesu wird aufgrund der Tatsache, daß er im himmlischen Tempel stattfindet, als überlegen bezeichnet. Wie in 7,11–19 wird aber auch an die polemische Bedeutung dieser Feststellung gedacht, wie die gleich anschließenden Verse deutlich machen (8,7–13), die mit ihrer starken Entwertung des alten Bundes an 7,18f erinnern (»Wenn Gott von einem neuen Bund spricht, dann hat er den ersten für veraltet erklärt. Was aber veraltet und greisenhaft ist, ist der Vernichtung nahe.« 8,13).

c)   Die Einzelheiten der himmlischen Tätigkeit stehen in c. 8 nicht im Vordergrund. 8,3 darf nur als allgemeine Beschreibung von priesterlicher Tätigkeit aufgefaßt werden. Hier ist sehr wahrscheinlich noch an den Fürsprecherdienst Jesu zu denken, obwohl nicht ausgeschlossen werden soll, daß auch allgemein an einen Lobpreis zusammen mit dem Lobpreis der Gemeinde gedacht ist (vgl 13,15f δι' αὐτοῦ). Opfer für die Sünde ist nicht gemeint, erstens weil von Sünden nicht gesprochen wird, zweitens weil es hier unerwartet sein würde; und drittens weil der Vf sonst nirgendwo von der jetzigen Tätigkeit Jesu als dem Darbringen des Sühnopfers spricht, sondern sogar das Gegenteil, die Einmaligkeit des Sühnopfers, betont[21].

Jesu Fürbitteamt im übrigen Brief

Erst mit 9,1ff fängt der Vf an, von der Opfertätigkeit Jesu für die Sünde zu sprechen. Aber auch innerhalb dieser Ausführung klingt die Vorstellung von der jetzigen Tätigkeit Jesu als Fürsprecher nach. So wird in 9,24 wie in 7,27 betont, daß Jesu Opferhandlung abgeschlossen ist (vgl auch 10,11ff) und daß er jetzt (νῦν) für uns vor Gott eintritt (νῦν ἐμφανισθῆναι τῷ προσώπῳ τοῦ θεοῦ ὑπὲρ ἡμῶν)[22]. Auch am Ende der Ausführung, nach-

---

21   Größte Schwierigkeiten für diese Auslegung brächte nur das τι in 8,3. Es muß in Verbindung mit der Tempelvorstellung verstanden werden: wenn Jesus Hoherpriester ist, muß er tätig sein – Darbringen von Opfern ist ja die Tätigkeit eines Hohenpriesters, jedenfalls nach unserem Vf –, also muß er einen Kultort haben, einen himmlischen Tempel. Daß der Ort im Vordergrund steht und daß nur deswegen auf den Dienst hingewiesen wird, wird aus dem sofortigen Wechsel der Gedanken nach V3 in V4 erkennbar. Προσενέγχῃ ist gnomisch aufzufassen, und der Satz besagt nicht viel mehr als: er mußte einen Dienst ausüben (gegen *Bruce* S. 164).
22   Dagegen vgl *Klappert*, Eschatologie S. 35 Anm. 66.

dem er von dem freien Weg gesprochen hat (10,19f), hebt er hervor, daß wir einen großen Priester über das Haus Gottes haben *(10,21)*. Damit wird an 3,1ff erinnert und auf die jetzige Tätigkeit des Hohenpriesters hingewiesen, die für die Leser in ihrer Situation auf dem Heilsweg so wichtig ist. Diese gegenwärtige Perspektive des Vf kommt auch später im Brief vor, auch wenn von seiner Tätigkeit nicht direkt die Rede ist (so *12,2* ἀφορῶντες εἰς τὸν τῆς πίστεως ἀρχηγὸν καὶ τελειωτὴν Ἰησοῦν . . .; 12,24 . . . διαθήκης νέας μεσίτῃ Ἰησοῦ . . .).

Zusammenfassung

Die Vorstellung von Jesus als dem fürsprechenden Hohenpriester nimmt einen wichtigen Platz in den Gedanken des Vf ein; das wird nicht zuletzt dadurch gezeigt, daß sie im Mittelpunkt seiner christologischen Gedanken von 2,10 (vgl auch schon 2,6) bis zum Anfang von c. 9 steht. Die Vorstellung selbst ist deutlich. Jesus ist nach der Erhöhung als Hoherpriester eingesetzt worden. Durch seine Erfahrungen als Mensch in Leiden und Versuchungen kann er den Christen in ihrer Situation von Leiden und Versuchung helfen. Das tut er durch seine Fürbitte. Er bittet also nicht um Vergebung für ihre Sünde, sondern um Hilfe für sie in Versuchung und Leiden. Als ein solcher Hoherpriester bleibt er ewig. Die Erläuterungen dieser Vorstellung sind ganz offensichtlich durch die Situation der Leser veranlaßt. Diese seelsorgerliche Absicht erklärt, warum der Vf auch polemisch wird. Die Vorstellung der fürsprechenden Hohenpriesterschaft ist verhältnismäßig abgerundet, aber nicht ohne Verbindung mit den anderen Hohepriestervorstellungen des Briefes. Aber auch wo Andeutungen des späteren Themas der Sühnetätigkeit Jesu als Hoherpriester innerhalb der Erläuterung der Fürsprechertätigkeit vorkommen, ist die Vorstellung von der Fürsprecher-Hohenpriesterschaft davon unabhängig und bildet eine Einheit für sich.

2. Der Hintergrund der Vorstellung vom himmlischen Fürbitter

Wir haben schon gesehen, welch große Bedeutung der Fürbitte Jesu im Hb beigelegt wird. Wir möchten jetzt fragen, wie diese Auffassung zustande gekommen ist. Auf den ersten Blick scheint die Frage überflüssig zu sein, weil eine Fürbitte ja dann zu erwarten ist, wenn einer in Not ist und wenn ein Zweiter, der davon weiß und ihn liebt, Zugang zu einem Dritten hat, der dem Ersten wirklich helfen kann, daß der Zweite also für diesen Ersten um Hilfe bittet. Das ist ja um so mehr zu erwarten, wenn der Helfende Gott ist und der »Zweite« Jesus, der die Menschen liebt.

Trotz dieser Selbstverständlichkeit der Vorstellung, daß einer für einen anderen betet, lohnt es sich, der Frage nachzugehen, wann und wie die jetzige Tätigkeit Jesu so verstanden werden konnte. Nach dem Glauben des Hb bit-

tet Jesus jetzt im Himmel um Hilfe für die Versuchten. Er bittet nicht, daß
Gott den Christen die Sünde vergeben möge, sondern um Hilfe für die Christen, die sonst in Versuchung und Leiden untergehen. Wir müssen auf eine
ausführliche Untersuchung des Hintergrundes dieser Vorstellung verzich-
ten, wollen aber einen kurzen Überblick geben.

Die Texte mit ausführlicher Exegese findet man vor allem bei *Johansson*[1], *Zorn*[2] und *Betz*[3], vgl
auch die maschinenschriftliche Fassung dieser Arbeit, S. 176–181.

1.   Zur Fürsprechervorstellung möchten wir folgendes feststellen: Zweifellos gehört die Fürsprechervorstellung in den Bereich des Gerichts. Diese Tatsache klingt auch zur Zeit des Urchristentums deutlich nach. Es darf aber nicht so dargestellt werden, als ob dabei immer an die
Einzelheiten eines Fürsprecheramtes gedacht sei[4], und auch nicht so, als ob es dabei immer um
das Abwehren von Gottes Zorn ginge[5]. Die Fürsprecher, wie die Frommen, beten nicht zuletzt
auch um Segen und um allgemeine Hilfe für das Volk. Das mag in eine Motivgeschichte schwer
einzuordnen sein, entspringt jedoch aus der Dynamik der menschlichen Situation und der
Liebe Gottes.

2.   Es gibt eine Fülle von *Stellen im AT*, wo Menschen für andere beten.

a)   Führer und Propheten bitten um Vergebung für das Volk[6]. In der nachexilischen Zeit werden auch die Hohenpriester als Fürbittende geschildert[7]. Oft ist es schwierig, eine Bitte um
Vergebung und eine Bitte um Rettung aus einer Notsituation zu trennen, weil die Auffassung
dahinter steht, daß Leiden die Folge von Sünde ist.

b)   Es gibt aber auch viele Texte, die der Fürbitte unseres Briefes näher stehen, dh die nicht
unmittelbar mit Sünde zu tun haben[8].

c)   Aber nicht nur auf Erden wird für die Menschen gebetet, sondern auch von Engeln im
Himmel. Das kommt besonders in späteren Schriften vor[9].

3.   Auch in den verschiedenen Traditionen des nachalttestamentlichen Judentums wird von
Fürbitte im Himmel gesprochen, und zwar von Fürbitte um Vergebung für die Menschen, aber
auch von Fürbitte um allgemeine Hilfe wie im Hb[10]. Ein Überblick über die Belege zeigt, daß

---

1   *S. L. Johansson*, »Parakletoi«, 1940.

2   *R. Zorn*, Die Fürbitte im Spätjudentum und im Neuen Testament, 1957.

3   *O. Betz*, Der Paraklet (AGJU 2), 1963; *F. Hesse*, Die Fürbitte im Alten Testament, 1949; *R.
le Déaut*, Aspects de l'intercéssion dans le Judaisme ancien, JSJ 1 (1970) S. 35–57.

4   Gegen *Johansson*, »Parakletoi« S. 184–186. Er denkt an folgende Funktionen: Bezeugen,
Wegleiten und Mittlersein. Vgl auch *Betz*, Paraklet S. 16ff.

5   Gegen *Johansson*, »Parakletoi« passim; vgl *Zorn*, Fürbitte S. 13.20ff.29ff.

6   So zB Mose (Ex 32,7–14.32); vgl Samuel (1Sam 7,5; 12,19); Amos (7,2.5); Jeremia (Jer
14,7ff); vgl Jes 53,12 (sehr hervorgehoben in TargJes; völlig abwesend in LXX, Aquila,
Symm u. Theod).

7   Die Fürsprache war ursprünglich nicht eine priesterliche, sondern eine prophetische Funktion. So ua *Johansson*, »Parakletoi« S. 3ff; *Hesse*, Fürbitte S. 39ff; *Zorn*, Fürbitte S. 30; vgl
auch *von Rad*, Theologie I S. 110. Besonders im nachalttestamentlichen Judentum wurde dies
als Funktion des Hohenpriesters angesehen. Vgl dazu *Déaut*, L'intercéssion S. 46ff.

8   ZB Abraham für Lot (Gen 18,20ff).

9   ZB Sach 1,12; Hiob 33,23–28; vgl 5,1.

10   Vgl zB in der Apokalyptik: Dan 9,4ff; IHen 47,1; IIHen 53,1; IIIHen 15B,2; 48A,5–6;
IV Esr 7,105ff; SyrBar 34. 48; VitAE 20,1.3; SlavAE 37,1; ApkMos 29,1; GesEsr 11; AssMos
4,1–4; in Qumran 1Q GenApkr 20,12ff; zum rabbinischen Schrifttum vgl vor allem *Johansson*, »Parakletoi« S. 123ff; im weiteren Judentum vgl auch SapSal 12,12ff; 4Makk 6,28f;
EpistArist 185. 248; PhiloCher 47; Migr 121f; Mut 125ff; SpecLeg I 44.237; vgl außerdem Bar
3,4; Est 13,6; 1Makk 1,2–6; 2Makk 3,3; 7,37f; Jub 10,3–6; 12,20.

diese Vorstellung von der Fürbitte der Engel besonders im Bereich der Apokalyptik begegnet, im hellenistischen Judentum sowie in Qumran dagegen nicht so häufig hervortritt.

4. Weit verbreitet ist endlich die Vorstellung, daß *Menschen im Himmel* für ihre Brüder beten; hiermit sind wir dem Hb am nächsten. Daß dieses Motiv im AT fehlt, erklärt sich aus der späteren Entwicklung der Hoffnung auf ein Leben nach dem Tode. Aber auch im nachalttestamentlichen Judentum ist sie keineswegs einheitlich[11], so daß nur, wo an einen Eintritt in die himmlische Welt gleich nach dem Tode oder an eine Himmelfahrt gedacht wird, diese Vorstellung von der himmlischen Fürbitte eines Menschen möglich ist. Nach seiner Himmelfahrt war Henoch imstande, für andere Fürbitte zu leisten, sogar für Engel (I Hen 13,4; 15,1ff; für das Volk: 84,5; 89,57.67f). In II Henoch wird er Fürsprecher genannt (33,10). Auch Esra bittet für sein Volk nach seiner Himmelfahrt (ApkEsr 1,10f). Für das Volk beten auch Abraham, Isaak und Jakob (ApkSoph 17,1ff; III Hen 44,7–9a.10; Philo, Praem 166) sowie auch Jeremia (2Makk 15,14). Nicht zuletzt sind die Seelen der Gerechten zu erwähnen, die um Gerechtigkeit beten (I Hen 47,1; 99,3; Bar 3,4). Auch hier wird nicht nur um Vergebung gebetet, sondern auch um allgemeine Hilfe[12]. Wenn das Beten füreinander eine allgemeine Praxis eines Juden auf Erden war, ist ja nur zu erwarten, daß diese Tätigkeit im Himmel nicht aufhört.

5. Bei der Vorstellung der himmlischen Fürbitten haben wir es also nicht mit einer äußerst ungewöhnlichen und eigenartigen Entwicklung zu tun, sondern mit der Fortsetzung einer Praxis, die eine Selbstverständlichkeit für jeden frommen Juden war. Daß eine solche himmlische Tätigkeit keine Probleme für das Denken eines Juden des ersten Jahrhunderts brachte, wird kaum zu bestreiten sein.

Fürbitte im NT

1. Wenden wir uns den Schriften des Urchristentums zu, so ist das Bild nicht wesentlich anders als im Judentum[13].

a) Die *Vorstellungen von der himmlischen Welt* kommen nicht nur in der Apokalypse vor, sondern gehören zu den Voraussetzungen des urchristlichen Glaubens. Der Gedanke vom himmlischen Gericht des Menschensohnes wird zwar eschatologisch aufgefaßt und hat als endgültiges Gericht deshalb ausschließlich mit den Sünden zu tun, aber die Vorstellung, daß es jetzt einen himmlischen Hof im weitesten Sinn gibt, fehlt auch nicht. Der Glaube an Engel wird überall vorausgesetzt, nicht zuletzt im Hb. Die Erhöhung Jesu setzt ja eine Art himmlischen Hof voraus. Jesus ist jetzt in der himmlischen Welt. Von dort aus wird er mit den Engeln kommen.

b) Auch die *Vorstellung der Fürbitte* ist dem Urchristentum keineswegs fremd. Die Fürbitte von Menschen füreinander gehört ja auch zum Leben des Christen. Auch die *Fürbitte der Men-*

---

11 Hengel, Hellenismus S. 357–369.
12 So zB TDan 6,2; I Hen 15,8; Jub 10,7f; 12,20; Tob 12,12.15; 18,17; Est 13,16; IV Esr 7,105ff; Jos u. Asen 15,7; AssMos 11,11ff; 2Makk 1,2–6; 3,3; 8,14; Philo Migr 121f; Cher 47; Congr 109; QuGen IV 25.233.
13 Das gilt für die Voraussetzungen. Anders aber als im Judentum wird hier nur von dem einen Fürsprecher, Christus, gesprochen, und nur hier vom Geist als Fürbitter (dazu siehe unten Anm. 16).

schen im Himmel findet man. Der Reiche richtet seine Bitte sogar an Abraham (Lk 16,19f). Das Motiv vom Gebet der Seelen der Gerechten kommt in Apk 6,10ff (vgl 16,4–7) vor, und auch die Vorstellung von der Vermittlung von Gebeten durch Engel trifft man an (Apk 8,3f). Wir dürfen also feststellen, daß die Vorstellung einer himmlischen Fürbitte auch für das Urchristentum durchaus denkbar und sogar selbstverständlich war, auch wenn man dabei nicht übersehen darf, daß hauptsächlich nur Einer Fürsprecher der Christen ist.

Denn es war nur zu erwarten, daß die Vorstellung sich entwickeln würde, daß Jesus, der auferweckt worden ist und jetzt bei Gott im Himmel ist, für die Seinen bittet. Er hat ja auf Erden für sie gebetet (Lk 22,31f; Joh 17)[14]. Es gibt aber hier wenige Belege. Außer dem Hb wird explizit nur in drei Texten von der himmlischen Fürbitte Jesu gesprochen.

2. Die erste Stelle ist *Röm 8,34:* ὃς καὶ ἐντυγχάνει ὑπὲρ ἡμῶν. Das Gerichtsbild ist unverkennbar. Es geht hier nicht um die Sünde, sondern um das, was uns von der Liebe Gottes bzw dem Heil trennen kann (so 8,38f: θάνατος . . . ζωή . . . ἄγγελοι . . . ἀρχαί . . . ἐνεστῶτα . . . μέλλοντα . . . δυνάμεις . . . ὕψωμα . . . βάθος . . . τις κτίσις ἑτέρα, und konkret in 8,35: θλῖψις ἢ στενοχωρία ἢ διωγμὸς ἢ λιμὸς ἢ γυμνότης ἢ κίνδυνος ἢ μάχαιρα). Wer immer gegen uns handeln mag, Gott ist ὁ δικαιῶν und Christus unser Fürsprecher. Der Ankläger wird nicht erwähnt (vgl Apk 12,10f). Aber mag der Widersacher sagen, was er will, Gott bleibt bei seiner Liebe für uns. In 8,31–39 hat Paulus Tradition bearbeitet. Dazu gehört, wie wir gesehen haben, die Gedankenkette: Χριστὸς ὁ ἀποθανῶν . . . ἐγερθείς, ὃς καί ἐστιν ἐν δεξιᾷ τοῦ θεοῦ 8,34 (vgl auch ἄγγελοι . . . ἀρχαί . . . δυνάμεις 8,38). Die Frage ist aber, ob nicht ὃς καὶ ἐντυγχάνει ὑπὲρ ἡμῶν (das formal zu diesen Aussagen von V 34 gehört) in diesem Zusammenhang von Paulus vorgefunden wurde. Daß diese Aussage mit dem Gerichtsgedanken zusammengehört, könnte zunächst als Hinweis darauf verstanden werden, daß sie von Paulus selbst stammt. Andererseits könnte sie gerade die Anregung für den Apostel gewesen sein, ein traditionelles Gerichtsbild auszuarbeiten[15]. Daß sie nicht an anderen Stellen im NT vorkommt, wo diese Gedankenkette zu erkennen ist, braucht auch nicht unbedingt als Hinweis dafür aufgefaßt zu werden, daß sie von Paulus stammt. Vielmehr ist zu bedenken, daß gerade dieser Gedanke nur hier vorkommt und daß Paulus selbst Fürbitte als Aufgabe des Geistes zu verstehen scheint, wie er gerade kurz vorher in 8,26f ausgeführt hat[16]. Wir halten es daher für

---

14 In Lk 22,31f klingt das forensische Bild noch nach. Gegen den Wunsch des Satans richtet Jesus sein Gebet, daß Petri Glaube aushält bzw daß er durch Leiden nicht gezwungen wird, seine Treue aufzugeben. Das kommt der Fürbitte im Hb sehr nahe. Ähnlich auch Joh 17,9–19.20–25. J. *Jeremias*, Die Gleichnisse Jesu, ⁸1970, S. 170, möchte den Weingärtner in Lk 13,6–9 mit Jesus identifizieren, der nach drei Jahren um ein Gnadenjahr für den Feigenbaum bittet.

15 Vgl H. R. *Balz*, Heilsvertrauen und Welterfahrung (BEvTh 59), 1971, S. 119.

16 Der Text spricht von einer Fürbitte durch den Geist (bes 8,27b), durch στεναγμοῖς ἀλαλήτοις (8,26), die den Menschen unverständlich, dem ὁ . . . ἐραυνῶν τὰς καρδίας (8,27a) aber verständlich ist. *Balz*, Heilsvertrauen S. 83ff, kann nicht belegen, daß der Geist als

sehr wahrscheinlich, daß Paulus die Aussage über die Fürbitte Jesu aus der Tradition aufgegriffen hat, und zwar wahrscheinlich in dieser Form im Zusammenhang mit der Anspielung auf Ps 110,1. Auf den Zusammenhang dieses Gedankens mit der Erhöhungsüberlieferung und insbesondere mit Ps 110,1 werden wir später eingehen[17].

3. Die zweite Stelle, *1Joh 2,1*, liegt dem Hb nicht so nahe, denn sie handelt von Fürbitte für die Sünden. Dementsprechend kommt das Wort παράκλητος hier vor, das stark an das Gerichtsverfahren erinnert[18]. In Röm 8,34 haben wir es ja auch mit dem Gerichtsbild zu tun, aber dort geht es um Hilfe für die Bedrängten, wie im Hb; es wird sogar das gleiche Wort gebraucht (Röm 8,34 ἐντυγχάνειν ὑπὲρ ἡμῶν, Hb 7,25 τὸ ἐντυγχάνειν ὑπὲρ αὐτῶν)[19]. Hier aber haben wir es offensichtlich mit einer anderen Tradition zu tun, die von der Fürbitte Jesu für die Sünde spricht und an das Wort παράκλητος gebunden ist[20]. Aus dem Zusammenhang wird weiter deutlich, daß es um die Sünde geht, die nach der Taufe begangen wurde (vgl 1,7ff u. 2,1).

4. *Das Wort* παράκλητος kommt auch in Joh 14,16.26; 15,26; 16,7 vor. Daß hinter diesem Gebrauch des Wortes im Johannesevangelium und im ersten Johannesbrief eine gemeinsame Tradition steht, ist sehr wahrscheinlich, nur lassen sich die Gemeinsamkeiten nicht klar feststellen. Joh 14,16 zeigt, daß παράκλητος eine Bezeichnung für Jesus war (wie in 1Joh 2,1), setzt aber anscheinend voraus, daß Jesus schon auf Erden παράκλητος war, und sagt, daß statt seiner der Geist zu den Jüngern geschickt wird. Zwar betet Jesus für die Seinen auf Erden, aber es wird nirgendwo eine klare Verbindung gezogen zwischen dieser Bezeichnung und dieser Tätigkeit, noch wird sie vom Geist benutzt im Zusammenhang mit einer Fürsprechertätigkeit, sonst könnte man wenigstens vermuten, daß hier die paulinische Tradition von der Fürbitte des Geistes wieder auftaucht.

Fürbitter verstanden wurde, zeigt jedoch, wie diese Vorstellung angesichts der Fürbittertradition des Judentums keineswegs ungewöhnlich ist. Vielleicht liegt in 8,26f ein Versuch des Paulus vor, eine traditionelle Aussage über den Geist als Fürbitter, die V 27c wiedergeben könnte (vgl die besondere Terminologie ἐντυγχάνει ὑπέρ . . . wie auch κατὰ θεόν und ἁγίων und vor allem das sehr unebene Verhältnis zum übrigen Vers 27), zu interpretieren. Der Geist übt diese Fürsprache nur im Zusammenhang mit dem Gebet des Christen aus. Er hilft ihm. Das Ergebnis ist wahrlich kaum eine Vorstellung vom Geist als selbständigem Fürbitter. Vgl *Balz*, Heilsvertrauen S. 83.

17 Dazu siehe S. 220ff.236f.

18 Dazu siehe vor allem *Betz*, Paraklet S. 1; *J. Behm*, Art. παράκλητος, ThWNT V, S. 798ff. Das Wort wurde sogar als technische Bezeichnung einfach ins Hebräische transkribiert.

19 Vgl ὅτι κατὰ θεὸν ἐντυγχάνει ὑπὲρ ἁγίων 8,27. Dieser ὅτι-Satz geht auf Tradition zurück, siehe *O. Michel*, Der Brief an die Römer (KEK [14]4), [5]1978, z.St.; zu ἐντυγχάνω mit der Bedeutung »beten« siehe *O. Bauernfeind*, Art. ἐντυγχάνω, ThWNT VIII, S. 243. *G. Schille*, Die Liebe Gottes in Christus, ZNW 59 (1968) S. 230–244, schlägt vor, daß in Hb 7,25 Röm 8,34 »direkt paraphrasiert sein könnte« (S. 235). Aber eine solche direkte Abhängigkeit läßt sich nicht beweisen.

20 Das Wort kommt vollkommen unvorbereitet. Es war offensichtlich eine Selbstverständlichkeit, daß man von Jesus als Fürsprecher für die Seinen vor dem Vater sprach.

Die Verhältnisbestimmung von παράκλητος als Bezeichnung Jesu in 1Joh 2,1 und (implizit) im Johannesevangelium fassen wir so auf. Wir halten es für wahrscheinlich, daß die frühere Vorstellung im Brief zu erkennen ist. Die Bezeichnung παράκλητος beschreibt ursprünglich den Dienst Jesu als Fürsprecher, der vielleicht vom Endgericht her auch in die Gegenwart verlegt wurde, seinen Dienst nach der Erhöhung als Fürbittender anhand des Gerichtshofmotives. Hinter dem Brief liegt eine Tradition, in der der Erhöhte die Bezeichnung παράκλητος trägt, weil er für die Seinen betet, auch wenn diese Bitte ursprünglich in der Tradition nicht unbedingt mit der Bitte um Vergebung für die Seinen zu tun hatte, wie jetzt im Brief. Zwischen der Tradition des Briefes und der des Evangeliums hat eine *Entwicklung* stattgefunden. Entsprechend den Funktionen des Fürsprechers (denn hier wird das technische Wort παράκλητος benutzt) erweitert sich der Sinn der Bezeichnung, so daß sie inhaltlich den allgemeinen Sinn »Helfer« bekam. Ob dabei andere »Helfer«-Gestalten in diesem Prozeß mitgewirkt haben, möchten wir offenlassen. Der Erhöhte ist also unser Helfer. Daß Bezeichnungen des Erhöhten auf den irdischen Jesus übertragen wurden, ist im Urchristentum kaum zu bestreiten und wird nicht zuletzt im Johannesevangelium deutlich. Wir möchten vorschlagen, daß auch die Bezeichnung παράκλητος (als Helfer verstanden) auf den irdischen Jesus übertragen worden ist, und zwar schon in der Tradition des Evangeliums. Daß Jesus als Helfer der Seinen im Evangelium dargestellt wird, ist kaum zu bestreiten. Dabei ist aber auch der ursprüngliche Sinn der Fürbitte nicht verlorengegangen (Joh 17). Es ist nun keineswegs schwierig zu sehen, wie der Vf den Geist als »Ersatz« für den zurückgekehrten »Helfer« ἄλλον παράκλητον nennen kann.

Diese Entwicklung dürfte schon vor dem Evangelium stattgefunden haben, weil der Vf ja diese Sprüche weiter interpretiert hat, so daß Sendung des Geistes und Parusie zusammenfallen. Der ursprünglich als Bezeichnung des Erhöhten gebrauchte Begriff παράκλητος wird so zur Bezeichnung des irdischen Jesus und des Geistes.

5. *In Joh 14,16 wird davon gesprochen, daß Jesus um den* ἄλλον παράκλητον *bitten wird.* Ganz unabhängig von dem παράκλητος-Motiv wird also im Johannesevangelium doch von der Fürbitte Jesu gesprochen, und zwar anscheinend von der himmlischen Fürbitte[21]. Sonst wird im Evangelium gesagt, daß Jesus selbst den Geist schicken wird (15,26; vgl 20,22), selbst als Geist kommen wird (14,18.28). Haben wir hier bloß eine Formulierung des Vf, die von anderen abweicht? Oder gibt er eine traditionelle Vorstellung wieder, nach der der Erhöhte um die Sendung des Geistes an die Seinen bat?

Weitere Hinweise im NT für die Vorstellung von Jesus als Fürbitter

Außer diesen Stellen gibt es keine weiteren Belege außerhalb des Hb, die von der himmlischen Fürbitte Jesu sprechen. Es gibt aber einige Texte, die diese Vorstellung vielleicht reflektieren. Aber zunächst einige allgemeine Bemerkungen. Trotz der Spärlichkeit der schriftlichen Belege scheint es uns aufgrund der religionsgeschichtlichen Voraussetzungen, die wir am Anfang besprochen haben, sehr wahrscheinlich zu sein, daß der, der die Menschen liebt und auch für sie betete, auch jetzt für sie betet. Das läßt sich schon aus

---

21 Das ist der Sinn der Futurform ἐρωτήσω und entspricht dem Gedankengang des Zusammenhangs (vgl 14,3).

den Voraussetzungen der Zeit erschließen. Er ist jetzt erhöht worden; er ist bei Gott. Setzen wir diese Hypothese voraus, die so selbstverständlich scheint, wie sind dann die spärlichen Belege zu erklären?

1.a) Zunächst ist anzunehmen, daß diese Tatsache so selbstverständlich war, daß sie nicht der Erwähnung bedurfte. Diese Feststellung verliert ihr Gewicht besonders angesichts der Spärlichkeit der Belege in späteren Zeiten, wo es keinen Mangel an Schriften gibt, in denen Hinweise darauf zu erwarten wären. Aber der Vorschlag trifft für die frühere Zeit vielleicht doch zu, gerade weil die spätere Zeit eine Christologie vertritt, die eigentlich keinen Platz für diese Vorstellung enthält. Sobald nämlich Jesus als Herrscher angesehen wurde – und das geschah sehr früh –, war eine Fürbitte eigentlich überflüssig. Gott hat ihm die Herrschaft schon gegeben. Man muß nur sehr vorsichtig sein, wenn man so argumentiert, und darf nicht voraussetzen, daß diese Menschen immer streng logisch und konsequent dachten; aber es ist kaum zu verkennen, daß je mehr Jesus als der schon Herrschende vorgestellt wurde, desto mehr diese Fürsprechervorstellung zurücktreten mußte, wenn sie einmal vorhanden war[22]. Daß sie einmal vorhanden war, zeigen unsere Belege.

b) Wie immer man die Einzelheiten auffassen mag, es scheint verhältnismäßig sicher zu sein, daß es eine *Entwicklung in der Christologie* gab, in der zunächst nicht an eine Verzögerung, sondern an eine baldige Parusie gedacht wurde, und daß zweitens erst im Laufe der Zeit mehr an die Stellung Jesu in der Zwischenzeit gedacht wurde, so daß es dazu kam, daß schon mit der Erhöhung die eigentliche Herrschaft als angefangen angesehen wurde. Der Übergang vom ersten bis zum dritten Stadium konnte erst nach einiger Zeit geschehen. Vor dem dritten Stadium und im Blick auf die Zwischenzeit scheint es selbstverständlich zu sein, daß die Christen sich Gedanken darüber gemacht haben, was Jesus jetzt tut. Er war zwar in den Himmel gebracht worden. Er kommt auch bald, aber was tut er jetzt? Solch eine Frage ist von ihnen sicherlich nicht so abstrakt gestellt worden. Sie hatten die Macht des Geistes bekommen. Sie waren eine lebendige Gemeinde. Sie hatten schon für ihre Botschaft gelitten. Und was tut Jesus? Es scheint uns nur eine Selbstverständlichkeit zu behaupten, daß sie glaubten, daß er für sie betete. Der, der erhöht worden ist (Ps 110,1) und der herrschen *wird* (Ps 110,1b »bis ich dir deine Feinde zum Schemel deiner Füße lege«), betet für sie (vgl. Röm 8,34: ὃς καί ἐστιν ἐν δεξιᾷ τοῦ θεοῦ, ὃς καὶ ἐντυγχάνει ὑπὲρ ἡμῶν). Die Vorstellung von Jesus als Fürbitter müßte uE in dieser Zeit im Zusammenhang mit der Erhöhungstradition entstanden sein.

2. Es gibt nun einige weitere Stellen im NT, die vielleicht diese These unterstützen könnten. Bleiben wir zunächst bei dem Gebrauch von Ps 110,1.

a) Die Anspielung auf Ps 110,1 in *Apg 2,33* stammt sehr wahrscheinlich aus vorlukanischer

---

22 Vgl das Zitat aus Chrysostomus bei *K. H. Schelkle*, Paulus, Lehrer der Väter, 1956, S. 318, das von der Fürsprechervorstellung in Röm 8,34 sagt, daß sie »aus menschlichen Verhältnissen hergenommen der Hoheit Christi nicht ganz angemessen« sei.

Tradition[23]. In Apg 2,33 wird die Erhöhung Jesu gleich vor der Erwähnung der Sendung des Geistes genannt, und zwar in einer Weise, die vermuten läßt, daß eine kausale Verbindung zwischen den beiden Akten besteht (τῇ δεξιᾷ οὖν τοῦ θεοῦ ὑψωθείς, τήν τε ἐπαγγελίαν τοῦ πνεύματος τοῦ ἁγίου λαβὼν παρὰ τοῦ πατρός . . .). Daß besonders 2,33b in der jetzigen Form von Lukas formuliert worden ist, möchten wir nicht bestreiten. Woher stammt aber die Vorstellung, daß Jesus vom Vater den Geist bekam und ihn ausgegossen hat? Stammt diese Aussage über die Tätigkeit des Erhöhten erst von Lukas selbst[24], oder kannte er sie schon in seiner Tradition?

b)   Eine ähnliche Vorstellung findet man in Apg 5,31f. Auch hier liegt eine Anspielung auf Ps 110,1 vor. Danach folgt ein Hinweis auf die Vergebung der Sünde, die durch den Erhöhten gegeben ist, und damit wird gemeint, daß durch den Erhöhten der Geist gegeben und dadurch die Kirche und der Weg zum Heil ermöglicht wurde. Auch hier ist lukanisches Interesse zu erkennen[25]. Aber auch hier erhebt sich die Frage, ob die hinter der lukanischen Formulierung von der Vergebung liegende Vorstellung von der Sendung des Geistes durch Jesus nicht schon in den Traditionen des Lukas vorhanden war.

Daß in Apg 5,31 die Anspielung auf Ps 110,1 und die Bezeichnungen ἀρχηγός und σωτήρ auf Tradition zurückgehen, die wahrscheinlich auch hinter Hb 12,2 steckt, haben wir schon gesehen.

Dabei ist interessant, daß der Vf die Bezeichnung ἀρχηγός (vgl αἴτιος σωτηρίας αἰωνίου) ua auch für Jesus als Fürsprecher benutzt. In Apg 5,31 ist auch die kausale Verbindung zwischen dieser Erhöhungstradition und der Ermöglichung der Umkehr bzw der Sendung des Geistes unverkennbar (τοῦτον ὁ θεὸς ἀρχηγὸν καὶ σωτῆρα ὕψωσεν τῇ δεξιᾷ αὐτοῦ κτλ). Fragen wir nach dieser kausalen Verbindung, bekommen wir vom Text keine weitere Antwort. Es ist aber klar, daß (wie in 2,33) die Sendung des Geistes durch eine Tätigkeit des Erhöhten geschehen ist. In 2,33 wird ausdrücklich gesagt, daß Jesus den Geist vom Vater bekam. Nirgendwo wird von der Fürbitte Jesu gesprochen; aber es scheint uns sehr wahrscheinlich zu sein, daß in der Tat eine solche Tätigkeit Jesu hier vorausgesetzt ist. Der Geist ist gekommen. Jesus hat ihn schicken lassen, er hat um ihn gebetet. Die Sendung des Geistes durch den Erhöhten bzw durch den zum Vater zurückgekehrten Jesus ist auch in anderen Traditionen des NT enthalten (Eph 4,8ff; Joh 7,37; 14,16.26; 15,26; vgl 20,22; Tit 3,5f). Eine überraschende Übereinstimmung mit unserer These, daß im Gegensatz zu späteren Entwicklungen dabei ursprünglich an einen Akt der Fürbitte Jesu für die Seinen gedacht wurde, könnte man in Joh 14,16 finden, besonders wenn Johannes hier noch einmal ältere Tradition wiedergibt.

c)   Weitere Unterstützung könnte man in Röm 8,34 finden. Hier wird zwar nicht von der Sendung des Geistes gesprochen, sondern allgemein von der Fürbitte Jesu, aber die Verbindung dieser Vorstellung mit der Anspielung auf Ps 110,1, die auch in Apg 2,33 u. 5,31 vorkommt, ist deutlich zu erkennen und wahrscheinlich nicht zufällig. Dieser Zusammenhang kommt ebenfalls im Hb vor, der auch sonst Traditionen kennt, die mit denen der Missionsreden verwandt sind[26]. Wahrscheinlich gehört dieser Aspekt der Erhöhungsüberlieferung dazu.

d)   Ein weiterer Beleg für die Fürsprechervorstellung könnte Apg 7,55f sein. Wie es jetzt dargestellt wird, steht die Hoheit im Mittelpunkt und gibt den Anstoß. Hier ist Lukas am Werk. Aber wahrscheinlich hat er hier wie in Lk 22,69 eine Tradition in seiner Weise bearbeitet. Vielleicht war auch hier die ursprüngliche Bedeutung eschatologisch: Jesus kommt als Menschen-

---

23   So *Wilckens*, Missionsreden S. 151; *Lohfink*, Himmelfahrt S. 227f.
24   *Wilckens*, aaO S. 151ff u. 233f.
25   Vgl *Wilckens*, aaO S. 143.
26   *Hay*, Glory, weist auf den engen Zusammenhang zwischen der Fürbitte-Funktion und dem Sitzen zur Rechten eines Königs im altorientalischen königlichen Hofritual hin (S. 54f).

sohn und ist schon bereit, wobei die Funktion im Vordergrund stand[27]. Dabei wäre auch der Vindikationsgedanke nicht abwesend. Der Menschensohn bekennt sich zu Stephanus (vgl Mk 8,38 parr; Mt 25,31; 19,28). Es wäre auch nicht unmöglich, daß hier diese Tätigkeit in die Gegenwart verlegt sei. Hier in Apg 7,56 wäre dann vielleicht noch ein Beleg dafür, daß Fürsprecherschaft und die Anspielung auf Ps 110,1 zusammengehören. Bittet der Menschensohn für Stephanus? Die stehende Haltung ist die eines Betenden; anderswo wird immer vom Sitzen zur Rechten Gottes gesprochen.Der Menschensohn wird normalerweise nicht als Fürsprecher dargestellt, sondern als Richter. Es wäre vielleicht möglich, Mk 8,38 parr so zu verstehen, daß Gott der Richter sei und der Menschensohn der Fürsprecher bzw Ankläger. Da geht es um das Endgericht. Aber eine Verlegung dieser Funktion in die Gegenwart läßt sich nicht endgültig beweisen.

3.a)   Zum Menschensohnwort *Lk 12,8f* par Mt 10,32f; *Mk 8,38* parr, Lk 9,26 ist in diesem Zusammenhang folgendes zu sagen: es wird vom Endgericht gesprochen. Dem Verhalten der Menschen auf Erden entsprechend wird der Menschensohn sich entweder zu ihnen bekennen als zu den Seinen oder sie verleugnen. Geht es um Fürsprache[28]? Nur schwerlich kann man von einer Richterfunktion sprechen[29]. Vielleicht nur in dem Sinne, wie analog das Vorlesen der Bücher am Jüngsten Tag eine »Richterfunktion« bedeutet. Ὁμολογεῖν kann zwar auch für die Erklärung eines Richters benutzt werden (so Mt 7,23)[30], aber dort wird das Wort anders gebraucht, nämlich in der Anrede an die Sünder, während es hier im engeren Sinn nur im Verhältnis zu den Gerechten benutzt wird, und zwar im Sinne eines »Sich-Bekennens-zu«. Daß dieses Bezeugen in der Tat schon ein Urteilsspruch ist, möchten wir nicht verkennen. Der Text selbst muß aber zunächst im Sinne eines Bezeugens verstanden werden. Das war eine Funktion des Fürsprechers im Gerichtshof.

b)   Auch nach der Tradition in Röm 8,34 bürgt Jesus für uns. Aber Paulus hat diese Gerichtshoftradition für die gegenwärtige Situation benutzt, und damit ist die Bürgefunktion anders verstanden. Jesus bürgt für uns gegen Satan durch seine Fürbitte. Er wird uns dadurch unter den Angriffen des Satans nicht fallen lassen. Von einer einfachen Verlegung der Zeugen- bzw Bürgefunktion in die Gegenwart kann nicht die Rede sein, auch wenn vielleicht hinter Röm 8,34 ursprünglich die Vorstellung der Fürbitte im Endgericht um Rechtfertigung gestanden hat. Auch die Vorstellung im ersten Johannesbrief, daß Jesus um Vergebung für die Seinen bittet, wird man nicht leicht von der Bürgefunktion im Endgericht ableiten können. Man könnte vielleicht nur sagen, daß eine Entwicklung stattfand, in der man zu der Erkenntnis kam, daß der »Mann für uns« im Endgericht schon jetzt als »Mann für uns« tätig sei, auch wenn jetzt nicht als Fürsprecher-Bürge, sondern als Fürsprecher um Hilfe bzw auch um Vergebung. Aber weil Jesus überwiegend als Richter verstanden wurde, müßte eine solche Entwicklung sehr früh entstanden sein, ehe die Richterchristologie sich durchgesetzt hatte. Diese Ableitung möchten wir nicht von vornherein ausschließen.

c)   Aber daneben ist auch die Ableitung vom »anderen Ende« der christologischen Geschichte hervorzuheben, nämlich daß die Vorstellung, daß Jesus für die Seinen betet, eine Folgerung aus seiner Liebe für die Seinen auf Erden und seiner jetzigen Stellung in der kurzen Zeit vor seiner Parusie ist, wie wir sie ausgeführt haben. Die juristischen Motive in der Vorstellung vom Fürsprecher brauchen nicht erst vom Endgericht abgeleitet zu werden, sondern sind schon

---

27   Zur Auslegung von Apg 7,56 und zur Diskussion über die Rolle des Menschensohnes hier vgl *H. E. Tödt*, Der Menschensohn in der synoptischen Überlieferung, 1959, S. 274ff; *E. Haenchen*, Die Apostelgeschichte (KEK [16]3), [7]1977, S. 283 Anm. 2.

28   Dagegen *Hahn*, Hoheitstitel S. 36.

29   *Hahn*, aaO S. 36.

30   So *R. Maddox*, The Function of the Son of Man, NTS 15 (1968) S. 45–74, hier S. 50 Anm. 1.

mit der Vorstellung des Fürsprechers gegeben. Besonders wenn man bedenkt, daß am Anfang des Urchristentums Endgericht und Erhöhung des irdischen Jesus gar nicht als zwei zeitlich weit voneinander liegende Ereignisse aufgefaßt wurden, wäre es auch möglich gewesen, diese beiden Linien zu diesem besonderen Verständnis der Tätigkeit des Herrn der Gemeinde zu führen.

d) Nur in *Apk 1ff* übt der Menschensohn seine Richtertätigkeit schon aus und waltet über die Gemeinde. Aber hier wird nicht von einer Fürbittetätigkeit gesprochen. Die Vorstellung vom Menschensohn läßt weder zur Vorstellung von der allgemeinen Fürbitte Jesu oder seiner vermuteten Fürbitte um den Geist noch zur Vorstellung von der Fürbitte Jesu um Vergebung für Christen, die nach der Taufe gesündigt haben (1Joh 2,1), eine eindeutige Verbindung erkennen.

4. Auf das Beten im Namen Jesu als Beweis für Jesu Tätigkeit als Fürsprecher wird manchmal hingewiesen[31]. Diese Deutung ist möglich. Aber diese Wendung kommt keineswegs nur im Zusammenhang mit Gebetsaussagen vor, und eine solche Mittlerschaft ist nicht mit der Fürbitte zu identifizieren. In Joh 16,26 werden Beten im Namen Jesu und Jesu Fürbitte nebeneinander erwähnt, und nichts deutet darauf hin, daß sie identisch sind. Im Hb fehlt diese Wendung völlig.

Zusammenfassung

Wir haben versucht zu zeigen, wie es dazu kam, daß Jesus als Fürsprecher bezeichnet wurde. Dies war eine frühe christologische Entwicklung, die ihre Spuren nur undeutlich hinterlassen hat und mit der weiteren Entwicklung allmählich an Bedeutung verlor. Die Vorstellung ist noch in alter Tradition enthalten, die die Apg, Paulus und der Hb kannten und benutzten. Danach bittet Jesus um Hilfe für die Seinen. Damit war sehr wahrscheinlich die Vorstellung verbunden, daß der Geist durch seine Fürbitte gegeben wurde. Neben dieser Vorstellung haben wir nur 1Joh 2,1, der von einer Fürbitte Jesu um Vergebung spricht, und zwar für die Sünden der Getauften. Ob auch diese Vorstellung sehr alt ist, so daß vielleicht neben oder vor der Vorstellung, daß Vergebung für alle durch das Kreuzesereignis geschaffen wurde, die Auffassung herrschte, daß Jesus um Vergebung für alle, nicht nur für Christen, bitten konnte, läßt sich nicht erkennen und bleibt reine Spekulation.

Was aber die Fürbitte um allgemeine Hilfe betrifft, hat nur der Vf des Hb sie weiter entwickelt und zu einem zentralen Thema gemacht und in den Rahmen einer hochentwickelten Christologie gestellt. Danach dient die Inkarnation nicht nur dazu, die Sühnehandlung zu ermöglichen, sondern auch dazu, daß das Leiden und die Versuchung den Sohn qualifizieren, später als himmlischer Hoherpriester für die leidenden und angefochtenen Christen, die seinem Weg folgen, mitleidsvoll um Hilfe zu bitten. Das Verhältnis zwischen der Fürsprecherchristologie und der Hohenpriesterlehre und ihrem Hintergrund können wir erst nach der Darstellung der weiteren Aspekte dieser Lehre im Hb behandeln.

31 *Johansson*, »Parakletoi« S. 232, vertritt die These, daß auch der Ausdruck αἰτεῖν ἐν τῷ ὀνόματι Ἰησοῦ (Joh 14,13.14; 15,16; 16,23.24.26) die Fürsprecherschaft Jesu voraussetzt. Vgl *W. Heitmüller*, Im Namen Jesu, 1903, S. 79.261; *Betz*, Paraklet S. 155.

II. Jesu Selbstopfer

1. Der sich opfernde Hohepriester

Vorbemerkungen

In diesem Abschnitt möchten wir zunächst eine Darstellung des Gedankenganges in *9,1–10,18* geben, wo die Vorstellung von dem sich selbst opfernden Hohenpriester unmittelbar eine Rolle spielt, und dann anschließend die Texte in Betracht ziehen, die an anderen Stellen mit diesem Thema zu tun haben.

Es ist vorläufig weder unsere Absicht, eine systematische Darstellung der Hohenpriesterlehre des Vf aus 9,1–10,18 zu gewinnen, noch auf alle Einzelheiten und ihre traditionsgeschichtlichen und religionsgeschichtlichen Hintergründe einzugehen. Sofern diese von besonderer Bedeutung für die Darstellung dieser Lehre sind, werden wir sie später behandeln. Es geht uns jetzt einfach darum, den Gedankengang festzustellen und zu fragen, welche Rolle die christologischen Motive spielen. Im Laufe dieser Untersuchung wird es aber nötig sein, auf einige Einzelstellen einzugehen, deren Interpretation und Klärung für ein richtiges Verständnis des Zusammenhangs unentbehrlich sind.

Dabei möchten wir uns einerseits gegen den Versuch wehren, die Gedanken von vorneherein in ein einheitliches System einzupassen, und andererseits gegen eine fragmentarische Exegese, die nicht imstande ist, der beabsichtigten Gedankenentwicklung des Vf Rechnung zu tragen. Man muß immer auf die Vielfältigkeit und Verschiedenartigkeit der Gegensätze hier wie an anderen Stellen des Briefes achten, die manchmal vorkommen, auch nachdem und manchmal schon bevor sie als Hauptargument auftreten, also den Gedankengang selbst direkt bestimmt haben.

Hb 9,1–7

Wenden wir uns dem Text zu. Es ist sicherlich falsch, *9,1* zu stark von den vorhergehenden Versen zu trennen. Das gilt für die Beziehung von ἡ πρώτη (9,1) und vor allem für die Verbundenheit von 9,1–10,18 mit dem Bundesgedanken überhaupt, der schon in 7,22 vorgekommen ist und besonders nach dem zusammenfassenden und überleitenden Satz 8,6 durch das Zitat aus Jer 31,31–34 stark hervorgehoben wird, einer Stelle, die bedeutsamerweise am Ende unseres Abschnittes 9,1–10,18 zum Teil vorkommt (10,16f). Wir haben gesehen, daß in den Ausführungen über die Priesterschaft Jesu (c. 7) und den Ort dieser Tätigkeit (c. 8) immer wieder neben der positiven Bewertung der Überbietung des alten Bundes durch den neuen eine polemische Spitze auftaucht. Wie zu erwarten ist, fehlen diese zwei Orientierungen auch in 9,1–10,18 nicht.

Der Vf hat schon vom Heiligtum gesprochen (8,2.5) und setzt seine Gedanken über den alten und neuen Bund mit seiner Ordnung fort, indem er kurz über das irdische Heiligtum berichtet (9,1–5). Aber dabei geht es auch um die Satzungen für den Gottesdienst. Sie folgen in V 6f und werden auch in V 9f zur Diskussion stehen. Was den Bericht von V 1–5 betrifft, scheinen die Abweichungen von der alttestamentlichen Darstellung kein besonderes Gewicht zu tragen[1]. Das gilt auch für die Stellung des Räucheraltars im Allerheiligsten, die vielleicht daraus zu erklären ist, daß der Vf schon an das himmlische Heiligtum denkt und an den Himmel, das wirkliche Allerheiligste, die Nähe Gottes, worum es ihm grundsätzlich geht, in der nach apokalyptischen Traditionen, die er wahrscheinlich kannte, ein Altar tatsächlich vorhanden war[2]. Aber diese Stellung wird vom Vf nicht besonders hervorgehoben. Vielmehr geht es ihm hier darum, die Zweiteiligkeit zu schildern, aufgrund deren er seinen Gedankengang weiterführen will. So werden die Handlungen der Priester im ersten Zelt, im »Heiligen«, und betont die Handlungen des Hohenpriesters einmal im Jahr am Versöhnungstag im zweiten Zelt, im »Allerheiligsten« geschildert (9,6f). Dabei spielt zunächst sein Gang einmal im Jahr ins Allerheiligste eine Rolle, aber auch die Tatsache, daß er Blut zum Sühnopfer für sich selbst und das Volk mitnahm. Diese beiden Aspekte wird der Vf in seiner Argumentation aufgreifen (vgl 9,11f).

Hb 9,8–10

1.   In V 8 möchte der Vf klarmachen, was der Heilige Geist durch diese alte Ordnung zeigen will. Leider ist aber die Bedeutung des Textes nicht ganz so deutlich. Das τοῦτο (V 8) bezieht sich nicht allein auf die zuletzt erwähnte Tatsache, das Mitnehmen von Blut als Sühnemittel für sich selbst und das Volk, sondern auf die ganze Handlung, den Zugang zum Allerheiligsten einmal im Jahr nur für den Hohenpriester (die Beschränkung wird betont durch die Stellung der Wörter in 9,7 εἰς δὲ τὴν δευτέραν ἅπαξ τοῦ ἐνιαυτοῦ μόνος . . .)[3].

Aber dem Vf geht es nicht allein um Zugang zum irdischen, sondern vor allem um den Zugang zum himmlischen Allerheiligsten, dh um den Zugang zu Gott.

1   Zu den Abweichungen oder Ergänzungen vgl *Michel* S. 29ff. Zu den zwei scheinbar getrennten Zelten vgl *O. Hofius*, Das »erste« und das »zweite« Zelt, ZNW 61 (1970) S. 271–277, der auf einen ähnlichen Sachverhalt bei Josephus hinweist, der wohl wußte, daß es in der Tat nur ein Gebäude war.
2   So mit Recht *O. Moe*, Das irdische und das himmlische Heiligtum. Zur Auslegung von Hb 9,4f, ThZ 9 (1953) S. 23–29. Vgl SyrBar 6,7; Apk 8,3; 6,9. Anders *Riehm*, Lehrbegriff S. 490; *Peake* S. 195; *Michel* S. 300f; *Billerbeck* III, S. 737; vgl auch *Bruce* S. 186 Anm. 25 u. S. 187.
3   So ua *Michel* S. 306; *Riggenbach* S. 249; *Kuss* S. 115.

Τὴν τῶν ἁγίων ὁδόν bedeutet den Weg ins Allerheiligste[4]. *Diese Bedeutung von* τῶν ἁγίων hier wird nicht nur durch die Erwähnung des anderen Teils gleich danach bestätigt (τῆς πρώτης σκηνῆς), sondern auch durch den Gebrauch in 9,12.24.25; 13,11, wo ausdrücklich auf den Eintritt des Hohenpriesters einmal im Jahr angespielt wird. Es geht bei der christlichen Hoffnung (so 6,19f) darum, zu Gott zu kommen, nicht etwa bloß darum, ins Heiligtum einzutreten[5]. 9,8 wird deutlich durch τὴν εἴσοδον τῶν ἁγίων (10,19) aufgegriffen und bedeutet, wie auch durch 10,20 deutlich wird, Eintritt ins Allerheiligste (ὁδόν . . . διὰ τοῦ καταπετάσματος, vgl 6,19). Weder hier noch in 9,8 ist τῶν ἁγίων als »Heilsgüter« zu übersetzen[6]. Auch *Käsemanns* Verständnis von τῶν ἁγίων als die Heiligen[7] ist mit Entschiedenheit abzulehnen. Der Gebrauch im Brief ist also konsequent. Τῶν ἁγίων bedeutet das Allerheiligste. Nur 9,2f steht damit im Widerspruch. Hier bedeutet Ἅγια das Heilige, und das Allerheiligste Ἅγια Ἁγίων, in Übereinstimmung mit dem Hebräischen ḳdš und ḳdš hkḳdšjm und mit der LXX: τὰ Ἅγια τῶν Ἁγίων. Offensichtlich benutzt der Vf die offiziellen Bezeichnungen hier, die in der Schilderung der Zweiteiligkeit des alten Heiligtums vorkommen (zB Ex 26,33). Sonst geht er in der Versöhnungstagtypologie von Lev 16 aus, und dort wird das Allerheiligste bloß als τὸ ἅγιον bezeichnet. Dieser Gebrauch dürfte ihn in seiner Terminologie beeinflußt haben, obwohl er dafür die Pluralform τὰ ἅγια benutzt, die als Bezeichnung für das Allerheiligste nicht unbekannt war. *Salom*[8] weist darauf hin, daß τὰ ἅγια in der LXX 97mal das ganze Heiligtum, nur einmal das Allerheiligste bedeute (vgl 6mal das Heilige). Ohne Artikel kommt ἅγια nur in 9,2 und 9,3 vor (außer 9,24, wo χειροποίητα »has the value of being definite«). In 8,2 bedeutet τὰ ἅγια das ganze Heiligtum. *Salom* möchte diese Deutung für alle anderen Stellen beibehalten, obwohl er deutlich erkennt, daß dabei oft nur an das Allerheiligste gedacht wird. Aber das Argument für seine Übersetzung, das häufige Vorkommen von ἅγια als Heiligtum, darf nicht entscheidend sein. Der Kontext von 9,11; 9,24f; 10,19 und damit von 9,8 fordert die Übersetzung »Allerheiligstes«, auch wenn man erkennen muß, daß in 8,2 sowie in 9,2f Kenntnis von anderen Bedeutungen des Wortes deutlich ist. Es ist aber vielleicht möglich, daß das Allerheiligste auch in 8,2 gemeint ist. In 9,8 aber ist diese Deutung erforderlich.

Der fehlende Zugang zu Gott ist durch den Heiligen Geist in den Satzungen der alten Ordnung schon symbolisch dargestellt (9,8). Dieses τοῦτο wird nun durch die Wendung ἔτι τῆς πρώτης σκηνῆς ἐχούσης στάσιν V 8 ergänzt. Dieser Weg ins Allerheiligste (τὴν τῶν ἁγίων ὁδόν V 8) war noch nicht offenbart worden, solange das erste Zelt seine Stelle behielt. Mit ἡ πρώτη σκηνή ist in 9,2 und 6 das »Heilige« gemeint; es muß also auch in

---

4   So ua *Delitzsch* S. 323; *Bruce* S. 194. Nach Abschluß der ersten Fassung dieser Arbeit ist *O. Hofius*, Der Vorhang vor dem Thron Gottes (WUNT 14), 1972, erschienen, der in einer eingehenden Analyse gerade die Interpretation bestätigt, die in den folgenden Seiten vorgetragen wird. Außerdem behandelt *Hofius* den Hintergrund der Vorstellung vom himmlischen Heiligtum. Zu 9,11f vgl ders. S. 65f.

5   Gegen *Michel* S. 306; ähnlich *Windisch* S. 76.

6   Gegen *O. Glombitza*, Erwägungen zum kunstvollen Ansatz der Paränese im Brief an die Hebräer 10,19–25, NovTest 9 (1967) S. 132–150, hier S. 134; *J. Swetnam*, On the Imagery and Significance of Hb 9,9–10, CBQ 28 (1966) S. 155–173; vgl ders., Hb 9,2 and the uses of Consistency, CBQ 32 (1970) S. 205–221, bes S. 217f.

7   *Käsemann*, Gottesvolk S. 19.

8   *A. D. Salom*, TA HAGIA in the Epistle to the Hebrews, Andrews University Seminary Studies 5 (1967) S. 59–70.

9,8 gemeint sein[9]. Das Vorhandensein des ersten Zeltes, also die zweiteilige Konstruktion des alten Tempels und die damit zusammenhängende Abgeschlossenheit des Allerheiligsten, ist der Beweis dafür (allegorisch), daß der Zugang zu Gott im wirklichen Allerheiligsten noch nicht offenbart worden war.

2.a) Diese Tatsache ist also παραβολή für die gegenwärtige Zeit[10]. Hierin liegt eine polemische Spitze *(9,9a)*. Das καθ᾽ ἥν (V 9b) bezieht sich auf παραβολή oder ἥτις (V 9a)[11]. Gemäß dieser alten Ordnung werden Handlungen vollzogen, die die Bedingungen für den Zugang zu Gott (κατὰ συνείδησιν τελείωσις) nicht leisten können (9,9b). Diese Ordnung bezieht sich bloß auf Speisen und Waschungen (9,10a). Im letzten Satz, *9,10b*, wird 9,1–10 abgerundet. Der alte Bund besteht also aus Satzungen, die den äußerlichen Bereich des Fleisches betreffen. Aber der Vf lehnt sie ab, offensichtlich nicht bloß aus diesem Grund. Diese Satzungen sind doch bis zu einem bestimmten Zeitpunkt auferlegt worden. Jetzt aber ist dieser Zeitpunkt erreicht worden (μέχρι καιροῦ διορθώσεως 9,10; τῶν γενομένων ἀγαθῶν 9,11), jetzt ist der Weg ins Allerheiligste offenbart worden (vgl μήπω πεφανερῶσθαι τὴν τῶν ἁγίων ὁδόν 9,8).

b) Es wird oft, veranlaßt durch das Vorkommen von καιρός (9,10 und 9,9a), der Versuch unternommen zu beweisen, daß der Vf von den zwei Äonen sprechen will.

Das richtige Verständnis von 9,9a hängt sehr von der richtigen Deutung des Zusammenhanges ab. Verschiedene Möglichkeiten bieten sich an. Wenn man ἥτις ausschließlich auf τῆς πρώτης σκηνῆς, das Heilige, bezieht, dann könnte man den Satz so auslegen, daß das erste Zelt, das Heilige, ein Bild für die Zeit und *Sphäre des Unheils* sei[12]. Das würde bedeuten, daß das Allerheiligste ein Bild für die Zeit und Sphäre des Heils sei. Damit gewinnt man ein Bild von einem Himmel und Erde umspannenden Heiligtum, das einen Vorhang hat, der sozusagen als Mauer

9 So in ihren Komm. z.St. *Riggenbach, Moffatt, Michel*; vgl auch *Ungeheuer*, Priester S. 102; *Theissen*, Untersuchungen S. 69; *Hofius*, Vorhang S. 61; die folgenden Ausleger denken eher an das Zelt des ersten Bundes und nicht an seinen ersten Teil: *Peake* S. 179; *Goppelt*, Typos S. 200f; *Cody*, Sanctuary S. 145ff, *Bruce* S. 194f. Vgl *Kuss* S. 115f.
10 Die folgenden Ausleger beziehen das ἥτις auf τῆς πρώτης σκηνῆς: *Riggenbach, Moffatt, Kuss, Michel; Ungeheuer*, Priester S. 102; *Theissen*, Untersuchungen S. 69f. *Nomoto*, Hohepriester-Typologie S. 189 und *Peake* S. 179 beziehen es auf τῆς πρώτης σκηνῆς als das erste Heiligtum als Ganzes, *Windisch, Bruce, Montefiore* auf die ganze Schilderung des Mangels der alten Ordnung. Dabei ist ἥτις durch die Nähe von παραβολή beeinflußt. Diese letzte Interpretation von ἥτις paßt am besten zum Zusammenhang. Danach ist die alte Ordnung, wie der Heilige Geist zeigt, eine παραβολή.
11 Dh die alte Ordnung in ihrem Mangel, der besonders durch das Bestehen des Heiligen ans Licht gebracht wird.
12 Die folgenden Ausleger verstehen τὸν καιρὸν τὸν ἐνεστηκότα als Zeit des Unheiles: *Riggenbach, Michel, Kuss, Montefiore*; auch *Schierse*, Verheißung S. 31; *Theissen*, Untersuchungen S. 69; *Smith*, Priest S. 105; *Käsemann*, Gottesvolk S. 145. *Ungeheuer*, Priester S. 101, und *Nomoto*, Hohepriester-Typologie S. 190 sowie *Hofius*, Vorhang S. 64 (vgl auch *Strathmann* z.St.) möchten τὸν καιρὸν τὸν ἐνεστηκότα auf die Zeit des Heils beziehen. *W. Manson* S. 132 versteht τὸν καιρὸν τὸν ἐνεστηκότα hier als Äquivalent für »die jetzige Krise«; vgl *Snell* S. 110.

zwischen Himmel und Erde dasteht[13]. Auf die Einzelheiten dieser These werden wir später eingehen[14]. Es genügt zunächst darauf hinzuweisen, daß dieser Gedanke hier vollkommen unvorbereitet wäre und in deutlichem Widerspruch zu den gleich anschließenden Versen 11f steht, nach denen das ganze Heiligtum himmlisch ist. Man könnte dann V 8f kaum so interpretieren, daß der Eintritt in den Himmel erst nach dem »Nicht-Bestehen« bzw der Abschaffung des ersten Zeltes bzw der Schöpfung erfolgen soll. Diesen Zugang haben wir aber jetzt. Wenn man ἥτις auf die alte Ordnung bezieht, dann könnte man vorschlagen, daß sie bildhaft für die Zeit des Unheils gemeint sei, zu der sie auch gehörte. Dann wirkt ἥτις παραβολὴ εἰς τὸν καιρὸν τὸν ἐνεστηκότα wie eine Parenthese und die ganze Darstellung der alten Ordnung auch in V 9bf nur als Folie. Daß sie bloß Folie sei, möchten wir bestreiten. Oder man könnte einwenden, daß sie nicht bloß eine Folie sei, sondern der Aspekt der Zeit des Unheils, mit dem der Vf sich tatsächlich auseinandersetzte. Also: die alte Ordnung sei ein Bild für die Zeit des Unheils, in der alttestamentlich-jüdische Praxis noch betrieben wird. Aber dann müßte man nicht καθ᾽ ἥν, sondern καθ᾽ ὅν erwarten, wie einige Handschriften erkennen lassen (D^c,K,L u. P lesen καθ᾽ ὅν). Das müßte man erwarten, wenn man V 9bf als Erklärung für das verstehen würde, was in der alten Ordnung als Typus dargestellt sei. Der Satz würde aber keine große Schwierigkeit bereiten, wenn man den Hinweis auf die παραβολή ausklammern könnte. Deshalb haben einige V 9a als *Parenthese* ausgeklammert[15]. Aber auch dann überwindet man die Schwierigkeit nicht ganz, wenn man noch darauf beharrt, daß τὸν καιρὸν τὸν ἐνεστηκότα die Zeit des Unheils bedeutet, in der die Handlungen von V 9bf stattfanden. Man müßte immer noch, auch nach der Parenthese, καθ᾽ ὅν erwarten.

Die Schwierigkeit ist nicht so groß, wenn man den Satz so versteht: Der zweigeteilte Tempel und der daraus zu entnehmende fehlende Zugang zu Gott ist in der jetzigen Krise ein bedeutendes Bild.

c) In 9,10 wird von der Zeit des Heils gesprochen. Aber in 9,9a liegt die Sache anders. Τὸν καιρὸν τὸν ἐνεστηκότα ist nicht technisch zu verstehen, sondern als Bezeichnung für die gegenwärtige Situation der Leser[16]. Dann signalisiert diese Bemerkung, die parenthetisch wirkt, zugleich die Weiterentwicklung der Gedankenführung. Für unsere Zeit ist dieses Bild von Bedeutung. Was nach der alten Ordnung damals und jetzt noch getan wird, kann keinen Zugang zu Gott schaffen. Das beweist die Struktur des alten Tempels selbst, die somit für unsere Situation παραβολή ist.

13 So z B *Gyllenberg,* Christologie S. 674ff; *Käsemann,* Gottesvolk S. 145; *Theissen,* Untersuchungen S. 69.

14 Dazu siehe unten S. 175ff.182f.

15 *Windisch* S. 77; *Moffatt* S. 148; vgl *H. Köster,* »Outside the Camp«: Hebrews 13,9–11, HarvThRev 55 (1962) S. 299–315, hier S. 312; *Bruce* S. 192 Anm. 49.

16 Welche Bedeutung haben V 9b und 10 für den Sitz im Leben des Briefes? Wenn hier vom alten Bund gesprochen wird, wird konkret gegen jüdische Vorstellungen oder gegen alle kultischen Veranstaltungen polemisiert? Von allgemeinen, heidnischen Satzungen könnte der Vf kaum sagen: δικαιώματα . . . μέχρι καιροῦ διορθώσεως ἐπικείμενα. Für Polemik gegen den Kultus in Jerusalem fehlen konkrete Beweise. V 10a bietet einen deutlichen Hinweis: μόνον ἐπὶ βρώμασιν καὶ πόμασιν καὶ διαφόροις βαπτισμοῖς. Gegen die jüdische Lehre, die sich mit solchen Satzungen beschäftigt, polemisiert der Vf. Das könnte eine heterodox-jüdische Gruppe sein. Jedenfalls ist hier die Verbindung zu 13,9 und zu 12,16f kaum übersehbar (dazu weiter S. 178ff u. 254ff unten). Die Beziehung von καθ᾽ ἥν auf die alte Ordnung schließt eine Deutung von V 10a auf irgendwelche christliche Praxis, wie *Theissen,* Untersuchungen S. 69f, vermutet, aus.

3. In 9,1–10 hat der Vf besonders hervorgehoben, daß nach dem Bild des alten Tempels der Zugang zu Gott und damit das Heil nicht vorhanden war. Er arbeitet hier auf zwei Ebenen. Der alte Bund funktioniert als Bild. Aber er hat Bedeutung für die jetzige Situation, weil derselbe alte Bund, den das Bild darstellt, noch selbst vorhanden ist und eine Versuchung für die Leser bietet. Während er einmal Gültigkeit hatte, ist er jetzt abzulehnen. Deshalb will der Vf auch bewußt dagegen polemisieren.

Hb 9,11–14

1. In 9,11 greift der Vf das Bild des Versöhnungstages auf und beginnt, seine Bedeutung für die jetzige Situation (so 9,9a) zu zeigen. Christus ist erschienen als Hoherpriester der guten Dinge[17], die gekommen sind. Wie die zweite Hälfte von V12 zeigt, wird hier ganz bewußt auf die Handlung des Hohenpriesters am Versöhnungstag angespielt. Deshalb ist es äußerst fraglich, διὰ τῆς . . . σκηνῆς (9,11) anders zu verstehen als von diesem Bild her, wie auch τὰ ἅγια in 9,12 ganz deutlich so zu verstehen ist[18]. Jesus ist ins Allerheiligste gegangen, wie der Hohepriester des alten Bundes es tat. Nur sind die Unterschiede von erheblicher Bedeutung; sie werden in diesen Versen (V11f) aufgezählt.

a) Zunächst fand das Ganze im *himmlischen Heiligtum* statt (διὰ τῆς μείζονος καὶ τελειοτέρας σκηνῆς οὐ χειροποιήτου, τοῦτ' ἔστιν οὐ ταύτης τῆς κτίσεως V11). Mit σκηνῆς ist wie in 8,2 an das ganze Heiligtum zu denken, nicht an das »Heilige« allein[19]. Das Gewicht liegt nicht auf den Baueinzelheiten, sondern auf der Tatsache, daß wir es hier mit dem Himmlischen zu tun haben. Mit diesem Punkt wird der Gedanke von 8,2ff aufgegriffen, der schon die Beschreibung des alten Tempels in 9,1f bestimmt (τὸ . . . ἅγιον κοσμικόν 9,1).

Für *die Deutung von* σκηνή *in 9,11f* als das Heilige würde sprechen, daß im selben Satz vom Allerheiligsten gesprochen wird, daß man durch das erste Zelt gehen mußte, und schließlich,

---

17 Wir lesen γενομένων. So auch *Bruce* S. 198 Anm. 69; die Zeit des Heils ist gekommen (so 9,10); vgl 10,1. Gegen *Michel* S. 310.

18 Für die unterschiedlich vertretene Auffassung, die σκηνῆς mit dem Leib Christi identifiziert, vgl *J. Swetnam*, »The Greater and More Perfect Tent«, Bibl 47 (1966) S. 91–106. So *Schierse*, Verheißung S. 57; *Cody*, Sanctuary S. 165; *Winter*, ἅπαξ S. 23; *Ungeheuer*, Priester S. 121ff; ähnlich *Westcott* S. 250ff; *Vanhoye*, Structure S. 157 Anm. 1, und ders., »Par le tente plus grande et plus parfaite . . .« (Hb 9,11), Bibl 46 (1965) S. 1–28, bes S. 10ff.21f; ähnlich *Smith*, Priest S. 110f. Ausführliche Kritik dieser Auslegung bei *P. Andriessen*, Das größere und vollkommenere Zelt (Hb 9,11), BZ 15 (1971) S. 76–92; vgl auch *R. Williamson*, The Eucharist and the Epistle to the Hebrews, NTS 21 (1974/75) S. 300–312, hier S. 304f; und siehe unten S. 183.

19 So *Westcott*; *Riggenbach*; *Montefiore*; *Cody*, Sanctuary S. 150.155ff; *Hofius*, Vorhang S. 65f. Gegen *Strathmann*; *Michel*; *Andriessen*, Zelt S. 84f; *B. Sandvik*, Das Kommen des Herrn beim Abendmahl im Neuen Testament (AThANT 58), 1970, S. 103ff.

daß σκηνή in 9,8 wie auch 9,2 u. 6 das erste Zelt, das Heilige, bedeutete[20]. Wäre es nicht für die Wörter μείζονος καὶ τελειοτέρας . . . οὐ χειροποιήτου, τοῦτ᾽ ἔστιν οὐ ταύτης τῆς κτίσεως, würde diese Auslegung sehr viel für sich haben. Aber durch diese Wörter wird deutlich, daß hier primär an den Gegensatz zwischen dem himmlischen und dem irdischen Tempel gedacht ist, von dem der Vf in 8,2ff ausführlich gesprochen hat und auf den er in 9,1 bewußt Bezug genommen hat. Als bewußter Gegensatz dazu (vgl 9,1 εἴχεμὲν . . . ἅγιον κοσμικόν; 9,11 Χριστὸς δὲ . . . διὰ τῆς μείζονος . . .; in 9,6 steckt kein Gegensatz zu 9,1) hebt er diese Eigenschaften hervor. Auch wenn σκηνή hier nur das erste Zelt bedeuten würde (aber hier fehlt das πρώτη von 9,2.6 u. 8), wäre nicht diese Einzelheit für sich im Vordergrund, sondern die Tatsache, daß das Heiligtum, mit dem Jesus zu tun hat, das himmlische ist. Aber das Wort σκηνή ist hier keineswegs terminus technicus für das erste Zelt[21]. In 8,5; 9,21 u. 13,10 ist deutlich das ganze Heiligtum gemeint; dasselbe gilt auch für 8,2, wo der Ort himmlischer Tätigkeit beschrieben wird. Auch in 9,11 müssen wir an das ganze Heiligtum denken. Dieses hat Christus durchschritten, als er ins Allerheiligste ging. Nicht: Nachdem er durch das Heilige gegangen war, ist er ins Allerheiligste eingetreten. Διὰ τῆς . . . σκηνῆς und δι᾽ αἵματος sind nicht mit παραγενόμενος zusammenzunehmen. Παραγενόμενος bedeutet »Christ ›arrived‹ on the scene of history« als Hoherpriester, wie *Snell* es schön paraphrasiert[22]. Die beiden Ausdrücke gehören vielmehr zu εἰσῆλθεν; und der Satz bedeutet nicht, daß aus einem Zelt ins andere gegangen wurde (eine mögliche Übersetzung), sondern daß Christus durch das himmlische Heiligtum ging, als er ins Allerheiligste eintrat.

b)   Es kommt noch hinzu, daß Jesus *mit seinem eigenen Blut* hineingegangen ist (οὐδὲ δι᾽ αἵματος τράγων καὶ μόσχων διὰ δὲ τοῦ ἰδίου αἵματος 9,12). Damit wird das betonte οὐ χωρὶς αἵματος von 9,7 aufgegriffen. Es gehört zur Typologie, daß Jesus »mit Blut« ins Allerheiligste eintrat. Deshalb gibt es keinen Grund, διά hier anders zu übersetzen, etwa »aufgrund von« oder »kraft«. Das wäre völlig unvorbereitet[23]. Der Gegensatz liegt darin, daß Jesus mit seinem eigenen Blut hineinging.

20   Diejenigen, die an das Heilige denken, versuchen, die entsprechende Realität zu identifizieren. Meist wird an die Himmel von 4,14 gedacht. So *Michel; Andriessen*, Zelt S. 87; *K. Galling*, »Durch die Himmel hindurchgeschritten« Hb 4,14, ZNW 43 (1950/51) S. 263f. *Andriessen* weist außerdem darauf hin, daß das Heilige im irdischen Tempel als Engelraum ausgestattet war (S. 84f). Deshalb sei die Erhöhung Jesu über die Engel zugleich sein Durchgang durch das Heilige. Angesichts des Desinteresses des Vf an den Einzelheiten des Tempels scheint es sehr unwahrscheinlich, daß er auf solche unerwähnten Einzelheiten anspielen wollte.
21   Gegen *Andriessen*, Zelt S. 84f.
22   *Snell*, aaO S. 111.
23   Daß eine Präposition mit demselben Kasus zwei Deutungen innerhalb eines einzigen Satzes involvieren kann, hat *O. Hofius*, Inkarnation und Opfertod Jesu nach Hb 10,19f, in: Der Ruf Jesu und die Antwort der Gemeinde (Festschrift für J. Jeremias), 1970, S. 132–141, bes S. 136, deutlich belegt. (Gegen *Westcott* S. 256; *Montefiore* S. 152f; vgl auch die Leib-Christi-Auslegungstradition Anm. 18 oben.) Διά mit σκηνῆς bedeutet »durch« im Sinne einer Bewegung. Für διά mit αἵματος wählen viele Ausleger den Sinn »mittels« oder »kraft«. So ua *Delitzsch, Westcott, Riggenbach, Michel, Montefiore, Kuss; Ungeheuer*, Priester S. 123f; *Nomoto*, Hohepriester-Typologie S. 197. Dagegen plädieren für die Übersetzung »mit«: *Windisch* S. 78; *Bertram*, Himmelfahrt S. 214f; *Büchsel*, Christologie S. 67; *V. Padolski*, L'Idée du Sacrifice de la Croix dans l'Epître aux Hébreux, 1935, S. 156; *Spicq* II S. 280; *Cody*, Sanctuary S. 170.180ff; *W. Thüsing*, »Laßt uns hinzutreten . . .« (Hb 10,22), BZ 9 (1965) S. 1–17, hier S. 8f; *Smith*, Priest S. 110; *Andriessen*, Zelt S. 82. Die Übersetzung »mit« ist bei weitem die natürlichste, wenn man an die Handlung des Hohenpriesters denkt. Der Hohepriester des alten

c)   Aber er tut das nicht einmal im Jahr, sondern *ein für allemal* (ἐφάπαξ).
Die Erlösung ist also endgültig und permanent (αἰωνίαν λύτρωσιν εὑρά-
μενον). Es ist wahrscheinlich, daß man die Einmaligkeit des Eintretens von
der Einmaligkeit des Sich-Opferns ableiten muß, die die Ewigkeit der Erlösung begründet. Das würde dem Tempus von εὑράμενος gerechter werden[24].

2.   In *V13 und 14* wird die Wirkung der Handlungen des alten Bundes auf
ihrer fleischlichen Ebene (vgl schon 9,9bf) der *Wirkung der Handlung Christi* gegenübergestellt. Die Bedingungen für den Zugang zu Gott (vgl 9,9)
sind für uns durch ihn erfüllt worden (9,14). Das war möglich, weil seine
Handlung nicht fleischliche Wirkung hatte (vgl 9,13), sondern auf geistlicher Ebene stattfand (ὃς διὰ πνεύματος αἰωνίου ἑαυτὸν προσήνεγκεν
ἄμωμον τῷ θεῷ 9,14). Es entspricht der Absicht des Vf, wenn man διὰ
πνεύματος αἰωνίου auf die geistliche Ebene hin interpretiert. Ein Hinweis
auf den Heiligen Geist, der sonst im Hb fast immer τὸ πνεῦμα τὸ ἅγιον genannt wird, wäre hier nicht zu erwarten[25]. Andererseits ist »auf geistlicher
Ebene« allein als Übersetzung nicht befriedigend, weil das Wort αἰωνίου
irgendwie zur Geltung kommen muß. Zwar sind die geistlichen Dinge ewig,
aber hier ist vielleicht besser an den ewigen Geist des Sohnes zu denken (vgl
7,16). Dadurch wurde es ihm ermöglicht, sich selbst darzubringen. Deshalb
kann seine Handlung schließlich nicht als fleischliche Handlung bewertet
werden[26].

Hb 9,15–22

1.   Im ganzen Abschnitt 9,11–14 wird also die Wirkung der Opfertätigkeit
Christi, der Zugang zu Gott, anhand der Versöhnungstag-Typologie her-

Bundes ging δι' αἵματος τράγων καὶ μόσχων, wie 9,7 betont: οὐ χωρὶς αἵματος. Daß er
»mittels« oder »kraft« dieses Blutes hinging, wird nicht hervorgehoben. Er ging διὰ bzw ἐν
αἵματι ἀλλοτρίῳ 9,25. Auch Jesus ging δι' αἵματος, nur daß es sein eigenes Blut war. Weil die
Übertragung dieses Bildes auf Jesus anstößig gewesen ist, für viele noch anstößig klingt und
weil einige daraus entnommen haben, daß die Heilstat am Kreuz noch nicht abgeschlossen sei
(vgl *Bruce* S. 201 Anm. 82), ist diese Übersetzung abgelehnt worden. Diese Schilderung ist
aber bildhaft gemeint (dazu vgl S. 189ff unten). Dazu gehören auch weitere Aussagen, die von
dem Vorhandensein des Blutes Jesu im Himmel sprechen (so 12,24). Es empfiehlt sich daher
nicht, vom natürlichen Sinn des Textes abzuweichen.
24   Vgl dazu *C. F. D. Moule*, Idiom Book of New Testament Greek, 1960, S. 100 Anm. 1. Zu
ἅπαξ und ἐφάπαξ siehe unten S. 187.
25   Gegen *F. Büchsel*, Der Geist im Neuen Testament, 1926, S. 465ff; *Bieder*, Aspekte S. 251;
vgl auch *Michel* S. 314, der wie in 7,16 an den Geist, der Jesus trägt, und nicht an eine Eigenschaft Jesu denkt; *Bruce* S. 205. Die folgenden Ausleger denken an den ewigen Geist Jesu
selbst. *Delitzsch, Westcott, Riggenbach, Moffatt, Montefiore*; auch *Riehm*, Lehrbegriff S.
526; *Cody*, Sanctuary S. 104ff; *Johnson*, Mistranslations S. 30.
26   Weil Jesus einen ewigen Geist besitzt, konnte er seinen Tod als Handlung verstehen. Er
brachte seinen Leib dar. Er konnte zugleich Opfer und opfernder Hoherpriester sein, was sonst
eine unmögliche Vorstellung wäre. Anders *Hofius*, Katapausis S. 181 Anm. 359.

vorgehoben. Im Gegensatz dazu werden in 9,15–22 andere Vorstellungen als Argument dafür herangeführt. Zunächst wird hervorgehoben, daß Jesus durch seine Handlung Mittler eines neuen Bundes geworden ist. So sind die Sünden getilgt worden, die gegen den alten Bund begangen wurden, und die als Erben Eingesetzten können das verheißene Erbe bekommen. Das Wort διαθήκη sowie der Gedanke der Erbschaft führt zu einer kurzen Ausführung über den Zusammenhang zwischen einem Todesfall und dem Erhalten einer Erbschaft (9,16f). Damit kommt in V 16f die Bedeutung von διαθήκη als Testament zur Geltung[27]. Das Bild wird nicht weit ausgeführt. Es wird nur hervorgehoben, daß der Tod Jesu nötig war, damit wir als Erben die Güter der διαθήκη bekommen konnten. Im Bild selbst spielen Sünde und Sühne keinerlei Rolle. Aber diese Ausführung paßt zur Absicht des Vf sehr gut. Hier wird nur in einer anderen Weise die Sicherheit des Heiles durch den Tod Jesu unterstrichen und zugleich ein Grund gegeben, warum Jesus sterben mußte.

2. Dieser letzte Gedanke wird in *V18ff* weiterentwickelt. Auch bei der Begründung des alten Bundes, der auch eine Erbschaft verhieß und so als Testament verstanden werden konnte, war zunächst ein Tod bzw Blutausgießen vorausgegangen (V 18). Dabei wird Bezug auf Ex 24,3.6–8 genommen (V 19–21) und Ex 24,8 in einer geänderten Form wiedergegeben, die in einer Weise an die Form der Einsetzungsworte zum Abendmahl erinnert, daß eine direkte Anspielung keineswegs auszuschließen ist (V 20)[28]. Dieser Bezug auf das AT mündet in die Aussage, daß in der Tat nach dem Gesetz alles durch Blut gereinigt wird und daß ohne Blutausgießen keine Vergebung möglich ist (V 22; vgl Mischna Joma 5; Zeb 6).

Hb 9,23–28

1. *V23* schließt eng an V 22 an. Wenn es nötig war, daß die Kopien der himmlischen Dinge mit solchen Bluthandlungen gereinigt wurden, dann müssen die himmlischen Dinge selbst durch bessere Opfer als diese gereinigt werden (V 23). Auch wenn man erkennt, daß κρείττοσιν θυσίαις Plural der Kategorie ist[29], bleibt die Schwierigkeit, was mit τὰ ἐπουράνια gemeint ist. Sind diese Wörter buchstäblich zu verstehen? Welche himmlischen Dinge müssen gereinigt werden? Ist der Vf mit seiner Typologie so weit gegangen, daß er etwa von einer Reinigung des himmlischen Heiligtums spricht? Das halten wir für sehr unwahrscheinlich. Sonst spricht er nur von einer Reinigung der Menschen. Vielleicht erklärt sich das τὰ ἐπου-

---

27 Dazu vgl *Michel* S. 317f; *Bruce* S. 210ff.
28 So *Windisch, Kuss, Michel, Montefiore*; auch *Lohse*, Märtyrer S. 177 Anm. 5; *Theissen*, Untersuchungen S. 72; vgl vor allem *Riggenbach* S. 278 Anm. 54. Vgl Mk 14,24; vgl auch Mt 26,28; Lk 22,20; 1Kor 11,25.
29 *Michel* z.St.

ράνια daraus, daß die Menschen zum Himmel berufen sind (3,1; vgl 9,15) und so als zum Himmel gehörig angesehen werden[30].

2. Dieser bemerkenswerte Gegensatz zwischen Himmlischem und Irdischem ist zwar keineswegs unvorbereitet, kommt aber sehr überraschend. Es ist deshalb nicht erstaunlich, daß der Vf zunächst gerade den himmlischen Aspekt des neuen Bundes weiter erklären will. Dazu dient V24. Christus ist nicht in ein irdisches Heiligtum eingetreten, sondern in den Himmel selbst. Der Vf geht über die Versöhnungstagtypologie hinaus und weist auch auf die jetzige Fürsprechertätigkeit hin.

3. In V25 wird das Thema des Opferns, das in V23 angesprochen wurde, aufgegriffen und dabei auf den Eintritt ins Allerheiligste (V24a) Bezug genommen. Die Überlegenheit des Opfers des neuen Bundes (vgl κρείττοσιν θυσίαις V23) liegt in seiner Einmaligkeit sowie in der Tatsache, daß Jesus sich selbst dargebracht hat (οὐδ᾿ . . . πολλάκις . . . κατ᾿ ἐνιαυτὸν ἐν αἵματι ἀλλοτρίῳ). Nach dieser negativen Formulierung in 9,25.26a, die eng in die Versöhnungstagstypologie eingebettet ist und von dem Eintritt Jesu ins himmlische Heiligtum spricht, wendet sich der Vf in 9,26ff von der Typologie ab. Hier wird zwar in V26b noch von einem Opfer gesprochen, dabei aber nicht von einem Eintritt ins Allerheiligste, sondern nur davon, daß Jesus ein für allemal am Ende der Zeit zur Beseitigung der Sünden durch sein Opfer erschienen ist. So werden dann anschließend der Sühnetod Jesu und Jesu Wiederkehr in einen anderen Rahmen gestellt, und zwar in Vergleich zum Tod und Gericht eines Menschen. Das zweite Mal erscheint er für unser Heil. So wird am Ende des Kapitels also nochmals die Sicherheit des Heils hervorgehoben und mit dem Sühnetod begründet. Im ganzen Abschnitt 9,15–28 ist nur indirekt eine polemische Absicht zu spüren (vgl V23.25f).

Hb 10,1–18

1. Die polemische Spitze allerdings folgt in 10,1ff. Dieser Abschnitt 10,1–4 ist kaum anders als polemisch zu verstehen. Einerseits ist das Gesetz nur ein Schatten der zukünftigen und wirklichen Güter. Damit ist das Gesetz nicht unbedingt grundsätzlich abzulehnen. Vielleicht ist nur gemeint (wie zB in 9,10), daß die Kopien jetzt aufzugeben sind, weil die wirklichen und zukünftigen Güter zugänglich sind. Daß die Opfer Bedingungen für den Zugang zu Gott nicht schaffen konnten, wird andererseits weiter aus rein rationalen Gründen herangezogen (V2f). Und schließlich wird das Mittel selbst attackiert (V4).

30 Zu den verschiedenen Versuchen, diesen Text zu interpretieren, vgl Michel z.St. Wenn man im Auge behält, daß die Gewissen der Menschen zur geistlichen Welt und durch Berufung zur himmlischen Welt gehören, könnte man sich vorstellen, daß der Vf das Objektive und Persönliche ineinander übergehen läßt und von einer Reinigung des Himmlischen sprechen kann und damit hauptsächlich nicht Tempelgegenstände, sondern Menschen meint.

2. Jesus aber kündigte seine Handlung mit den Worten aus Ps 40 an[31], als er in die Welt eintrat *(10,5ff)*. Die Ausführungen in 10,1–4 machen eine Erklärung unnötig, warum die verschiedenen Opfer abgelehnt werden (V 8). Diese Ablehnung und die Ankündigung Jesu, daß er gekommen ist, um Gottes Willen zu tun, wird in V 9 als endgültige Abschaffung der alten Ordnung verstanden. Aber nicht das Darbringen von Opfern selbst wird abgelehnt oder als Handlung in Frage gestellt. Das Tun des Willens Gottes wird nicht gegen Opferhandlungen ausgespielt. Die alten Opfer gefallen Gott nicht, weil sie unwirksam sind (vgl 10,3f)[32]. Jesus Christus hat Gottes Willen getan: er hat seinen Leib als Opfer dargebracht, und das ein für allemal (10,10).

3. In Gegensatz zu diesem ἐφάπαξ am Schluß von V 10 werden in dem sich anschließenden Vers die Handlungen der Priester gestellt[33]. Diese werden nie fertig und bringen sowieso nur unwirksame Opfer dar *(10,11)*. Jesus aber brachte ein einzig wirksames Opfer dar und setzte sich danach für immer (vgl Ps 110,4) zur Rechten Gottes, um auf seinen endgültigen Sieg zu warten, der zugleich die Hoffnung der Christen ist *(10,12f)*. Die Wirkung dieses einmaligen Opfers wird zusammenfassend betont (V 14), sogar als Zeichen des neuen Bundes *(V 15–17)*. Damit wird Jer 31 nochmals aufgegriffen und die lange Ausführung (9,1 bzw 8,7–10,18) abgerundet. Aber auch in diesen letzten Zeilen der Argumentation bemüht sich der Vf nochmals darum, die negative Bedeutung dieser Feststellung polemisch zu unterstreichen (V 18).

Hb 9,1–10,18 – Zusammenfassung

1. Wenn wir diese *lange Ausführung als Ganzes* überblicken, so ist festzustellen, daß das eigentliche *Thema* die Sicherheit der Vergebung der Sünde durch die Heilstat Jesu, also die Sicherheit des Heils, des Zugangs zu Gott, ist[34]. Daneben ist auch die Absicht deutlich zu erkennen, den alten Bund zu entwerten[35]. Am Anfang der Argumentation steht die Versöhnungstagtypologie (9,1–14), aber diese Typologie beherrscht keineswegs die Argumentation des ganzen Abschnittes 9,1–10,18. Schon die Gegensätze in 9,13–14 stammen nicht alle aus dieser Typologie[36]. Das wird besonders klar in 9,15–17, wo der Testamentsgedanke im Vordergrund steht,

---

31 Dazu siehe *Schröger*, Schriftausleger S. 172ff.

32 Die Nutzlosigkeit der alten Opfer wird hier nicht im fehlenden Engagement der Beteiligten, der Opfer selbst, gesehen (anders als bei den Propheten – dazu *von Rad*, Theologie I S. 380), sondern in der fleischlichen Natur.

33 Wir lesen ἱερεύς. Dazu siehe *Michel* S. 340.

34 Das wird durch die ganze Passage immer wieder deutlich; vgl 9,8.9.11f.14.15.28; 10,1.10.14.

35 Vgl 9,8f; 10,1.9.11.18.

36 So der Hinweis auf die Zeremonie der roten Kühe in 9,13; vgl *Michel* S. 313 Anm. 1; *Bruce* S. 202.

und auch in 9,18–22, wo, obwohl auf die Wirkung des Blutes angespielt wird, ein anderer atlicher Typus als der Versöhnungstag, nämlich die Einweihung des alten Bundes, aufgenommen wird. Erst in 9,23–26a kommt die Versöhnungstagtypologie wieder zum Tragen, aber gleich danach in 9,26b–28 wendet sich der Vf Vorstellungen zu, die in einer anderen Weise vom Sühnetod sprechen. Die Versöhnungstagtypologie liegt sicherlich hinter der Ausführung über die Wirksamkeit von Opfern in 10,1–4 (vgl κατ' ἐνιαυτόν V 1), aber schon hier und besonders in den folgenden Versen, die von Ps 40 ausgehen (10,5–10), und auch im letzten Teil des Abschnittes (10,11–18), kommen direkte Anspielungen auf den Versöhnungstag nicht mehr vor, sondern es wird mehr allgemein von den Opferhandlungen des alten Bundes gesprochen. Einerseits muß klar gesehen werden, daß diese Typologie eine wichtige Rolle in den Gedanken des Vf in 9,1–10,18 spielt; andererseits darf ihre Besonderheit nicht so weit hervorgehoben werden, daß sie als eigentliches Thema oder vorherrschender Gedanke dieses Abschnittes bezeichnet wird.

2. Die Absicht des Vf ist klar. Die einzelnen Teile dieses Abschnittes unterstützen sein Thema und weisen teils aufeinander hin, aber sie bilden zusammen kaum eine gradlinige Gedankenführung, weder als die Entwicklung einer Typologie noch als die Entwicklung des Themas selbst, sondern sie bieten, jeder von einem anderen Angelpunkt aus, einen weiteren Grund für die Sicherheit des Heils.

Ehe wir uns anderen Stellen im Hb zuwenden, möchten wir eine kurze Darstellung der *Argumentationsweise* des Vf in 9,1–10,18 geben, die zur Erläuterung der *Gegensätze* dienen soll. Wir gruppieren die Argumente in vier Teile.

a) Erstens liegt uns die »himmlisch-irdische« Argumentation vor. Dieser Gegensatz wird vor allem mit Bezug auf die Heiligtümer gebraucht (»das irdische Heiligtum« 9,1; »durch das größere und vollkommenere Zelt, das nicht mit Händen gemacht ist, das heißt nicht zu dieser Schöpfung gehört« 9,11, vgl schon 8,2: »das der Herr errichtet hat, und nicht ein Mensch«, 8,5: »dem Abbild und Schatten des Himmlischen«). Hiermit verwandt ist die Wirklichkeit-Schatten-Argumentation (»die Abbilder der himmlischen Dinge« 9,23; auch »mit Händen gemachtes . . . Abbild des wahrhaftigen – den Himmel selbst« 9,24; »den Schatten der zukünftigen Güter – die Gestalt der Dinge selbst« 10,1; vgl auch 8,5: »dem Abbild und Schatten«). Wie 9,23 deutlich zeigt, gehört dieser Gegensatz hauptsächlich zur »himmlisch-irdischen« Argumentation.

b) Zweitens haben wir die »fleischlich-geistliche« Argumentation. Hier kann man von zwei Ebenen sprechen, sowohl was die Mittel als auch den Wirkungsbereich betrifft: »Satzungen des Fleisches« und »beziehen sie sich doch nur auf Speisen und Getränke und verschiedene Waschungen« 9,10; vgl auch »mit Blut von Böcken und Kälbern« (T) 9,12 – »das mit seinem eigenen Blut« (T) 9,12; »das Blut von Böcken und Stieren« und »Asche einer Kuh« 9,13; vgl 10,4 – »das Blut des Christus« 9,14; »zur Reinigung des Fleisches« 9,13 – »unser Gewissen reinigen« 9,14; vgl 9,9. Darunter könnte man auch die Gegensätze in c. 7 einordnen: die sterblichen Menschen des Gesetzes – das unzerstörbare Leben nach der neuen Ordnung (7,8.16.23f.28).

c) Drittens existiert die »heilsgeschichtliche« Beweisführung. Gott hat den alten Bund angeordnet, aber nur für eine gewisse Zeit bis zur Zeit des Heils, die jetzt eingetreten ist. Deshalb ist der alte Bund jetzt abzulehnen: Es handelt sich um »Satzungen des Fleisches, die bis auf die Zeit einer besseren Ordnung auferlegt sind« 9,10 – »Christus aber ist erschienen: Hoherpriester der Güter« (T) 9,11; vgl »daß der Weg ins Allerheiligste noch nicht offenbar geworden ist« (T) 9,8. So kann man in der Tat von zwei Bundesschlüssen Gottes sprechen, der zweite ersetzt den ersten (»zum Erlaß der unter dem ersten Bund geschehenen Übertretungen« 9,15; »er hebt das Erste auf, um das Zweite in Geltung zu setzen« 10,9; vgl 7,22; 8,6).

d) Viertens gibt es die *rationalen Argumente*, die aber sehr verschieden sind. So werden Einzelheiten der alten Ordnung aufgegriffen und als Argumente gegen diese Ordnung gebraucht. So beweist die Zweiteiligkeit, daß in der Tat der Zugang zu Gott für alle nicht möglich war (9,8). Vor allem wird die Wiederholung der Opferhandlungen so ausgewertet (»ein für allemal« 9,12, deshalb »ewige Erlösung«; nicht »häufig«, »jährlich«, sonst müßte Jesus immer wieder sterben 9,25f, sondern »einmal«; Wiederholung beweist Ineffektivität: 10,2; vgl »so wird ein früher gegebenes Gebot außer Kraft gesetzt, weil es schwach und nutzlos war« 7,18f und 7,11; sogar schlimmer: Wiederholung bedeutet »jährliche Erinnerung an die Sünden« 10,3; die Priester wiederholen dieselben Opfer täglich und werden deshalb nie fertig, 10,10ff; vgl ähnlich 7,27). Jesus nimmt sein eigenes Blut (9,12 u. 25), nicht das eines anderen und vor allem nicht das eines Tieres. Wie konnte das die Sünde tilgen? (»unmöglich kann ja doch Blut von Stieren und Böcken Sünden wegnehmen« 10,4; das dient als Grundlage für die Interpretation von Ps 40: »Opfer und Gaben, Ganzopfer und Sündopfer hast du nicht gewollt und keinen Gefallen daran gehabt« 10,9). Wenn es nun Vergebung gibt, bleibt kein Platz für Sühnopfer mehr (10,18). Ähnliche rationale Argumente findet man auch in c. 7 u. 8 (die Priorität und Überlegenheit der Ordnung Melchisedeks 7,4ff; Änderung des Priestertums bedeutet Änderung und Abschaffung des Gesetzes 7,11ff.18f; die Verheißung des Neuen ist schon die Abwertung des Alten 8,7ff u. 13 usw).

Diese *Argumentationsprinzipien* stehen oft nebeneinander im selben Satz (so in 9,11 die vier Gegensätze: Zeiterfüllung, Zelt, Blut, Einmaligkeit). Sie können einander ergänzen. So fallen Vertikale und Horizontale in 10,1 zusammen: die alten Güter wurden lediglich als Abbilder der neuen und himmlischen gegeben. Eine eingehende Analyse würde aber die folgenden Fragen stellen: wenn der alte Bund von Gott gegeben wurde, warum hat er ihn gegeben, wenn er nur schattenhaft und nicht wirksam war? War das nun »geziemend«? Eine einheitliche Haltung gegenüber dem alten Bund hat der Vf eigentlich nicht. Es handelt sich für den Vf um zwei Fronten. Einerseits bemüht er sich um Kontinuität zwischen dem alten Bund der heiligen Schrift und den Gemeinden des neuen Bundes. Andererseits möchte er die andauernde Manifestation des alten Bundes in der Umgebung dieser Gemeinden aufwerten. Er hält daran fest, daß der alte Bund von Gott gegeben wurde. Die Sünden dagegen müssen durch Christus getilgt werden (9,15). Gott hat auch damals gesprochen (12,18ff). Seit dem Eintreten des neuen Bundes hat der alte keine Gültigkeit mehr. Die »heilsgeschichtliche« Argumentation ist deutlich. Aber die Sache wird schwierig, wenn man die anderen Argumente dazunimmt. Die alten Güter waren nur Abbilder der himmlischen und lediglich typologisch bedeutsam für die kommenden. So konnte der Vf von seinem Standpunkt aus urteilen. Wenn er sich auch hauptsächlich mit der Fortsetzung des Alten zu seiner Zeit beschäftigte, kann man verstehen, daß er in seiner Polemik auch andere solche Argumente heranführte. Die alte Ordnung betraf nur das Äußerliche; aber damit meinte er mehr, nämlich: diese Ordnung betrifft nur das Äußerliche. Ihm geht es um die gegenwärtige Situation. Erst dann ist es möglich, seine scharfen Attacken zu verstehen. Das Problem, wie Gott damals eine solche mangelhafte Ordnung einführen konnte, behandelt er überhaupt nicht. Das ist nicht seine Perspektive. Wenn man seine Argumente zusammennehmen würde, um eine Antwort darauf zu geben, müßte sie ungefähr so lauten: Gott hat unseren Vätern einen mangelhaften Bund gegeben, durch den seine Gebote bekannt wurden, der aber nicht imstande war, das Heil zu ermöglichen, sondern nur im voraus darzustellen. Trotzdem hofften die alten Heiligen auf das verheißene Heil, das erst in unserer Zeit offenbart und von ihnen erlangt worden ist.

Der Sühnetod Jesu im übrigen Brief

1. Wir wollen jetzt einen Blick auf *andere Texte im Brief* werfen, *die vom Sühnetod Jesu sprechen*, besonders im Zusammenhang mit der Hohenpriestervorstellung. Nach 1,3d, der in dieser kultischen Form sehr wahrscheinlich vom Vf stammt und im unmittelbaren Zusammenhang nicht aufgegriffen wird, und den Aussagen in *2,9.10 u. 14f*, die der Argumentation des Vf dienen, nicht aber selbst ihr Ziel sind, kommt erst in 2,17 eine Erwähnung der Opfertätigkeit Jesu, und zwar in unmittelbarem Zusammenhang mit dem Hohenpriestertitel. Aber auch hier spielt der Gedanke, der in 2,17 neben anderen vorkommt, keine unmittelbare Rolle in der Argumentation des Kontextes. Was man nach den Ausführungen über die Opfertätigkeit des alten Hohenpriesters *(5,1–3)* vielleicht erwarten würde, nämlich eine Darstellung des Sühnopfers Jesu, kommt in *5,7–10* noch nicht vor. Ein Stück der Tempeltypologie begegnet sicherlich in *6,19f*. Hier wird hervorgehoben, daß Jesus schon im Allerheiligsten bzw vor Gott ist (vgl 9,24b), was für uns die Hoffnung bedeutet, daß auch wir eintreten werden. Von einer Opfertätigkeit ist aber nicht unmittelbar die Rede. In *7,27* kommt die Versöhnungstagtypologie ganz deutlich vor, aber es steht nur die Tatsache im Vordergrund, daß Jesus seine Opfertätigkeit ein für allemal abgeschlossen hat (vgl 10,11ff), über die erwähnten Einzelheiten des Opfers allerdings wird nichts weiter gesagt. Auch in *8,3f* geht es noch nicht um die Bedeutung des Opferns, vor allem nicht um das Sühnopfer. Hier wird nur hervorgehoben, daß Jesus ein Diener des himmlischen Zeltes ist. Daher ist deutlich, daß erst mit 9,1ff die Sicherheit des Heils durch den Sühnetod zum eigentlichen Thema gemacht wird. Bis zu diesem Punkt ging es fast ausschließlich darum, die Sicherheit des Heils durch die Stellung und Tätigkeit des Erhöhten hervorzuheben.

2. Gleich nach *9,1–10,18* folgt ein langer paränetischer Satz, der durch eine knappe Zusammenfassung der bisherigen christologischen Erläuterungen eingeleitet wird. Einerseits wird die Zutrittsmöglichkeit in das Allerheiligste hervorgehoben (10,19f vgl 9,8), andererseits wird auf den jetzigen großen Priester über dem Haus Gottes hingewiesen *(10,21)*, eine Aussage, die an 3,6 erinnert (Χριστὸς δὲ ὡς υἱὸς ἐπὶ τὸν οἶκον αὐτοῦ) und allgemein das Thema von 2,6–8,13 aufgreift. Daß *10,19f* das Thema von 9,1–10,18 zusammenfassend aufnimmt, ist ganz deutlich. Was im alten Bund nicht möglich war (μήπω πεφανερῶσθαι τὴν τῶν ἁγίων ὁδόν 9,8), ist jetzt möglich (ἔχοντες ... παρρησίαν εἰς τὴν εἴσοδον τῶν ἁγίων 10,19). Diese Hoffnung (vgl 6,18f ἐλπίδος ... ἥν ... ἔχομεν εἰσερχομένην εἰς τὸ ἐσώτερον τοῦ καταπετάσματος) ist uns als Recht geschenkt worden und wird unsere Zuversicht (10,19 ἔχοντες ... παρρησίαν)[37].

---

37 So ua H. *Schlier*, Art. παρρησία, ThWNT V, S. 869ff, hier S. 882; *Riggenbach* S. 310; *Windisch* S. 93; *Grässer*, Glaube S. 109. Dieses Recht ist zugleich Grundlage für unsere Zuversicht. So *Käsemann*, Gottesvolk S. 23; *Michel* S. 344; *Bruce* S. 244.

Dieses Recht wurde durch das Blut Jesu (ἐν τῷ αἵματι Ἰ. 10,19) begründet, wie der Vf ausführlich gezeigt hat. Aber der Satz hört mit diesem Thema nicht auf, sondern führt in 10,20 weiter: (τὴν εἴσοδον) . . . ἣν ἐνεκαίνισεν ἡμῖν ὁδὸν πρόσφατον καὶ ζῶσαν διὰ τοῦ καταπετάσματος, τοῦτ' ἔστιν τῆς σαρκὸς αὐτοῦ). Ἥν bezieht sich auf τὴν εἴσοδον[38], das weiter durch ὁδὸν πρόσφατον καὶ ζῶσαν erläutert wird. Ἐνεκαίνισεν erinnert an die Einweihung des alten Bundes durch Mose in 9,18ff (vgl ὅθεν οὐδὲ ἡ πρώτη χωρὶς αἵματος ἐγκεκαίνισται V 18). Daß der neue Bund als ein Weg geschildert wird, ist nicht neu, sondern greift den Gedanken über den Weg ins Allerheiligste auf, der schon in 6,19 und 9,8 vorkommt. Wir haben Zutritt ins Allerheiligste zu Gott (ἔχοντες . . . παρρησίαν εἰς τὴν εἴσοδον τῶν ἁγίων 10,19). Um beim Bild zu bleiben, schreibt der Vf, daß der Weg durch den Vorhang geht (ὁδόν . . . διὰ τοῦ καταπετάσματος 10,20). Wie ist dieser Satz gemeint? Etwa daß wir einen Weg durch die himmlischen Bereiche haben? Daß der Vf den Satz nicht so buchstäblich meint, wird zunächst schon durch die beiden Wörter πρόσφατον und ζῶσαν deutlich. Ein Weg kann πρόσφατος sein, aber ζῶσα nur im übertragenen Sinn. Der Weg wird als lebendiger Weg beschrieben, weil er zum Leben führt[39].

a) Aber wie kann der Weg des neuen Bundes *durch einen Vorhang* führen? Der Vf möchte dies weiter erklären und fügt hinzu: τοῦτ' ἔστιν τῆς σαρκὸς αὐτοῦ. Worauf bezieht sich das τοῦτ'? Am nächsten liegt καταπετάσματος; τῆς σαρκὸς αὐτοῦ könnte also als Apposition oder als erklärender Genitivus verstanden werden. Versuchen wir, den lokalen Sinn von διά zu behalten und damit den Weg im buchstäblichen Sinn zu verstehen, so haben wir einen Weg, der durch Jesu Fleisch als Vorhang führt. Was könnte das bedeuten? Wenn in dem Satz einfach »durch Fleisch« und nicht »sein Fleisch« gelesen würde, dann wäre vielleicht an »Fleisch« als Hindernis zwischen Menschenseelen und Gott zu denken. Eine solche Interpretation ist schon versucht worden, indem zunächst an Jesu Durchschreiten oder Ablegen seines eigenen Fleisches gedacht wurde, das zugleich als die Beschaffung eines Weges für ihn aufgefaßt wurde, den schließlich auch wir gehen können[40].

Diese Interpretation ist deshalb nicht überzeugend, weil sie zu viele Schritte vom Text selbst zur eigentlichen Bedeutung voraussetzt. Diese sind: Wir haben einen Weg durch den Vorhang, dh sein Fleisch. Jesus ging »durch« sein Fleisch, als er starb, bzw als er es ablegte. Durch

---

38 Nicht auf παρρησίαν, gegen *Riggenbach* S. 313.
39 So *Lünemann* S. 327; *A. Seeberg* S. 113; *Kuss* S. 155; *Hofius*, Inkarnation S. 136. Vgl νεκρῶν ἔργων (6,1; 9,14), Werke, die zum Tode führen. Daß hier auf die Auferstehung Christi angespielt wird, wie in ihren Komm. z.St. *Westcott, Riggenbach, Strathmann, Michel* vorschlagen, ist unwahrscheinlich. Vgl Joh 14,6.
40 So in ihren Komm. z.St. *Riggenbach, Windisch, Michel*; vgl auch *Käsemann*, Gottesvolk S. 146f; *Lohse*, Märtyrer S. 172 Anm. 1; *Grässer*, Glaube S. 37 Anm. 132; *Schröger*, Gottesdienst S. 170. Den Satzteil τοῦτ' ἔστιν τῆς σαρκὸς αὐτοῦ als Glosse auszuscheiden, wie *Buchanan* S. 168 und *Schenke*, Erwägungen S. 427 es tun, bedeutet, die Herausforderung des Textes zu leicht zu umgehen, und findet keinen Grund in der Textüberlieferung.

das Ablegen seines Fleisches hat er nach *Käsemanns* Interpretation einen Weg für uns eröffnet[41], bzw er hat dadurch eine Bresche in die Mauer geschlagen[42]. Durch sein Fleisch bzw
durch das Ablegen seines Fleisches ist für uns der Weg freigemacht. Aber hier erkennt man
deutlich, daß die Erklärung erhebliche Komplikationen mit sich bringt. Ist der Vorhang die
Mauer, wenn wir »durch sein Fleisch« gehen? Ist das im Text enthalten? Oder muß man nicht
doch schließlich das kombinierte Mauer-Vorhang-Bild aufgeben und auf die Sühnetätigkeit als
Verbindungsglied zwischen seinem Durchgang und unserem zurückkommen? Dann hat man
aber διά nicht lokal verstanden. Beide Linien dieser exegetischen Tradition, die des Ablegens
und die des Brescheschlagens, kommen letztes Endes um dieses Problem nicht herum. Außerdem zeigt der Gebrauch von καταπέτασμα in 6,19 im christologisch-soteriologischen Kontext
keinerlei Spuren einer solchen Auffassung. Hinzu kommt, daß diese in 10,20 ein neuer Gedanke wäre, der kaum in den Zusammenhang hineinpaßt und in dieser undeutlichen Form
überraschen würde.

b) Wenn man nicht darauf beharrt, daß διά mit τῆς σαρκὸς αὐτοῦ unbedingt lokal zu verstehen ist, gibt es verschiedene Möglichkeiten. Eine Doppeldeutigkeit desselben Wortes διά wäre nicht allzu ungewöhnlich, wenn
man den Doppelgebrauch in 9,11f und den Gebrauch von διαθήκη im Auge
behält[43]. Häufig ist auf das Zerreißen des Vorhanges im herodianischen
Tempel nach Mk 15,38 hingewiesen worden, als Jesus starb[44]. In unserem
Satz werde darauf angespielt, daß durch den Tod Jesu der Weg durch den
Vorhang zu Gott ermöglicht werde. Aber daß unser Vf diese Tradition gekannt hat und sie sogar so verstanden hat, läßt sich nicht beweisen. Auch die
Vorschläge, das Fleisch bzw die Inkarnation ermögliche Jesu Offenbarung
wie ein durchsichtiger Vorhang, sind abzulehnen, weil damit fremde Gedanken in den Zusammenhang eingetragen werden[45]. Die einfachste Alternative ist, διά . . . τοῦτ' ἔστιν τῆς σαρκὸς αὐτοῦ als »durch sein Fleisch«
bzw »durch seinen Sühnetod« als Parallele zu ἐν αἵματι 'Ιησοῦ in 10,19 zu
verstehen[46]. Durch sein Fleisch hat er uns einen Weg durch den Vorhang
ermöglicht. Diese Übersetzung wäre nicht unmöglich, wie vor allem *Hofius*

41 So ua *Riggenbach* z.St.
42 So *Käsemann*, aaO; *Schenke*, Erwägungen S. 426; vgl *Wilson*, Gnosis S. 36ff.
43 Vgl *N. H. Young*, τοῦτ' ἔστιν τῆς σαρκὸς αὐτοῦ (Hebr 10,20): Apposition, Dependent
or Explicative?, NTS 20 (1973/74) S. 100–104.
44 So *Nomoto*, Hohepriester-Typologie S. 195; *A. A. K. Graham*, Mark and Hebrews, in:
StEv IV = TU 102 (1968) S. 410–416. Vgl auch in ihren Komm. z.St. *Moffatt, Bruce, Spicq*;
auch *Büchsel*, Christologie S. 68. Es ist außerdem nicht sicher, daß in Mk 15,38 an den Vorhang zwischen dem Allerheiligsten und dem Heiligen gedacht ist. Vgl *Andriessen*, Zelt S. 79;
E. Best, The Temptation and the Passion (NTSMonSer 2), 1965.
45 Gegen *Williamson* S. 100. Vgl auch *N. Dahl*, A New and Living Way, Interpr 5 (1951) S.
401–412, hier S. 405; *C. Schneider*, Art. καταπέτασμα, ThWNT III, S. 632.
46 So *J. Jeremias*, Hebräer 10,20: τοῦτ' ἔστιν τῆς σαρκὸς αὐτοῦ, ZNW 62 (1971) S. 131;
vgl *Bruce* S. 247. *Hofius*, Inkarnation S. 134, wie vor ihm *Käsemann*, Gottesvolk S. 146f;
Grässer, Glaube S. 37 Anm. 132; *E. Schweizer*, Art. σάρξ, ThWNT VII, S. 143, bezieht σαρκὸς nicht auf den Sühnetod, sondern auf die Inkarnation. Dagegen *Jeremias*, aaO S. 131 Anm.
3. Die Auffassung, daß der Vf das Wort σῶμα für das Selbstopfer Jesu reserviert, übersieht die
Nachwirkung der Zitation von Ps 40 an den betreffenden Stellen (10,10; vgl 10,5).

gezeigt hat[47]. Sie wäre aber ungewöhnlich. Aber so wäre der echte Charakter von 10,19f als Zusammenfassung bewahrt, ohne fremde Gedanken in den Text hineinzutragen[48]. Neben dieser Lösung muß aber auch eine Beziehung des τοῦτ' ἔστιν-Satzes auf ὁδὸν πρόσφατον einen Anspruch darauf haben, als ursprünglicher Sinn der Worte des Vf in Erwägung gezogen zu werden.

Die größte Schwierigkeit bei *Hofius' Lösung*[49] ist, daß sie nicht nur voraussetzt, daß διά zwei verschiedene Bedeutungen im selben Satz haben kann – das ist möglich –, sondern daß, während in seinen Beispielen διά zweimal vorkommt, hier διά nur einmal vorkommt und das zweite in der Aussage τοῦτ' ἔστιν τῆς σαρκὸς αὐτοῦ nur vorausgesetzt wird. Durch dieses τοῦτ' ἔστιν ist aber die Verbindung zwischen der ersten Wendung διὰ τοῦ καταπετάσματος und der zweiten (διὰ τοῦ) καταπετάσματος sehr eng. Die Lösung von *Hofius* setzt voraus, daß man τοῦτ' nicht auf (διὰ τοῦ) καταπετάσματος bezieht, sondern auf den ganzen Satz ἥν . . . καταπετάσματος oder genauer auf das Verbum ἐνεκαίνισεν, wie ἐν τῷ αἵματι 'Ιησοῦ sich auf den ganzen Satz V 19 oder genauer auf τὴν εἴσοδον bezieht, weil danach διά vollkommen anders verstanden wird und σαρκός mit καταπετάσματος überhaupt nichts zu tun hat. Jesus hat einen neuen und lebendigen Weg für uns durch den Vorhang geschaffen, das heißt durch seinen Sühnetod. Hier müßte man aber τοῦτ' ἔστιν διὰ τῆς σαρκὸς αὐτοῦ erwarten, weil τοῦτ' ἔστιν nach dieser Darstellung von διὰ τοῦ καταπετάσματος ganz unabhängig ist.

Es ist nicht sehr weit von dieser Auslegung entfernt, τοῦτ' ἔστιν τῆς σαρκὸς αὐτοῦ nicht als τοῦτ' ἔστιν διὰ τῆς σαρκὸς αὐτοῦ auf ἐνεκαίνισεν, sondern ohne Ergänzung auf ὁδόν zu beziehen[50]. Danach sei διὰ τοῦ καταπετάσματος nicht betont, sondern nur ein anderer Ausdruck für (τὴν εἴσοδον) τῶν ἁγίων (V 19). Der Weg seines Fleisches sei der Weg, den er durch die Aufnahme von Fleisch oder durch die Hingabe seines Fleisches eröffnet hat. Man könnte weiter ergänzend sagen: mit τοῦτ' ἔστιν τῆς σαρκὸς αὐτοῦ soll auch die merkwürdige Vorstellung von einem lebendigen Weg erklärt werden. Wenn man fragt: was ist grundsätzlich neu in diesem V 20, was steht im Mittelpunkt, dann ist ohne Zweifel richtig, daß der neue und lebendige Weg Novum ist. Gegen diese Auffassung spricht nur die Stellung von διὰ τοῦ καταπετάσματος, die ὁδὸν πρόσφατον καὶ ζῶσαν so weit von τοῦτ' ἔστιν τῆς σαρκὸς αὐτοῦ trennt.

Ohne Zweifel bieten beide Lösungen eine Erklärung, die inhaltlich zu den Gedanken des Vf in den vorausgegangenen Ausführungen sehr gut paßt, besser als alle Erklärungen, die σαρκός direkt auf καταπετάσματος beziehen. Beide bereiten aber sprachliche Schwierigkeiten. Die erste, weil man τοῦτ' ἔστιν διὰ τῆς σαρκὸς αὐτοῦ erwarten würde (vgl Röm 7,18 οἶδα γὰρ ὅτι οὐκ οἰκεῖ ἐν ἐμοί, τοῦτ' ἔστιν ἐν τῇ σαρκί μου; vgl Apg 19,4).*Hofius* weist aber auf Just Dial 118,3 διὰ τῆς κλήσεως τῆς καινῆς καὶ αἰωνίου διαθήκης τοῦτ' ἔστιν τοῦ Χριστοῦ[51] als Beweis für eine ähnliche Konstruktion hin. Gegen die zweite Interpretation spricht die Stellung von διὰ τοῦ καταπετάσματος; aber die Trennung von τοῦτ' ἔστιν von seinem Bezugspunkt

---

47 *Hofius*, Inkarnation S. 136. Vgl auch ders., Vorhang 81ff.
48 Das gilt besonders für jene Versuche, die Stelle durch eine Tempel-Leib-Christi-Mystik zu erklären. Dazu vgl Anm. 18 oben. Vgl auch *Sandvik*, Abendmahl S. 105f, der »das Fleisch« an unserer Stelle als Element des Abendmahls verstehen möchte.
49 *Hofius*, Inkarnation; vgl auch *Jeremias*, Hb 10,20.
50 So in ihren Komm. z.St. *Westcott, Nairne, A. Seeberg, Montefiore*, auch *Andriessen*, Zelt S. 78f.
51 *Hofius*, Inkarnation S. 136.

durch andere Wendungen ist im NT belegbar, sogar im Hb: Ἰωάννης ἐβάπτισεν βάπτισμα
μετανοίας τῷ λαῷ λέγων εἰς τὸν ἐρχόμενον μετ᾽ αὐτὸν ἵνα πιστεύσωσιν, τοῦτ᾽ ἔστιν εἰς
τὸν Ἰησοῦν, Apg 19,4; καὶ οἱ μὲν ἐκ τῶν υἱῶν Λευί . . . ἐντολὴν ἔχουσιν ἀποδεκατοῦν τὸν
λαὸν κατὰ νόμον, τοῦτ᾽ ἔστιν τοὺς ἀδελφούς . . ., Hb 7,5; δι᾽ αὐτοῦ οὖν ἀναφέρωμεν θυσίαν αἰνέσεως διὰ πάντος τῷ θεῷ, τοῦτ᾽ ἔστιν καρπὸν χειλέων . . ., Hb 13,15. Allerdings
ist in allen diesen Stellen der Bezug von διά nicht zweideutig. Beide Lösungen dürften möglich
sein. Weniger schwierig scheint uns die zweite, besonders wenn man die Gewichtsverlagerung
in V 20 in Betracht zieht und die Wörter διὰ τοῦ καταπετάσματος nicht überbetont.

3.a) Wir wenden uns jetzt den weiteren Stellen zu, die mit den Gedanken
von 9,1–10,18 verwandt sind. Nach 10,26 bleibt für die, die gesündigt haben, nachdem sie die Erkenntnis der Wahrheit erhalten haben, kein Sühnopfer mehr. Wenn man das Blut des Bundes für κοινόν hält und den Sohn
Gottes mit Füßen tritt, dann ist kein Opfer für diese Sünde mehr möglich.
So wird das Sündigen von 10,26 in 10,29 ausgelegt (vgl 6,4ff). Die Argumentation ist nicht bloß mechanisch-dogmatisch: das Opfer war ein für allemal und deshalb gibt es keine Tilgung mehr, sondern vielmehr auch per-
sönlich und paränetisch[52]: wenn man diese Tilgung verspottet, nachdem
man sie zunächst angenommen hat, gibt es überhaupt kein Sühnopfer
mehr.
b) In 12,24 wird nochmals vom Blut Jesu gesprochen, dem Blut der Besprengung, vielleicht als Anspielung auf das Ritual des Versöhnungstages
(Lev 16,15). Dieses Blut bewirkt für uns nicht Gericht wie das Blut Abels
(vgl 11,4), sondern Vergebung (12,24). In c. 11 kommen außer V 4 wahrscheinlich noch weitere typologische Anspielungen auf den Sühnetod Jesu
vor. Dazu ist nicht zuletzt an das Ausgießen des Blutes beim Passa in
11,25–29, in dem Mose als Christustypus gelitten hat und (wahrscheinlich
noch typologisch) das Gottesvolk aus Ägypten durch das Passaopfer und das
Abwehren des Todesengels geführt hat (vgl 13,20)[53], zu denken.
4.a) In dem umstrittenen Abschnitt 13,7–17 kommt eine direkte Anspielung auf die Versöhnungstagtypologie vor[54]. Es geht zunächst um die Beachtung der früheren und auch der jetzigen Führer (13,7.17), weil die Gefahr besteht, daß durch verschiedene und fremde Lehren die Leser umgetrieben werden könnten (13,9a). Da der Vf nicht von einer neuen Gefahr
spricht, stammen diese Lehren aus den jüdischen, vielleicht heterodox-jüdi-
schen Kreisen, gegen die er schon so viele Worte gerichtet hat? Das bleibt
aber zunächst eine offene Frage. Aber schon in V 9b erfahren wir, daß diese
Lehren mit einer besonderen Bewertung von βρώμασιν zu tun haben[55]. Die

---

52 So *M. Goguel*, La doctrine de l'impossibilité de la seconde conversion dans l'Épître aux
Hébreux, 1931, S. 11. So auch *B. Poschmann*, Paenitentia Secunda, 1940, S. 42; *Grässer*,
Glaube S. 196.
53 Vgl auch S. 197f.
54 *J. Thurén*, Das Lobopfer der Hebräer. Studien zum Aufbau und Anliegen von Hebräerbrief 13 (Acta Academiae Aboensis Ser A, Humaniora Vol 47 Nr. 1), 1973, konnte leider nicht
berücksichtigt werden.
55 Die Alternative von *Schierse*, Verheißung S. 187: wenn Lehre, dann nicht Teilnahme an
irgendwelchen Speisen, ist sicherlich falsch.

Gefahr ist, daß die Leser überzeugt sein könnten, diese könnten für sie nützlich sein (vgl 9,9).

Was meint *diese falsche Lehre* mit den βρώμασιν, die der Vf bekämpft? Ist an asketische Praxis, vor allem in jüdischen Kreisen, zu denken[56]? Aber hier geht es deutlich primär um Teilnahme und nicht um Abstinenz; es geht um Stärkung[57]. *Aalen* denkt vor allem an jüdische Opfermahlzeiten[58]. Viele Exegeten sehen die Gefahr als jüdisch oder heterodox-jüdisch[59]. Manche denken auch an heidnische Gegner[60]. Daß hier eine besondere christliche Lehre bekämpft wird, wird in verschiedener Weise behauptet. *Moffatt* und *Holtzmann*: der Vf kämpft gegen eine realistische Auffassung des Abendmahls[61], *Schierse*: gegen die Mißdeutung des Abendmahls als Speisung[62], *Theissen*: gegen das Verständnis vom Abendmahl als sakramentales Opfer[63]. *Theissen* zählt dabei die verschiedenen Lösungen auf. Mit Recht weist er die Vorschläge zurück, daß es sich um reine und unreine Speise handeln könnte, weil sie keinen Anspruch erheben, die Herzen zu befestigen. Auch an asketische Speisegesetze ist nicht zu denken. Es bleiben nur Mahlzeiten der jüdischen Diaspora, der synkretistisch-gnostischen Kreise und das christliche Abendmahl. Die ersten zwei Möglichkeiten werden mit dem Hinweis auf *Schierses* falsche Alternative abgelehnt. Dann bleibt nur das christliche Abendmahl. Das ist kaum überzeugend, besonders weil *Theissen* die These befürwortet, daß 9,10 und 13,9 sich gegenseitig interpretieren. In 9,10 schließt καθ' ἥν eine Deutung auf die christlichen Sakramente aus.

Wahrscheinlich haben wir es mit irgendwelchen kultischen Mahlzeiten zu tun. Es wurde oft mit Recht auf die Gemeinsamkeit mit 9,9f hingewiesen, so daß nach unserer Auslegung unsere erste Frage schon beantwortet zu werden scheint: wir haben es mit jüdischen Kreisen zu tun. Wahrscheinlich liegt in 12,16 ein typologischer Hinweis auf diese βρῶμα- bzw βρῶσις-Lehre vor (vgl V 15).

b) In 13,10 wird gesagt, daß wir einen *Altar* haben. Wir brauchen nicht zu fragen, ob das bedeutet, daß wir darauf opfern werden. Wie der zweite Versteil zeigt, geht es grundsätzlich um das Essen vom Altar. Zunächst scheint es, als ob wir doch essen, aber irgendwie hat unser Essen mit χάριτι zu tun (13,9). Wenn das stimmt und dieses Essen nicht völlig spiritualisiert werden muß, dann wäre damit sehr wahrscheinlich die Eucharistiefeier gemeint. Das würde ja nicht bedeuten, daß der Altar den Eucharistietisch meint[64], sondern nur, daß wir unseren eigenen Kultus auf der spirituellen Ebene haben, indem wir im Gottesdienst essen und die Bedeutung des Kreuzes fei-

---

56 So in ihren Komm. z.St. *Delitzsch, Michel.*

57 So in ihren Komm. z.St. *Riggenbach, Montefiore.*

58 *S. Aalen,* Das Abendmahl als Opfermahl, NovTest 6 (1963) S. 128–152, hier S. 146, vgl auch S. 147; *E. Schürer,* Die Geschichte des jüdischen Volkes im Zeitalter Jesu Christi III, ⁴1911, S. 143.

59 So in ihren Komm. z.St. *Westcott, Strathmann, Bruce, Kuss,* auch *Bornkamm,* Bekenntnis S. 195.

60 Vgl in ihren Komm. z.St. *von Soden, Montefiore.*

61 *Moffatt* S. 232f; *O. Holtzmann,* Der Hebräerbrief und das Abendmahl, ZNW 10 (1909) S. 251–260. Dazu *Kuss,* Grundgedanke S. 324.

62 *Schierse,* Verheißung S. 187f.

63 *Theissen,* Untersuchungen S. 76 Anm. 2.

64 Gegen *Thalhofer,* Opfer S. 233ff; *Kloker,* Hohepriestertum S. 169.

ern. Nach dieser Auffassung wäre V10b, der Ausschluß der Ungläubigen vom Abendmahl, speziell der jüdischen Ungläubigen und derer, die sich an ihre Lehren anschließen, ein Hinweis auf eine bekannte Praxis der alten Kirche[65].

c) Aber das Wort θυσιαστήριον ist durch die Versöhnungstagtypologie gegeben, die sich auf das einmalige Ereignis bezieht, wie V11f zeigt. Daher ist ein Bezug auf die Eucharistie keineswegs sicher. Warum weist V11 auf die Tatsache hin, daß die Versöhnungstagsopfer außerhalb der Stadt verbrannt wurden? Nicht nur, damit der Vf in V13 darauf seine paränetische Mahnung aufbauen konnte. V11 ist nämlich unmittelbare Begründung für V10, wie das γάρ zeigt. Danach bedeutet V10: wir haben einen Altar von der Art, daß von ihm nicht gegessen wird. Das Opferfleisch des Versöhnungstages wurde nicht gegessen, sondern verbrannt (V11). Eine solche Opfermahlzeit, wie sie offensichtlich hinter βρώμασιν steckt, haben wir nicht. Was wir haben, ist das Kreuzesereignis[66]. Daher gewinnen wir unsere Stärkung von der Gnade Gottes (13,9 χάριτι).

Diese Interpretation hängt vom richtigen Verständnis des Satzes ἐξ οὗ φαγεῖν οὐκ ἔχουσιν ἐξουσίαν οἱ τῇ σκηνῇ λατρεύοντες 13,10b ab. Wer ist mit οἱ τῇ σκηνῇ λατρεύοντες gemeint? Am nächsten liegen die Juden[67] bzw die, die hinter den fremden Lehren stecken, und nicht nur Leviten[68]. Einige denken an Christen, die dem wahren Heiligtum dienen. Aber dagegen spricht die Tatsache, daß in V10a die erste Person (ἔχομεν), in V10b die dritte Person (ἔχουσιν) benutzt wird. Köster ua sehen einen Bezug nicht nur auf Juden, sondern auf alle kultdienenden Menschen solcher Art[69].

Theissen und Holtzmann dagegen denken an jene Christen, die falsche Vorstellungen vertreiben[70]. Das hängt mit ihrer Interpretation des vorhergehenden Verses zusammen[71].

Weit verbreitet ist die Auffassung, daß in V10b überhaupt nicht an bestimmte Gruppen gedacht sei, sondern daß der Satz so zu verstehen sei: Wir haben einen Altar von der Art, daß von ihm die Diener nicht essen. Das wird unterstützt durch den Hinweis, daß gerade das Versöhnungstagsopfer nicht gegessen, sondern verbrannt wurde, wie V11 erzählt[72]. Diese Interpretation gibt eine befriedigende Antwort darauf, warum der Vf in V11 plötzlich zur Darstellung des Verbrennens übergeht, auch wenn nicht zu übersehen ist, daß das »außerhalb des Lagers« in V13 als Basis einer neuen Gedankenentwicklung gebraucht wird, nämlich für die Ermahnung, daß die Christen aus dem Lager des Judentums ausziehen sollten. Man kann aber hier zwei Schritte des Vf erkennen. V10 wird durch V11 begründet. V13f greift ein Element der

65　So G. Bornkamm, Zum Verständnis des Gottesdienstes bei Paulus, in: ders., Das Ende des Gesetzes, ⁵1966, S. 123–132 (Teil II), hier S. 130; Lohse, Märtyrer S. 174 Anm. 2.

66　So in ihren Komm. z. St. Westcott, Bruce, Montefiore; A. Oepke, Das neue Gottesvolk, 1950, S. 74; Köster, Camp S. 313. An einen himmlischen Altar denken Filson, Yesterday S. 49; Theissen, Untersuchungen S. 78 (dazu siehe unten Anm. 73).

67　So Bruce z.St.; Schierse, Verheißung S. 191ff; Filson, Yesterday S. 51ff.

68　Gegen Westcott S. 499.

69　Köster, Camp S. 313; vgl auch Kuss S. 219; Bruce S. 399.

70　Theissen, Untersuchungen S. 78; O. Holtzmann, Abendmahl S. 255.

71　Vgl dazu oben S. 179.

72　So in ihren Komm. z.St. ua Riggenbach, Windisch, Moffatt; auch Schulz, Nachfolgen S. 297; Schröger, Gottesdienst S. 172; Smith, Priest S. 134; Williamson, Eucharist S. 307ff.

Begründung auf. Wenn man die Passage so versteht, darf man hier kaum einen Hinweis auf die Eucharistie sehen, weder im positiven noch im negativen Sinn.

d)   Der Vf greift in *13,12* das Bild vom Versöhnungstag (insbesondere die Stelle des Verbrennens) auf und legt es paränetisch aus. Dabei möchte er nicht allein die Sühnebedeutung dieses Ereignisses hervorheben. Vielmehr weist er darauf hin, daß Jesus außerhalb des Lagers gelitten hat (ἔπαθεν, wie die Christen leiden müssen). Die Leser sollen aus dem Lager des Judentums herauskommen und für ihn leiden[73]. Er plädiert für einen Bruch mit diesen Kreisen und ihren Gedanken. Die Entwicklung dieser Paränese war dadurch ermöglicht, daß er wußte, daß Jesus außerhalb der Tempelstadt Jerusalem starb, und weiter, daß die Juden, auch die der Diaspora, sich als das Volk Jerusalems fühlten[74]. Daß diese scharfe Trennung Leiden bedeuten würde, ist daraus zu erklären, daß die Leser dabei aus der Deckung des Judentums als »religio licita« in die Gefahren der Verfolgung hinausziehen mußten[75]. Nach diesen Überlegungen scheint es uns nicht überraschend, daß V 14 von Städten spricht. Es scheint sogar durchaus möglich zu sein, daß V 14a eine zugespitzte Anspielung auf die Zerstörung Jerusalems als die Stadt, die nicht bleibt, sein könnte. In V 15f setzt der Vf seine spiritualisierende kultische Darstellung des Gottesdienstes (vgl θυσιαστήριον 13,10) fort und schließt in V 17 mit der Ermahnung, den jetzigen Führern zu gehorchen.

5.   Auch im Segenswunsch *13,20f* kommt eine weitere Anspielung auf die Versöhnungstagtypologie vor. Ἐν ist danach mit »mit« zu übersetzen, wie die Parallelen wahrscheinlich machen (9,25 ἐν αἵματι ἀλλοτρίῳ; vgl 9,7 u. 11f)[76]. Ein konstantes Element der Typologie ist, wie der Eintritt selbst, das Mitnehmen des Blutes; es wird schon in 9,7 betont (vgl auch 13,11). Neben der Herausführung Jesu von den Toten – der Text steht unter dem Einfluß von Jes 63,11 LXX – wird so nochmals erwähnt, daß Jesus mit seinem Blut ins Allerheiligste vor Gott getreten ist.

6.   Damit haben wir alle Stellen kurz behandelt, die die Vorstellung von

---

73   So in ihren Komm. z.St. *Westcott, Riggenbach, Strathmann, Montefiore, Bruce*; vgl *Moffatt* S. 235; auch *Moe*, Abendmahl S. 102f; *Filson*, Yesterday S. 64f; *Sandvik*, Abendmahl S. 109. Daß hiermit ein Entfliehen aus der Welt als »Lager« wie bei Philo (vgl Gig 54; Deter 160; Heres 68; vgl 2Klem 5,1) gemeint sei bzw der Eintritt in die himmlische Welt, meinen folgende Ausleger: *Windisch, Kuss,* auch *Cambier,* Eschatologie S. 68ff, W. *Thüsing,* »Laßt uns hinzutreten. . .« (Hebr 10,22), BZ 9 (1965) S. 1–17, hier S. 10; vgl *Köster,* Camp S. 236; *Michel* S. 514; *Schierse,* Verheißung S. 193; *Filson,* Yesterday S. 14f. Dabei geht die konkrete Situation, die den Vf hier beschäftigt, verloren. Dazu weiter S. 254ff.
74   So vgl *Michel* S. 517.
75   So ua *Michel* S. 511; *Bruce* S. 404.
76   Ἐν αἵματι διαθήκης dürfte hier eine Anspielung auf Sach 9,11 (ἐν αἵματι διαθήκης) sein, da das Blut des Bundes als Grund dafür genannt wird, warum die Gefangenen befreit werden. Jesus wird aber in 13,20 nicht durch das Blut des Bundes befreit. Deshalb muß man die Wendung (insbesondere ἐν) anders verstehen als in Sach 9,11. Gemäß der Versöhnungstagtypologie muß ἐν wie in 9,25 »mit« bedeuten. Vgl 9,11. Anders *Michel* S. 538.

dem sich opfernden Hohenpriester enthalten. Jetzt müssen wir uns der Frage zuwenden: wie hängt das alles zusammen?

2. Die Struktur der Versöhnungstagtypologie

Nachdem wir einen Überblick über die Stellen gegeben haben, die mittelbar und unmittelbar mit dieser Typologie zu tun haben, müssen wir die Frage stellen, wie weit der Vf diese Typologie ausgedehnt hat, was darunter zu verstehen ist und welche Bedeutung er dieser Konzeption beimißt.

Das himmlische Heiligtum

Voraussetzung für die Typologie ist die *Vorstellung von dem himmlischen Heiligtum*, die zum erstenmal in 8,2ff vorkommt und in c. 9 unmittelbar im Zusammenhang mit der Versöhnungstaghandlung hervorgehoben wird.

1. Es kann nicht unsere Aufgabe sein, den *Hintergrund der Heiligtumsvorstellung* des Briefes zu untersuchen[1]. Die Vorstellung vom himmlischen Heiligtum hängt mit der Vorstellung einer himmlischen Welt zusammen, die ja vor allem in der Apokalyptik vorkommt, zur Zeit unseres Vf weit verbreitet war und sehr weit zurückreicht.

Die himmlische Welt ist im Hb sehr wichtig. Daß dabei apokalyptische Vorstellungen im Spiel sind, steht außer Zweifel, auch wenn unser Vf sich für Einzelheiten der himmlischen Welt wenig interessiert. Ebenso sicher ist, daß der Gegensatz »himmlisch – irdisch« mit hellenistisch-philosophisch geprägter Terminologie zum Ausdruck gebracht wird (vgl vor allem 8,5; 9,23; 10,1), die nicht erst hier in Zusammenhang mit Ex 25,40 (Hb 8,5) gebracht wurde (vgl vor allem VitMos II 71–76; vgl auch SapSal 9,8; Apg 7,44). Der Begriff Tempel im Hb ist nicht so spiritualisiert, daß er bloß eine Idee wird, auch nicht in der Weise, daß das räumliche Moment vollkommen aufgegeben wird, wie etwa bei der Bezeichnung von Christi Leib als Tempel (vgl Mk 14,58; Joh 2,19ff). Er ist andererseits kein »Zelt, das mit Händen gemacht ist«. In einem solchen wohnt Gott nicht (vgl Apg 7,48; 17,24).

Er ist aber insofern räumlich verstanden, als das Heil selbst und der Weg dazu räumlich dargestellt werden. Aber der Tempel selbst ist nicht das Heil. Heil heißt Bei-Gott-Sein, was ja dem Eintreten ins Allerheiligste entspricht. Dieses »Bei-Gott-Sein« wird für uns erst volle Wirklichkeit, nachdem wir in die himmlische Welt eingetreten sind. Der Begriff des himmlischen Tempels hat also mit der himmlischen Welt zu tun. Diese himmlische Welt ist die Welt des Heils, in sie einzutreten ist unsere Hoffnung. Diese himmlische Welt ist gegenwärtig, unser Eintritt in sie ist zukünftig, also »horizontal« und »vertikal« aufgefaßt. Das himmlische Heiligtum ist nicht bloß ein Bild für das Kommende[2], sondern ist auch »vertikal« in der himmlischen Welt vorhanden.

1   Dazu vgl vor allem *H. Wenschkewitz*, Die Spiritualisierung der Kultusbegriffe Tempel, Priester und Opfer im Neuen Testament (Angelos-Beiheft 4), 1932, S. 134; *Bietenhard*, Himmlische Welt S. 123ff; *Schierse*, Verheißung S. 13ff; *Cody*, Sanctuary S. 9ff; und vor allem die aufschlußreiche Untersuchung von *Hofius*, Vorhang S. 1–48, der auch den nachneutestamentlichen Befund des Judentums und der Gnosis bewertet.
2   Gegen *Goppelt*, Typos S. 201; ähnlich *Nomoto*, Herkunft S. 18ff.

Versuche, σκηνῆς *in 9,11 allegorisch auf Christus oder die Kirche zu deuten,* haben wir schon besprochen[3]. Die Gründe, die hinter den verschiedenen Auslegungen dieser exegetischen Tradition liegen, sind nicht überzeugend. Es ist nicht legitim, Vorstellungen aus anderen Schichten des NT wie etwa den Tempel als Leib Christi in Joh 2,19ff (vgl Mk 14,58) hier hineinzulesen (ua *Vanhoye, Swetnam*). Die Probleme, die man damit dem Text bereitet, sprechen selbst gegen solche Spekulationen. Solche Versuche, den irdischen Leib Jesu als himmlisch (wegen der Jungfrauengeburt oder der göttlichen Natur) anzusehen (Chrysostomus, vgl *Schierse, Cody*), sind unkritisch, ebenso wie Versuche, den Leib als den auferweckten Leib (*Vanhoye, Smith*), den Leib der Kirche (*Ungeheuer, Westcott*) oder den eucharistischen Leib (*Swetnam*) zu verstehen. Für eine solche Anwendung von der Heiligtumsvorstellung, die ja schon in 8,2ff eingeführt worden ist, kann man sich auch nicht auf eine angebliche Regel berufen, daß διά hier wie in der Verbindung mit αἵματος dieselbe Bedeutung haben müsse (ua *Vanhoye*) und daß deshalb σκηνῆς wie αἵματος verstanden werde. Auch der Versuch, die Haus-Gottes-Vorstellung von 3,1ff und 10,21 mit der Tempelvorstellung gleichzusetzen, ist reine Spekulation (*Ungeheuer*). Eine solche Gleichsetzung dieser Vorstellungen ist im Brief nirgendwo zu erkennen. Schließlich kann man sich kaum auf die rätselhafte Aussage in 10,20 berufen, wenn man darin eine allegorische Gleichsetzung des Vorhangs mit der σάρξ Jesu sehen möchte. Auch wenn eine solche Allegorie vorhanden wäre, würde sie zu der Darstellung in 9,11 schlecht passen. Danach müßte Jesu Fleisch der Vorhang sein; was könnte dann σκηνή sein? Und welch dritter Teil von Jesus ist durch diese beiden Teile gegangen? Es ist schließlich nicht so, als ob für 9,11 keine Erklärung möglich wäre, wenn man nicht eine solche Spekulation annehmen würde. Man kann den Vers ohne alle diese Schwierigkeiten und ohne zusätzliche Probleme befriedigend erklären.

2. Das Heiligtum bestand aus zwei Teilen, dem Allerheiligsten und dem Heiligen, dh dem zweiten und dem ersten Zelt. Daß das himmlische Heiligtum dementsprechend auch zwei Teile hat, geht aus 9,11 hervor, wo gesagt wird, daß Jesus durch das himmlische Heiligtum ins Allerheiligste gegangen ist. Aber auf eine Zweiteiligkeit des himmlischen Heiligtums legt der Vf keinen Nachdruck. Ihm geht es um den Zugang zu Gott, also um den Zugang zum himmlischen Allerheiligsten, der erst durch Jesus ermöglicht worden ist (9,8; 10,19f; vgl 6,19), der den Weg durch den Vorhang gebahnt hat. Deshalb kann er in 9,24 das Heilige ganz unerwähnt lassen: in den Himmel einzutreten bedeutet, ins Allerheiligste einzutreten.
3. Ein himmlisches Heiligtum wird also vorausgesetzt. Das bedeutet wiederum, daß alle Versuche, den *Vorhang* irgendwie *als Grenze* zwischen Himmel und Erde oder zwischen himmlischem und sarkischem Bereich darzustellen, verfehlt sind: das würde voraussetzen, daß das Heilige, das erste Zelt irdisch sei und nur das Allerheiligste himmlisch. *Gyllenberg*[4] vermutet, daß es im Hb zwei verschiedene Vorstellungen vom Heiligtum gäbe. Einmal gehe es um das himmlische Heiligtum, zum anderen um das Erde und Himmel umspannende Heiligtum. Darin entspreche der Vorhang (10,20) der Grenze zwischen Erde und Himmel. Das Fehlen einer Erwähnung des Heiligen in 9,24 sowie eine bestimmte Exegese von 9,8f und das

---

3 Vgl Anm. 18 zu B.II.1.
4 *Gyllenberg*, Christologie S. 674ff.

Problem, daß Jesu Tod zugleich himmlisch (nach 9,11) und doch irdisch sei, werden als Beweise für die Hypothese angeführt. Dabei wird übersehen, daß die Tötung des Tieres immer vor dem Heiligtum stattfand; der Tod Jesu also vor seinem Eintritt in das Heiligtum. 9,24 kann kaum als Beweis für diese Konzeption herangeführt werden, und *Gyllenbergs* Exegese von 9,8f ist nicht stichhaltig. Der Vers 10,20, der sowieso umstritten ist, dürfte in diesem Fall keine Beweiskraft haben. Zwei vollkommen verschiedene Vorstellungen vom Heiligtum benutzt der Vf also nicht. Damit ist eine Grundlage für *Käsemanns* exegetische Tradition (er beruft sich auf *Gyllenbergs* Analyse) in Frage gestellt[5].

Das Heiligtum (das Heilige und das Allerheiligste) befindet sich in der himmlischen Welt. Der Nachdruck in der Darstellung des Vf liegt auf dem »Bei-Gott-Sein« bzw dem Eintreten in das Allerheiligste innerhalb des Vorhangs. Der Vorhang sollte nicht als Grenze zwischen dem himmlischen und dem irdischen Bereich verstanden werden.

Das Versöhnungstag-Bild

1.   Als Antityp zur Handlung Jesu stellt der Vf das *Versöhnungstagritual* dar (9,7). Dabei hebt er nur einige Einzelheiten hervor. Sogar die Schlachtung des Tieres vor dem Heiligen wird nicht ausdrücklich erwähnt. Er erzählt nur, daß der Hohepriester einmal im Jahr das Allerheiligste betrat, und zwar nicht ohne Blut, das er für seine eigene sowie die Sünde des Volkes darbrachte. Weitere Einzelheiten kommen in den folgenden Ausführungen vor: daß es Blut von Tieren war (9,12.25), daß damit auch Gegenstände gereinigt wurden (9,23) und die Tiere außerhalb des Lagers verbrannt wurden (13,11).

2.   Dieses Bild wird *auf Jesus übertragen.* Er wurde vor dem Heiligen, dh außerhalb des himmlischen Tempels selbst bzw auf Erden geschlachtet, wie die Tiere. Er aber hatte sich selbst dargebracht (9,14), was ja sonst eine undenkbare Vorstellung wäre. Er konnte es διὰ πνεύματος αἰωνίου (9,14) tun; dies ermöglichte ihm auch, zugleich Hoherpriester zu sein[6]. Er ist entsprechend durch das himmlische Heiligtum ins Allerheiligste hineingegangen. Aber auch hier gibt es einen wichtigen Unterschied. Er ist ein für allemal hineingegangen. Und dazu noch: nicht mit dem Blut von Tieren, sondern mit seinem eigenen Blut. Die Übertragung auf Jesus gibt ein ziemlich klares Bild: Jesus brachte sich selbst dar, trat in das himmlische Heiligtum

5   Vgl *Käsemann*, Gottesvolk S. 145ff. Diese Tradition ist ziemlich weit verbreitet: vgl ua *Immer*, Die Versuchten S. 161; *Schierse*, Verheißung S. 35ff; *W. Köster*, Platonische Ideenwelt und Gnosis im Hebräerbrief, Scholastik 4 (1956), S. 545–555, hier S. 546; *Luck*, Geschehen S. 208f; *Lohse*, Märtyrer S. 172 Anm. 1; *Grässer*, Glaube S. 37 Anm. 132; *Theissen*, Untersuchungen S. 69f.105f; vgl auch *Cody*, Sanctuary S. 45ff.145ff; *Kuss* S. 136ff. Zur Kritik dieser Vorstellung vgl auch *Hofius*, Vorhang S. 49ff.
6   Die Tiere starben. Jesus aber hatte ein unzerstörbares Leben (vgl 7,16). Er konnte also zugleich Hoherpriester und Opfer sein.

und ins Allerheiligste ein für allemal mit seinem Blut ein[7]. Welche Bedeutung mißt der Vf dieser Darstellung der Handlung Jesu bei?

Jesu Sühnetat im Rahmen der Versöhnungstag-Typologie

1. Wo fand sie statt?

a)   Während es vom alten Hohenpriester heißt, daß er *nicht ohne Blut* hineinging, das er für seine und die Sünde des Volkes darbrachte, wird offenkundig von Jesus nicht gesagt, daß er für seine Sünde opfern mußte (er war ἄμωμος 9,14; vgl auch 4,15). Bedeutet aber diese typologische Darstellung nicht, daß die Sühnetätigkeit Jesu wie die des Hohenpriesters nach der Schilderung des Vf erst im Allerheiligsten stattfand und die Schlachtung bzw der *Tod Jesu* selbst nicht sühnend war, sondern nur *vorbereitende Funktion* hatte[8]? Auch wenn man vielleicht den Tod Jesu in die Handlung mit einbezieht, bedeutet die Typologie dann nicht, daß erst im Allerheiligsten bzw im Himmel die Sühnehandlung vollbracht wurde und zum entscheidenden Abschluß kam[9]? Hat der Vf die Sühnehandlung Jesu damit in die himmlische Welt verlagert?

b) α)   Das scheint nicht die Auffassung des Vf zu sein. Erstens wird dieser Aspekt vom Darbringen im Allerheiligsten nicht aufgenommen. Οὐ χωρὶς αἵματος (9,7) entsprechend liest man zwar in 9,11 διὰ . . . τοῦ αἵματος (vgl 9,25; 13,11; 13,20); aber eine Entsprechung für ὃ προσφέρει ὑπὲρ ἑαυτοῦ καὶ τῶν τοῦ λαοῦ ἀγνοημάτων fehlt. Nur 12,24 bietet möglicherweise eine Anspielung auf das Besprengen des Altars im Allerheiligsten. Aber die Stelle ist ganz isoliert und der Bezug keineswg sicher. Auch die Reinigung der Tempelgegenstände in 9,23, wie immer das zu deuten ist, setzt ein solches himmlisches Opfer nicht voraus. Und 8,3f bezieht sich auch nicht auf eine Sühnehandlung Jesu, sondern auf seine Tätigkeit in der Gegenwart, die wie 9,24 im Zusammenhang mit der Fürbittetätigkeit zu verstehen ist, die ja keine Sühnehandlung meint, sondern eine Bitte um Hilfe für die Versuchten. Es ist auch nicht zufällig, daß in 9,24ff, wo nochmals auf den Eintritt des Hohenpriesters ins Allerheiligste Bezug genommen wird,

---

7   Zum Versuch, in 9,28 die Parusie als Rückkehr des Hohenpriesters aus dem Heiligtum zu deuten, vgl S. 198.

8   *S. F. Socinus,* De Jesu Christi filii dei natura sive essentia disputatio. . . adv. Volanum, 1656, S. 391–393; *Büchsel,* Christologie S. 67; *Windisch* S. 79; *Brooks,* Perpetuity S. 208ff. Nach dem alten Ritual waren es der Eintritt nach der Schlachtung ins Allerheiligste und das Versprengen, die die Sühne wirkten. Vgl 9,7. Vgl *Riggenbach* S. 260f.19. Zum Problem, wann Jesus Hoherpriester wurde, vgl unten S. 245ff.

9   So ua *Riehm,* Lehrbegriff S. 527ff; *Käsemann,* Gottesvolk S. 144; *H. Middendorf,* Das Heilige Meßopfer nach dem Hebräerbrief, Oberrheinisches Pastoralblatt 43 (1941) S. 141–144.161–165, hier S. 142; *Cody,* Sanctuary S. 170ff; *Michel* S. 312; *Schröger,* Schriftausleger S. 238; *Smith,* Priest S. 96f; *Hofius,* Katapausis S. 181 Anm. 359; *L. Sabourin,* »Liturge du Sanctuaire et de la Tente Véritable« Hebr 8,2, NTS 18 (1971/72) S. 87–90.

ausdrücklich gesagt wird, daß Jesus sich nicht wiederholt darbringt. Man würde dann in 9,26b erwarten, daß behauptet wird, Jesus hätte sich nur einmal *im Allerheiligsten* dargebracht[10]. Aber stattdessen liest man: Am Ende der Zeiten ist er ein für allemal erschienen zur Beseitigung der Sünden durch sein Opfer. Daß hiermit sein Erscheinen *auf Erden* gemeint ist, wird aus den folgenden Versen deutlich. Wie Menschen nur *einmal* sterben, so ist er nur *einmal* dargebracht worden. Wie nach dem Tod den Menschen das Gericht bevorsteht, so wird er nach seinem Tod auf Erden für unser Heil ein zweites Mal auf Erden erscheinen, und zwar diesmal nicht, um eine Sühne- handlung durchzuführen.

β) Dies ist nicht die einzige Stelle, wo eindeutig ist, daß *die Sühnehand- lung,* die Erlösung, *schon am Kreuz vollendet* wurde. In 10,5ff wird sehr deutlich, daß das Heil durch das Darbringen des Leibes Jesu gewonnen wird. Sein irdischer Leib wurde auf Erden dargebracht. Danach setzte er sich zur Rechten Gottes (10,12). Die Erhöhung erfolgte nicht etwa als zweite oder dritte Stufe nach der Rückkehr und einer himmlischen Sühnehandlung. Die Erhöhung ist zugleich Rückkehr und folgt nach dem Abschluß der Sühne- handlung auf Erden, wie in 1,3 und 2,9 schon erkennbar wird. Auch am Ende des Briefes wird die Sühnehandlung Jesu im Rahmen der Versöh- nungstagtypologie dargestellt (13,11f). Hier wird die typologische Darstel- lung nicht konsequent durchgeführt. Jesus starb hiernach außerhalb des La- gers. Das entspricht zwar dem Ablauf der Geschichte; aber das Tier, dessen Blut dargebracht wurde, starb vor dem Heiligen und wurde außerhalb des Lagers verbrannt. Trotzdem wird vom Blut Jesu gesprochen. Das entspricht dem Antityp. Aber auch hier wird nicht ausdrücklich von einer Handlung gesprochen, sondern nur davon, daß durch dieses Blut das Volk gereinigt wurde. Zu dieser Stelle müssen wir später noch einmal zurückkommen. Daß allerdings das Heil selbst, die Erlösung, schon auf Erden gewonnen wurde, zeigen nicht zuletzt auch 9,15 und die daran anschließende Ausfüh- rung über das Testament. Der Tod Jesu bedeutet Erlösung, ist also nicht bloße Vorbereitung für eine Sühnehandlung im Himmel und nicht Einzel- aktion einer Sühnehandlung, die erst im Himmel zum entscheidenden Ab- schluß und Höhepunkt kommt. Aber auch in 9,11ff wird die Orientierung des Vf deutlich. Wo fand das Darbringen statt? Er brachte sich selbst dar, sagt V 14. Hier wird auch deutlich, daß nicht an ein Opfer von Blut gedacht ist. Das Blut reinigt das Gewissen, aber das entscheidende Ereignis war das Selbstopfer auf Erden. Es spielt das Blut also eine ähnliche Rolle wie in 13,12. Schließlich wird jetzt die Wendung αἰωνίαν λύτρωσιν εὑράμενος 9,12 verständlich. Entsprechend unseren Ergebnissen muß man εὑράμενος seine volle zeitliche Bedeutung geben. Er trat ins Allerheiligste, nachdem er auf Erden die Erlösung schon gewonnen hatte. Deshalb trat er ein für alle- mal ins Allerheiligste ein.

---

10   Vgl *Schröger*, Schriftausleger S. 237.

Er trat ins Allerheiligste *ein für allemal ein*, weil er für die Sünde endgültig gesühnt hatte; weil er ein für allemal durch seinen Tod gesühnt hat und weil er ein für allemal ins Allerheiligste eingetreten ist, kann er als Priester im himmlischen Heiligtum ewig bleiben. Seine Sühnetätigkeit ist beendet (so 7,27; 10,10ff). Jetzt übt er die ewige Priesterschaft aus, eine Priesterschaft nach der Ordnung Melchisedeks, die ja in diesem Zusammenhang als Fürbitte beschrieben wird und keine Sühnetätigkeit meint. Diese himmlische Tätigkeit nach Abschluß der Sühnetätigkeit auf Erden wird ja auch in 9,24 kurz angedeutet. Durch die Vorstellung vom Eintritt ins Allerheiligste wird also eine Brücke zwischen den beiden Tätigkeiten des Hohenpriesters der neuen Ordnung geschlagen. Die Versöhnungstagtypologie umfaßt damit auch die Vorstellung der jetzigen Tätigkeit. So kann der Vf schon in 6,19 die Typologie vom himmlischen Allerheiligsten gebrauchen, in das Jesus vor uns und fürbittend für uns gegangen ist, ehe er den Sühneaspekt dieser Typologie, den Tod Jesu als Opfer, entwickelt hatte.

c) Als einzige Stelle, die noch als Beleg für eine himmlische Sühnetätigkeit herangeführt werden könnte, bleibt 2,17. Hier haben wir es aber mit einer sehr komplexen Zusammenfassung bzw Ankündigung späterer Themen durch den Vf zu tun[11]. Entsprechend dem Zusammenhang wird hier vom himmlischen Hohenpriester gesprochen, der treu und barmherzig ist und also den Christen in ihrer Versuchung und in ihrem Leiden helfen wird (so 2,18). Diese Einzelheiten werden programmatisch dargestellt und in den folgenden Kapiteln ausgelegt. Ganz ohne unmittelbare Beziehung auf die Argumentation des Zusammenhangs ist die Aussage, daß Jesus für das Volk Sühne leistet (indirekt 2,14). Diese Einzelheit wird erst in c. 9 zum Thema und damit weiter erläutert. Wie es sich im Zusammenhang dieses Satzes liest, könnte man meinen, daß Jesus erst nach seinem Tod Hoherpriester geworden sei und dann seine Sühnehandlung aufgenommen habe, die ja der Form des Infinitivs entsprechend noch andauere (τὸ ἱλάσκεσθαι)[12]. Aber das ist kaum gemeint und würde im Widerspruch zu den übrigen Vorstellungen des Briefes stehen. Wenn man diese Aussage nicht so verstehen will, daß man ohne Schwierigkeit sagen könne, daß Jesus aufgrund des Heilsereignisses immer noch Menschen rette, wenn sie die christliche Botschaft annehmen, dann muß man den Satz als programmatische Ankündigung ansehen, der die Funktion eines Hohenpriesters im voraus als Vorbereitung für das spätere Thema als allgemeine Schilderung darstellt[13].

2. Die Anpassung der Typologie an das Kreuz als Heilsereignis

Wir können also feststellen, daß für den Vf *die Sühnehandlung, das Selbstopfer Jesu, auf Erden stattfand*[14]. Wie verhält sich diese Feststellung zur

---

11 Dazu siehe S. 201f.
12 Vgl *Vanhoye*, Situation S. 381; *Stadelmann*, Christologie S. 181.
13 So *O. Schmitz*, Die Opferanschauung des späteren Judentums und die Opferaussagen des Neuen Testaments, 1910, S. 263; vgl auch *Riggenbach* S. 60 Anm. 57.
14 So *Riggenbach* S. 460ff; *Ungeheuer*, Priester S. 123f; *Lohse*, Märtyrer S. 172f; *Montefiore* S. 161; *Bruce* S. 200f; *Stott*, Offering S. 65. *P. E. Hughes*, The Blood of Jesus and His

Versöhnungstagtypologie? Wird in dieser Typologie eine himmlische Sühnehandlung, ein himmlisches Sühnopfer vorausgesetzt? Wie könnte man
von einem himmlischen Sühnopfer sprechen?

a) α)   Viele, die dieser Meinung sind, versuchen um das Problem dadurch
herumzukommen, daß sie »*himmlisch*« *und* »*irdisch*« nicht »geographisch«
verstehen, sondern als *Qualitätsbegriffe*, »auf spiritueller bzw physischer
oder niedrigerer Ebene«[15]. Damit könnte man sagen, daß Jesus ja immer im
Himmel, auf himmlischer Ebene wäre. Sein Tod habe daher im Himmel
stattgefunden. Sein Weg führe durch das himmlische Heiligtum. Der Weg
durch das Heilige entspreche der Inkarnation, dem irdischen Leben und
Tod, der *Eintritt in das Allerheiligste* der Erhöhung[16], obwohl das Problem
ungelöst bleiben würde, daß der irdische »himmlische« Tod alleine als Sühnehandlung nicht ausreichend wäre. Diese Interpretation bietet Platz für
viele Spekulationen, nicht zuletzt für die Vorstellung, daß Jesu Leib das
Heiligtum sei.

β)   Gegenüber solchen Versuchen muß gefragt werden, ob »himmlisch« in
dieser Weise gedeutet werden darf. Zwar braucht man nicht den Begriff
»Himmel« zu sehr »geographisch« zu verstehen, als ob der Himmel einige
tausend Meter oben liegt! Aber eine gewisse Räumlichkeitsauffassung ist
kaum zu verkennen. Für den Vf bestehen die himmlischen Dinge jetzt, aber
sie sind trotzdem Gegenstand der Hoffnung. Obwohl die Christen schon
Zugang zum Himmel haben, werden sie erst in der Zukunft in den Himmel
eintreten. Der Gegensatz »geistlich – fleischlich« ist verwandt, aber nicht
identisch mit dem Gegensatz »himmlisch – irdisch«. Auch wenn solche Begriffe wie »himmlisches Zion«, »himmlisches Vaterland« usw nicht buchstäblich zu verstehen sind, so kann kaum übersehen werden, daß der Vf an
eine Wirklichkeit, an einen Gegenstand denkt, wenn er vom Himmel
spricht. Sonst wären die räumlichen Aussagen des Briefes kaum zu verstehen. Die Christen sind unterwegs, sind aber noch nicht angekommen. Und
gerade der Weg der Christen ist der Weg, den Jesus vor ihnen gegangen ist.
Die Frage ist, ob in den Aussagen über das himmlische Heiligtum diese Be-

---

Heavenly Priesthood in Hebrews, BS 130 (1973) S. 99–109.195–212.305–314; 131 (1974) S.
26–33, den wir leider nur anhand des Berichts in New Testament Abstracts 18 (1973/74) zitie-
ren können. Vgl *Thalhofer*, Opfer S. 143ff.166ff.

15   *Riehm*, Lehrbegriff S. 531; *Ungeheuer*, Priester S. 145.120f; *Luck*, Geschehen S. 203 u.
199; *Vanhoye*, Aspectu S. 38; *G. Fitzer*, Auch der Hebräerbrief legitimiert nicht eine Opfertodchristologie, KuD 15 (1969) S. 294–319; *Smith*, Priest S. 98f; *G. E. Ladd*, A Theology of
the New Testament, London 1975, S. 575; vor allem *Schierse*, Verheißung S. 57; dagegen *O.
Kuss*, Zur Deutung des Hebräerbriefes, ThRev 53 (1957) S. 247–254, hier S. 250.

16   So *Schierse*, Verheißung S. 57. Was bedeutet für den Vf die Bewegung Christi und überhaupt die »Himmelsreise«, von der er spricht, wenn sein Himmelsbegriff so vergeistigt ist? Der
Hb wird zur Mystik. So ist *Schierses* Darstellung der Hohenpriesterlehre des Hb kaum überzeugend. Das gilt auch für *Cody*, Sanctuary S. 165. Wir möchten nicht bestreiten, daß »himmlisch« eine »Qualitätsbestimmung« (*Schierse*, aaO S. 42) oder »axiological« (*Cody*, aaO S. 77f)
ist. Wir bestreiten aber, daß damit das »Räumliche« vollkommen verlorengeht. Christus ist ein
»himmlisches« Wesen: Die »Qualitätsbestimmung« ist von der Tatsache abzuleiten, daß er
vom Himmel gekommen und in den irdischen Bereich hinuntergestiegen war.

deutung enthalten ist oder nicht. Eine solche Doppeldeutigkeit des Begriffes »himmlisch« scheint in diesem Zusammenhang gerade dadurch ausgeschlossen zu sein, daß das räumliche Motiv des Weges sehr eng mit der Versöhnungstagstypologie in Verbindung gebracht worden ist (6,19f; 10,19f; 9,8).

b) Der Versuch, an der Typologie dadurch festzuhalten, daß man »himmlisch« anders versteht und ein angeblich himmlisches Opfer als Ereignis auf Erden versteht, ist entschieden abzulehnen. Vielmehr muß man erkennen, daß der Vf die Versöhnungstagtypologie nicht gedankenlos übernommen, sondern bewußt irgendwelche Aussagen über eine entsprechende Opferhandlung im Himmel vermieden hat. Das Selbstopfer wirkt Sühne und fand der Typologie gemäß vor dem Heiligen, also auf Erden, statt. Das in 9,7 geschilderte Bild wird zwar übernommen, aber durch die Tatsache des Selbstopfers und der Einmaligkeit modifiziert. Das Bild vom Eintritt des Hohenpriesters mit dem Blut steht fest, aber ohne einen Hinweis auf ein entsprechendes Darbringen des Blutes, es sei denn, daß αἵματι ῥαντισμοῦ (12,24) auf das Versprengen des Blutes im Allerheiligsten anspielt. Der Vf hat allerdings die Ereignisse anders bewertet. Entsprechend der christlichen Tradition war für ihn das Kreuz das entscheidende, einmalige Ereignis, das Sühne wirkte. Die Schlachtung des Tieres, dh das Selbstopfer Jesu, ist das entscheidende Ereignis.

3. Wie wird das Bild vom Mitnehmen des Blutes gedeutet?

a) Zunächst muß darauf hingewiesen werden, daß häufig versucht wird, auch dieses Element des Bildes dadurch zu entfernen, daß man διά als »durch bzw kraft oder mittels« versteht[17]. Damit sei die Möglichkeit, daß man im Bild an ein himmlisches Opfer denkt, ausgeschlossen. Aber es gibt keinen Grund, dieses Element zu entfernen; der Vf beabsichtigt dies nicht. Er bleibt vielmehr bei diesem Element des Bildes auch später im Brief (vgl 9,25 ἐν αἵματι ἀλλοτρίῳ; 13,11 εἰσφέρεται . . . τὸ αἷμα . . . εἰς τὰ ἅγια διὰ τοῦ ἀρχιερέως; 13,20 ὁ ἀναγαγὼν . . . τὸν ποιμένα . . . ἐν αἵματι διαθήκης).

Es wird gerade in der Darstellung der Handlung im alten Bund betont hervorgehoben: εἰς δὲ τὴν δευτέραν ἅπαξ τοῦ ἐνιαυτοῦ μόνος ὁ ἀρχιερεύς, οὐ χωρὶς αἵματος. Das Bild bleibt also: Die Hohenpriester gingen mit dem Blut von Tieren δι᾽ αἵματος τράγων καὶ μόσχων; Jesus geht mit seinem eigenen Blut διὰ τοῦ ἰδίου αἵματος. Der Gegensatz in diesem Element der Typologie liegt in der Tatsache, daß er nicht das Blut eines anderen, sondern sein eigenes Blut mitnahm.

Das Bild verlangt aber, daß Jesus »mit« seinem Blut hineinging. Wenn das als anstößig abgelehnt wird, ist nicht das Bild von Jesu Eintritt, als durch sein Blut erwirkt oder ermöglicht,

17 *Dibelius*, Kultus S. 164. Vgl Anm. 23 zu B.II.1 oben.

ebenso anstößig? Man müßte zunächst an dem Bild festhalten; hier könnte tatsächlich gemeint sein, daß der Hohepriester eigentlich nur wegen des Blutes eintreten konnte. Das erklärt ja, warum hier διά benutzt werden konnte und nicht bloß μετά. Diese Bedeutung schwingt mit in dem Gebrauch von διά. Er geht mit dem Blut, und zugleich ist das Blut das, was seinen Eintritt ermöglicht; oder wenn man es anders deuten will: wegen des Blutes, also um das Blut zu versprengen, geht er hinein. Wenn man das Bild auf Jesus überträgt, kann man nur schwerlich ein »Mitnehmen« ausschließen, ganz sicher nicht, wenn man das Vorbild so deutet, daß der Hohepriester eintrete, um das Blut zu versprengen. Was bleibt nun, wenn man das Mitnehmen ausschließt? Man hat die Aussage, daß Jesu Eintritt durch das Blut ermöglicht wurde, wie es den Eintritt des Hohenpriesters ermöglichte. Ist das nicht ebenso christologisch anstößig wie die Vorstellung, daß er Blut mitnahm? Was könnte das bedeuten, daß das Kreuz seine Zulassung erwirkte? Wenn man nun erwidert, daß man es hier nicht so auffassen will (also nicht dem Bild gemäß), sondern damit etwa meint, daß Jesus eingetreten sei, weil sein Heilswerk jetzt vollendet sei oder um es wirkungskräftig zu machen, dann hat man das Bild schon verlassen. Man könnte aus ähnlichen Gründen sagen, daß hier nicht buchstäblich an ein Heiligtum gedacht sei usw.

Das Ganze ist *bildlich gemeint*. Aber dann müßte man erkennen, daß es in der Exegese nicht zulässig ist, aus theologischen Interessen die bildliche Darstellung nicht zustande kommen zu lassen aus Furcht, daß sie buchstäblich verstanden wird. Ebensowenig sollte man die bildliche Darstellung willkürlich ändern, wenn der Vf selbst eine Änderung nicht beabsichtigt hat. Die bildliche Darstellung in 9,11f ist: Jesus geht mit seinem Blut (und auch in dem Sinne »durch« sein Blut, weil nach dem Bild das Blut auch gewissermaßen den Eintritt ermöglichte) ins Allerheiligste hinein. Erst nachdem man die bildliche Darstellung festgestellt hat, kann man mit der weiteren Exegese des Bildes anfangen.

b) α)   Wenn wir keinen Hinweis dafür finden können, daß der Vf diesen Aspekt des Bildes aufgeben wollte, und zugleich am Ergebnis festhalten, daß für ihn das Kreuz wirksames Sühnopfer war, wie ist dieses Mitnehmen des Blutes zu verstehen? Hat Jesus wirklich sein Blut in ein himmlisches Allerheiligstes gebracht, oder ist das nur ein Bild? Ist Jesus wirklich Hoherpriester oder gleicht er einem Hohenpriester? Gibt es tatsächlich ein himmlisches Heiligtum? Ohne Zweifel sind weder Jesus selbst noch Himmel oder Sünde Bilder, sondern Wirklichkeit. Andererseits scheint die Versöhnungstagtypologie bildhaft zu sein. So kann der Vf dem Bild gegenüber ruhig inkonsequent sein, wenn er das Leiden Jesu mit dem Verbrennen der Tiere vergleichen kann. Das Mitbringen des Blutes ist ganz sicherlich bildhaft zu verstehen. Sonst müßte Jesu Leib auf Erden sein, sein Blut aber im Himmel. Solche Interpretation führt einfach ad absurdum. Ähnlich verfehlt ist der Versuch, dieses Blut im Himmel mit dem Blut der Eucharistie gleichzusetzen. Zur Eucharistie gehört auch der Leib oder das Fleisch[18].

β)   Wenn nun das *Mitnehmen des Blutes* nur *bildhaft* gemeint sein kann, wie ist es zu verstehen? Das Mitnehmen setzt Bewegung voraus, nämlich ein Eintreten durch das Heiligtum ins Allerheiligste, was ja insoweit einer Realität entspricht, als Jesus nach der Christologie des Vf zu Gott zurückgekehrt ist. Wofür konnte das Mitnehmen des Blutes stehen, wenn es nicht als

---

18   Davor warnen ua *Riehm*, Lehrbegriff S. 523 und *Montefiore*, S. 134f.

Mittel für ein Sühnopfer oder die Vollendung eines Sühnopfers zu verstehen ist, was ja ausgeschlossen ist? Es ist schwer, eine Antwort auf diese Frage zu finden, nicht zuletzt, weil der Vf dieses Motiv nicht zu deuten versucht. Denkt er etwa, daß Jesus dadurch sein irdisches Opfer und seine Aufgabe als erfüllt darstellte, als er zurückgekehrt war?

Viele denken an eine *Selbstdarstellung,* allerdings eine ewige Selbstdarstellung[19]. Dabei wird Fürbittetätigkeit anhand von 1Joh 2,1 verstanden als Bitte um Vergebung für die Seinen, was gerade für den Hb nicht zutreffend ist. Hier ist die Fürbitte eine Fürbitte um Hilfe für die Versuchten, nicht für die Sünder. Einige haben von einem himmlischen Sühnopfer gesprochen[20] oder von dem Abschluß eines solchen Opfers[21]. Einige sehen neben dem irdischen Sühnopfer noch ein himmlisches Opfer[22]. Wichtig ist zu erkennen, daß der Vf ein Versprengen des Blutes oder irgendeine andere Sühnetätigkeit mit dem Blut im Himmel überhaupt nicht erwähnt hat. Deshalb ist es falsch, diese Lücke durch Spekulationen füllen zu wollen. Uns geht es um die Antwort darauf, wie der Vf diesen für ihn offensichtlich unwichtigen Aspekt verstanden hat. Es geht also um eine Einzelheit, die der Vf als solche überhaupt nicht bewertend aufgegriffen hat.

γ) Andererseits fällt immer wieder auf, daß der Vf vom Blut *Jesu* fast wie von einem Gegenstand spricht. Das liegt nicht nur in dieser Typologie vor. In 10,29 wird neben dem Sohn Gottes und dem Geist der Gnade das Blut des Bundes erwähnt, und zwar als Heiligungsmittel (vgl 13,12; 9,14). Die Wendung τὸ αἷμα τῆς διαθήκης findet sich auch in 13,20, auch dort neben der Erwähnung Jesu, aber wahrscheinlich unter dem Einfluß der Versöhnungstagtypologie. In 12,24 wird wiederum das Blut neben Jesus erwähnt. Man kommt zur himmlischen Welt, zu Jesus und zu seinem Blut, von dem in Anlehnung an eine Abeltypologie gesagt wird, daß es spricht. Diese bildhafte Auffassung vom Blut Jesu als Gegenstand begegnet also nicht nur in der Versöhnungstagtypologie (9,12; 13,12; 9,14; vgl 9,7.12.13.25; 10,4; 13,11). In 9,15ff wird noch deutlich, daß »Blut« mit »Tod« fast synonym ist (vgl θάνατον ἀνάγκη 9,16 mit ὅθεν οὐδὲ ἡ πρώτη χωρὶς αἵματος ἐγκεκαίνισται 9,18; vgl auch τῷ αἵματι gleich χωρὶς αἱματεκχυσίας οὐ . . . 9,22)[23]. Aber es hat offensichtlich eine (bildhafte) Verobjektivierung des Blutes stattgefunden, und zwar sehr wahrscheinlich schon in der Tradition des Vf, wie die Aussagen in 10,29; 13,20 und 12,24 vermuten lassen. Deshalb fiel es dem Vf nicht schwer, den Aspekt des Mitnehmens von Blut in seine typologische Darstellung aufzunehmen. Die Metonymie »Kreuz« kann als Analogie herangeführt werden. »Blut« als Metonymie hat aller-

---

19 *Vanhoye,* Situation S. 380f; *Käsemann,* Gottesvolk S. 154; *Cullmann,* Christologie S. 101f; *Grässer,* Glaube S. 213; *Riggenbach* S. 223.461; *Spicq* I S. 312ff, II S. 137; *Bruce* S. 164 (dazu siehe auch weiter oben S. 147).

20 Dazu vgl oben Anm. 9.

21 Dazu vgl oben Anm. 10.

22 Vgl *W. Milligan,* Ascension S. 139ff; *Thalhofer,* Opfer S. 143; *Middendorf,* Meßopfer S. 161f.

23 So ua *Riggenbach* S. 460ff; *Schmitz,* Opferanschauung S. 295; *Lohse,* Märtyrer S. 174. Vgl auch *J. Behm,* Art. αἷμα, ThWNT I, S. 173–175.

dings eine weitere Entwicklung erfahren. Inwieweit Abendmahlstradition hierbei eine Rolle gespielt hat, ist im Hb schwer zu bestimmen, weil es keine eindeutigen Hinweise für Abendmahlstradition im Brief gibt. Die Wendung τὸ αἷμα τῆς διαθήκης 10,29; 13,20 zusammen mit der möglichen Anspielung auf die Einsetzungsworte in 9,20 (τοῦτο τὸ αἷμα τῆς διαθήκης) könnten dafür sprechen. Jedenfalls bedeutet eine (bildhafte) Verobjektivierung nicht, daß an das Blut als objektiven Gegenstand wie etwa ein Element der Eucharistie gedacht sei. Das mußten wir vor allem für das Bild des Mitnehmens verneinen. Typisch für die Auffassung des Vf ist 9,22, wo das Gewicht vom Blutsprengen aufs Blutvergießen verlagert wird, was ja genau der Verlagerung in der Versöhnungstagtypologie entspricht. So wird bei Aussagen über das Blut immer das Kreuz im Auge behalten und nicht an das Blut als daraus gewonnenes Sühnemittel oder Gegenstand eines himmlischen Opfers gedacht.

Das Mitnehmen des Blutes (und gemäß 12,24 das Versprengen im Allerheiligsten) wird am besten bildlich verstanden als die Darstellung einer auf Erden vollbrachten Aufgabe, nämlich: für Sünden zu sterben.

Zusammenfassung

Der Vf hat das Bild des Versöhnungstages für die Auslegung der Bedeutung des Sühnetodes Jesu übernommen. Dabei erfährt das Bild selbst Modifikationen und eine Akzentverschiebung. Nach der Darstellung des alten Versöhnungstages fand die eigentliche Sühnetat bei der Besprengung des Blutes im Allerheiligsten statt. Die Schlachtung des Tieres wurde als Vorbereitung verstanden. Nach der Darstellung des Vf fand die eigentliche Sühnetat bei der Schlachtung, dh beim Selbstopfer Jesu, statt. Dieses wirksame, endgültige und einmalige Ereignis ist Voraussetzung für die Modifikationen, daß Jesus ein für allemal das Allerheiligste betrat und sein eigenes Blut mitnahm. Dies letzte Motiv ist wahrscheinlich durch eine Verobjektivierung der Metonymie »Blut« in der Tradition des Vf ermöglicht worden. Voraussetzung für die Typologie ist die Vorstellung vom himmlischen Heiligtum. Die Typologie dient schließlich hauptsächlich dem Zweck, die Sicherheit des Heils durch die Hervorhebung der Sicherheit der Sühne zu unterstreichen, aber gleichzeitig geschieht eine Abwertung des alten Bundes, der nicht imstande war, dieses Heil zu ermöglichen.

3.   Der Hintergrund der Opfervorstellung

Der Vf erläutert die Bedeutung des Todes Jesu besonders anhand der Typologie des Versöhnungstages. Fragen wir nach dem Hintergrund dieser Opfervorstellung, so kommen hauptsächlich zwei Möglichkeiten in Frage.

Entweder wir leiten sie von der Hohenpriestervorstellung ab oder von der Betrachtungsweise, die Jesu Tod als Opfer verstand. Diese zwei Möglichkeiten schließen einander nicht aus. Wir möchten aber zunächst die zweite, nämlich die Vorstellung vom Tode Jesu als Opfer, behandeln. In einem späteren Abschnitt werden wir diese im Zusammenhang mit der Hohenpriestervorstellung untersuchen.

Die Opfervorstellung außerhalb des Hb

Zum Hintergrund der Opfervorstellung ist festzustellen:

1. In der nachexilischen Zeit überwog in der Deutung von Opferhandlungen der Sühnegedanke, sogar im Zusammenhang mit denen, die ursprünglich mit Sühne nichts zu tun hatten[1].
2. Trotz der gelegentlichen Spiritualisierung[2] bleibt die kultische Denkweise im nachalttestamentlichen Judentum sehr lebendig[3]. Auch dem Leiden eines Gerechten wurde eine Sühnewirkung beigemessen[4].
3. Diese zuletzt genannte Entwicklung ist wahrscheinlich der Hintergrund für die anfängliche Deutung des Leidens Jesu als Sühneereignis[5]. Diese Deutung wurde verschiedentlich ergänzt: durch eine Verbindung mit Jes 53; durch Motive von Sieg, Versöhnung, Erlösung, Rechtfertigung und auch durch Opfervorstellungen[6]. So sprach man vom Tode Jesu als Bundesopfer[7], als Passaopfer[8] und allgemein als Sühneopfer[9]. Dabei wurden alle diese Opfer im Zusammenhang mit dem Sühnegedanken verstanden und oft miteinander verbunden[10]. Häufig wird vom Blut Jesu als sühnewirkend gesprochen[11]. Auch die Sühneaussagen von Jes 53 wurden später in Verbindung mit Opfervorstellungen gebracht[12]. Aber eine Deutung des To-

1 Dazu vgl K. *Koch*, Sühne und Sündenvergebung um die Wende von der exilischen zur nachexilischen Zeit, EvTh 26 (1966) S. 217–239, hier S. 225ff; *Lohse*, Märtyrer S. 20ff.
2 Dazu vgl *Wenschkewitz*, Spiritualisierung passim.
3 Dazu vgl ua *Lohse*, Märtyrer S. 20ff.
4 Dazu vgl *Lohse*, aaO S. 29ff.64ff.
5 Dazu vgl *Hahn*, Hoheitstitel S. 54–66.
6 Jede Sühneaussage als Opferaussage zu bezeichnen, wie zB *Kuss*, Grundgedanken S. 291ff, es tut, ist irreführend. So mit Recht *Hahn*, Hoheitstitel S. 61 Anm. 3.
7 Vgl Mk 14,24 parr; 1Kor 11,25. Dazu vgl F. *Hahn*, Die alttestamentlichen Motive in der urchristlichen Abendmahlsüberlieferung, EvTh 27 (1967) S. 337–374, hier S. 366ff; vgl auch *Lohse*, Märtyrer S. 126.
8 Vgl 1Kor 5,7; 1Pt 1,18f (vgl 1,2; 2,21ff); Joh 1,29.35 – so ua *Bultmann*, Johannes, u. R. *Schnackenburg*, Johannesevangelium (HThK IV/2), 1967, z.St. Zur Passathematik in der Abendmahltradition vgl J. *Jeremias*, Die Abendmahlsworte Jesu, ⁴1967, S. 9ff; dagegen G. *Bornkamm*, Herrenmahl und Kirche bei Paulus, in: ders., Studien zu Antike und Urchristentum, ³1970, S. 148ff. Vgl auch *Hahn*, Motive S. 352–358. Vgl auch Apk 5,6.9.12 und dazu *Holtz*, Christologie S. 39ff.78ff, und Joh 19,31ff sowie die Datierung des Todes Jesu bei Johannes zur Zeit der Lämmerschlachtung.
9 Vgl Eph 5,2.
10 So in den Abendmahlsberichten: Bundesopfer, vielleicht auch Passaopfer, als Sühnopfer (so Mk 14,25; 1Kor 11,24). Vgl *Hahn*, Motive S. 366ff; *Lohse*, Märtyrer S. 142.
11 Vgl *Lohse*, Märtyrer S. 138.
12 Zunächst ohne diese Verbindung: Mk 10,45b parr; 14,24 parr; 2Kor 5,14; 1Tim 2,6; Joh 6,51; vgl auch Röm 5,12; Hb 2,9; Joh 1,29. In diesem Zusammenhang: Mk 14,24 (Bundesopfer); Eph 5,2; Röm 8,32 (vgl Gen 22,1ff); wahrscheinlich: 1Pt 2,21ff (vgl 1,2.18f); Joh 1,29 (dazu *Lohse*, Märtyrer S. 144f). Zum ganzen vgl *Hahn*, Hoheitstitel S. 54–66, und zur Kritik: *Lohse*, aaO S. 220ff.

des Jesu als Versöhnungstagsopfer läßt sich nicht im NT finden. Das Wort ἱλαστήριον in Röm 3,25 dürfte nicht als solches verstanden werden, sondern bedeutet »Sühnemittel« bzw »was sühnt«[13].

Nicht nur eine *Mannigfaltigkeit von Motiven* in der Darstellung des Todes Jesu als Sühnetod ist festzustellen, sondern auch eine gewisse *Vielfalt und Verallgemeinerung im Gebrauch des Opfermotivs*. Vor diesem Hintergrund sind die *Sühneaussagen des Hb* zu untersuchen.

Sühnetraditionen im Hb

1.   Eine ähnliche *Vielfalt* ist auch *im Hb* zu erkennen. Der Vf des Hb kennt die Bezeichnung der Wirkung des Todes Jesu als *Erlösung* (9,12.15; vgl 2,15). Die ganz eindeutige Beziehung auf den Tod als Sühnetat ist der Versöhnungstagstruktur nicht untergeordnet, wie wir gesehen haben, sondern umgekehrt, in der Versöhnungstagtypologie wird das Gewicht auf die Schlachtung gelegt, so daß von einer Blutbesprengung durch Jesus als Sühnetat im himmlischen Allerheiligsten überhaupt nicht die Rede ist. Der Vf bleibt seinen Traditionen treu.
2.   Das ist nicht nur durch den Gebrauch des Erlösungsbegriffes klar (vgl 9,12 αἰωνίαν λύτρωσιν εὑράμενος; auch 9,15 θανάτου γενομένου εἰς ἀπολύτρωσιν), sondern auch durch die anderen traditionellen Vorstellungen, die er heranzieht. So wird der Tod Jesu in 2,14f als Sieg und zugleich als Erlösung aus der Gefangenschaft dargestellt, eine Vorstellung, die ja schon in 2,9 vorbereitet ist (ὅπως χάριτι θεοῦ ὑπὲρ παντὸς γεύσηται θανάτου). Hier wie in 13,9ff (καλόν . . . χάριτι βεβαιοῦσθαι . . . ἔχομεν θυσιαστήριον . . . Ἰησοῦς . . . ἔξω τῆς πύλης ἔπαθεν) ist es der Tod Jesu, der als Gnadentat Gottes geschildert wird, durch die unsere Herzen befestigt sind.

a)   Bei 2,9 ist zunächst zu beachten, daß διὰ τὸ πάθημα τοῦ θανάτου nicht mit τὸν δὲ βραχύ τι παρ' ἀγγέλους ἠλαττωμένον, sondern mit δόξῃ καὶ τιμῇ ἐστεφανωμένον zusammenzunehmen ist[14]. Διά bedeutet nicht Zweck[15], sondern Grund der Krönung[16]. Wenn man aber den Vers als Ganzes nimmt, werden die Ereignisse in einer zunächst bemerkenswerten Reihenfolge erwähnt: Inkarnation – Tod – Krönung – Tod. Besonders der Finalsatz bietet Schwierigkeiten. Es scheint zunächst, als ob das Schmecken des Todes nicht Grund für die Krönung sei, sondern umgekehrt.

13   So ua C. H. *Dodd*, The Epistle of Paul to the Romans, 1949, z.St.; E. *Käsemann*, Zum Verständnis von Röm 3,24–26, in: ders., Exegetische Versuche und Besinnungen I, ⁶1970, S. 96–100; W. G. *Kümmel*, πάρεσις und ἔνδειξις – ein Beitrag zum Verständnis der paulinischen Rechtfertigungslehre, ZThK 49 (1952) S. 154–167, bes S. 159f.
14   Gegen *Hofmann* z.St.
15   So wäre die Krönung als Krönung in der Präexistenz (*Rendall* z.St.), als die Verklärung (*Dods* z.St.) oder als die Würde des Hohenpriestertums (*Strathmann* z.St.) zu deuten.
16   So in ihren Komm. z.St. *Moffatt, Kuss, Michel, Bruce, Montefiore*, auch *Steuer*, Lehre S. 72f; *Vanhoye*, Situation S. 288f.

Wenn man nicht zu radikalen Lösungen greift und etwa eine Lücke im Text postuliert[17] oder Glossen annimmt, für die es in den Handschriften keine Beweise gibt[18], wie ist der Text dann zu verstehen? Der ὅπως-Satz folgt einer Aussage über die Erhöhung; der Satz ist traditionsgeprägt[19]. Aber läßt sich nicht mehr sagen? Ist vielleicht ὅπως im Sinn von ὡς zu verstehen? So *Vanhoye*, der ὅπως mit »ainsi« übersetzt[20]. Das ist möglich, aber besser ist es, den gewöhnlichen Sinn zu bewahren[21]. Haben *Lohse*, *Westcott*, *Montefiore* recht, die Reihenfolge reflektiere die Tatsache, daß erst nach der Erhöhung die Bedeutung des Todes klar und wirksam wurde[22]? Aber das besagt der Satz nicht; hier wird nicht auf die spätere Wirkung der Tat angespielt, sondern auf die Tat selbst, die ja in 2,14f geschildert wird (so der Aorist: γεύσηται θανάτου). Vielmehr ist der ὅπως-Satz als Erläuterung von διὰ τὸ πάθημα τοῦ θανάτου und damit des ganzen Ereignisses von Menschwerdung und Erhöhung zu verstehen. Seine Inkarnation, sein »Aufenthalt« auf Erden, sein Kommen, die Initiative Gottes durch den Sohn war, ὅπως χάριτι θεοῦ ὑπὲρ παντὸς γεύσηται θανάτου[23]. Wir sehen den, der alles erfahren hat (beachte das Tempus: Perfekt), um für uns den Tod zu schmecken. In 2,9a wird der Tod als Grund der Erhöhung geschildert. In 2,9b wird die Tatsache des Todes aufgegriffen und erläutert als Zweck des ganzen Ereignisses, und zwar in einer formelhaften Aussage, die als Überleitung zu den Gedanken über das Leiden und ihre Bedeutung für die Leser dient. Denn der, der gelitten hat, der, den wir sehen, ist der, der uns in Leid und Versuchung deswegen als barmherziger Hoherpriester helfen wird.

b) *Die zwei Lesarten in 2,9b* χάριτι θεοῦ und χωρὶς θεοῦ sind sehr alt, was für χωρὶς θεοῦ durch Origenes und für χάριτι θεοῦ durch p46 bewiesen ist[24]. Auf die Einzelheiten können wir hier nicht eingehen.

Harnack möchte beweisen, daß χάριτι θεοῦ eine alte dogmatische Korrektur ist, und sieht in χωρὶς θεοῦ einen Ausdruck für die Gottverlassenheit Jesu (vgl Mk 15,34; Gal 3,13), die er auch in 5,7 durch eine Konjektur bestätigen möchte[25]. Aber von einer Gottverlassenheit Jesu oder der Christen (die Entsprechung ist dem Vf von höchster paränetischer Bedeutung) möchte der Vf gerade nicht sprechen. Gerade da sollten die Christen sich an Gott wenden (4,16). Gerade das hat Jesus getan (5,7). Außerdem würde eine solche Aussage zu dem Zusammenhang schlecht passen, es sei denn, man versteht χωρίς mit *O'Neill* räumlich: gleich auf Erden bzw nicht im Himmel bei Gott[26]. Aber das wäre im Zusammenhang überraschend und wird vom Vf nicht weiter aufgegriffen oder erklärt.

Der Zusammenhang fordert χάριτι θεοῦ. Daß das Kreuz durch Gottes Gnade gewirkt wurde, gehört zur Denkweise des Vf, was nicht nur 13,9 beweist (dasselbe Wort in diesem Sinne: χάριτι), sondern auch die gleich folgenden Wörter ἔπρεπεν γὰρ αὐτῷ (2,10). Χάριτι θεοῦ paßt zu der Christologie des Vf hier und überhaupt besser.

Wie χωρὶς θεοῦ entstanden sein könnte, wird verschieden beantwortet. Denkbar ist, daß der Vorbehalt ἐκτὸς θεοῦ im Gebrauch von Ps 8,7 in 1Kor 15,27 hier an den Rand des Textes bei demselben Gebrauch von Ps 8,7 geschrieben wurde und dann als Korrektur für χάριτι θεοῦ

---

17   *Windisch* S. 20f.

18   *Scheidweiler*, Καίπερ S. 229; *J. C. O'Neill*, Hebrews 2,9, JThSt 17 (1966) S. 79–81.

19   Dazu vgl *Michel* S. 141; *Lohse*, Märtyrer S. 180; *Billerbeck* I, S. 751f.

20   *Vanhoye*, Situation S. 294.

21   Gegen *Kuss* S. 42, der den Vers deutet: wegen des Leidens, das zum Tode führte.

22   *Lohse*, Märtyrer S. 180; *Westcott* S. 46; *Montefiore* S. 58; ähnlich *Riggenbach* S. 44.

23   Ähnlich *Bruce* S. 38; *Moffatt* S. 24; *Michel* S. 139f; *Harnack*, Korrekturen S. 242.

24   Dazu siehe *Bruce* S. 32 Anm. 15; *Michel* S. 139f; *Riggenbach* S. 45f Anm. 14; *Tasker*, Corpus Paulinum S. 184.

25   *Harnack*, Korrekturen S. 235ff.

26   *O'Neill*, Hebrews 2,9 S. 79ff.

oder auch als Beschränkung vor παντός verstanden wurde. Daß χάριτι θεοῦ einfach durch einen nicht mitdenkenden Abschreiber als χωρὶς θεοῦ falsch wiedergegeben wurde, ist nicht unmöglich, aber unwahrscheinlich. Auch dogmatische Gründe könnten dafür angeführt werden. Zwar hätte es guten Grund gegeben, warum χάριτι θεοῦ in χωρὶς θεοῦ umgeändert sein könnte, aber es wäre vielleicht denkbar, daß in bestimmten Kreisen, wie etwa bei der Auseinandersetzung über die Frage, ob Gott der Vater mitgelitten hat, χάριτι θεοῦ in χωρὶς θεοῦ umgeändert werden konnte. Das war später ein Grund dafür, daß Theodor von Mopsuestia χάριτι θεοῦ ablehnte. Jedenfalls hat die Änderung (bzw das Falschschreiben?) sehr früh stattgefunden. Die genauen Gründe dafür sind nicht mehr eindeutig zu erkennen. Aus inhaltlichen Gründen muß der Text ursprünglich χάριτι θεοῦ gelautet haben[27].

3. Der Vf kennt auch den Gebrauch von »*Blut*« Jesu als Bezeichnung für seinen Sühnetod. Das wird vor allem in 9,18–22 deutlich. Hier wird vom alten Bundesopfer und der Reinigung durch das Blut gesprochen. Vom Tod Jesu als Bundesopfer wird nichts gesagt. Der Vf versucht vielmehr, den Tod Jesu als Tod des Testators zu erklären, der den Erben die κληρονομία der διαθήκη eröffnet. Wie seine Explikation zeigt, handelt es sich wahrscheinlich um einen eigenen Beitrag des Vf. Die folgenden Verse machen aber deutlich, daß dahinter eine traditionelle Vorstellung liegt, in der vom Blut Jesu als Blut des Bundes und wahrscheinlich auch von seinem Tod als Bundesopfer gesprochen wurde. Es dürfte auch als wahrscheinlich gelten, daß in 9,20 eine indirekte Anspielung auf die Einsetzungsworte der Abendmahlstradition vorliegt. Jedenfalls könnte die Wendung τὸ αἷμα τῆς διαθήκης (10,29; 13,20; vgl 12,24) schon traditionell sein[28]. Daß sie direkt aus Abendmahlstradition entnommen ist, läßt sich nicht ausschließen (vgl 10,29 mit 6,4f). Auch die Wendung αἷματι ῥαντισμοῦ (12,24), wenn nicht aufgrund der Versöhnungstag-Typologie von ihm selbst formuliert, lag vielleicht dem Vf vor (vgl 1Pt 1,2)[29]. Auch hier ist ein Zusammenhang mit

27 So in ihren Komm. z.St. *Westcott, Riggenbach, Windisch, Moffatt, Bruce, Kuss*; auch *Kögel, Söhne* S. 48.131ff; *Tasker*, Corpus Paulinum S. 184; vgl auch *Vanhoye*, Situation S. 296ff; dagegen ua *Harnack*, Korrekturen S. 235ff; *Scheidweiler*, Καίπερ S. 229; *Zuntz*, Epistles S. 34.44; *Montefiore* z.St.; *Michel* z.St.; *J. K. Elliott*, When Jesus was Apart from God: An examination of Hebr 2,9, ExpT 83 (1972) S. 339–341. Vgl auch *A. Seeberg*, Hb 2,5–18 S. 442ff; *H. Conzelmann*, Art. χάρις, ThWNT IX, S. 363f.
28 Dazu siehe S. 169 Anm. 28 und vgl *Lohse*, Märtyrer S. 139f. Zur Verbindung καθαρίζω – αἷμα in 9,14 vgl 1Joh 1,7b; auch Lev 16,19.30.
29 Ist hier an das Passafest zu denken (vgl 1Pt 1,2 mit 1,19 und die Tatsache, daß der Tod Abels nach bestimmten jüdischen Traditionen am selben Tag stattgefunden hat – dazu *Bruce* S. 379 Anm. 177; vgl auch *N. Füglister*, Die Heilsbedeutung des Pascha [StANT 8], 1963, S. 207ff)? Oder an das Blut des Bundes (Ex 24 in Hb 9,18ff; vgl auch gleich zuvor διαθήκης νέας μεσίτῃ Ἰησοῦ, vgl 1 Pt 1,2 und dazu *Lohse*, Märtyrer S. 183)? Ὕδωρ ῥαντισμοῦ, das in Num 19 LXX als terminus technicus für das durch Vermischen mit der Asche einer roten Kuh gewonnene Entsündigungs- und Reinigungswasser vorkommt, hat die Formulierung in 12,24 wahrscheinlich nicht beeinflußt. Vgl *C. H. Hunzinger*, Art. ῥαντίζω, ThWNT VI, S. 981 (vgl Hb 9,13). Wie »redet« Abel noch? Als Beispiel in der Verkündigung (*Michel* S. 385)? Oder ist an eine Deutung des Todes Abels, des Gerechten, als sühnewirkendes Ereignis gedacht, wie es im Judentum möglich war (*F. Hahn*, Hebräer 12,18–25, GPM 20 [1965] S. 74–84, hier S. 79f Anm. 22; vgl *Lohse*, Märtyrer S. 78ff)? Wahrscheinlich ist an den Racheschrei des Blutes Abels zu denken (vgl ua Mt 23,25; 27,25; Apk 6,9ff; IHen 22,5–7; 4Makk 11,23; Jub 4,3; Phi-

der διαθήκη-Vorstellung erkennbar (vgl διαθήκης νέας μεσίτη Ἰησοῦ καὶ αἵματι . . .) und noch dazu eine deutliche *Abeltypologie*, die das Blut Jesu als heil- und nicht racheversprechend darstellt (αἵματι ῥαντισμοῦ κρεῖττον λαλοῦντι παρὰ τὸν Ἄβελ, vgl: Ἄβελ . . . ἀποθανὼν ἔτι λαλεῖ 11,4). Aus diesen Stellen geht deutlich hervor, daß die Vorstellung vom Blut Jesu als Metonymie für seinen Sühnetod nicht erst durch die Versöhnungstagtypologie entstanden ist, sondern dem Vf aus seiner Tradition längst bekannt war und sogar den Hintergrund bildet für ein richtiges Verständnis seiner bildlichen Darstellung von Jesu Mitnehmen des Blutes.
4. Es ist zu fragen, ob auch die *Passaopfervorstellung* Spuren im Hb hinterlassen hat. In 11,28 wird zwar im Zusammenhang mit der Darstellung von Mose (11,23–29)[30] vom Passa gesprochen. In 11,26 wird das Leiden des Mose typologisch gedeutet (»er achtete die Schmach des Christus für einen größeren Reichtum als die Schätze Ägyptens«). Die Frage ist nur, ob auch in V 28 eine typologische Bedeutung vorliegt. Zwar sind die Gerechten des alten Bundes in c. 11 vor allem Vorbilder für die Christen (vgl 12,1), aber es sind auch verhüllte christologische Anspielungen vorhanden, wie die Abelgeschichte (11,4; vgl 12,24) und die Isaakgeschichte, die auf die Auferweckung Jesu und vielleicht auch auf seinen Opfertod anspielen, zeigen (11,17–19 λογισάμενος ὅτι καὶ ἐκ νεκρῶν ἐγείρειν δυνατὸς ὁ θεός, ὅθεν αὐτὸν καὶ ἐν παραβολῇ ἐκομίσατο; vgl 5,7 . . . πρὸς τὸν δυνάμενον σῴζειν αὐτὸν ἐκ θανάτου; 13,20 ὁ θεός . . . ὁ ἀναγαγὼν ἐκ νεκρῶν . . .; auch V 17 Ἀβραάμ . . . τὸν μονογενῆ προσφέρειν)[31]. Eine *Typologisierung des Exodus*, bei dem Mose das Volk durch das Passaopfer aus Ägypten befreit, war dem Vf keineswegs fremd (vgl 13,20)[32]. Dementsprechend hat Jesus durch sein Blut den Zerstörer überwunden und dadurch die Rettung der Erstgeborenen von der Sündenmacht vollzogen[33]. Ägypten als Bild des Unheils ist nichts Neues und in 13,20 vorausgesetzt. Die Christen können als πρωτότοκοι bzw πρωτότοκα bezeichnet werden (vgl auch

---

loDeter 48; Abr 11,2; und vor allem Gen 4,10). So die meisten Ausleger, vgl *Schröger*, Schriftausleger S. 212f. An das drohende Wort Jesu ist nicht gedacht (gegen *Schierse*, Verheißung S. 182 Anm. 124). Es ist schließlich das Blut der Besprengung, das heilende Blut, das hier spricht.

30 Zur möglichen Passatypologie in 12,24 vgl oben Anm. 29.

31 *K. Lehmann*, Auferweckt am dritten Tag nach der Schrift (QD 38), ²1969, S. 271; *Schille*, Katechese S. 118 u. 124f; *R. le Déaut*, La Nuit Paschale (AnalBibl 22), 1963, S. 163 Anm. 80. Vgl *Michel* S. 402f.

32 Außer 13,20 vgl 3,1ff; 3,7–4,11; auch 8,5; 12,18ff; 2,14f (dazu S. 114f oben; überhaupt 2,10ff, dazu siehe oben S. 137). Die Christen sind das gerettete Gottesvolk (vgl 2,1ff; 10,26ff) auf dem Weg zur Ruhe des himmlischen Vaterlandes.

33 Erst *Schille*, Katechese, fragt, ob der Streit mit dem König in 11,27 etwa als Streit des Erlösers zu verstehen sei (S. 121f). Aber in 11,27b wird nur dessen Standhaftigkeit begründet. Sonst erwägt *Schille* die Möglichkeit, daß in 11,28 an das Passa Christi gedacht sei, besonders weil hier von einer Ausschüttung (τὴν πρόσχυσιν) und nicht einer Bestreichung mit dem Blut gesprochen wird (S. 125). Aber τὴν πρόσχυσιν ist aus der Tempelpraxis zu erklären, so *Jeremias*, Art. πάσχα, ThWNT V, S. 897 Anm. 21.

12,16 in der Esautypologie: τὰ πρωτοτόκια)[34]. Die Überwindung des Todesgeistes war dem Vf ebenfalls bekannt (2,14; vgl hier: ὁ ὀλοθρεύων; vgl ὁ ὀλεθρεύων SapSal 18,25; Ἀβαδδών . . . Ἀπολλύων Apk 9,11). Ist es nur zufällig, daß in 2,14f auch von Befreiung aus Gefangenschaft gesprochen wird (für das σπέρμα Ἀβραάμ siehe 2,16!)? Wenn man hinzunimmt, daß alle langen Ausführungen in c. 11 einem bestimmten Zweck dienen[35], ist eine solche Auslegung von 11,23–29 keineswegs auszuschließen. Andererseits fehlen im Text direkte Gleichsetzungen wie für das Leiden Mose.

5.   Auch unter Anlehnung an *Jes* 53 wird der Sühnetod Jesu *im Hb* dargestellt[36] und zwar als Sühnopfer (9,28: ἅπαξ προσενεχθεὶς εἰς τὸ πολλῶν ἀνενεγκεῖν ἁμαρτίας, vgl Jes 53,12). Ganz offensichtlich ist diese Deutung von der Versöhnungstagtypologie ganz unabhängig, weil hier, wie das passive προσενεχθείς zeigt, Gott selbst handelt. Wie die Parusievorstellung im selben Vers dürfte auch diese Aussage traditionell sein. Ἅπαξ ist vom Zusammenhang her bedingt, ist aber wahrscheinlich schon vor dem Vf im Zusammenhang mit dem Tod Jesu als Opfer gebraucht worden. Der Grund dafür wäre, auf die Frage zu antworten, warum Jesu Opfer, anders als die Opfer in der Umwelt, nicht wiederholt werde. Vielleicht liegt ein solcher Zusammenhang hinter 1Pt 3,18 (ὅτι καὶ Χριστὸς ἅπαξ περὶ ἁμαρτιῶν ἔπαθεν)[37]. Jedenfalls ist die Tatsache, daß das Wort wahrscheinlich zunächst in Verbindung mit dem Tod Jesu als Opfertod gebraucht wurde, für die Versöhnungstagtypologie des Vf sehr aufschlußreich. Er hält auch daran fest: die Sühnetat Jesu geschah einmal, gesteigert: ἐφάπαξ, ein für allemal; danach ist er in den Himmel gegangen und braucht nicht wieder zurückzu-

---

34   In 12,16f dürfte eine versteckte Typologie vorliegen. Das Sein ὡς Ἠσαῦ würde darin bestehen, daß die Christen wegen βρώσεως μιᾶς (vgl 13,9 καλὸν . . . βεβαιοῦσθαι . . ., auch 9,9f) ihre πρωτοτόκια (vgl πρωτοτόκων 12,22) nicht κληρονομῆσαι (vgl die Häufigkeit von κληρονομία κτλ. im Brief: 1,14; 6,12; 9,15; 6,17; vgl 11,7) würden. Daß er keine μετάνοια fand, erinnert an 6,4ff; 10,26ff.

35   Dazu sind folgende zu zählen: Abel (siehe Anm. 29 oben); Henoch (vgl V 6); die Darstellung Noahs enthält kerygmatische Anspielungen; Abrahams Reise (vgl V 13ff); die Saraerzählung (vgl V 12); zum Opfer Isaaks vgl Anm. 31 oben; zum Moseabschnitt siehe oben Anm. 33. Alle behandeln die Thematik »Glaube« meist im Zusammenhang mit der Hoffnung auf ein Leben nach dem Tod.

36   Eine Nachwirkung von Jes 53 (für viele/alle) ist in 2,9.10, vielleicht auch in 9,18ff (die Reinigung »aller« Gegenstände) und 5,9 zu erkennen (dazu *Lohse*, Märtyrer S. 180). Außer in 2,9 kommt die Wendung ὑπέρ mit Personen zweimal im Zusammenhang mit der Opfertätigkeit des alten Priestertums (5,1; 9,7), dreimal mit Sünden (5,1; 7,27; 9,7) und dreimal im Zusammenhang mit der himmlischen Tätigkeit Jesu in der Gegenwart vor (7,25; 9,24; 6,20). Schließlich findet sie sich noch in 10,12 für das Opfer Jesu (vgl 1Kor 15,3). Vgl auch 13,17.

37   So *R. Bultmann*, Bekenntnis- und Liedfragmente im ersten Petrusbrief, in: ders., Exegetica, 1967, S. 285–297, hier 286. Dagegen aber spricht der Zusammenhang: die Christen müssen leiden (vgl 3,14ff: auch Christus hat einmal gelitten: ὅτι καὶ Χριστὸς ἅπαξ ἔπαθεν). Vgl auch Röm 6,10; Jud 5. Zum Gebrauch von ἅπαξ vgl *Winter*, ἅπαξ; *G. Stählin*, Art. ἅπαξ, ThWNT I, S. 380ff. Zur These, daß ἅπαξ ursprünglich als Abgrenzung gegenüber den jährlichen Riten der Mysterien gebraucht wurde, vgl *W. Schrage*, Das Verständnis des Todes Jesu Christi im Neuen Testament, in: Das Kreuz Jesu Christi als Grund des Heils, 1967, S. 51 Anm. 1.

kehren, um zu opfern (7,27; 10,11f). Diese Einmaligkeit seines Opfers auf
Erden begründet also seine ewige Tätigkeit im Himmel als Fürsprecher. Die
Sühnetätigkeit war auf Erden abgeschlossen; deshalb konnte er zurückkehren und seine hohepriesterliche Tätigkeit aufnehmen als Fürbitter um Hilfe
für die Seinen auf dem Weg. Die Einmaligkeit seines Eintritts ins Allerheiligste begründet einerseits die Ewigkeit seiner jetzigen Hohenpriesterschaft, sie beweist andererseits, daß die Sühnetat abgeschlossen ist. Gerade
diese letztere Tatsache wird anhand der Versöhnungstagtypologie hervorgehoben. Das ist der Sinn des einmaligen Eintritts, der ja als typologische
Entsprechung betont wird; das wird in 9,12 deutlich zum Ausdruck gebracht: Jesus ist ein für allemal eingetreten, weil er eine ewige Erlösung geschaffen hat durch seine einmalige Sühnetat (εἰσῆλθεν ἐφάπαξ εἰς τὰ
ἅγια, αἰωνίαν λύτρωσιν εὑράμενος).

6. Daß es dem Vf um die Hervorhebung des Todes Jesu als endgültiger
Sühnetat geht, auch wenn er die *Versöhnungstagtypologie* gebraucht, erklärt wiederum, warum er nicht streng an dieser Typologie festhält, sondern immer wieder zu anderen Sühne- und Opfervorstellungen übergeht.
Vielleicht ist das auch die beste Erklärung dafür, daß er manchmal Einzelheiten der Typologie unterschiedlich darstellt. Daher kann er vom täglichen
Opfer sprechen (7,27; 10,11), obwohl er sehr wohl wußte, daß die Handlung einmal im Jahr stattfand (9,25; 10,1; 9,7)[38]. Deshalb kann er in seiner
abschließenden Ausführung bloß von Priestern sprechen (10,11) und nicht
von Hohenpriestern, was eine genaue typologische Entsprechung verlangen
würde. Daher erklärt sich auch, warum er noch Zusätze wie das Ritual der
Asche der roten Kühe (9,13) der Behandlung dieser Typologie einfügen
konnte. Daher konnte er die Sühnetat mit der Verbrennung der Leiche
gleichsetzen (13,11f). Vor allem ist die Verlegung des Gewichts in der typologischen Darstellung selbst daraus zu erklären, wodurch die Schlachtung
und nicht die Besprengung, die kaum erwähnt wird, die entscheidende Sühnetat wird.

7. Um die *Ergebnisse* zusammenzufassen: Der Hb zeigt eine ähnliche
Vielfalt, wie wir sie im übrigen NT gefunden haben. Eindeutig kann man
feststellen, daß die Vorstellung vom Tod Jesu als Sühnopfer dem Vf aus der
Tradition bekannt war, und zwar in Form einer Bundes- und vielleicht einer
Passaopfervorstellung, in der Form eines Sühnopferverständnisses von Jes
53 und in der allgemeinen Auffassung, daß der Tod Jesu eine Sühnetat war;
das wird nicht zuletzt durch den Gebrauch des Blutbegriffes deutlich. Zwar
sind viele dieser Vorstellungen im Zusammenhang mit der Versöhnungstagtypologie gebraucht, doch sind sie ursprünglich davon unabhängig.

---

38   Dazu vgl *Michel* S. 281f.

Die Ankündigung der Versöhnungstag-Typologie im Hb

Wie ist diese Vorstellung der Versöhnungstagtypologie entstanden? Wie ist
der Vf zu der Auffassung gekommen, daß Jesus als Hoherpriester sich selbst
wie am Versöhnungstag dargebracht hat[39]? Von dieser Typologie haben wir
in seinen Traditionen und überhaupt im NT bisher keine Spur gefunden.
Wo kommt diese Vorstellung zum ersten Mal vor?
1.a) Wir wenden uns der Stelle 2,17 zu. Zunächst ist festzustellen, daß die
Gedanken des Textes im weiteren Verlauf aufgegriffen werden. Der Anfang
selbst (ὅθεν ὤφειλεν κατὰ πάντα τοῖς ἀδελφοῖς ὁμοιωθῆναι) greift 2,10
(ἔπρεπεν γὰρ αὐτῷ . . . ἀρχηγὸν . . . διὰ παθημάτων τελειῶσαι, vgl
2,14 . . . αὐτὸς παραπλησίως μετέσχεν τῶν αὐτῶν) auf, wird aber selbst
in 4,15 zum Teil weitergeführt (πεπειρασμένον δὲ κατὰ πάντα καθ᾽
ὁμοιότητα χωρὶς ἁμαρτίας). Dort wie hier geht es grundsätzlich um das
Versuchtsein Jesu, was ja 2,18 eindeutig zeigt (ἐν ᾧ γὰρ πέπονθεν αὐτὸς
πειρασθεὶς δύναται τοῖς πειραζομένοις βοηθῆσαι, vgl 4,16 . . . εὕρω-
μεν . . . βοήθειαν). Daß er ἐλεήμων und πιστός ist, entspricht auch der
Gedankenführung des Zusammenhangs. Er ist ἐλεήμων, weil er wie wir
versucht worden ist und gelitten hat. Er ist πιστός, weil er trotz allem treu
blieb. Er ist jetzt ἀρχιερεύς; dabei wird an seine jetzige Priesterschaft gedacht, die in den folgenden Kapiteln hervorgehoben wird und in 7,25 ausdrücklich als Fürbitte für die Seinen beschrieben wird, die ja in Versuchung
und Leiden stehen. Die ἀρχιερεύς-Bezeichnung bezieht sich auf den Erhöhten in seiner Tätigkeit als barmherziger Fürbitter für uns. Sie kommt
vollkommen unvorbereitet, so daß man annehmen muß, daß sie als Bezeichnung des Erhöhten den Lesern schon geläufig war. Das Wort ἀρχιερεύς wird in 3,1 und weiter in 4,14 aufgegriffen und steht vor allem als
Oberbegriff über c. 5–8, wo die Priesterschaft selbst beschrieben wird, und
auch über c. 9–10, wo sie zur Versöhnungstagtypologie führt. Aber auch
andere Elemente von 2,17 bestimmen den weiteren Gedankengang. In 3,2
wird das Wort πιστός aufgegriffen, das schließlich zu der Ausführung über
Glaube und Treue in c. 3–4 führt (κατανοήσατε . . . τὸν ἀρχιερέα . . .
πιστὸν ὄντα 3,1f). Anschließend werden die Gedanken von 2,17f über den
Erhöhten mit denselben Wörtern aufgegriffen (4,14ff). In 5,1 werden nun
die Wörter ἀρχιερεὺς τὰ πρὸς τὸν θεόν wörtlich und εἰς τὸ ἱλάσκεσθαι
τὰς ἁμαρτίας τοῦ λαοῦ paraphrasiert aufgenommen (ἀρχιερεὺς . . . τὰ
πρὸς τὸν θεόν, ἵνα προσφέρῃ δῶρά τε καὶ θυσίας ὑπὲρ ἁμαρτιῶν) und
als Leitgedanke für die Ausführung von 5,1–10 gebraucht. Aber auch hier
geht es noch nicht um die Sühnetätigkeit selbst, sondern um Natur und Eigenschaften des Hohenpriesters. Erst in c. 9 bereitet der Vf seine Ausführungen über die eigentliche Sühnetätigkeit vor, die ja zur Hohenpriesterschaft auch gehört, wie 2,17 erklärt: ἀρχιερεὺς τὰ πρὸς τὸν θεόν, εἰς τὸ
ἱλάσκεσθαι τὰς ἁμαρτίας τοῦ λαοῦ.

39 Zum Hintergrund der Selbsthingabe überhaupt vgl vor allem W. *Popkes*, Christus Traditus (AThANT 49), 1967, S. 153ff.246ff.

b) *2,17* wirkt wie eine *programmatische Erklärung*[40]. Dabei ist aber zu unterscheiden zwischen dem, was dem Gedankengang des Kontextes entspricht, und dem, was im Zusammenhang keine unmittelbare Rolle spielt[41]. Es geht im Kontext um den Erhöhten, der auf Erden versucht worden ist und gelitten hat. Daß er als Hoherpriester bezeichnet wird, ist wahrscheinlich daraus zu erklären, daß der Name des Erhöhten den Lesern schon bekannt war. Der mitleidende und treue Hohepriester entspricht dem Thema des Zusammenhangs und stammt, jedenfalls was die Bezeichnung ἀρχιερεύς betrifft, aus der Tradition des Vf[42].

c) Aber was ist mit den Worten εἰς τὸ ἱλάσκεσθαι τὰς ἁμαρτίας τοῦ λαοῦ, die keine unmittelbare Beziehung zum Zusammenhang haben? Man wäre zur Annahme geneigt, daß auch sie aus der Tradition stammen (vielleicht sogar in dieser Form) und der Vf sie ohne Berücksichtigung des Zusammenhangs mitzitiert. Aber dagegen spricht vieles. Erstens steht die dahinter liegende Auffassung von der Priesterschaft Jesu in Spannung zum übrigen Vers. Der Vf versteht diese Wörter im Zusammenhang mit der Sühnetat Jesu auf Erden als Hoherpriester, aber die vorangehenden Worte in 2,17 beziehen sich hauptsächlich auf das Fürbitte-Amt, in das Jesus erst nach der Erhöhung eingesetzt wurde. Diese Spannung ist bekanntlich an vielen anderen Stellen des Briefes zu erkennen, und der Vf hat sich damit nicht beschäftigt, wenn er sie überhaupt erkannt hat. Sie ist Ergebnis einer besonderen Entwicklung der Hohenpriestertradition, die der Vf durch seine Versöhnungstagtypologie eingeleitet hat. Es läßt sich daher vermuten, daß diese Worte keineswegs mit dem übrigen Vers und der Hohepriesterbezeichnung zu irgendeiner Vorlage gehörten, sondern daß sie vom Vf selbst als programmatische Ankündigung in den Vers eingefügt sind.

d) Dafür spricht weiter, daß der präsentische Infinitiv benutzt wird: τὸ ἱλάσκεσθαι[43]. Die Worte werden also als eine Näherbestimmung des Hohenpriesterbegriffes angeführt, die der Vf später aufgreifen kann. Durch seine Notiz wird 2,17 zur programmatischen Ankündigung nicht nur der Themen von c. 2–8, sondern von allen Hauptthemen, einschließlich der c. 9–10. Aber wäre das nicht immer noch störend für die Leser? Das scheint uns nicht der Fall zu sein. Was jetzt hier steht, wird zwar später mit der Versöhnungstagtypologie ausgelegt, aber in der Form, wie es jetzt dasteht, konnte es nur als ein Hinweis auf das Sühnopfer Jesu aufgefaßt werden, was ja kein neuer, störender Gedanke wäre.

40 Ähnlich *Kistemaker*, Psalm Citations S. 101; *Stadelmann*, Christologie S. 179.
41 Ähnlich *Grässer*, Glaube S. 21 Anm. 74.
42 Dazu vgl unten S. 206ff.
43 Gegen die These von *Vanhoye* (Situation S. 381), daß der Vf hier an die Anwendung der durch die Heilstat gewonnenen Vergebung denke, spricht die Tatsache, daß er im Anschluß an 2,17b in 5,1 von den Opfertätigkeiten der Hohenpriester für Sünde spricht. Entsprechend der Tätigkeit der Hohenpriester, die zunächst keine christologische Entsprechung erhält, wird nun in 7,27, der die Formulierung von 5,1 aufgreift, auf die einmalige Sühnetat Jesu hingewiesen. Vgl auch *Stadelmann*, Christologie S. 181.

e) Aus diesem Grund muß festgestellt werden, daß 2,17 nicht für die Auffassung spricht, daß die Versöhnungstagtypologie den Lesern aus irgendeiner Tradition schon bekannt war. Sonst wäre übrigens die lange Erklärung dieser Vorstellung vom Vf kaum nötig gewesen.

2. Eine Ankündigung seiner These würde man vielleicht eher am *Anfang des Briefes* erwarten. Etwas Programmatisches finden wir dort nicht, sondern einen Satz, der um ein »Hymnus«-Stück gebaut ist. Ob die Aussage über die Reinigung von den Sünden zum »Hymnus« gehört oder nicht, ist umstritten. Die Terminologie ist sicher die des Vf; die Frage ist nur, ob sie auch die des »Hymnus« ist. Eine sichere Antwort bleibt aus. Die Gedankenkette mit Ps 110,1 und Ps 8 scheint immer an eine Aussage über den Tod Jesu mit der Bezeichnung Χριστός gebunden zu sein, die der Vf entweder neu formuliert hat oder in der Form des »Hymnus« ausdrückt. Daß er von einer Todesaussage in Verbindung mit dem Χριστός-Titel ausgegangen ist, erklärt wahrscheinlich die Häufigkeit dieses Titels, gerade wo dieses Thema erläutert wird (9,11; 9,14; 9,24; 9,28; vgl 10,10). Wenn das der Fall ist, dann wäre es nicht überraschend, wenn er selbst *1,3d* bewußt kultisch gestaltet hat, um sein Thema anzukündigen, und damit eine Χριστός-Aussage ersetzt hat. Auch wenn das der Fall ist, so ist immerhin darauf hinzuweisen, daß damit noch nicht von einer Versöhnungstagtypologie die Rede ist.

Zusammenfassung

Der Vf kannte die Vorstellungen vom Tod Jesu als Sühnopfer. Das zeigen schon die vielfältigen Deutungen des Todes Jesu im Brief. Er versucht seinerseits, die Bedeutung dieses Ereignisses durch seine Versöhnungstagtypologie hervorzuheben. Wie verhält sich nun diese Entwicklung zu seiner Hohepriestertypologie als einem Ganzen? Diesen Fragen müssen wir uns in den folgenden Kapiteln zuwenden.

III. Jesu Hohepriesteramt und die Tradition

1. Der Hintergrund der Vorstellung im Hebräerbrief

In diesem Abschnitt möchten wir vor allem den Hintergrund dieser Vorstellung angesichts der Ausführungen des Hb selbst behandeln. In einem folgenden Abschnitt werden wir diese Frage im Blick auf die Umwelt des Briefes behandeln.

Die zwei Motive der Hohenpriester-Christologie: Fürbitte im Himmel und Sühne auf Erden

1. Wenn wir nach dem Hintergrund der Hohenpriestervorstellung des Hb fragen, müssen wir zunächst folgende Tatsachen in Betracht ziehen. Erstens, in der *Hohenpriestertypologie des Vf* können wir grundsätzlich *zwei Motive* unterscheiden: Jesus, der *fürbittende Hohepriester*, und Jesus, der *sich opfernde Hohepriester*. Zweitens, wir haben den Hintergrund der zwei Motive untersucht, Fürbitte und Versöhnungstagtypologie, und haben festgestellt, daß die Vorstellung von Jesus als Fürbitter einerseits auch sonst im NT zu erkennen und daß andererseits wenigstens die Auffassung vom Tode Jesu als Sühnopfer ebenfalls vorhanden ist, obwohl eine eindeutige Typologie des Versöhnungstags in dieser letzten Hinsicht fehlt. Eine Verbindung mit dem Hohenpriesterbegriff läßt sich aber in beiden Fällen nicht nachweisen. Wir dürfen deshalb Belege dieser Motive nicht als Belege einer Hohenpriesterschaft Jesu in Anspruch nehmen[1].

2. Es empfiehlt sich deshalb, zunächst beide Motivkomplexe genauer anzusehen und zu fragen, wie es dazu kam, daß sie mit dem Hohenpriesterbegriff zusammengebracht wurden. Die Vorstellungen von Jesus als fürsprechendem und sich opferndem Hohenpriester stehen in einer gewissen *Spannung nebeneinander*. Nach der einen übt Jesus seine Hohepriesterschaft, in die er mit der Erhöhung als Hoherpriester eingesetzt worden ist (5,6.10; 7,28) erst im Himmel aus (vgl 8,1ff.6); erst dann ist er Hoherpriester geworden (2,17; 6,20; 8,1). Diese hohepriesterliche Tätigkeit besteht darin, daß er jetzt für die Versuchten und Leidenden bittet (7,25; 2,18; 4,15; vgl 9,24b). Nach der anderen ist Jesus als Hoherpriester erschienen (9,11; 9,26b), um ein für allemal durch sein Selbstopfer als Hoherpriester für das Volk zu sühnen, und zwar durch sein Sterben auf Erden. Dazu hat er

---

1 Im Blick auf das Fürbittemotiv mit Recht *Hahn*, Hoheitstitel S. 232ff, gegen *Nomoto*, Herkunft S. 13; *Klappert*, Eschatologie S. 35; im Blick auf das Sühnopfermotiv *Hahn*, aaO S. 234. Daß neben dem christologischen Gebrauch von Ps 110,1 immer eine christologische Deutung von Ps 110,4 vorauszusetzen sei, wie zB *Cullmann* bei Mk 12,35ff u. Mk 14,62 annimmt (Christologie S. 83.87f), ist ebenso abwegig.

seinen Opferleib am Anfang seines irdischen Lebens angenommen (10,5). Erst nachdem er dieses Sühnewerk auf Erden abgeschlossen hatte, kehrte er zur Rechten Gottes zurück (10,10ff) und trat vor Gott ins Allerheiligste ein. Nach dieser Auffassung ist er schon auf Erden Hoherpriester gewesen.

3.a)   Die Spannung zwischen beiden Komplexen erinnert an die zwischen den Erhöhungsaussagen, die von Jesus als Sohn erst nach der Erhöhung bzw von ihm als dem ewigen Sohn sprechen. Die Verbindung der Vorstellung von Jesus als fürsprechendem Hohenpriester mit der Erhöhungsüberlieferung ist kaum zu verkennen[2]. Jesus ist mit dem Namen des Sohnes ausgezeichnet (5,5; vgl 1,5) und erst mit der Erhöhung in die Hohepriesterschaft eingesetzt (5,6). Für diese Zusammengehörigkeit spricht auch die Tatsache, daß gerade ein Vers aus Ps 110 als Beweis für die Hohepriesterschaft angeführt wird (V 4), der Psalm, der den Beweis für die Erhöhung gibt, nämlich V 1. Diese Hohepriestervorstellung wird ohne Vorbereitung vom Vf eingeführt und bestimmt den Gedankengang des Vf bis c. 9.

b)   Auf der anderen Seite wird die Versöhnungstagtypologie bewußt vorbereitet, was schon vermuten läßt, daß der Vf hier eine neue Entwicklung vorführen will. Daß wir es tatsächlich hier mit einer späteren Entwicklung zu tun haben, zeigt nicht zuletzt die jüngere Christologie, wonach die passive Erhöhungsvorstellung durch die Rückkehrvorstellung verlagert und der Hohepriestertitel nicht mehr nur auf den Erhöhten beschränkt wird.

4.   Wie sich beide Motivkomplexe zueinander verhalten, möchten wir später behandeln. Für uns ist jetzt die Frage wichtig: Wenn wir es mit zwei verschiedenen Motivkomplexen zu tun haben, dem _Fürbittekomplex_ und dem _Versöhnungskomplex_, wie ist die _Verbindung des Hohenpriesterbegriffes mit ihnen_ zustande gekommen? Es bestehen grundsätzlich drei Möglichkeiten: entweder der Begriff kam in beiden vor, ohne daß sie sich deswegen gegenseitig beeinflußt haben, oder der Begriff kam zunächst in dem Fürsprecherkomplex vor und ist sekundär in eine Versöhnungstagtypologie entwickelt worden oder drittens umgekehrt. Gegen die dritte Möglichkeit, daß die Vorstellung von Jesus als fürsprechendem Hohenpriester, der erst mit der Erhöhung in sein Amt eingesetzt worden sei, von der Versöhnungstagtypologie abzuleiten sei, spricht die Tatsache, daß es höchst unwahrscheinlich wäre, daß die breitere Hohepriestervorstellung, nach der Jesus schon auf Erden vor der Erhöhung als Hoherpriester tätig war, einer solchen christologischen Beschränkung unterzogen würde, so daß Jesus jetzt erst mit der Erhöhung als Hoherpriester zu bezeichnen sei[3]. Die umgekehrte Beein-

---

2   So _Hahn_, Hoheitstitel S. 233, ähnlich _Luck_, Geschehen S. 206, vgl aber S. 213; _Hay_, Glory S. 130ff und _Klappert_, Eschatologie S. 34, der allerdings die irreführende Bezeichnung »kosmokratorisches Hohepriestertum« benutzt. Die Ausübung der Hohenpriesterschaft bedeutet für Jesus im Hb nicht Herrschaft. Außerdem klingt in »kosmokratorisches Hohepriestertum« die philonische Logoshohepriestervorstellung nach, was der Intention von _Klappert_ nicht entspricht.

3   _Schenke_, Erwägungen S. 429, vermutet, daß »auf eine dem Vf durch die christliche Tradition vorgegebene Spielart der Präexistenzchristologie die Hohepriesterchristologie aufgesetzt

flussung, die zweite Möglichkeit, ist viel eher vorauszusetzen. Angesichts dieser Spannung ist es jedenfalls unwahrscheinlich, daß die beiden Motivkomplexe vom Vf selbst entwickelt wurden. Vielmehr ist diese Spannung – wie bei der Spannung zwischen den Sohnschaftsaussagen im Brief – dadurch zu erklären, daß der Vf ältere Traditionen aufgegriffen hat. Hier geht es ja nicht um Inkonsequenz in den Einzelheiten einer Typologie, wie sie in seiner Darstellung der Versöhnungstagtypologie zu erkennen ist (vgl 13,11ff), sondern um grundlegende Unterschiede. Daß unser gebildeter Vf zu solcher Inkonsequenz kommen könnte, scheint uns weniger wahrscheinlich, als daß er Traditionen aufgegriffen und dabei diese Unterschiede stehen gelassen hat[4].

5. Sind beide Motivkomplexe im Zusammenhang mit der Hohenpriesterbezeichnung schon in der Tradition des Vf vorhanden gewesen, oder hat er die eine aufgegriffen und die andere neu entwickelt? Die gut vorbereitete Darstellung der Versöhnungstagtypologie deutet darauf hin, daß er die Vorstellung vom himmlischen, fürsprechenden Hohenpriester schon vorfand. Dafür spricht weiter, daß die Hohenpriesterbezeichnung unbedingt zu dieser Typologie gehört, während sie für den Fürbittekomplex nicht unabdingbar ist (so zB Röm 8,34b).

Wahrscheinlich hat also der Vf aufgrund des Hohenpriestertitels die Versöhnungstagtypologie entwickelt, die ja eine jüngere Christologie voraussetzt[5]. Er hat sie dadurch entwickelt, daß er die Hohepriesterbezeichnung mit der Vorstellung vom Tod Jesu als Sühnopfer verbunden und die Sühnetat typologisch anhand des Versöhnungstagrituals ausgelegt hat; dies bedeutete, daß Jesus schon auf Erden als Hoherpriester tätig war. Auf Einzelheiten dieser Entwicklung möchten wir später eingehen. Für unsere Fragestellung bedeutet das aber, daß das Problem des Hintergrunds des Hohenpriesterbegriffes im Hb sich auf die Frage konzentriert, warum der fürbittende Erhöhte als Hoherpriester bezeichnet wurde.

---

worden« sei. Das dürfte für die Versöhnungstagtypologie gelten, jedoch nicht für die Vorstellung von Jesus als fürbittendem Hohenpriester. *Schenke* leugnet eine Entwicklung in der Hohenpriesterchristologie.

4 So *Michel* S. 74; *Brandenburger*, Vorlagen S. 208; *Hahn*, Hoheitstitel S. 232ff; *Theissen*, Untersuchungen S. 30.44.53ff. Aber die These, daß der Vf das Fürbittemotiv beseitigen möchte, wie *Theissen* meint, übersieht das Gewicht, das dieser Gedanke in den ersten 9 Kapiteln des Briefes trägt. Daß der Vf selbst als erster die Hohepriestertypologie entwickelt habe, wird von den folgenden Auslegern vertreten: *Moffatt* S. XLVI; *Windisch* S. 13f; *M. E. Clarkson*, The Antecedents of the High Priest Theme in Hebrews, AnglThR 29 (1947) S. 89–95; *Schröger*, Schriftausleger S. 126; *Bruce* S. 24.94; *Fitzer*, Opfertodchristologie S. 296; *Vanhoye*, Situation S. 372; vgl *Lohse*, Märtyrer S. 168f.

5 So *Klappert*, Eschatologie S. 38.40 (dazu siehe oben Anm. 2); *Hahn*, Hoheitstitel S. 233, der dabei die Fürbitte des Hohenpriesters als sühnende Tätigkeit mißdeutet; *Theissen*, Untersuchungen, der zu Unrecht in 9,9f und 13,9ff Polemik gegen »eine bestimmte Auffassung der Gemeindeopfer« (S. 44) sieht, die zu einer Entwertung der Fürbittevorstellung führe (S. 30).

Die Bezeichnung des Erhöhten als Hoherpriester in der Tradition des Hb

1. Wir haben schon darauf verwiesen, daß es höchst unwahrscheinlich ist, daß der Vf diese Bezeichnung als erster in diesen Zusammenhang eingeführt hat, weil sie in Spannung zur Versöhnungstagtypologie steht. Vielmehr ist zu erwarten, daß der Begriff schon vor ihm mit dem Fürbittekomplex verbunden worden war.

2. Zweitens ist auf 2,17 hinzuweisen, wo der *Hohepriesterbegriff* unvorbereitet vorkommt[6] und sofort in Verbindung mit dem Fürsprechermotiv gebracht wird, das in c. 2 als Leitmotiv begegnet. Der Vers 17 enthält auch eine Aussage über die Versöhnungstagtypologie, aber sie dient nur als Anspielung auf das spätere Thema und hat keine direkte Beziehung zum Zusammenhang. Die Tatsache, daß der Hohepriesterbegriff zunächst nur im Zusammenhang mit der Fürsprechervorstellung aufgegriffen wird (vgl auf 2,17 zurückgreifend 3,1; 4,14ff), deutet darauf hin, daß die Vorstellung, Jesus sei fürbittender Hoherpriester, den Lesern schon bekannt war.

3.a) Weitere Beweise für den traditionellen Gebrauch des Hohenpriesterbegriffes, die oft herangezogen worden sind, möchten wir jetzt behandeln. Am Schluß der Gedankenführung von 2,10–18 und zu Beginn einer weiteren Ausführung über die Stellung des erhöhten Jesus als Hoherpriester (3,1–6) kommt die Aussage: κατανοήσατε τὸν ἀπόστολον καὶ ἀρχιερέα τῆς ὁμολογίας ἡμῶν Ἰησοῦν (3,1). Daß unter ὁμολογία nicht die Handlung selbst[7], sondern der Inhalt des Bekennens zu verstehen ist, geht aus dieser Stelle und besonders aus 4,14 und 10,23 hervor[8]. Die Frage ist, was diese ὁμολογία beinhaltet. Daß die Leser wußten, was damit gemeint war, läßt nicht unbedingt den Schluß zu, daß wir es mit einer festen Größe zu tun haben, also etwa mit einer bestimmten Formel[9]. Aber daß damit ein gewisser übereinstimmender Inhalt in Sicht ist, ist kaum zu verkennen. Den Inhalt aufgrund von 4,14 (ἔχοντες οὖν ἀρχιερέα μέγαν διεληλυθότα τοὺς οὐρανούς, Ἰησοῦν τὸν υἱὸν τοῦ θεοῦ, κρατῶμεν τῆς ὁμολογίας) auf eine Aussage über den Sohn zu beschränken, scheint uns nicht notwendig zu sein[10]; daß aber zur ὁμολογία die Sohnschaftsvorstellung gehörte, ist zu

---

6   So ua *Käsemann*, Gottesvolk S. 124; *Gyllenberg*, Christologie S. 674; *Brandenburger*, Vorlagen S. 208; *Klappert*, Eschatologie S. 37; *Theissen*, Untersuchungen S. 16.36.42; *Higgins*, Priestly Messiah S. 235; *J. Gnilka*, Die Erwartung des messianischen Hohenpriesters in den Schriften von Qumran und im Neuen Testament, RQ 2 (1960) S. 395–426, hier S. 418.

7   Gegen *Riggenbach* S. 320.66ff.

8   So vor allem der Gebrauch von κρατέω in 4,14 und κατέχω in 10,23; vgl auch 3,14 u. par 3,6. So ua *Michel* S. 172.

9   *Bornkamm*, Bekenntnis S. 188ff (vgl früher *A. Seeberg*, Katechismus S. 145ff), denkt an eine bestimmte Formel: Ἰησοῦν τὸν υἱὸν τοῦ θεοῦ (vgl 1Joh 4,15), die als Taufbekenntnis zu verstehen sei (S. 194). An ein kultisch-liturgisches Bekenntnis denken vor allem *Käsemann*, Gottesvolk S. 105ff; *Schierse*, Verheißung S. 166ff; hier wird vor allem auf den Gebrauch von ὁμολογέω in 13,15 hingewiesen, obwohl wahrscheinlich nur die Bedeutung »loben« vorliegt (so ua *Deichgräber*, Gotteshymnus S. 117f).

10   Gegen *Bornkamm*, Bekenntnis S. 188ff.

erwarten, wenn man den Gebrauch dieses Titels im Brief in Betracht zieht. Daß die Sohnschaftsvorstellung im Zusammenhang mit der Taufe gebraucht wurde, scheint uns auch wahrscheinlich zu sein, aber das bedeutet ganz und gar nicht, daß hier ὁμολογία auf ein Taufbekenntnis zu beschränken sei, und auch nicht, daß dieses Bekennen ein einmaliges Ereignis sei[11]. Bekennen und Lobpreis sind nicht streng auseinanderzuhalten. Es ist sicherlich richtig festzustellen, daß der Vf den Lesern die Bedeutung der ὁμολογία auslegen will. Das erklärt, warum er den Begriff so plötzlich einführen konnte. Unter ὁμολογία brauchen wir nicht bestimmte Formulierungen oder festgeschriebene Artikel zu verstehen. Was die Leser bekannten und über Jesus aussagten, war ihre ὁμολογία, und dazu gehörten zweifellos bestimmte Vorstellungen.

b) Unsere Frage lautet: gehörte auch die Hohepriestervorstellung zur ὁμολογία? Man könnte auf 2,17 hinweisen, der eine wichtige Rolle im Verlauf des Briefes spielt, und meinen, daß vielleicht hier die ὁμολογία wiedergegeben werde; aber dagegen sprechen das Fehlen der Gottessohnvorstellung und die Begrenztheit der Aussage. Wahrscheinlich ist keine feste Größe gemeint. Weiter ist an die Wendung τὸν ἀπόστολον καὶ ἀρχιερέα τῆς ὁμολογίας 3,1 zu denken. Bedeutet das, daß ἀπόστολος und ἀρχιερεύς zur ὁμολογία gehörten? Wenn ja, sind diese Begriffe als Interpretation dessen zu verstehen, was zu ὁμολογία gehörte[12], oder als Begriffe, die zu dem gehörten, was die Leser unter ὁμολογία verstehen[13]? Man könnte auf das Wort ἀπόστολος hinweisen, das plötzlich auftaucht, und daraus schließen, daß es zu den Begriffen der ὁμολογία gehört. Sicherlich werden damit die Gedanken von c. 2 (die Sendung des Sohnes) aufgegriffen, aber trotzdem besteht diese Möglichkeit. Wie steht es dann mit ἀρχιερεύς? Wenn es aus anderen Gründen wahrscheinlich scheint, daß es die Hohepriestervorstellung schon vor dem Vf gab, dann ist mit großer Wahrscheinlichkeit anzunehmen, daß zu dem, was die Leser unter ὁμολογία verstanden, der Hohepriesterbegriff zu rechnen ist.

c) Wir sehen aber keinen Grund dafür, warum hier bestimmte Formulierungen gemeint sein sollen. Wenn das bewiesen werden könnte, dann gehörte ohne Zweifel die Bezeichnung ἀρχιερεύς dazu. Aber nach unserer Auffassung geht es zu weit, von bestimmten Formulierungen zu sprechen. Andererseits muß man eine Bedeutung für ὁμολογία gewinnen, die sie von anderen Vorstellungen abgrenzt. Es ist zB nicht das Summarium der Verkündigung von 6,1f gemeint. Damit könnte man vielleicht näher sagen, daß die ὁμολογία vor allem Aussagen bzw Vorstellungen enthält, die Jesus als den Herrn der Gemeinde betreffen. Wenn also *Bornkamm* an die Gottessohnformel denkt und *Käsemann* an ein kultisch-liturgisches Bekenntnis,

---

11 Gegen *Bornkamm*, Bekenntnis S. 189f u. S. 194.
12 So *Bornkamm*, Bekenntnis S. 188ff.
13 So *Gyllenberg*, Christologie S. 674; *Käsemann*, Gottesvolk S. 107ff; *Schierse*, Verheißung S. 158ff.204f; *Nomoto*, Herkunft S. 11f; *Klappert*, Eschatologie S. 30f; *Theissen*, Untersuchungen S. 16.

so ist damit der Begriff richtig eingeschätzt. Dabei braucht man nicht unbedingt nur an bestimmte Akklamationsformeln zu denken (vgl 1Kor 12,3; Röm 10,9). Vielmehr ist an Aussagen über den Herrn der Gemeinde, über seine Stellung und Herrlichkeit zu denken, die vor allem im Gottesdienst der Gemeinde ihren Platz hatten. Unter ὁμολογία verstehen wir nicht unbedingt geschriebene Worte oder fest formulierte Aussagen, sondern allgemein alles, was die Gemeinde über ihren Herrn in seiner Herrlichkeit sagte. Daß dazu bestimmte Vorstellungen gehörten bzw daß die Gemeinde ihren Herrn anhand von bestimmten Vorstellungen und wahrscheinlich anhand von Zitaten lobte, dürfte sicher sein. Diese Auffassung des Begriffes ὁμολογία entspricht genau dem Gebrauch im Brief und damit der Argumentationsweise des Vf. In c. 1 gebraucht er Zitate und Vorstellungen, die wahrscheinlich im Lobpreis der Gemeinde bekannt waren. Anhand dieser Vorstellungen und Zitate argumentiert er. In c. 2ff hat er vor allem die Hohepriestervorstellung hervorgehoben, die wahrscheinlich auch zum Lobpreis der Gemeinde gehörte. Er versucht nun, die Implikation dieser Vorstellung herauszuarbeiten, um seinen Lesern zu helfen. Wenn sie nämlich verstehen, was dieses Stück ihres Lobpreises bedeutet, werden sie ermutigt, weil dadurch ihr Heil gesichert ist: Jesus bittet für sie. Deshalb sollen sie an ihrer ὁμολογία festhalten, denn darin finden sie Trost. Die ὁμολογία wird zur Garantie für die Sicherheit des in der Verkündigung verheißenen Heils.

Steht hinter Hb 7,1–3 ein »Hymnus«?

Weitere Beweise für einen Gebrauch des Begriffs »Hoherpriester« in der Tradition des Vf wären *Hymnen* oder *Traditionsstücke*, die die Bezeichnung angeblich enthalten. Wir haben aber schon gezeigt, daß in 5,7–10 nicht mit einem Hymnus zu rechnen ist und die Hohepriesterbezeichnung in V 10 kein Traditionsstück, sondern Formulierung des Vf ist, die Ps 110,4 von 5,6 her aufgreift.

1.   Gerade in der Aufnahme von Ps 110,4 im Blick auf *Melchisedek* kommen *hymnusartige* Sätze vor, die einzeln oder zusammengestellt als Traditionsstoff bezeichnet worden sind[14]. Als hymnusartig sind vor allem 7,3:

---

14   G. *Wuttke*, Melchisedech, der Priesterkönig von Salem (BZNW 5), 1927, sieht in 7,2b–3 einen philonischen Hymnus (S. 5–12). Von einem traditionellen Stück in 7,2b–3 sprechen außerdem auch *Michel* S. 259f; *Brandenburger*, Vorlagen S. 208. *Schille*, Hohepriesterlehre S. 84ff, sieht in 7,1–3 (außer ὁ συναντήσας αὐτόν V 1, ᾧ . . . ᾿Αβραάμ V 2a und ἀφωμοιωμέ-νος V 3c) einen Hymnus an Christus. Ihm folgt *Zimmermann*, Hohepriester-Christologie S. 28. *Theissen*, Untersuchungen, sieht nur in 3a,b und d einen Hymnus, der allerdings seine Fortsetzung in 7,25 und 7,26b findet (S. 20ff; vielleicht auch ohne δι᾿ αὐτοῦ τῷ θεῷ in 7,25 – so S. 20 Anm. 20). Den ganzen V 26 halten *Michel* S. 278f; *Zimmermann*, aaO S. 27; *Schröger*, Schriftausleger S. 155 Anm. 1 für hymnusartig. *Deichgräber*, Gotteshymnus S. 178, spricht von hymnischen Prädikaten. *Windisch* möchte in 7,26–28 einen Hymnus sehen (S. 67). Außer *Theissen* sieht *Nomoto*, Herkunft S. 12, ein Hymnusstück nur in 26b, während *Schille*, S. 84 Anm. 4, bestreitet, daß es hier überhaupt einen Hymnus gibt.

ἀπάτωρ, ἀμήτωρ, ἀγενεαλόγητος, μήτε ἀρχὴν ἡμερῶν, μήτε ζωῆς τέλος ἔχων, ἀφωμοιωμένος δὲ τῷ υἱῷ τοῦ θεοῦ, μένει ἱερεὺς εἰς τὸ διηνεκές und in 7,26: ὅσιος ἄκακος ἀμίαντος κεχωρισμένος ἀπὸ τῶν ἁμαρτωλῶν, καὶ ὑψηλότερος τῶν οὐρανῶν γενόμενος anzusehen. Folgende Merkmale sind zu erkennen: Gliederung, Artikellosigkeit, Partizipialstil, Alliteration, Adjektivhäufung und Chiasmus. An sich dürfen diese stilistischen Merkmale nicht viel Gewicht besitzen, weil sie mit Ausnahme der Artikellosigkeit alle auch für den Stil des Vf typisch sind[15]. Versuche, nicht-hymnische Sätze heranzuziehen (7,1.2b oder 7,26a), sind aus stilistischen Gründen abzulehnen. Damit fehlt eine Aussage über die Hohepriesterschaft Jesu als möglicher Teil eines Stückes, nämlich die in 7,26. Aber nicht nur stilistische Merkmale kommen in Betracht. Man muß auch auf den Inhalt achten. Das bereitet gewisse Probleme in 7,3. Fast alle Exegeten[16], die versucht haben, in 7,3 einen Teil eines Hymnus oder ein Traditionsstück zu erkennen, möchten ἀφωμοιωμένος δὲ τῷ υἱῷ τοῦ θεοῦ streichen und tun das nicht nur wegen der Artikel. *Schille* schließt diesen Satz aus, weil der Hymnus, der nach seiner Darstellung mit 7,1a als οὗτος γάρ ἐστιν ὁ Μελχισ. und 7,2b anfängt, von Christus spreche, was den Vergleich hier als Einschub des Vf erweise[17]. *Theissen* sieht darin eher eine Korrektur des Vf, der dabei den ursprünglichen Melchisedekhymnus dem Sohn unterordnen wolle[18]. Dabei nimmt *Theissen* κατὰ δύναμιν ζωῆς ἀκαταλύτου (7,16) als den Teil an, den der Vf ersetzt bzw nach 7,16 verlegt habe, und gibt als Begründung an, daß Melchisedek in späteren Traditionen als δύναμις bezeichnet wird, eine Vorstellung, die das Wort δύναμις in 7,16 aber gar nicht enthält[19]. Sein weiterer Versuch, ὅθεν καὶ σῴζειν εἰς τὸ παντελὲς δύναται τοὺς προσερχομένους πάντοτε ζῶν εἰς τὸ ἐντυγχάνειν ὑπὲρ αὐτῶν (7,25) aus dem festen Zusammenhang der Argumentation zu lösen[20] und mit den Zeilen von 7,26 einen abgerundeten Hymnus zu gewinnen, ist kaum überzeugend.

---

15 Zur Artikellosigkeit vgl *Deichgräber*, Gotteshymnus S. 177. Zur Häufung von Partizipien und Adjektiven vgl 7,18; 5,7ff; 10,19ff; 9,11ff; 6,8; 10,1ff; 10,12ff; 11,39; 12,1f; vgl 1,1ff; 4,12ff; 2,3f; zum Chiasmus vgl 4,16; 5,1–8; 9,1–7; 13,4; zur Alliteration: 1,1; 2,1f; 7,18; 7,25; 12,11; 13,19; 9,27ff; zur Assonanz: 5,8; 5,14. Vgl auch *Moffatt* S. IX, der auch die Vorliebe des Vf für ἀ-privativum-Adjektive, die als Merkmal des guten Stils gelten (AristRhet III 6,7), hervorhebt. Sie kommen 24mal im Hb vor. Auch das Wortspiel mit ἀρχή und τέλος kehrt zweimal im Brief wieder (12,2; 3,14). 7,1 u. 2 sind prosaisch (so *Deichgräber*, aaO S. 177; *Theissen*, Untersuchungen S. 21f gegen *Schille*, Hohepriesterlehre) wie auch 7,26a (so *Deichgräber*, aaO S. 78; *Theissen*, aaO S. 22f; vgl ἔπρεπεν und τοιοῦτος – Stil des Vf). Auch 7,25 ist kaum hymnisch (gegen *Theissen*, aaO S. 22f).

16 Ausnahme: *Michel* S. 259. Daß »Sohn Gottes« hier ursprünglich eine Bezeichnung für Engel war, halten wir für unwahrscheinlich. Gegen *Nomoto*, Herkunft S. 13ff; vgl Dan 3,92 (Theod).

17 *Schille*, Hohepriesterlehre S. 84ff.

18 *Theissen*, Untersuchungen S. 21.

19 *Theissen*, aaO S. 24, vgl S. 27f.

20 *Theissen*, aaO S. 23. Ebensowenig überzeugend ist sein Vorschlag aufgrund von 1Klem 36, daß mit dem »Hymnus« am Anfang des Briefes ursprünglich die Bezeichnung »Hoherpriester« verbunden gewesen sei.

Allerdings besteht eine gewisse Ähnlichkeit in der Struktur von 7,26 und 7,3[21]. Aber daraus darf man nicht schließen, daß sie zusammengehören. Vielleicht ist 7,26 ein Stück des Lobpreises der Gemeinde und stand dort schon im Zusammenhang mit dem Hohenpriesterbegriff. Möglicherweise liegt die Hohepriestervorstellung hinter der Wendung κεχωρισμένος ἀπὸ τῶν ἁμαρτωλῶν[22]. Mehr ist kaum zu beweisen.

2.a) Wenden wir uns wieder 7,3 zu. Wenn hier ein Hymnusstück vorhanden ist, wie würde sich dieses Stück zu 7,1 u. 2 und zum *Zusammenhang* des Briefes verhalten? Zunächst ist die Anspielung auf Ps 110,4 (Σὺ ἱερεὺς εἰς τὸν αἰῶνα) kaum zu verkennen. Wenn man bedenkt, daß dieses Zitat als Leitgedanke über dem ganzen Kapitel steht und hier schon als Schluß des Satzes steht, der ua erklären will, was κατὰ τὴν τάξιν Μελχισέδεκ in Ps 110,4 bedeutet, dann ist wahrscheinlich denkbar, daß diese Wendung vom Vf selbst stammt. Das stimmt mit der Tatsache überein, daß εἰς τὸ διηνεκές durchweg zu seiner Terminologie gehört (vgl 10,1.12.14). Sonst müssen wir mit einem Hymnus rechnen, der die Bedeutung von Ps 110,4 schon gekannt hatte, was für unsere Diskussion wichtig wäre. Nur läßt es sich nicht beweisen[23].

b)   Lassen wir ἀφωμοιωμένος δὲ τῷ υἱῷ τοῦ θεοῦ zunächst beiseite, weil es zumeist nicht als Teil eines Hymnus angesehen wird, so bleiben die Aussagen in V 3a und b: ἀπάτωρ, ἀμήτωρ, ἀγενεαλόγητος, μήτε ἀρχὴν ἡμερῶν, μήτε ζωῆς τέλος ἔχων. Während V 2b πρῶτον μὲν ἑρμηνευόμενος βασιλεὺς δικαιοσύνης ἔπειτα δὲ καὶ βασιλεὺς Σαλήμ, ὅ ἐστιν βασιλεὺς εἰρήνης deutlich Μελχισέδεκ und βασιλεὺς Σαλήμ aufgreifen, sind die Aussagen in 3a und b nicht so unmittelbar durch einen Rückbezug zu erklären. Allerdings sind sie von besonderer Bedeutung für die Argumentation des Vf. Darauf stützt sich nämlich die Behauptung des Vf, daß Melchisedek nicht vom Stamm Levi war (6a) und noch lebt (μαρτυρούμενος ὅτι ζῇ V 8), was für die Ewigkeit seines Priestertums und dadurch des Priestertums Jesu sehr wichtig wird (vgl 7,15ff; 7,23ff.28). Deshalb ist auch der enge Zusammenhang zwischen 3a und dem Schlußsatz von V 3 μένει ἱερεὺς εἰς τὸ διηνεκές kaum zu verkennen. Die Prädikate ἀπάτωρ, ἀμήτωρ, ἀγενεαλόγητος sind sogar als Bestandteil eines Hymnus, allerdings an Gott, belegbar[24]. Die Frage ist nur: Gehören V 3a und b zu einem Hymnus, oder haben wir es hier mit dem gebildeten Stil des Vf zu tun[25]? Dies läßt sich nicht mit Sicherheit beantworten. Allerdings ist auffällig, daß die Gedan-

21 Die beiden enthalten in derselben Reihenfolge drei Adjektive und zwei Partizipialsätze.
22 Vgl *Michel* S. 280.
23 Das wäre besonders deshalb überraschend, weil dann ein vorgegebener Hymnus genau die Gedanken enthalten hätte (sogar mit genau der gleichen Betonung), die auch der Vf hervorheben wollte.
24 ApkAbr 17,9. Vgl auch G. *Schrenk*, Art. ἀπάτωρ, ThWNT V, S. 102f. Wenn Melchisedek als himmlisches Wesen aufzufassen ist (siehe unten), dann war es für den Vf keine Schwierigkeit, diese Wörter auf ihn zu beziehen. Ἀγενεαλόγητος als drittes Wort würde sich aus dem Interesse für das Priestertum erklären (vgl 7,6).
25 Vgl oben Anm. 15.

kenentwicklung (ἀπάτωρ, ἀμήτωρ, deshalb: ἀγενεαλόγητος; gesteigert: μήτε ἀρχὴν ἡμερῶν, μήτε ζωῆς τέλος ἔχων, deshalb: μένει ἱερεὺς εἰς τὸ διηνεκές) genau dem entspricht, was der Vf hervorheben und begründen will, nämlich in welchem Sinn Jesus Hoherpriester κατὰ τὴν τάξιν Μελχισέδεκ ist.

c) Wenn doch ein Hymnus vorliegen würde, dann müßte es nach der Interpretation unseres Vf offensichtlich ein Hymnus über Melchisedek gewesen sein. Deshalb mußte er ἀφωμοιωμένος δὲ τῷ υἱῷ τοῦ θεοῦ hinzufügen. Damit würde sich die Frage erheben, welchen Sitz im Leben ein solcher Hymnus hatte und was für eine Bedeutung ihm zukam. Es wäre vielleicht eher an eine jüdische Dichtung zu denken. Als Beweis dafür, daß die Priesterbezeichnung schon vor dem Brief Jesus gegeben worden war, müßte ein solches Stück an ihn gerichtet worden sein, vielleicht dadurch, daß Melchisedek als eine Inkarnation des Sohnes verstanden würde[26]. Dann müßte der Vf diese Deutung nicht gekannt haben, was ἀφωμοιωμένος δὲ τῷ υἱῷ τοῦ θεοῦ ganz eindeutig zeigt. Ist das denkbar? Auch wenn es so wäre, wäre das Stück kaum als Beweis dafür anzuführen, daß der Vf diese Bezeichnung christologisch auf Jesus übertragen hätte. Es läßt sich zusammenfassend sagen: Durch den Hinweis auf hymnusartige Stücke gewinnen wir keinen Beweis für das Vorkommen des Titels ἀρχιερεύς oder ἱερεύς vor dem Hb.

Traditionsblöcke im Hb?

Ehe wir auf die Bedeutung des Priestertums Melchisedeks eingehen, sind noch die *Versuche Schilles* zu erwähnen, der zeigen möchte, daß der Vf als *Traditionsstücke 7,4–25; 8,4–9.10 u. 10,(1)2–10* mit wenigen Änderungen aufgenommen hat[27]. Aber seine Beweisführung ist kaum stichhaltig. Daß ἱερεύς und nicht ἀρχιερεύς überwiegend in diesen Stücken vorkommt, ist kaum ein Beweis dafür, sondern spiegelt den Einfluß von Ps 110,4 (besonders in 7,4–25)[28] und die Verallgemeinerung der Versöhnungstagtypologie (besonders 10,2–10 auch V 11) wider. Auch die polemischen Spitzen gegen die Opfer des alten Bundes sind keineswegs auf solche Passagen beschränkt (vgl 10,18)[29]. Zwar kommen Schriftzitate besonders in diesen Stücken vor, aber auch der Vf zitiert gerne und in derselben Weise die Schrift[30]. Besondere christologische Merkmale dieser Stücke sind zudem nicht festzustel-

---

26 Vgl dazu *Theissen*, Untersuchungen S. 25ff.

27 *Schille*, Hohepriesterlehre S. 90–97; vor allem *Zimmermann*, Hohepriester-Christologie S. 29f. Vgl *Stadelmanns* kritische Stellungnahme, Christologie S. 193.

28 So *Kistemaker*, Psalm Citations S. 142f; *Vanhoye*, Situation S. 367. Gegen *Schille*, Hohepriesterlehre S. 81f.

29 Gegen *Schille*, Hohepriesterlehre S. 90ff; *Zimmermann*, Hohepriester-Christologie S. 24f.

30 Gegen *Schille*, Hohepriesterlehre S. 90ff; *Zimmermann*, Hohepriester-Christologie S. 30.

len. Die fürsprechende Hohepriesterschaft begegnet nicht nur hier, sondern ist von c. 2–c. 9 her der beherrschende Gedanke[31]. Gründe für die Theorie *Schilles* fehlen also.

Die Hohepriester-Bezeichnung und die Gestalt Melchisedeks

1.a)   Kehren wir zu c. 7 zurück. Hier wird von *Melchisedek* gesprochen. Er war Priester. Ist Melchisedek schon *christologisch gedeutet* worden? Oder wie weit hat seine Gestalt dazu geführt, daß Jesus als Hoherpriester bezeichnet wurde? Daß eine christologische Typologisierung dieser Gestalt aus Gen 14 und in weiteren Traditionen zum Gebrauch von Ps 110,4 geführt hat, scheint uns äußerst unwahrscheinlich zu sein, weil vor allem die Verbindung mit Ps 110,4 schon durch den Gebrauch von Ps 110,1 gegeben ist. Dazu ist weiter zu bemerken, daß die Ausführung über Melchisedek gerade durch Ps 110,4 veranlaßt ist, der hinter dem ganzen Abschnitt 5,6–7,28 steht.

b)   Als Explikation von Ps 110,4 (vgl 5,10) führt der Vf in *7,1ff* eine Beschreibung *Melchisedeks* ein[32]. Er gibt Einzelheiten aus Gen 14 in eigenen Worten wieder. In 7,2ab allerdings geht er über den Bericht in Genesis hinaus und interpretiert etymologisch den Namen Melchisedek und die Bezeichnung »König von Salem«: »Zuerst wird sein Name verdolmetscht: König der Gerechtigkeit, dann heißt er auch: König von Salem, das bedeutet: König des Friedens«. Daß er hier eine exegetische Tradition aufgreift, die bei Philo und zT bei Josephus und dem Rabbinentum vorkommt, ist kaum zu bezweifeln[33]. Vielleicht war diese Tradition den Lesern schon bekannt. Jedenfalls werden die Wendungen »König der Gerechtigkeit« und »König des Friedens« deswegen nicht weiter erläutert. Es ist wahrscheinlich nicht die Absicht des Vf, durch diese Wendungen den eschatologischen Zusammenhang zu betonen, in dem »Gerechtigkeit« und »Friede« eine wichtige Rolle spielen, obwohl nicht ausgeschlossen ist, daß er in ihnen typologisch verborgene, messianische Bezeichnungen Jesu erkannte[34].

c)   Die Aussagen in V 3 zielen auf den Schlußsatz (vgl δέ in 3c) hin. Auch die Aussagen von 3a.b sind nicht unmittelbar von Gen 14 abzuleiten, aber

---

31   Gegen *Zimmermann*, Hohepriester-Christologie S. 20. Sein Versuch, das Fürbittemotiv von dem πρόδρομος-Motiv (6,20) sowie vom Leiden-Motiv zu trennen (S. 21f), widerlegt die Intention des Vf, außerdem ist die Opfervorstellung nicht auf die angeblichen Beiträge des Vf zu beschränken (S. 20), vgl 10,10.

32   Die Melchisedekvorstellung des Vf ist traditionsgeschichtlich anders einzuordnen als die Vorstellung vom fürbittenden Hohenpriester (anders *Hahn*, Hoheitstitel S. 234). Die letztere leitet sich aus der Erhöhungsüberlieferung ab. Die erstere stammt zwar durch Ps 110 auch indirekt von dort, wird aber unter Hinweis auf eine wesenhaft begründete Ewigkeit des Sohnes Gottes entwickelt. So *Brandenburger*, Vorlagen S. 209.

33   Vgl Philo, LegAll III 79–82: Josephus (Ant I 179–182 und Bell IV 438), TargJerus I Gen 14,18; vgl *Billerbeck* III, S. 692.

34   Dazu vgl im folg.

vielleicht verwendet der Vf den exegetischen Grundsatz der Rabbinen und des hellenistischen Judentums »quod non in thora non in mundo«[35]. Wenn wir hier ein Stück aus jüdischer Dichtung haben, ist möglicherweise diese Methode verwendet. Interessant ist, daß der Vf gerade hier den *Vergleich mit Jesus* zieht: ἀφωμοιωμένος δὲ τῷ υἱῷ τοῦ θεοῦ. Worin besteht der Vergleich? Er beruht darauf, daß Jesus wie Melchisedek μένει ἱερεὺς εἰς τὸ διηνεκές. Man könnte die Wendung ἀφωμοιωμένος δὲ τῷ υἱῷ τοῦ θεοῦ fast durch κατὰ τὴν τάξιν Ἰησοῦ (vgl 7,15 κατὰ ὁμοιότητα) ersetzen. Darin sind sie gleich, sie gehören zu dieser Ordnung (τάξις). Was charakterisiert diese Ordnung? Die Priester bleiben ewig. Das wird zunächst zurückhaltend von Melchisedek gesagt (μαρτυρούμενος ὅτι ζῇ V 8), weil der Vf nicht hauptsächlich über Melchisedek, sondern über seine Ordnung als die Ordnung Christi sprechen will. Zur alten Ordnung gehörten die Sterblichen (V 8: »Und hier nehmen sterbliche Menschen die Zehnten, dort aber einer, der das Zeugnis hat, daß er lebt«; vgl V 23: »Und jene sind zu vielen Priestern geworden, da sie durch den Tod gehindert werden zu bleiben«; V 28: »Denn das Gesetz stellt Menschen zu Priestern auf, die mit Schwachheit belastet sind«). Außer der Tatsache, daß die neue Ordnung überlegen ist, wird inhaltlich von ihr nur gesagt, daß die Priester ihrem Wesen nach anders sind: sie leben und sterben nicht. Die Aussage über Melchisedek in V 8 greift also V 3d (μένει ἱερεὺς εἰς τὸ διηνεκές) auf und macht klar, was schon in V 3 als Bedeutung von Ps 110,4 gesagt wurde. In der kurzen polemischen Ausführung 7,11–19 wird zugleich positiv gesagt, welche Bedeutung es hat, daß Jesus ἱερεὺς εἰς τὸν αἰῶνα κατὰ τὴν τάξιν Μελχισέδεκ ist. Dabei wird zunächst das Wort τάξιν durch ὁμοιότητα ersetzt: . . . εἰ κατὰ ὁμοιότητα Μελχισέδεκ ἀνίσταται ἱερεὺς ἕτερος (V 15). Worin besteht nun diese »Gleichheit«? Offensichtlich in den Worten εἰς τὸν αἰῶνα, die ja in V 15 nicht erwähnt, aber in V 16 interpretiert werden. Er ist Priester nicht κατὰ νόμον ἐντολῆς σαρκίνης – auf *der* Ebene sterben die Priester (vgl V 28 ὁ νόμος γὰρ ἀνθρώπους καθίστησιν ἀρχιερεῖς ἔχοντας ἀσθένειαν, V 23 und V 8) – sondern κατὰ δύναμιν ζωῆς ἀκαταλύτου (7,16). Die Priesterschaft Melchisedeks und Jesu ist wesenhaft begründet. Jesus hat ein unzerstörbares Leben. Das ist mit der Wendung εἰς τὸν αἰῶνα gemeint; so schließt sich in V 17 Ps 110,4 wörtlich mit dem Ausdruck εἰς τὸν αἰῶνα an.

2. Nach dieser Darstellung scheint es, als ob *Melchisedek noch lebt und als Priester* tätig ist (vgl V 8). Wie ist das zu verstehen? Daß Melchisedek Priester einer anderen Ordnung war und Abraham gesegnet hatte, hätte allein vielleicht genügt, die Minderwertigkeit der levitischen Priesterschaft zu unterstreichen, aber für den Vf ist der entscheidende Punkt das Erscheinen Jesu als Erfüllung des Psalmwortes (7,15; vgl die Tatsache der Verheißung selbst 7,11). Das wurde dadurch verdeutlicht, daß Jesus zu der Ordnung ge-

---

35 So *Schröger*, Schriftausleger S. 136.

hört, in der die Priester ewig bleiben. Wie »lebt« Melchisedek? Ist es nicht anstößig, daß Jesus neben einem anderen wirkt[36]?

a)   Um diese Frage und die daraus entstehenden Probleme zu vermeiden, sind verschiedene Möglichkeiten in Betracht gezogen worden. *Hansons* Vorschlag, daß Melchisedek als *Inkarnation des Gottessohnes* zu verstehen sei[37], scheidet wegen ἀφωμοιωμένος δὲ τῷ υἱῷ τοῦ θεοῦ (7,3c) aus. *Jeromes* Vorschlag, daß die Ewigkeit eigentlich als Ewigkeit seines Priestertums zu verstehen sei und nicht seiner Person[38], beruht auf einem Verständnis des Priestertums, das hier nicht angedeutet ist, und widerspricht außerdem den klaren Aussagen des Vf. Der Versuch, εἰς τὸ διηνεκές irgendwie anders zu verstehen, um den Ewigkeitsbezug zu vermeiden[39], ist aufgrund des Gebrauchs an anderen Stellen des Briefes abzulehnen.

b)   Eine weitere Möglichkeit wäre, Melchisedek *bloß als einen Antityp* zu betrachten, ohne daß weiter an seine Geschichtlichkeit gedacht wäre. Der Vf habe danach überhaupt kein Interesse für Melchisedek selbst und denke nicht darüber nach, sondern deute ihn allegorisch[40]. Die Prädikate von 7,3 seien nur so hervorgehoben, um sie auf Jesus zu übertragen, was sich in der zurückhaltenden, fast scheuen Wendung ὅτι ζῇ widerspiegele. Man kann zustimmen, daß Melchisedek nicht die Hauptperson des Kapitels ist und über ihn grundsätzlich nur im Blick auf den Sohn geredet wird, aber daß er nur als Antityp ohne Rücksicht auf seine Geschichtlichkeit dargestellt sei, ist ebensowenig wahrscheinlich wie die These, daß Abraham, dem er begegnet, oder die Begegnung selbst hier allegorisch gemeint seien. Eine solche *Allegorisierung* wäre zwar beim Vf des Hb denkbar, aber auf der anderen Seite hält er Melchisedek und den Sohn klar auseinander und führt seine Argumentation aufgrund der Begegnung mit Abraham ohne Allegorie fort. Eine allegorische Auslegung der Melchisedekgestalt scheint also unwahrscheinlich zu sein.

c)   Ließe sich annehmen, daß der Vf tatsächlich an die Geschichtlichkeit Melchisedeks denkt und damit sagt, daß er lebt? Zunächst ist klar zu bestimmen, was das nicht bedeuten würde. Es würde zB nicht heißen, daß Melchisedek lebt und in allem dem Sohn gleich sei. Das besagt der Text nicht. Es wird nichts von einer Göttlichkeit Melchisedeks gesagt. Die Gleichheit Melchisedeks mit Jesus besteht darin, daß er als Priester ewig bleibt oder in den Worten von V 8, »daß er lebt«[41]. Aber dazu werden ihm noch bestimmte irdische Vorgänge abgesprochen: er ist ohne Eltern und hatte deshalb keinen Anfang, und weiter: er hat kein Ende, er stirbt nicht. Daß wir ihn als *überirdisches Wesen* verstehen, liegt auf der Hand. Auf-

---

36   Vgl *Windisch* S. 61.
37   *Hanson*, Christ in the Old Testament S. 393ff; vgl *Schröger*, Schriftausleger S. 139; auch *Käsemann*, Gottesvolk, der an die Vorstellung von einer Inkarnation des Urmenschen denkt (S. 129ff).
38   So *F. J. Jerome*, Das geschichtliche Melchisedek-Bild und seine Bedeutung im Hebräerbrief, 1920, S. 90ff. Ähnlich *Spicq* II S. 204; *G. T. Kennedy*, St. Paul's Conception of the Priesthood of Melchisedech (The Catholic University of America/Studies in Sacred Theology II 63), 1951, S. 83f.
39   Gegen *Bruce* S. 138, vgl 141.
40   So *Westcott* S. 200; *Riggenbach* S. 186f.191; *Wenschkewitz*, Spiritualisierung S. 133; *O. Michel*, Art. Μελχισέδεκ, ThWNT V, S. 575; *Kuss* S. 90ff; *Nomoto*, Herkunft S. 13ff; *Kent* S. 126.
41   So *W. Manson* S. 113.

grund dieses Wesens stirbt er nicht. So kennt auch Jesus kein Ende seines Lebens aufgrund seines Wesens (7,16). Überirdisches Wesen bedeutet nicht, Sohn zu sein. Also könnte Melchisedek als engelähnliches Wesen aufgefaßt werden, das zusammen mit den Engeln dem Sohn unterlegen ist (vgl c. 1). Daß Engel als Priester dargestellt werden, ist kein neuer Gedanke[42]. Wenn wir also die Äußerungen des Vf so verstehen, wäre Melchisedek als engelähnliches bzw himmlisches Wesen aufzufassen. Daß es noch Engel und solche Wesen gibt, die noch leben, weiß der Vf ja, und daß Engel als Priester verstanden werden könnten, weiß er wahrscheinlich auch. Es ist also kein Problem, daß Melchisedek als Priester noch lebt. Die besondere Priesterschaft des Sohnes wird deswegen nicht überflüssig[43], es sei denn, daß der Vf alle priesterlichen Funktionen himmlischen Wesen absprechen wollte.

Melchisedek als überirdisches Wesen

1. Dieses Verständnis der Melchisedekgestalt wäre bekräftigt, wenn gezeigt werden könnte, daß Melchisedek schon vor dem Vf als überirdisches Wesen dargestellt wurde. Zunächst ist an *Philo* zu denken, der Melchisedek als Antityp des Logos versteht; aber hier handelt es sich um bloße Allegorie, so daß es kaum möglich ist, daraus Schlüsse über das Wesen Melchisedeks zu ziehen.

Melchisedek wird *bei Philo* an drei Stellen erwähnt: Congr 99; Abr 235f; LegAll III 79–82. In der ersten Stelle zeigt Philo beiläufig, daß er (vielleicht durch eine exegetische Tradition) zur Kenntnis genommen hatte, daß Melchisedek als Priester ohne priesterliche Tradition war (ὁ τὴν αὐτομαθῆ καὶ αὐτοδίδακτον λαχὼν ἱερωσύνην). In der zweiten Stelle wird er nur beiläufig erwähnt.
In der dritten Stelle haben wir eine genau zu erkennende Auslegung von Gen 14,18 vor uns. Die Auslegung ist typisch philonisch. Zunächst wird die Bezeichnung »König von Salem« etymologisch ausgelegt: »König des Friedens«, dann folgt die etymologische Deutung des Namens: »gerechter König«. Zur Auslegung dieses Namens führt er den bekannten Gegensatz zwischen Despoten und gerechten Königen an und anschließend daran seinen beliebten Vergleich mit dem Lotsen, drittens wird das Hervorbringen von Brot und Wein ausgelegt. Hier dient Dtn 23,3f als Bindeglied zur beliebten Deutung von den Ammonitern und den Moabitern. Schließlich werden die Worte über Melchisedek als Priester des Höchsten ausgelegt. Der Höchste bedeutet nicht, daß es andere Götter gibt. Wir sind nicht auf die Einzelheiten eingegangen, sondern haben nur die Form der Ausführung skizziert. Das zeigt schon, daß Philo den LXX-Text Gen 14,18 stückweise anhand seiner eigenen exegetischen Traditionen ausgelegt hat. Von irgendeiner Vorstellung des Melchisedek als traditionelle Bezeichnung für den Logos fehlt hier jede Spur (gegen *Theissen*)[44]. Ob die Vorstellungen, auf die hin verschiedene Stücke von Gen 14,18 gedeutet werden, gnostisch sind, lassen wir offen. Der Gebrauch dieses Verses

---

42 Dazu vgl *Bietenhard*, Die himmlische Welt S. 138ff.123ff.
43 Gegen ua *Windisch* S. 61; *Schröger*, Schriftausleger S. 139.
44 *Theissen*, Untersuchungen S. 143ff.

zeigt, daß das Melchisedekbild selbst nur noch ein Stück des Alten Testaments ist, das allegorisch für die Hervorhebung gewisser Vorstellungen dient[45].

2. Meistens wird Melchisedek deutlich *als irdisches Wesen* verstanden[46] – so bei Josephus[47], 1QGenApkr[48], dem rabbinischen Schrifttum[49], samaritanischen Quellen[50], der Schatzhöhle[51]. Offensichtlich hat der Genesisbericht zu Kontroversen über die Identifizierung von Salem[52], über die Identifizierung von Melchisedek[53] und damit verbunden über die Art seiner Priesterschaft geführt[54]. Aber es gibt Zeichen dafür, daß er auch als *überirdisches Wesen* verstanden worden ist, und das nicht nur in den Berichten von Kirchenvätern, durch die wir davon Kenntnis erhalten, daß er als Engel verstanden worden ist[55], oder in der Schatzhöhle, wo gegen eine Bezeichnung Melchisedeks als Gott polemisiert wird, obwohl wenig später Melchisedek Worte spricht, die ursprünglich von Gott gesagt worden sind[56], oder in anderen heterodoxen Kreisen, die ihn als Urbild Christi oder als δύναμις verstehen[57]. Diese Belege stammen alle aus der Zeit nach dem zweiten Jahr-

---

45 Dazu vor allem *Williamson*, Philo and Hebrews S. 411ff.
46 Zum religionsgeschichtlichen Hintergrund der Melchisedekvorstellung und zur Literatur vgl *Michel*, ThWNT V, S. 573ff; *J. A. Fitzmyer*, »Now this Melchizedek . . .« (Hebr 7,1), CBQ 25 (1963) S. 305–321; *M. Delcor*, Melchizedek from Genesis to the Qumran Texts and the Epistle to the Hebrews, JSJ 2 (1971) S. 115–135.
47 Dazu siehe oben Anm. 33.
48 1Q GenApkr XXII 14–17.
49 *Billerbeck* IV 1, S. 453ff. Einige Traditionen (vielleicht nicht vor dem 3. Jh. nChr entstanden) verstehen Melchisedek als endzeitlichen »Kohen Zedek« (dazu aaO S. 463f).
50 Eupolemus in Alexander Polyhistor bei EusPE IX, 17f. Dazu vgl *Theissen*, Untersuchungen S. 130ff.
51 23,8.13ff.19; 28,11ff; 29,3; 30,2ff.6.12; 31,6 bei *P. Riessler*, Altjüdisches Schrifttum außerhalb der Bibel, ¹1928, ²1966.
52 Vgl dazu *Theissen*, Untersuchungen S. 130ff; *Billerbeck* III, S. 692; *Fitzmyer*, »Melchisedek« S. 311ff.
53 Die Rabbinen (vgl *Billerbeck* IV 1, S. 453 Anm. 2) und die Samaritaner (Epiph Pan 55,6) identifizieren ihn mit Sem, dem Sohn Noahs.
54 Nach Ned 32b; Sanh 108b (vgl *Billerbeck* IV 1, S. 453ff) wurde das Hohepriestertum von ihm weggenommen und an Abraham gegeben, weil er in Gen 14,19 Abraham vor Gott nannte.
55 Nach Hieron Ep 73,2 hielten Origenes und Didymus Melchisedek für ein Engelwesen. Nach Epiph Pan 55,5 u. 67,3.7 hielt der Schüler von Origenes, Hierakas, Melchisedek für eine Inkarnation des Heiligen Geistes. Nach Ambros De Fid III 11 haben auch bestimmte jüdische Gruppen ihn für einen Engel gehalten.
56 Vgl die Polemik 30,12 und kurz danach 31,6, wo die Worte Gottes Gen 25,23 in seinen Mund gelegt werden.
57 Vgl jene Lehrer, die in Melchisedek eine Inkarnation des Sohnes Gottes sehen wollten (allerdings aufgrund von Hb 7,3; Epiph Pan 55,7) oder an Gott selbst dachten (Epiph Pan 55,9). Nach Hippolyt Refut VII 36 u. X 24; Epiph Pan 55,1; Ps Tert Adv Omn Haer 8 haben »Melchisedekianer« Christus nur für ein Abbild des Melchisedek gehalten, den sie eine δύναμις nannten. Auch in einem Text aus Nag Hammadi wird Melchisedek mit Jesus als himmlischem Wesen und Hohepriester identifiziert, der sich selbst darbringt (*Melchisedek*, Kodex IX 5f. 15f. 25f.). Hier wirkt wohl der Hb nach. Daß die Vorstellung im Hb aus gnostischen Kreisen stamme, läßt sich mit solch späten Belegen nicht beweisen. So gilt noch das Urteil von *Lohse*, Märtyrer S. 168 Anm. 5; *Sowers*, Hermeneutics S. 124 Anm. 93; gegen *Käsemann*, Gottesvolk S.

hundert. Daß ihre Wurzeln ins erste Jahrhundert zurückreichen, läßt sich nicht beweisen, aber darf nicht für unmöglich gehalten werden[58].

3.a) Interessant ist aber *11Q Melch*. Nur ist hier wegen der Lücken nicht immer deutlich, wie die Sätze zu verstehen sind[59]. Ohne auf alle Einzelheiten dieser Schrift einzugehen, möchten wir folgende Punkte herausstellen. Unter Bezug auf Jes 61,1f und Jes 52,7 wird von einer irdischen Gestalt gesprochen[60]. Diese Gestalt ist nicht mit der Melchisedekgestalt der Schrift zu identifizieren[61], und zwar aus folgenden Gründen: Erstens wird in Z 8 von der Jesajagestalt gesprochen, die für die Männer des Loses Melchisedeks sühnen wird. Das Vorkommen von »Melchisedek« wäre unwahrscheinlich, wenn er selbst schon das Subjekt des Satzes wäre[62]. Ähnlich ist in Z 9 wahrscheinlich nicht gemeint, daß Melchisedek das Jahr des Wohlgefallens Melchisedeks festgelegt hat, sondern eher, daß ein anderer das getan hat[63]. Drittens ist es nicht nötig, das bestrittene Vorkommen des Wortes »Melchisedek«, Z 5 (nur דק ist zu erkennen, was vielleicht nur das Wort צדק bedeutet)[64] gleich vor dem Relativsatz, in dem die Jesajagestalt Subjekt ist (Z 6),

---

125 – früher *M. Friedlaender*, La secte de Melchisédec à l'épître aux Hébreux, Revue des études juives 5 (1882) S. 1–26.188–198; 6 (1883) S. 187–199.

58 Noch zu erwähnen ist TLevi 8,1ff. Nach dieser Stelle wird Levi durch sieben Engel geweiht. Einer dieser Engel bringt ihm Brot und Wein. Ist hier etwa an Melchisedek als Engel gedacht (vgl Gen 14,18) und die Weihe Levis mit einer Weihe Abrahams verglichen? Nach *J. Bekker*, Untersuchungen zur Entstehungsgeschichte der Testamente der zwölf Patriarchen (AGJU 8), 1970, S. 270ff, liegen hier zwei jüdische Dubletten vor. Wurde Melchisedek mit einem der höchsten Sieben identifiziert (vgl I Hen 20,1–8; 81,5; 87,1ff; 90,22; Apk 8,2)? Vgl auch das altslawische Henochbuch, nach dem Melchisedek eine jungfräuliche Geburt erfahren hat (dazu *Hengel*, Sohn Gottes S. 129). *Schenke*, Erwägungen S. 431ff, vermutet, daß »der wesentliche Hintergrund des Hebr . . . eine ganz bestimmte frühe Form der jüdischen Merkaba-Mystik, aus der der Vf kommt und die noch als Christ seine Denkformen bestimmt, ist« (S. 433f). So erklären sich: »Die Vorstellung des Himmels als des Allerheiligsten mit Gottesthron nebst Altar und dem obersten aller Engel Michael/Melchisedek als himmlischem Hohenpriester« (S. 434). Dementsprechend versteht er c. 1 auf dem Hintergrund einer Vorstellung von den Engeln als den Priestern des himmlischen Heiligtums: »Jesus als himmlischer Hohepriester wird hier als in Konkurrenz zu einer priesterlichen Engelhierarchie stehend vorausgesetzt« (S. 430). Davon liest man in c. 1 nichts. Daß aber derartige Vorstellungen die beste Erklärung des Briefes bieten, werden wir noch zeigen, ohne daß jedoch eine genetische Verbindung mit späterer Merkaba-Mystik vorausgesetzt wird.

59 Wir arbeiten aufgrund der Textausgabe von *J. Carmignac*, Le document sur Melkisédeq, RQ 7 (1970) S. 343–378.

60 Anspielungen auf Jes 61,1f befinden sich in Z 4 (vielleicht Z 5), Z 6, 9 u. 18 – so *Carmignac*, Document S. 375; vgl auch *Theissen*, Untersuchungen S. 137.142. In Z 15f wird Jes 52,7 zitiert. In Z 18 werden die beiden Verkündiger identifiziert und vielleicht weiter mit der Gestalt in Dan 9,25 verbunden, wenn man den Vorschlag von *J. A. Fitzmyer*, Further Light on Melchizedek from Qumran Cave 11, JBL 86 (1967) S. 25–41, hier 30f, den lückenhaften Text *dn* als *dnj'l* zu ergänzen (so auch *Carmignac*, S. 257), aufnimmt.

61 Gegen *A. S. van der Woude*, Melchisedech als himmlische Erlösergestalt in den neugefundenen eschatologischen Midraschim aus Qumran Höhle XI (OTS XIV), 1965, S. 354–373; *Buchanan* S. 100. So *Fitzmyer*, Further Light S. 31; *Theissen*, Untersuchungen S. 139.

62 So mit Recht *Theissen*, Untersuchungen S. 139.

63 Ähnlich *Theissen*, aaO S. 139.

64 Dazu vgl *Carmignac*, Document S. 348; *Theissen*, Untersuchungen S. 139.

als Beweis dafür zu sehen, daß Melchisedek mit dem Subjekt des Satzes identisch ist. Leider ist der Text gerade an dieser Stelle lückenhaft, so daß der Bezug des Relativs nicht festzustellen ist, aber wir halten einen Bezug auf ein anderes Wort als Melchisedek, wenn es überhaupt hier zu lesen wäre, für wahrscheinlicher, besonders weil Melchisedek nicht der erste ist, der sühnt (vgl Z 8). Dazu kommt, viertens, der Bezug auf die Jesajagestalt in Z 24, die sagt: מלך אלהים. Wenn mit אלהים Melchisedek gemeint ist (siehe unten), dann haben wir einen weiteren Grund, warum eine Identifizierung Melchisedeks mit der Jesajagestalt nicht möglich ist.

b) Damit kommen wir zur Gestalt Melchisedeks. Das Wort מלכי צדק kommt vier-, vielleicht fünfmal vor (Z 5, 8, 9, 13 und vielleicht nochmal Z 5). Nur in Z 13 ist es überhaupt möglich, weitere Informationen über ihn zu bekommen. Er erfüllt eine Richterfunktion, die irgendwie mit Belial und den Geistern seines Loses zu tun hat. Daß früher vom Los Melchisedeks gesprochen wurde (Z 8), deutet darauf hin, daß irgendwie Belial und sein Los und Melchisedek und sein Los gegeneinander stehen. Diese Tatsache allein läßt vermuten, daß Melchisedek hier wie Belial eine überirdische Gestalt ist, und erinnert an die Funktion von Engeln in zeitgenössischen Schriften[65]. *Van der Woude* hat versucht zu zeigen, daß das tatsächlich der Fall ist, und hat auf das Zitat aus Ps 82,1 (Z 10) hingewiesen[66]. Wegen des Gebrauchs von zwei Wörtern im selben Satz, die für Gott stehen könnten, אלהים und אל, ist das Verständnis des Textes sehr schwierig:

אלהים נצב בעדת־אל

בקרב אלהים ישפט.

Wenn man אלהים als Gott verstehen würde, dann müßte בעדת־אל irgendwie als terminus technicus verstanden werden: »in der göttlichen Versammlung«. Aber dann muß weiter für בקרב אלהים ישפט ein Subjektwechsel vorausgesetzt werden, wenn אלהים immer noch als Gott zu verstehen ist, ohne das Subjekt zu nennen. Dagegen spricht nicht nur die komplizierte Syntax und die Tatsache, daß אלהים sowohl Gott als auch »Engel« oder »himmlisches Wesen« bedeuten müßte, sondern auch die Tatsache, daß der, der steht, wahrscheinlich auch der ist, der richtet. Viel einfacher wäre es, mit *van der. Woude* אלהים als »der Himmlische« zu übersetzen[67]. Dann

---

65   Vgl in den Schriften von Qumran selbst: 1QS II 2; II 19; III 24; 1QM XVII 5; XIV 9; XIII 2.11. Vgl auch Jes 26,22; I Hen 62,4; 69,27; 20,5; Dan 12,1; AssMos 10,1; TLevi 18 (dazu siehe unten S. 231f); Apk 20,2.3; 12,7.

66   *Van der Woude*, Erlösergestalt S. 369–373, der eine Identifizierung mit Michael wie im späten Mittelalter (Jalkut chad. f. 115 col 3 num. 19 und Sohar chad. f. 41,3 ad Ps 133,2 – bei W. *Lueken*, Michael, 1898, S. 31) erkennen will. Vgl auch *Schenke*, Erwägungen S. 431f; *Hengel*, Sohn Gottes S. 126ff.

67   *Van der Woude*, Erlösergestalt S. 367; *M. de Jonge – A. S. van der Woude*, 11 Q Melchizedek and the New Testament, NTS 12 (1965/66) S. 301–326, hier S. 304ff; *Y. Yadin*, A Note on Melchizedek and Qumran, IEJ 15 (1965) S. 152–154; zurückhaltend *Fitzmyer*, Further Light S. 30.32.37.41; vgl auch an *van der Woude* anlehnend: *Schröger*, Schriftausleger S. 139; *Theissen*, Untersuchungen S. 140, *Delcor*, Melchizedek S. 133ff. Vgl *Carmignac*, Document S. 363: »L'auteur envisagerait la venue d'un personnage dont la figure et la fonction ressemble-

bilden die zwei Sätze eine gewisse Parallele. Daß ein himmlisches Wesen andere himmlische Wesen und in der Gegenwart von anderen himmlischen Wesen richten kann, ist nichts Neues[68]. Dieses Verständnis würde außerdem den Sinn der Heranführung von Ps 7 (Z 11) erklären[69]. Dieses himmlische Wesen wird über die anderen hervorgehoben. Durch ihn will Gott die Völker richten. Nach dieser Darstellung wird also ein himmlisches Wesen die Urteile Gottes ausführen. Gerade das tut Melchisedek nach Z 13! Die Ausführung in Z 10f ist vielleicht direkt auf ihn (כתב עליו Z 10; er wird gerade in Z 9 erwähnt) bezogen[70]. Wenn אלהים hier als himmlisches Wesen zu verstehen ist, dann liegt es nahe, die Botschaft der Jesajagestalt (מלך אלהים) als die Verkündigung der Königsherrschaft Melchisedeks zu deuten. Nicht nur die etymologische Verbindung spricht dafür[71]. Eine solche Deutung des Wortes אלהים nicht auf Gott, sondern auf Melchisedek bezogen würde genau der Umdeutung in Z 9 entsprechen, wo in Anlehnung an Jes 61,2 nicht vom Jahr des Wohlgefallens Jahwes gesprochen wird, sondern vom Jahr des Wohlgefallens Melchisedeks. Dazu kommt noch Z 25, wo nach אלהים das Wort היה kommt, also eine Erklärung, was mit diesem Wort gemeint ist. Wenn wie üblich nur Gott gemeint ist, wäre eine solche Erklärung merkwürdig und überflüssig. Es scheint daher sicher zu sein, daß in 11Q Melch von Melchisedek als himmlischem Wesen gesprochen wird.

c) Die einzige große Schwierigkeit dieser Interpretation ist, daß אלהים nie sonst in den Schriften von Qumran für Engel gebraucht wird, sondern dafür das Wort אל(ים) bevorzugt wird. Aber gerade dieses Wort ist schon in Ps 82 vorgegeben, der eine solche Deutung anbietet; außerdem scheint sich der Verfasser des besonderen Gebrauchs bewußt zu sein, wie die Notwendigkeit einer Erklärung in Z 25 zeigt. Der Schriftausleger, der dieses Stück ver-

---

raient à celles du Melkisédeq historique«, oder »L'auteur penserait surtout à la signification du nom Malkî-Sèdèq, qui est ›roi de justice‹ et il parlerait d'un personnage qui porterait ce nom ou qu'on pourrait définir par un tel vocable«. Als Argumente gegen die Deutung der meisten Herausgeber meldet er drei Einwände an: erstens, »jamais l'auteur ne donne à ʾlwhjm le sens d'êtres célestes« (S. 365f); zweitens, daß in Ps 82,1 immer nur Gott richtet (S. 366 – dagegen der Doppelgebrauch von wʾlwhjm; auch ist der Psalm zweitens nicht direkt auf Melchisedek bezogen (zu ʾljw Z 10, siehe Anm. 70); und drittens: einem Untergeordneten wird normalerweise vom Übergeordneten geholfen, nicht umgekehrt (S. 366f mit Beispielen).

68 Vgl I Hen 61,8; 47,3; 62,1ff; auch Mk 8,38.

69 Der Gedanke wäre, daß Melchisedek Gottes Urteil ausgeführt hätte und jetzt in die Höhe zurückkehrt oder daß er an die Stelle des Richters gesetzt wird. Daß es hier heißt, daß Gott richtet, spricht also keineswegs gegen eine Richterfunktion Melchisedeks, die ja in Z 13 vorausgesetzt ist.

70 Mit Recht weist *Carmignac* darauf hin, daß ʾljw auch auf das gleich vorhergehende Wort (Melchisedek wird sechs Wörter früher erwähnt) mspt bezogen werden kann, was vielleicht das Vorkommen des Wortes jspwt in Z 10 und jdjn in Z 11 begünstigt (S. 353). Das ist möglich, aber unsere Auslegung von Ps 82,1 wäre damit keineswegs ausgeschlossen. Nicht nur Z 9, sondern auch Z 13 und die Gegenüberstellung von Belial und Melchisedek zeigen, daß von Melchisedek im Rahmen des Gerichtsgedankens geredet wird. Außerdem wäre die Beziehung von ʾljw auf Melchisedek keineswegs unwahrscheinlich.

71 *mlk* in *mlkjsdk*.

faßt hat, hat an der Formulierung seines Textes, Ps 82,1, festgehalten[72]. Daß ein fester Gebrauch bestünde, daß es normalerweise Untergeordnete seien, denen von Übergeordneten geholfen werde, und nicht umgekehrt, wie Z 14 nach der oben skizzierten Interpretation bedeuten würde, läßt sich nicht beweisen[73].

d) Wir glauben mit *van der Woude* feststellen zu können, daß hier von Melchisedek als himmlischem Wesen gesprochen wird. Daß der Vf des Hb dieses Stück gekannt hat, halten wir für sehr unwahrscheinlich, weil ua ein Bezug auf Ps 110,4 hier anscheinend und der Kriegszusammenhang im Hb völlig fehlt[74].

4. Was unsere Aufgabe betrifft, ist festzustellen, daß diese Vorstellung schon vor dem Hb vorgekommen ist, so daß durchaus denkbar ist, daß der Vf des Hb sie aus irgendeiner Tradition gekannt hat, die sie vielleicht sogar in einer Dichtung zum Ausdruck brachte.

Ps 110,4 und der Hintergrund der Bezeichnung »Hoherpriester«

Um zu unserer Diskussion über den Hintergrund der Hohenpriestervorstellung im Brief zurückzukehren: es sollte jedenfalls klar geworden sein, daß die Melchisedekgestalt weder zum christologischen Begriff Hoherpriester noch zum Gebrauch von Ps 110,4 geführt hat, sondern, daß der Vf dieses Zitat mit Hilfe von Traditionen über Melchisedek auslegen wollte.

1. Jetzt ist zu fragen, ob das Zitat *Ps 110,4* vielleicht nicht der *Ursprung dieser Bezeichnung* »Hoherpriester« ist[75]. Die Verbindung mit der Erhöhungsüberlieferung ist schon durch Ps 110,1 gegeben, wie auch durch die Verbindung mit Ps 2,7 (vgl 5,5f). Wir haben es mit einem Stadium der Hohenpriesterchristologie zu tun, die älter als die des Vf ist. Erst nach der Erhöhung wird Jesus als Hoherpriester eingesetzt. All das deutet darauf hin, daß dieser Text schon vor dem Brief christologisch gedeutet war, und zwar im Zusammenhang mit der Fürbittevorstellung, wie das Nebeneinander von Ps 110,1 und Fürbittemotiv im NT vermuten läßt.

2. Ist es aber zum Hohenpriestertitel nur durch die Nähe von Ps 110,1 und

---

72 Auch außerhalb von alttestamentlichen Zitaten (vgl 4 Q Dt 32,43) scheint dieser Gebrauch belegt zu sein. Vgl *Hengel*, Hellenismus S. 424.

73 Gegen *Carmignac*, Document S. 366f. So *Delcor*, Melchizedek S. 133ff.

74 Daß vielleicht hinter diesem Stück die Auffassung von einer treuen und wahren Priesterschaft steckt (allerdings auch aaronitisch), die vom Priester Melchisedek von Jerusalem stammte, gegenüber den derzeitigen Priestern der Stadt, würde eine gewisse Parallele zum Hb bilden (vgl die Polemik in 1 QpHab und 4pPs 37), aber es läßt sich keine Verbindung zwischen beiden beweisen. Spekulationen, was in den Lücken einmal stand, führen nicht weiter. Es läßt sich auch nicht erkennen, ob die Vorstellung von Melchisedek als einem himmlischen Wesen eine Ad-hoc-Konstruktion ist oder dem Verfasser dieser Schrift schon vorlag. Auf eine qumranische Speziallehre darf nicht geschlossen werden, so *Brandenburger*, Vorlagen S. 209, mit Recht. Sonst hätte man mehr in 1QGenApkr 22 erwartet. Dazu vgl *Braun*, Qumran I S. 260.

75 So *Bruce* S. 24.94; *Klappert*, Eschatologie S. 36.

Ps 110,4 gekommen? Dann würde es überraschen, daß wenigstens Ps 110,3 nicht auch christologisch gedeutet wurde, besonders wenn man die LXX-Fassung ansieht (die urzeitliche Geburt). Außerdem ist klar zu erkennen, daß Ps 110,1 schon sehr früh als selbständiges Wort gebraucht wurde, ohne daß jedesmal die Stelle »nachgeschlagen« wurde. Das Übergreifen von Ps 110,1 auf Ps 110,4 wäre leichter zu verstehen, wenn es schon Anlaß dazu gegeben hatte, gerade diesen Text zu wählen und nicht zB V3. Dazu ist weiter zu bemerken, daß in Ps 110,4 nicht ἀρχιερεύς, sondern ἱερεύς stand, so daß man eine Entwicklung zwischen dem Gebrauch dieses Textes und der Entstehung des ἀρχιερεύς-Titels annehmen müßte. Das ist nicht undenkbar.

3. Aber uns scheint es wahrscheinlicher, daß das *Mitheranziehen von Ps 110,4 eher dadurch veranlaßt* wurde, *daß der Priester- oder Hohepriestertitel schon im Gebrauch war*, und zwar *für den Erhöhten* und vielleicht damit *auch für den Fürbittenden* und daß *erst aufgrund dieser Verbindung mit Ps 110,1 in der Erhöhungsüberlieferung auch Ps 110,4 aufgegriffen wurde*[76]. Unterstützt wird diese Auffassung durch eine Untersuchung des weiteren Hintergrundes (siehe im folgenden).

4. Jedenfalls scheint uns sehr wahrscheinlich, daß der Vf nicht der erste war, der dieses Zitat aufgegriffen hatte[77]. Allerdings ist kaum zu verkennen, daß er es ausführlich interpretiert. Gehörte es mit zu dem, was der Vf ὁμολογία nennt? Unvorbereitet und selbstverständlich verwendet er es in 5,6 als Anrede Gottes an den Erhöhten, aber das wäre auch aus seinem Schriftverständnis zu erklären. Wir halten es aber für sehr wahrscheinlich, daß er es schon in seiner Tradition gefunden hat, wie Ps 2,7, und das aufgrund der dahinterstehenden Christologie. Er nimmt es auf, um die Bedeutung der jetzigen Stellung als Hoherpriester hervorzuheben, wie er die Erhöhungsaussagen aufgenommen hatte, ohne sich auf die ursprünglichen Implikationen zu beschränken. Seine Ausführungen sind neu; das Zitat selbst gehörte zur ὁμολογία der Gemeinde. Allerdings, wenn das Zitat schon traditionell christologisch wäre, müßte der Bezug auf Melchisedek schon verstanden worden sein, was der Art dieser Ausführung des Vf widersprechen würde[78]. Vielleicht gehörte nur der erste Teil (σὺ ἱερεὺς εἰς τὸν αἰῶνα) dazu, so daß er die weiteren Teile κατὰ τὴν τάξιν Μελχισέδεκ und am Anfang ὤμοσεν κύριος καὶ οὐ μεταμεληθήσεται selbst angefügt hat. Daß Jesus ἱερεὺς εἰς τὸν αἰῶνα ist, wird als selbständige Wahrheit prokla-

---

76 Vgl auch *Higgins*, Priestly Messiah S. 235f; *Nomoto*, Herkunft S. 13, der allerdings dabei Fürbitter mit Priester gleichsetzt; *Hahn*, Hoheitstitel S. 234 (dazu siehe aber oben Anm. 32); vgl auch *Lohse*, Märtyrer S. 169.

77 Gegen *Higgins*, Priestly Messiah S. 236; J. R. *Schaefer*, The Relationship between priestly and servant Messianism in the Epistle to the Hebrews, CBQ 30 (1968) S. 359–385, hier 382; *Sowers*, Hermeneutics S. 119f; *Williamson*, Philo and Hebrews S. 432. Vgl *Michel* S. 255; ähnlich *Klappert*, Eschatologie S. 36; *Synge*, Hebrews and the Scriptures, S. 22ff u. 44ff.

78 Der Vf scheint vorauszusetzen, daß die Wendung einer besonderen, schwierigen Erklärung bedarf, für die er seine Leser um erhöhte Aufmerksamkeit bitten muß (so 5,11ff).

miert; der Vf bemüht sich darum, vor allem die Wendung κατὰ τὴν τάξιν Μελχισέδεκ zu erklären.

5. Die Frage des Gebrauchs von Ps 110,4 ist nicht mit Sicherheit zu beantworten. Vieles spricht dafür, daß der Vf Tradition aufgreift, nur muß die traditionelle Anwendung vielleicht auf die Worte σὺ ἱερεὺς εἰς τὸν αἰῶνα beschränkt gewesen sein[79]. Er hat dann die weiteren Teile zum Zweck seiner Ausführung über die Hohepriesterschaft Jesu herangezogen. Weniger wahrscheinlich, aber nicht ausgeschlossen ist, daß er selbst als erster diesen Text aufgegriffen hat. Aber dann würde überraschen, daß das Zitat nicht sofort im Zusammenhang mit Ps 110,1 vorgekommen ist. Eine Verbindung liegt wahrscheinlich in 10,12 vor (Ps 110,1 mit εἰς τὸ διηνεκές – Anspielung auf Ps 110,4? Vgl 7,3), aber sie ist vielleicht traditionell oder rückblickend[80].

Zusammenfassung

Die christologische Bezeichnung ἀρχιερεύς scheint schon in den Traditionen des Vf vorhanden gewesen zu sein, was 2,17 und auch die Spannungen in der Hohenpriesterchristologie andeuten. Wahrscheinlich gehörte die Vorstellung auch zu dem, was die Gemeinde als ὁμολογία verstand, wie auch wahrscheinlich ein Teil von Ps 110,4. Wie diese christologische Bezeichnung entstanden ist, ist in den Aussagen des Briefes nicht mehr zu erkennen: nur die Verbindung mit der Fürbittevorstellung ist früher als die mit der Sühnopfervorstellung, die dadurch veranlaßt wurde[81]. Wie die erste Verbindung zustandegekommen ist, muß aufgrund des weiteren religionsgeschichtlichen Hintergrundes behandelt werden.

---

79   Man vergleiche die ähnliche Form Ps 2,7: υἱός μου εἶ σύ. Gehörten die beiden schon vor dem Vf zusammen (vgl 5,5f)? Daß in Joh 12,34 Ps 110,4 nachwirkt, halten wir für unwahrscheinlich. Vgl *Bultmann*, Johannes S. 164 Anm. 7 und Jes 9,6.

80   Vgl 7,3 und neben 8,1 auch 7,28.

81   Die Wendung ἀρχιερέα μέγαν 4,14 (vgl ἱερέα μέγαν 10,21) ist wahrscheinlich schon mit Blick auf die in 5,1ff erwähnten Hohenpriester des alten Bundes gewählt, zumal sie in der Umwelt des Vf nicht unbekannt ist (dazu *Michel* S. 204). Ὁ ἁγιάζων (2,11) ist zwar kultisch und im Zusammenhang mit dem Hohepriestertum Jesu zu verstehen, braucht aber nicht unbedingt als traditioneller priesterlicher Titel für Jesus verstanden zu werden. Das gilt, selbst wenn im jetzigen Zusammenhang auf eine bekannte Regel über die Identität der Priester mit ihrem Volk angespielt wäre (dazu siehe *Michel* S. 149). Zur priesterlichen Deutung von ἀπόστολος vgl S. 81f oben. Mose werden bei Philo priesterliche Züge zugesprochen (dazu vgl *Michel*, S. 177 Anm. 2), aber direkte Verbindungen zwischen der Hohepriesterschaft Jesu und der Mosegestalt im Hb lassen sich nicht belegen. Zu μεσίτης siehe S. 249f.

2. Die Hohepriestervorstellung in der Umwelt

Die Hohenpriester in Israel

1. Wenn wir in der jüdisch-christlichen Tradition an den Hohenpriester denken, kommt vor allem das *Hohepriestertum Israels* in Betracht. Wie in anderen Gesellschaften[1] spielten die Hohenpriester Israels nicht nur eine wichtige Rolle im Kultus, sondern auch in den Machtverhältnissen der Gesellschaft selbst. Besonders *nach dem Exil* rücken der Hohepriester und der säkulare Führer des Volkes in den Vordergrund. In Einklang mit Jer 33,14–16 wird Serubbabel als eschatologischer Messias identifiziert[2], der in ständiger Begleitung des Priesters das Land regieren soll (so ursprünglich Sach 6,11–13; vgl auch 3,8; 4,13; Ezech 44–46). Wann durch eine Korrektur in Sach 6,11 Josua, *der Hohepriester*[3], selbst *als Messias* identifiziert wurde, ist nicht klar[4].

2. Daß Hohepriester immer mehr die Rolle des Regenten übernahmen, wird durch das erste Makkabäerbuch sehr deutlich. Bezeichnenderweise konzentrierte sich der Machtkampf in der Zeit vor den *Makkabäern* auf die Frage, wer Hoherpriester sein soll[5]. Die Makkabäer selbst wurden Hohepriester genannt, zunächst mit Blick auf ihre leitende Funktion, erst sekundär hinsichtlich der besonderen kultischen Aufgaben[6]. Der Hasmonäer Aristobul nahm auch den Königstitel dazu[7]. Der Versuch, aufgrund einer angeblichen Akrostik an Simon in Ps 110 diesen Psalm als Werk eines Verehrers von Simon zu erklären, ist abzulehnen[8]. Daß dieser Psalm und eine

---

1 Dazu vgl *Michel* S. 165.

2 Vgl Jer 33,14–18. Daß die LXX-Wiedergabe von *hkkhn hmmsjh* als ὁ ἀρχιερεὺς ὁ κεχρισμένος in Lev 4,3 (vgl später in V 5 ὁ ἱερεὺς ὁ χριστός) bedeute, daß der Übersetzer die Vorstellung von einem messianischen Hohenpriester vor sich haben müßte, wie *Williams,* An Early Christology S. 108f, meint, halten wir für sehr unwahrscheinlich. Belege für ein solches Verständnis fehlen.

3 *Synge,* Hebrews and the Scriptures S. 19ff, leitet die Hohepriesterbezeichnung Jesu aus einer Anspielung auf Josua (griechisch Ἰησοῦς), den Hohenpriester von Sacharja, ab. Für eine solche Anspielung vgl JustDial 115 u. 75. Aber dafür gibt es außer dem Namen Jesus keinen Anhaltspunkt im Text. Das Motiv von einem Sitzen zur Rechten eines anderen in Hb 8,1 stammt aus Ps 109,1 LXX, nicht Sach 6,13 LXX. Das οἶχος-Motiv (Hb 3,1ff u. 10,21) ist nicht aus Sach 6,11 LXX abzuleiten, auch nicht aus Sach 3,6f LXX (gegen *J. Schaefer,* Messianism S. 368), sondern aus Num 12,7. Auch der Vorschlag von *C. MacKay,* The Argument of Hebrews, Church Quarterly Review 147 (1967) S. 325–338, daß der Vf Ezech 40–48 als Basis seiner Hohenpriestervorstellung benutzt habe, entbehrt jeden Beweises.

4 Zur Entstehung der Hoffnung auf einen Priester der Endzeit bzw einen messianischen Priester in der nachexilischen Zeit vgl ua *Higgins,* Priestly Messiah S. 211; *Schrenk,* Art. ἀρχιερεύς, ThWNT III, S. 265–284, hier 268; *Michel* S. 556; *J. Schaefer,* Messianism S. 364f.

5 Vgl 2Makk 4,7ff. Vgl vor allem *Hengel,* Hellenismus S. 17ff.

6 So 1Makk 14,47; vgl auch 14,17.35.41; 10,20.38. Wie bei Serubbabel und Josua stehen auch im Aufstand von 132–135 nChr die beiden Ämter nebeneinander. Vgl *Michel* S. 556.

7 So JosAnt XIII 299.

8 Dazu *Kraus,* Psalmen z.St.

Akrostik zu dieser Zeit so interpretiert wurden, ist aber nicht auszuschließen, besonders wenn man das häufige Vorkommen von Ps 110,4 und der damit verbundenen Stelle Gen 14 über Melchisedek in derzeitiger Literatur in Betracht zieht[9]. Ein solcher Gebrauch läßt sich aber nicht mit Sicherheit beweisen. Die Makkabäer hatten keinen Anspruch erhoben, Messias oder eschatologische Hohepriester zu sein[10]. Ihre Geschichte dürfte aber wichtig sein für die Entwicklung in diese Richtung.

Die Hoffnung auf einen priesterlichen Messias in Qumran

Die Entstehung der Gemeinde in Qumran ist leider immer noch nicht in allen Einzelheiten zu erkennen. Auseinandersetzungen mit den regierenden Priestern in Jerusalem spielten eine Rolle[11]. Ob und wie weit diese Auseinandersetzungen ihre eschatologische Hoffnung auf einen *Messias von Aaron* und einen *von Israel* gewirkt haben, ist nicht mit Sicherheit festzustellen. Leider ist aber auch die messianische Hoffnung der Leute von Qumran selbst nicht ganz deutlich[12].

An einigen Stellen wird von einem Messias von Aaron und einem von Israel gesprochen: 1QS IX 10f sogar zusammen mit der Hoffnung auf einen Propheten und wahrscheinlich 6QD 3 ;4. In anderen Texten wird nur von einem Messias von Aaron und Israel gesprochen: CD VIII; XII 23; XIV 19; XIX 10; XX 1; 4QDb (vgl 1QSa II 12; 14; 1Q 30,1f). Dazu kommt, daß 4QSe die Lesung von 1QS IX 10f nicht enthält. Die Doppelmessiashoffnung zusammen mit der Hoffnung auf einen Propheten findet sich wahrscheinlich in 4Q Test 5–13, wo Num 24,15–17 (die zwei Messiasgestalten) und Deut 18,18–19 (der Prophet) aufgenommen werden. Daß in 1QSa II 11f von zwei Messiasgestalten die Rede ist, scheint uns nicht bewiesen zu sein[13]. Verschiedene Versuche sind unternommen worden, um diese Diskrepanzen zu beseitigen[14]. Es scheint aber die beste Lösung zu sein, daß man eine Entwicklung in den Gedanken der Gemeinde voraussetzt und diese Schriften in verschiedenen Stadien entstanden sind[15]. Wenn wir von Num

---

9   Vgl 1Makk 14,41; AssMos 6,1. Vgl Jub 32,1; TLevi 8,3.14. Vgl *Delcor*, Melchizedek S. 123f; *Buchanan* S. 94ff.

10   Sie sind ja offensichtlich dem kommenden Propheten unterlegen. Vgl 1Makk 14,41; 4,46. Die Zeiten der Makkabäer werden manchmal mit messianischen Zügen geschildert (vgl 1Makk 14,8ff mit Sach 8,3ff u. das Danielbuch).

11   Dazu *Hengel*, Hellenismus S. 407ff, auch 320ff.

12   Zum Problem der Messiasvorstellungen von Qumran vgl ua M. *Burrows*, Mehr Klarheit über die Schriftrollen, 1958, S. 257–269; *A. R. C. Leaney*, The Rule of Qumran and its Meaning, 1966, S. 225–228; *J. Schaefer*, Messianism S. 366f.

13   Gegen ua *K. G. Kuhn*, The Two Messiahs of Aaron and Israel, in: The Scrolls and the New Testament, hg. v. K. Stendahl, New York 1957, S. 54ff; so *M. Black*, The Scrolls and Christian Origins, London 1961, S. 146ff.

14   Zur Diskussion vgl *Burrows*, Klarheit S. 257ff; vgl auch *Gnilka*, Erwartung S. 397f. Manchmal wird überhaupt bestritten, daß die Hoffnung auf einen messianischen Priester in Qumran vorhanden sei. Die Verwirrung sei aus der Fehlübersetzung »Messias« statt einfach »Gesalbter« entstanden. So bes *Higgins*, Priestly Messiah S. 215ff.

15   Vgl *J. Starcky*, Les quatres étapes du messianisme à Qumran, RB 70 (1963) S. 481–505; *Gnilka*, Erwartung S. 405; *Leaney*, Rule S. 225ff, an den wir uns im wesentlichen anschließen. Vgl auch *R. E. Brown*, J. Starcky's Theory of Qumran Messianic Development, CBQ 28 (1966) S. 51–57.

24,17–19 ausgehen, ist zunächst zu bemerken, daß nach 1QM XI 6ff der Stern (der Hohepriester) schon gekommen ist, während er in 4Q Flor I 11 und CD VII 18 als דרש התורה noch zu erwarten ist (vgl auch 4QTest 5–13; CD VI 7ff scheint zu besagen, daß er schon gekommen ist, obwohl hier ein יורה הצדק noch erwartet wird). Es ist vielleicht zu vermuten, daß anfangs eine Hoffnung auf zwei Messiasgestalten vorhanden war, was noch in 1QS IX 10f (1QS VIII 1–IX 26 war vielleicht ursprünglich ein älteres Stück)[16], in einer früheren Fassung von CD (6 QD 3.4), zu erkennen wäre, und erst im Laufe der Zeit diese Hoffnung auf den einen königlichen Messias beschränkt wurde (vgl CD, 4QD und das Fehlen der entsprechenden Aussage in 4QSe). Der Grund einer solchen Entwicklung ist vielleicht die Identifizierung des hohenpriesterlichen Messias mit dem »Forscher des Gesetzes«, der schon gekommen war. Daß dieser sehr wahrscheinlich mit dem »Lehrer der Gerechtigkeit« zu identifizieren ist, der ungefähr 20 Jahre nach Entstehung der Gemeinde gekommen war, scheint uns wahrscheinlich, aber nicht ohne Schwierigkeiten, wie CD VI 7ff zeigt[17].

Jedenfalls darf festgestellt werden, daß die Qumrangemeinde eschatologische Hoffnung auf einen priesterlichen Messias kannte, auch wenn nicht mit Sicherheit festzustellen ist, ob diese in der Sicht der späteren Gemeinde schon in Erfüllung gegangen war. Obwohl diese Hoffnung eng mit der Gemeindeordnungsvorstellung verknüpft war (so daß diese Gestalt durchaus menschlich und nicht himmlisch war)[18], ist es wahrscheinlich, daß die Leute von Qumran nicht die einzigen in der Umwelt des Urchristentums waren, die einen solchen priesterlichen Messias erwarteten[19]. Die Hoffnungen der Rabbinen reichen vielleicht auch auf die Zeit des frühen Christentums zurück[20].

Die Hoffnung auf einen priesterlichen Messias in den Testamenten der zwölf Patriarchen

In der Endgestalt der *Testamente der zwölf Patriarchen* wird ebenfalls von einer Hoffnung auf einen eschatologischen Priester gesprochen. Ob aber im Urtext diese Hoffnung vorhanden war, ist höchst umstritten. Ohne auf die Einzelheiten dieses komplizierten Problems einzugehen, schließen wir uns der überzeugenden Analyse von *Becker* an, der gezeigt hat, daß diese Aussagen erst durch Zusätze entstanden sind[21]. Dazu gehören unter anderen

16 Dazu vgl *Leaney*, Rule S. 225f.
17 So ähnlich *Leaney*, Rule S. 227. G. *Jeremias*, Der Lehrer der Gerechtigkeit (StUNT 2), 1963, S. 275ff, denkt eher an einen anderen Lehrer.
18 So mit Recht *Gnilka*, Erwartung S. 405.
19 Zu den mißlungenen Versuchen ua von *Kosmala*, Hebräer Essener Christen, Verbindungen zwischen Qumran und dem Hb, nicht zuletzt im Zusammenhang mit der Hohenpriesterlehre, aufzuzeigen, siehe ua F. F. *Bruce*, »To the Hebrews« or »To the Essenes«? NTS 9 (1962/63) S. 217–232. J. *Coppens*, Les affinités qumrâniennes de l'Epître aux Hébreux, NRTh 84 (1962) S. 128–141.257–282; *Braun*, Qumran II S. 77ff.
20 Dazu siehe vor allem *Billerbeck* IV, S. 462ff. Die Belege sind nicht früher als das dritte Jahrhundert.
21 *Becker*, Testamente S. 405.

TLevi 18,1ff und TJos 19, wo explizit die zwei Messiasvorstellungen vorkommen (vgl königlicher Messias: TJud 24,5ff). Diese sind aber nicht als christliche Zusätze zu betrachten (die ja auch in den Testamenten vorhanden sind und wahrscheinlich den messianischen Klang in die Levi-Juda-Aussagen eingeführt haben[22]), sondern sind jüdischer Herkunft[23]. Eine Abhängigkeit von der Messiasvorstellung der Qumrangemeinde ist nach *Becker* nicht zu beweisen, ua weil wir keine Spur der Terminologie»Messias von Aaron und Israel« in den Testamenten finden[24]. Daß beide Vorstellungen nicht ganz unverbunden waren, zeigt aber uE der Gebrauch von Num 24,17 in TJud 24,5ff, der vielleicht doch auch auf die messianische Vorstellung in TLevi 18 eingewirkt hat (vgl damit die Möglichkeit, daß TJud 24,1a auch jüdischer Zusatz ist, so daß die Zwei-Messias-Lehre auch in TJud 24,1 und 5ff vorkommt)[25]. Auch hier ist ganz offensichtlich an eine eschatologische Funktion auf Erden gedacht, obwohl der Priester selbst in sehr gehobener Terminologie dargestellt wird (vgl vor allem TLev 18,1–4.7–9).

Jesus als priesterlicher Messias?

Es ist durchaus denkbar, daß auch diese Hoffnung der Juden, wenn sie geläufig war, *auf Jesus übertragen* werden konnte. Zurückhaltend und versuchsweise haben *Friedrich*[26] und vor ihm *Moe*[27] versucht, Spuren dieser Vorstellung im NT zu finden, besonders bei den *Synoptikern*. Wir verweisen auf die Analyse von *Hahn*, der die Texte, die *Friedrich* herangezogen hat, untersucht[28]. Sein Ergebnis ist überzeugend: eine solche Darstellung Jesu als messianischer Hoherpriester läßt sich in den Synoptikern nicht nachweisen. Es hat wenig Sinn, Gründe dafür zu suchen, warum eine solche Identifizierung nicht stattgefunden hat. Vielleicht wäre zu erwähnen, daß die weithin bezeugte Identifizierung Jesu mit dem königlichen Messias dies ausschloß. Auch in anderen Schriften des NT sind keine eindeutigen Belege zu finden, die Jesus als messianischen Hohenpriester im Sinne der Vorstel-

---

22 Dazu *Becker*, Testamente S. 178ff.375ff; vgl auch *J. Jervell*, Ein Interpolator interpretiert, in: Studien zu den Testamenten der zwölf Patriarchen (BZNW 36), 1969, S. 30–61.

23 So *Becker*, Testamente S. 405.

24 *Becker*, aaO S. 180.

25 Vgl *R. E. Brown*, The Messianism of Qumran, CBQ 19 (1957) S. 53–82, hier S. 64 Anm. 57; *Gnilka*, Erwartung S. 401f; *J. Thomas*, Aktuelles im Zeugnis der zwölf Väter, in: Studien zu den Testamenten der zwölf Patriarchen (BZNW 36), 1969, S. 62–150, hier S. 74.

26 *G. Friedrich*, Beobachtungen zur messianischen Hohepriestererwartung bei den Synoptikern, ZThK 53 (1956) S. 265–311.

27 *O. Moe*, Das Priestertum Christi im NT außerhalb des Hebräerbriefes, ThLZ 72 (1947) Sp. 335–338, der ua auf den προσαγωγή-Gedanken in Röm 5,2 (vgl Eph 2,18; 1Pt 3,18) hinweist. Der προσαγωγή-Gedanke ist juristisch, nicht kultisch (so *Hahn*, Hoheitstitel S. 234). Vgl auch *J. Schaefer*, Messianism S. 370ff.

28 Vgl auch *Gnilka*, Erwartung S. 409ff; *J. Coppens*, Le messianisme sacerdotal dans les écrits du Nouveau Testament, in: La Venue du Messie (RechBib IV), 1962, S. 101–112, hier 106ff.

lung darstellen, die in einigen jüdischen Schriften vertreten ist[29]. Als Hintergrund für den Hb scheint diese Vorstellung kaum in Frage zu kommen, weil eine klare Verbindung des Titels mit dem erhöhten Jesus ursprünglich als Hintergrund der Vorstellung im Hb zu erkennen ist, zunächst nicht mit seiner irdischen Tätigkeit und erst recht nicht mit den Tätigkeiten der jüdischen Gestalt. Es kommt nur die Möglichkeit in Frage, daß wie der königliche, so auch der priesterliche Begriff spiritualisiert auf den Erhöhten übertragen wurde. Anhaltspunkte dafür fehlen aber.

Die Elia- und Hohepriester-Erwartung

Rabbinische Schriften aus nachneutestamentlicher Zeit bezeugen eine *Verknüpfung der Hohenpriestererwartung mit Elia,* die wahrscheinlich aufgrund einer Verbindung von Mal 3,1.23f mit Mal 2,4 entstanden ist, und (aufgrund von Num 25,13) einer Identifizierung von Elia mit Pinehas[30]. Der Versuch von *Jeremias* zu zeigen, daß diese Vorstellung schon im neutestamentlichen Zeitalter vorhanden war (aufgrund von Apk 11,3ff, wo Elia in Anlehnung an Sach 4,14 als Ölbaum dargestellt wird; in Sach 4,14 wird von den zwei Gesalbten gesprochen, die aufgrund von anderen Stellen, zB Sach 6,11ff; vgl 3,8, als priesterlich und königlich zu verstehen sind), beruht darauf, daß der Verfasser der Apokalypse nicht nur das Bild, sondern auch den sehr viel weiteren Zusammenhang mitberücksichtigt und Elia daher als Priester verstanden hat[31]. Aber das läßt sich nicht beweisen, weil Elia in Apk 11 keinerlei priesterliche Züge trägt. Diese Vorstellung ist also zur Zeit des Hb noch nicht beweisbar und kommt als Hintergrund des Hb kaum in Frage, weil es auch keine inhaltliche Verbindung gibt.

---

29 C. *Spicq,* L'origine johannique de la conception du Christ-prêtre dans l'Epître aux Hébreux, in: Aux Sources de la Tradition Chrétienne, Mélanges offerts à M. Goguel, 1950, S. 258–269, denkt vor allem an folgende Stellen des Johannesevangeliums: Die Verbindung von δόξα und σκηνοῦν in Joh 1,14, das Auftreten Jesu im Tempel und das Tempelwort (dazu *Hahn,* aaO), das Motiv von Jesus als dem »Weg«, der Gebrauch von ἁγιάζω besonders in 17,19 und 19,23 (dazu siehe unten S. 237). Außer 19,23 impliziert keiner dieser Texte eine Hohepriesterschaft Christi. Auf 17,19 weisen auch *Gnilka,* Erwartung S. 42f; *Cullmann,* Christologie S. 105ff; *Higgins,* Priestly Messiah S. 234f; *Coppens,* Messianisme S. 110; *Moe,* Priestertum S. 338, hin. Aber nicht allein hat das »sich heiligen« nicht immer einen kultischen Bezug, sondern auch die stellvertretende Sühne muß nicht unbedingt priesterliches Handeln bedeuten (vgl oben S. 203). Vielleicht gehörte das Sich-heiligen-Motiv in der Tradition mit der Sendungsvorstellung zusammen. Dazu *Hahn,* Hoheitstitel S. 235, der außerdem auf das Fehlen einer hohenpriesterlichen Bezeichnung hinweist.
30 So *Billerbeck* IV, S. 462f.
31 J. *Jeremias,* Art. Ἠλ(ε)ίας, ThWNT II, S. 930–940, hier 934ff, bes 934 Anm. 40. Ähnlich A. S. *van der Woude,* Die messianischen Vorstellungen der Gemeinde von Qumran, 1957, S. 55ff; und dazu *Gnilka,* Erwartung S. 401f; *Hahn,* Hoheitstitel S. 355.

Der leidende Gottesknecht – Hoherpriester?

Die Gestalt des Knechtes hat auf die Aussagen des Urchristentums vom Leiden Jesu eingewirkt; das gilt auch für die Aussagen des Hb über den Sühnetod Jesu (direkt 9,28). Aber es fehlt jeder Beweis dafür, daß die Hohepriestervorstellung selbst von dieser Gestalt abzuleiten ist[32], weil die Gestalt selbst nicht als Priester verstanden wurde[33].

Der himmlische Erlöser der Gnosis – Hoherpriester?

Der Versuch *Käsemanns,* aufgrund von späteren Quellen *die Gestalt eines himmlischen Erlösers,* der den Titel *Hoherpriester* trägt, als Element eines Erlösermythos und Hintergrund ua der Hohenpriesterchristologie des Hb zu beweisen, ist kaum überzeugend[34]. Allein der Versuch, ein solches Schema als vorchristlich nachzuweisen, ist strittig genug[35], geschweige denn aufgrund von späteren Belegen behaupten zu wollen, daß der Erlöser dieses Schemas den Titel Hoherpriester schon so früh trägt. *Theissen*[36] liefert eine überzeugende Kritik an der Methodik und Auslegung der Quellen bei *Murmelstein,* auf dessen Arbeit sich *Käsemann* stützt[37]. Er bestreitet mit Recht, daß die Vorstellung eines selbst opfernden Hohenpriesters überhaupt nachweisbar ist. Wir fügen hinzu, daß unserer Meinung nach der

---

32   Gegen ua *Cullmann,* Christologie S. 90ff; *Gnilka,* Erwartung S. 420f; *W. Grundmann,* Sohn Gottes, ZNW 47 (1956) S. 125; *Buchanan* S. 98; *J. Schaefer,* Messianism S. 372ff. Er schreibt:»Vicariously redemptive suffering, reestablishment of the covenant, compelling innocence, merited exaltation, and the office of prophecy characterize the servant of II Isaiah«. Er fährt fort:»Each of these characteristics marks the person and mission of Jesus as described in Hb«. Eine direkte Abhängigkeit möchte er nicht beweisen:»The author's affinity to the major themes of servant messianism . . . is to be found in his re-interpretation of . . . the vicariously redemptive death of Christ« (S. 380). Daß der Vf bewußt die durch bestimmte Jesajastellen beeinflußte Sühnetradition der Urkirche durch seine Versöhnungstagtypologie interpretiert hat, steht außer Zweifel, daß er aber eine solche »servant Christology«, die mit allen ihren Elementen ein großes Gebilde darstelle, so eng an Ebed-Jahwe-Lieder anlehnte und bewußt durch seine Hohepriesterchristologie interpretieren wollte, ist nicht überzeugend. Die Hohepriesterchristologie existierte ganz unabhängig von der Sühnetradition. Die Interpretation der Sühnetradition durch die Hohepriestertradition war eine spätere Entwicklung. *Schaefer* sieht zwar auch eine ähnliche Entwicklung. Sie sei aber eine Entwicklung nur in den Gedanken des Vf.
33   Dazu siehe *Hahn,* Hoheitstitel S. 54ff; *Stadelmann,* Christologie S. 142f.
34   *Käsemann,* Gottesvolk S. 124–140, bes 128ff; vgl auch *H. Bolewski,* Christos Archiereus, 1939; *Nakagawa,* Christology S. 151ff u. vgl 2ff. – *Schenke,* Erwägungen S. 422, erkennt die Schwäche der Käsemannschen Auslegung und möchte selbst eher eine Verbindung zur späteren Merkaba-Mystik (jüdische Gnosis) herstellen (S. 431ff). Vgl auch *Hofius,* Vorhang S. 93, der im Zusammenhang mit der Tempelvorstellung von einer Übernahme aus der Merkaba-Esoterik spricht.
35   Dazu vgl ua *C. Colpe,* Die Religionsgeschichtliche Schule (FRLANT 78), 1961, bes S. 171ff.
36   *Theissen,* Untersuchungen S. 44ff.
37   *B. Murmelstein,* Adam, ein Beitrag zur Messiaslehre, SZKM 35 (1928) S. 242–275; 36 (1929) S. 51–86.

Hintergrund der Vorstellung des Hb sowieso nicht in den Selbstopferaussagen zu suchen ist. *Theissen* stellt auch die Identität des Erlösers mit Adam in den von *Käsemann* zitierten Stellen in Frage und bezweifelt die Identität der Menschen als Teile Adams in *Murmelsteins* Arbeit.

Einer seiner wichtigsten Beweise lautet: Der Urmenschmythos ist schon in Gestalt des Logos bei Philo vorhanden, der philonische Logos wird als Hoherpriester bezeichnet[38]; deshalb enthalte das Urmenschschema die Vorstellung des Erlösers als Hoherpriester. Aber zunächst ist umstritten, wieweit man von einem Urmenschmythos bei Philo sprechen kann[39]; jedenfalls sollten Aspekte des Mythos, die nicht bei Philo belegbar sind, nicht aus späteren Quellen herangezogen werden. Dann ist grundsätzlich zu fragen, ob der Logos unabhängig von den Hohenpriesterallegorien überhaupt als Hoherpriester bezeichnet wurde. Diese Frage müssen wir aufgrund der Stellen verneinen[40]. Auch die Tatsache, daß beide – gnostische Tradition und Philo – die Gestalt Melchisedeks auslegen, besagt nichts mehr, als daß sie dasselbe Alte Testament und vielleicht eine gemeinsame exegetische Tradition benutzen, die sowieso nichts mit einem Urmenschmythos zu tun hat. Wir möchten die Möglichkeit keineswegs ausschließen, daß ein Urmensch-Erlösermythos, wie er aus späteren Quellen zu erkennen ist, vielleicht in vorchristlicher Zeit verwurzelt ist. Das ist noch zu beweisen. Aber wir finden keinen Grund für die Annahme, daß ein solches Schema gerade mit der Hohenpriesterbezeichnung für den Erlöser zur Zeit des Hb geläufig war und den Hintergrund dieser Christologie des Vf bildet.

Der Kaiser als Hoherpriester

Ähnlich finden wir keine Verbindung zwischen dem Gebrauch im Hb und dem *Titel des Kaisers*, der zu dieser Zeit belegbar ist[41]. Eine enge Verbindung mit dem κύριος-Titel würde vielleicht dafür sprechen, aber diese Verbindung fehlt in der Hohenpriesterchristologie.

Der Hohepriester bei Philo

Die *Hohepriestergestalt* war für *Philo* besonders wichtig, und das nicht nur im buchstäblichen Sinn[42]. In seinen Schriften findet man zahlreiche allego-

---

38 *Käsemann*, Gottesvolk S. 125.
39 Dazu vgl *H. Hegermann*, Die Vorstellung vom Schöpfungsmittler im hellenistischen Judentum und Urchristentum (TU 82), 1961, S. 66ff; *Sowers*, Hermeneutics S. 65.
40 Dazu siehe Anm. 45 und 50.
41 Dazu vgl *Michel* S. 165. Daß die Hohepriesterchristologie des Vf als Gegensatz zum Kaiserkult entwickelt wurde, wie *Williams*, An Early Christology S. 47.67.137ff, schreibt, ist reine Spekulation und hat keinen konkreten Anhaltspunkt am Text.
42 Vgl dazu *Wolfson*, Philo II S. 335–345. Zur allegorischen Deutung des Hohenpriesters, besonders im Zusammenhang mit der Logosgestalt, vgl ua *Schrenk*, Art. ἀρχιερεύς, ThWNT III, S. 272f; *Hegermann*, Schöpfungsmittler S. 47ff; *Williamson*, Philo and Hebrews S. 409–434.

rische Deutungen der Gewänder des Hohenpriesters[43], seines Eintritts ins
Allerheiligste[44] und des Hohenpriesters selbst[45]. Dabei greift er die Darstellungen des AT auf, aber auch bestimmte exegetische Traditionen, zB die
über die Gewänder[46]. Der Hohepriester wird ua als Typus des Logos gedeutet, der in der Welt als Tempel waltet[47]. Diese Auffassung liegt der Vorstellung des Hb fern. Andererseits ist kaum zu verkennen, daß vieles darauf
hinweist, daß unser Vf und Philo auf einem ähnlichen Hintergrund argumentieren. Es ist zu fragen, wie weit diese Gemeinsamkeiten auf einen
möglichen Hintergrund für die Hohepriesterlehre schließen lassen. Philo
sagt, daß der Hohepriester nicht mehr Mensch ist[48], aber das bezieht sich
nur auf einen bestimmten Zeitpunkt, nämlich seinen Eintritt ins Allerheiligste. Daß der Hohepriester ἀμίαντος ist (vgl Hb 7,26), auch ἄμωμος[49],
leitet Philo aus der Schrift ab. Daß gewisse Prädikate der Sophia, die mit
Philos Logosbegriff nicht unverbunden ist, auf Jesus, den Erhöhten, übertragen worden sind, ist schon im Hb zu erkennen (vgl 1,2f). Ist damit auch
die Hohepriesterbezeichnung des philonischen Logosbegriffs herangezogen
worden? Das scheint unwahrscheinlich zu sein, weil eine solche Verbindung
zwischen dem Hohenpriesterbegriff und Logos-Sophia-Vorstellungen im
Brief sich nicht erkennen läßt. Außerdem ist zweifelhaft, ob bei Philo diese
Bezeichnung für den Logos ohne Berücksichtigung des allegorischen Hintergrundes gebraucht wurde[50]. Allerdings wäre andererseits nicht undenkbar, daß als himmlisches Hauptwesen neben Gott in der himmlischen Welt

---

43　Vgl LegAll III 119f; VitMos II 109ff; und im Zusammenhang mit der Logosvorstellung:
Fug 108ff; Somn II 183ff; Migr 102ff.

44　Im Zusammenhang mit der Logosvorstellung vgl Somn I 214; II 183ff; 231f; 234; Heres
82f.

45　An folgenden Stellen wird der Hohepriester allegorisch als Logos gedeutet, bzw der Logos
allegorisch als Priester bezeichnet: LegAll III 82 (dazu vgl S. 215 oben); Sacr 119 (die Verbindung zwischen Priesterschaft und der Logosvorstellung wird durch die zu beiden gehörige Beschreibung »Erstgeborener« gegeben, also liegt hier kein Beweis für eine Bezeichnung des Logos als Priester vor; Gig 52 (deutliche Allegorie aufgrund von Lev 16,2 u. 34); Immut 134 (allegorische Deutung von Lev 14,34–36 mittels der ἔλεγχος-Vorstellung); Fug 118 (die Bezeichnung des Logos als Hoherpriester und König stammt aus der von Philo bewußt als Allegorie dargestellten Beschreibung des Versöhnungstagrituals – so Fug 108; vgl zur Beschreibung
»König« Fug 110ff). Offensichtlich gehörte das Versöhnungstagritual zu den beliebten Texten
Philos, die er mehr oder weniger stereotyp allegorisierte.

46　Vgl vor allem SapSal 18,21–25; auch EpistArist 96–99; JosAnt III 184ff; Bell V 212ff;
Mischna Traktat Joma VII 5. Vgl auch *Hegermann*, Schöpfungsmittler S. 37ff; *J. Pascher*, Η
ΒΑΣΙΛΙΚΗ ΟΔΟΣ. Der Königsweg zu Wiedergeburt und Vergottung bei Philou von Alex-
andreia (Studien zur Geschichte und Kultur des Altertums XVII 3–4), 1931, S. 48ff.

47　Vgl ua Somn I 214, und dazu *Sowers*, Hermeneutics S. 62f.

48　Vgl Fug 108ff; Somn II 189.231f.

49　Vgl Somn II 185 ἄμωμος, abgeleitet von Lev 21,12f (vgl Hb 9,14). Vgl zu ἀμίαντος Fug
118 – hier von Num 6,9 (Fug 115) abgeleitet; vgl auch SpecLeg I 113; III 131 (vgl Hb 7,27).

50　Es ist auch nicht auszuschließen, daß die Deutung des Hohenpriesters als Logos auch
durch die hellenistisch-philosophischen Spekulationen über die Welt als Tempel und die Bezeichnung des Weisen als Priester beeinflußt wurde. Vgl *Wolfson*, Philo I S. 259f; *Schrenk*,
Art. ἱερός κτλ, ThWNT III, S. 237f; *Williamson*, Philo and Hebrews S. 409ff.

der Diener, der Logos mit kultischer Terminologie beschrieben werden könnte[51]. Eindeutige Beweise dafür haben wir aber nicht. Was eine mögliche Übertragung auf Christus von der Bezeichnung Hoherpriester als Bezeichnung des Logos betrifft, scheint vor allem dagegen zu sprechen, daß nach der Tradition unseres Vf Jesus offensichtlich erst mit der Erhöhung als Hoherpriester bezeichnet wurde, während Logos-Sophia-Prädikate nicht so begrenzt gebraucht wurden, sondern in engem Zusammenhang mit der Präexistenz Christi stehen[52].

Die kultische Beschreibung des Himmels und seiner Bewohner

1. Die Tatsache, daß das *Verhältnis zwischen Wesen und Gott* kultisch verstanden wurde und dieses Verständnis nicht auf irdische Wesen beschränkt war, ist für unsere Problematik von großer Bedeutung. Schon im AT wird vom *Lobpreis im Himmel* gesprochen und sogar von einem himmlischen Altar[53]. Diese Betrachtungsweise war im nachalttestamentlichen Judentum weit verbreitet[54]. Sogar Philo bezeichnet Engel als Priester[55]. Der Himmel war dabei der Ort des Lobpreises. Auch himmlische Wesen, die eschatologische Funktion haben, werden oft *als Priester* dargestellt.

a) AssMos 10,2 spricht von einem Gerichtsengel, dessen Hände »gefüllt« werden. Diese Wendung ist technischer Ausdruck für Priesterweihe (vgl Ex 28,41; 29,9; Lev 21,10; TLevi 8,10; Jub 32,2). Kriegerisch-richtende Funktionen werden dem levitischen Priestertum in Jub 30,17–20 (das Priestertum als Ergebnis der Schlachtung der Schechemiten V 18; vgl TLevi 5,3); 31,15–17.31f; 32,1 zugeschrieben, obwohl hier wahrscheinlich keine eschatologische Gestalt gemeint ist (vgl auch die Überwindung des Zerstörers durch den Hohenpriester in Sap Sal 18,20–25). Man kann auch nicht übersehen, daß, obwohl in den erhaltenen Fragmenten sein Priestertum nicht ausdrücklich erwähnt wird, Melchisedek in 11Q Melch eine ähnliche Funktion ausübt (Z 10ff). Vgl auch Apk 12,7 (vgl 1QM XVII), wo Michael eine ähnliche Funktion ausübt; vgl die Menschensohngestalt in I Hen 62,5ff; 69,27, die allerdings nicht priesterlich ist.

b) In der jetzigen Form wird eine ähnliche richterliche Funktion dem Priester in TLevi 18 zugesprochen (V 12; vgl auch V 2). Man könnte auf gewisse Parallelen zwischen 11 Q Melch und der jetzigen Textgestalt hinweisen: nicht nur die richterliche Funktion, sondern auch die Erwähnung des Gegenspielers (Belial in 11Q Melch 13ff; Beliar in TLevi 18,12); vgl auch die bleibende Priesterschaft TLevi 18,8 (zwar nicht in 11QMelch, aber vielleicht schon mit der Melchisedekgestalt verbunden); vgl aber auch TLevi 17,10 und die sieben Wochen und den Zu-

---

51 Vgl die Bezeichnung des Logos als ἱκέτης: Heres 205f; Migr 122; vgl auch ConfLing 174.
52 Die folgenden Ausleger sehen in Philo den Hintergrund der Hohenpriestervorstellung des Hb: *Ménégoz*, Théologie S. 198; *Spicq* I S. 91; vgl auch *H. J. Holtzmann*, Theologie II S. 295 u. 333f; *Bleek* I S. 398–403; an einen Hintergrund ähnlich dem des Philo denken ua *Sowers*, Hermeneutics S. 120f; *MacNeill*, Christology S. 104; *Windisch* S. 15f.121f; *Wenschkewitz*, Spiritualisierung S. 147f; *Hahn*, Hoheitstitel S. 233.
53 So Jes 6,3; vgl ua auch Ps 29,1f; 103,20f; 148,1f.
54 Dazu vgl *Bietenhard*, Die himmlische Welt S. 138ff, vgl auch 123ff.
55 Zur Bezeichnung der Engel als Priester: SpecLeg I 66; Virt 73.

sammenhang mit der Rückkehr (vgl 11 Q Melch 4; das Motiv ist aber in Test XII sehr weit verbreitet). Eine literarische Verbindung zwischen den Fragmenten und TLevi 18 ist ausgeschlossen. Die Sache wird weiterhin dadurch kompliziert, daß TLevi 18 in seiner ursprünglichen Form[56] vom eschatologischen »messianischen« Priester sprach, wie der Gebrauch von Num 24,17 (V 3a) zeigt. Da wird von einer irdischen Gestalt gesprochen, die zwar auf Erden Gericht halten (V 2) und für Gerechtigkeit sorgen wird (V 9), aber keine kriegerische, richtende Gestalt ist. Es ist eine irdische Gestalt, über die die Himmel sich freuen werden. Erst durch die apokalyptische Hinzufügung V 10–14[57], die ursprünglich von Gott redete (ähnlicher Gedanke wie in Jes 24,22f; 27,1; vgl auch TDan 5,9ff; 1QM XII u. XIX), wird die Priestergestalt ein himmlisches Wesen, das wie Michael in Apk 12,7 und ähnlich wie der Engel-Priester von AssMos 10,2 und Melchisedek nach 11 Q Melch den Herrn des Bösen überwinden wird.

c) Es gab offensichtlich die Hoffnung, daß eine *Priester-Engel-Gestalt* eine eschatologische Gerichtsfunktion ausüben werde. Damit möchten wir keineswegs behaupten, daß diese Gestalten in den verschiedenen Texten zu einem einheitlichen Schema gehörten. Diese Gestalten bedürfen einer weitergehenden Untersuchung. Wir möchten nur konstatieren, daß es eine solche Hoffnung gab; und zweitens, daß diese Art von Vorstellung von der Hoffnung auf einen irdischen Hohenpriester-Messias zu unterscheiden ist. Das wird deutlich, wenn man die Gestalt von 11 Q Melch mit dem kommenden »messianischen« Priester in Qumran vergleicht, der ja eine rein irdische Gestalt war. Erst im späten 3. Jh. nChr ist eine rabbinische Tradition zu erkennen, nach der Melchisedek mit einem kommenden »Priester der Gerechtigkeit« identifiziert wurde. Daß diese Konzeption schon im ersten Jahrhundert geläufig wäre, ist nicht zu beweisen. Weder zwischen der »messianischen« Hohenpriestervorstellung und dem christologischen Titel Hoherpriester noch zwischen den oben aufgeführten Stellen und dem Titel läßt sich eine Verbindung erkennen. Von kriegerisch-richtenden Zügen im Bild des Hohenpriesters fehlt im Hb und seinen Traditionen jede Spur.

d) Es ist noch zu fragen, ob die durch die Etymologie gewonnenen, mit Philo gemeinsam erhaltenen Beschreibungen von *Melchisedek als König der Gerechtigkeit und des Friedens* einen *messianischen Hintergrund* erkennen lassen. Jedenfalls scheidet der Hohepriester-Messias aus, weil hier von einem König gesprochen wird. Daß die beiden Messiashoffnungen im Judentum auf eine Person in dieser Weise übertragen worden waren, läßt sich nicht beweisen. Auch bei den Hasmonäern wurden die Ämter auseinander gehalten[58]. Aber dort wurden sie sowieso nicht messianisch verstanden. An allen Stellen im Judentum, wo die Etymologisierung »König der Gerechtigkeit« vorkommt, fehlt jeder Bezug auf den königlichen Messias. Ist Melchisedek schon in der christlichen Tradition anhand dieser Etymologisierung als Typus des Messias bzw des Christus verstanden worden? Daß der Vf des Hb darin einen solchen Hinweis erkannte, ist nicht auszuschließen, zumal er niemals darauf zurückkommt. Ist Ps 110,4 von den Christen ursprünglich so verstanden worden? »Nach der Art/Ordnung Melchisedeks« würde bedeuten: er ist auch König der Gerechtigkeit, König des Friedens bzw Messias. Das wäre dann eine innerchristliche Entwicklung aufgrund des Gebrauchs von Ps 110,4 zusammen mit der Tradition über die Etymologie gewesen. Aber davon fehlt im Hb jede Spur, wo gerade dieser Ausdruck κατὰ τὴν τάξιν Μελχισέδεκ vollkommen anders ausgelegt wird. Jedenfalls hat es in beiden Fällen nichts mit einer messianischen Hohenpriestervorstellung zu tun. Vereinbar wären solche königlich-messianischen Deutungen Melchisedeks vielmehr anhand eines spiritualisierten Messiasbegriffs in der christlichen Tradition mit einer kommenden Priester-Richter-Engel-

---

56   Vgl *Becker*, Testamente S. 299 – die Sternaussage war uE als Anspielung auf Num 24,17 auch ursprünglich (vgl TJud 24,5).
57   Dazu *Becker*, Testamente S. 297ff.
58   Dazu vgl *Kuhn*, Messiahs S. 60f.

Gestalt. Dafür aber fehlen Beweise. Am nächsten würde die hohepriesterliche Menschensohngestalt in Apk 1 kommen, die ja schon jetzt richtet.

2. Der *Ort des Himmels* selbst wird manchmal in *kultischer* Terminologie beschrieben. Zum Dienst wurden nicht nur Engel, sondern auch Menschen gerufen[59], und sich dieser Versammlung anzuschließen war ja die Hoffnung der Heiligen[60]. Diese Betrachtungsweise ist *auch dem Urchristentum* nicht fremd. Vor allem kommt sie in der Apokalypse vor[61]. Auch hier wird vom himmlischen Altar gesprochen[62]. Die Engel sind Diener im himmlischen Tempel. Dies ist für uns deshalb wichtig, weil es naheliegt, daß auch Jesus in seinem Verhältnis zu Gott mit kultischer Terminologie beschrieben wird, also als Priester oder als Hoherpriester, weil er über die Engel erhöht worden ist. Eine solche Bezeichnung wäre dort zu erwarten, wo unter Christen diese Betrachtungsweise vorhanden war; das könnte den Hintergrund des Begriffes im Hb erklären. Diese Möglichkeit muß sorgfältig geprüft werden[63].

Die hohepriesterliche Bekleidung Jesu nach Apk 1,13

1. Es gibt tatsächlich eine Stelle in der *Apokalypse*, wo *Jesus* ua *als himmlischer Hoherpriester* geschildert wird: καὶ ἐν μέσῳ τῶν λυχνιῶν ὅμοιον υἱὸν ἀνθρώπου, ἐνδεδυμένον ποδήρη καὶ περιεζωσμένον πρὸς τοῖς μαστοῖς ζώνην χρυσᾶν (1,13)[64]. Dieses Bild greift unterschiedliche Züge aus verschiedenen alttestamentlichen Stellen auf. Uns interessiert zunächst die Wendung: ἐνδεδυμένον ποδήρη. In Verbindung mit der Beschreibung ὅμοιον υἱὸν ἀνθρώπου, die auf Dan 7,13 zurückgeht, greift der Vf die Gestalt in Ezech 8 und 9 auf: εἷς ἀνὴρ ἐν μέσῳ αὐτῶν ἐνδεδυκὼς ποδήρη καὶ ζώνη σαπφείρου ἐπὶ τῆς ὀσφύος αὐτοῦ (9,2, vgl 9,3.11), die die Verbindung mit ἐνδεδυμένον ποδήρη καὶ περιεζωσμένον πρὸς τοῖς μαστοῖς ζώνην χρυσᾶν (Apk 1,13) zeigt; außerdem ist ἰδοὺ ὁμοίωμα ἀνδρός (Ez 8,2) aufgenommen. Wir haben es in Ezechiel mit einer hohenpriesterlichen Gestalt zu tun, wie gerade das Wort ποδήρης beweist[65]. Dieses Wort wird ausschließlich für das Gewand des Hohenpriesters gebraucht (so Ex 25,7; 28,4; 29,5; EpistArist 96; PhiloFug 185; LegAll II 56; JosAnt 3,153; Bell

---

59 Vgl Levi: TLevi 2,1ff; Henoch: IHen 71,16; IIHen 55,2. Eine direkte Abhängigkeit der christlichen Hohepriestervorstellung von diesen Texten wird ua von *Wenschkewitz*, Spiritualisierung S. 145f, mit Recht abgelehnt.
60 Vgl ua Jub 15,27; IHen 104,4ff; 1QS XI 7ff; 1QH XI 9ff.
61 Apk 7,15; 8,3f; 11,1; 14,15.17; 15,5ff; 16,1; vgl auch Lk 2,9ff; Mt 22,30; vgl Lk 20,36 par Mt 22,30.
62 Apk 6,9ff; 8,3f; 14,18; 16,7.
63 Vgl *Higgins*, Priestly Messiah.
64 Auf diese Stelle weisen ua *Spicq*, L'origine johannique S. 261; *Cullmann*, Christologie S. 104f; *Gnilka*, Erwartung S. 425; *J. Schaefer*, Messianism S. 372 hin. Vgl auch *Holtz*, Christologie S. 116ff.
65 Dazu *W. Zimmerli*, Ezechiel I (BK XIII/1), 1969, S. 220ff.

5,231; TLevi 8,2; Barn 7,9). Die Wendung περιεζωσμένον πρὸς τοῖς μαστοῖς ζώνην χρυσᾶν geht wahrscheinlich zurück auf Dan 10,5 ἄνθρωπος εἷς ἐνδεδυμένος βύσσινα καὶ τὴν ὀσφὺν περιεζωσμένος βυσσίνῳ (LXX) oder ἀνὴρ εἷς ἐνδεδυμένος βαδδίν, καὶ ἡ ὀσφὺς αὐτοῦ περιεζωσμένη ἐν χρυσίῳ Ωφαζ. Hier ist Gabriel gemeint. Es fehlt allerdings das Merkmal des Hohenpriesters, das Gewand (ποδήρης). Aber die Gestalt Christi in der Apokalypse enthält nicht nur diesen hohenpriesterlichen Zug, sondern darüber hinaus trägt sie den goldenen Gürtel in genau der Weise, wie er nach Josephus von den Hohenpriestern getragen wurde (in deutlicher Abweichung von den Schilderungen in Ezechiel und Daniel[66]).

2. Offensichtlich werden Jesus in der Apokalypse ganz absichtlich hohepriesterliche Züge beigelegt. Nach unseren Überlegungen über die kultische Betrachtungsweise der himmlischen Welt, die in der Apokalypse stark vertreten ist, ist diese Entwicklung kaum überraschend. Nur läßt sich fragen, ob diese besondere Gestaltung hier vom Verfasser übernommen worden ist oder ob er sie wie auch die Vorstellung von einem himmlischen Tempel aus der Tradition übernommen hat; er selbst vertritt ja eine andere Interpretation, nach der Gott und das Lamm das Heiligtum sind (Apk 21,22). Daß der Verfasser überhaupt Traditionen aufgegriffen hat, ist mehrfach bewiesen. Man braucht nur auf die Erhöhungsaussagen, die aus sehr alten Traditionen entstanden sind, und auf die Bezeichnung Jesu als Menschensohn in diesem Vers hinzuweisen. Daß er die Vorstellung von Jesus als Hoherpriester wie den Begriff des Menschensohnes aus der Tradition entnommen hat, zeigt weiter das Fehlen irgendeines Rückgriffs darauf. Daß der Zusammenhang der Vorstellung apokalyptische Tradition ist, läßt sich aus dem Bild selbst und auch aus dem Zusammenhang in der Apokalypse erkennen. Das heißt: die Vorstellung stammt aus einem Traditionskreis, in dem die himmlische Welt eine wichtige Rolle spielte[67]. Daß sie schon in der Tradition neben dem Menschensohntitel stand, ist nicht unwahrscheinlich, zumal dieser Zusammenhang schon durch Ezech 8f vorgegeben ist (Ezech 8,2; vgl auch Dan 7,13). Aber deswegen zu behaupten, daß sie von der Menschensohnvorstellung abzuleiten ist, geht zu weit[68]. In keiner der uns zugänglichen Traditionen des Judentums oder des Urchristentums wird der Menschensohn mit kultischer (eher mit juristischer) Terminologie beschrieben[69]. Dieses Ne-

---

66 *Holtz*, Christologie S. 118; *H. Kraft*, Die Offenbarung des Johannes (HNT 16a), 1974, S. 45. Zu Josephus vgl Ant III 134; vgl III 171. Daß der Gürtel mit Gold gewirkt war, war auch ein Merkmal der hohenpriesterlichen Kleidung.

67 Vgl *Holtz*, Christologie S. 120.

68 Vgl *Cullmann*, Christologie S. 88, der das Nebeneinander von Menschensohn und Ps 110,1-Motiven in Mk 14,62 ähnlich deutet.

69 So mit Recht *Hahn*, Hoheitstitel S. 240; *Higgins*, Priestly Messiah S. 236, der vorschlägt, daß die angebliche Lehre Jesu über den Menschensohn als Fürbitter (dazu oben S. 158f) zur Übertragung priesterlicher Züge auf Jesus, den Menschensohn, den Erhöhten, geführt habe, gibt aber keine Erklärung dafür, warum die Fürbitte Jesu priesterlich verstanden wurde. Vgl *Nomoto*, Hohepriester-Typologie S. 19ff, der die Leidensaussagen im Hb von der Menschensohntradition ableiten möchte.

beneinander bedeutet vielleicht nicht viel mehr, als daß die Hohepriestervorstellung neben anderen Titeln in den Bereich der Erhöhungsüberlieferung gehörte.

3. Wie ist diese *Schilderung in Apk 1,13* zu verstehen?

a) Bezeichnenderweise ist zunächst darauf hinzuweisen, daß dieses Gewand das ist, was der Hohepriester am Versöhnungstag ablegte, also nicht
das, was er als sühnender Hoherpriester trägt (vgl Lev 16,4.23; und Philo
LegAll II 56, der gerade diese Einzelheit hervorhebt)!

b) Zweitens wird er hier als Haupt der Gemeinde dargestellt, der über
seine Kirche waltet. Es wird nicht gesagt, daß er für sie bittet, aber das ist
nicht auszuschließen. Wenn es bewiesen werden könnte, daß die Menschensohngestalt nicht nur richtet, sondern auch Fürbitte leistet[70], könnte
man auf eine mögliche Gemeinsamkeit zwischen der *Menschensohnvorstellung* und der Hohenpriestervorstellung schließen. Danach besteht die
Möglichkeit, daß man hinter Apk 1ff die Vorstellung vom Menschensohn
nicht nur als endzeitlichem Richter, sondern als jetzigem Richter und Fürbitter erkennt, die schon im Zusammenhang mit der Hohenpriestervorstellung stünde. Das läßt sich aber allgemein und auch an dieser Stelle nicht beweisen.

c) Drittens ist die Frage aufzuwerfen, ob die *Bezeichnung der Christen als
Priester*[71] mit dieser Schilderung Jesu oder mit der Hohenpriestervorstellung zu tun hat. Mit ziemlicher Sicherheit geht die Priesterbezeichnung der
Christen auf die Gottesvolktypologie zurück, in der Ex 19,6 aufgegriffen
wird[72]. Diese Verbindung zeigen auch die Texte im 1Pt (bes 2,9; vgl 2,4f).
Hier werden zwei Motive zusammengebracht: das Priestertum der Christen
nach der Exodustypologie, allerdings ohne daß hier Jesus als Hoherpriester
bezeichnet wird, und das Motiv vom Tempel Gottes mit Christus als Eck-
stein. Beide Motive werden mit Bezug auf den Gottesdienst ausgelegt (vgl
2,5). Obwohl die Bezeichnung in der Apokalypse immer in einem formelhaften Zusammenhang mit dem Regieren (in Ex 19,6 vorgegeben) gebracht
wird, spielen auch hier gottesdienstliche Gedanken eine wichtige Rolle. Ob
die Priesterbezeichnung unter dem Einfluß einer solchen christologischen
Bezeichnung entstanden ist, läßt sich nicht beweisen. Daß sie durch die
Priesterbezeichnung der Christen entstanden ist, halten wir für unwahrscheinlich[73]. Aber es ist nicht ausgeschlossen. Die Ableitung aus einer Exodustypologie würde zunächst den Titel auf den irdischen Jesus übertragen;
dafür haben wir keinen Beweis. Die Ableitung aus einer lobpreisenden Gottesvolktypologie würde eher in Frage kommen. Ob diese Gedanken eine
Rolle gespielt haben, ist nicht festzustellen. Jedenfalls haben wir in Apk
1,13 eine Schilderung Jesu als Hoherpriester, die sehr wahrscheinlich durch

---

70 Dazu siehe oben S. 158f.
71 Apk 1,6; 5,10; 20,6; 1Pt 2,5–9.
72 So ua *Schrenk*, Art. ἀρχιερεύς, ThWNT III, S. 265; *Holtz*, Christologie S. 68.
73 Gegen ua *Moe*, Priestertum S. 335ff.

die kultische Betrachtungsweise der besonderen apokalyptischen Tradition bestimmt ist.

4.　Welche *Relevanz* hat Apk 1,13 für den *Hintergrund der Hohenpriestervorstellung des Hb*? Daß der Vf gerade diese Schilderung gekannt hatte, ist äußerst unwahrscheinlich, weil wir wenigstens Spuren des Bildes im Hb erwarten könnten. Weiter darf auf den Unterschied zwischen den Funktionen Jesu als Hoherpriester im Hb und als hohepriesterliche Gestalt in der Apokalypse hingewiesen werden, obwohl die Fürsprechertätigkeit Jesu durch die Darstellung der Apokalypse nicht ausgeschlossen ist. Trotzdem ist zu fragen, ob die Traditionen des Vf, in denen der Hohepriestertitel vorkommt, mit dieser, der Apokalypse, verwandt gewesen sein könnten. Auch für den Vf des Hb und für seine Traditionen war die himmlische Welt wichtig. Er hat offensichtlich Traditionen aufgegriffen, die durchaus zur apokalyptischen Welt gehörten. Daß auch hier die weitverbreitete Betrachtungsweise Einfluß hatte, so daß die himmlische Welt mit kultischer Terminologie geschildert werden konnte, ist sogar wahrscheinlich, auch wenn man den Tempelbegriff des Vf selbst nicht allein aus dieser Quelle ableiten muß (vgl dazu vor allem die Urbild-Abbild-Terminologie in 8,5). Weiter ist auf den Reichtum an traditionellen Erhöhungsaussagen hinzuweisen, im Hb und in der Apokalypse. All das läßt vermuten, daß die Hohepriesterbezeichnung des Hb in einem solchen Traditionskreis entstanden ist, in Analogie oder in Verbindung mit der Entwicklung, die sich in Apk 1,13 erkennen läßt. Mehr läßt sich nicht beweisen.

Die Entwicklung der Vorstellung von Jesus als fürbittendem Hohenpriester

Wenn aber diese Entwicklung innerhalb der Erhöhungsüberlieferung tatsächlich so stattgefunden hat, ist noch zu fragen, wie die *Verbindung zwischen dem Hohenpriesterbegriff und der Fürsprechervorstellung* zustande gekommen ist, die der Hb voraussetzt. Eine Möglichkeit, die wir leicht übersehen könnten, besteht ja darin, daß letzten Endes von derselben Person, dem erhöhten Jesus, die Rede war, wenn so gesprochen wurde! Das ist vielleicht zu einfach, weil man sonst eine Verbindung mit irgendeinem anderen Hoheitstitel erwarten könnte. Was aber gerade diese Verbindung begünstigen würde, ist die Tatsache, daß der *Hohepriester Vertreter des Volkes* war (ein Gedanke, der nicht nur im Hb, sondern vielleicht auch in der Apokalypse steckt) und nach jüdischer Tradition vor allem *Fürbitte für das Volk* leistete[74]. *Angenommen, daß der Erhöhte nach der verbreiteten Betrachtungsweise der Zeit als Hoherpriester geschildert und bezeichnet wurde; angenommen, daß eine solche Verbindung zwischen dem Fürbittemotiv*

74　Dazu *Déaut*, L'intercéssion S. 46ff. Fürbitte um Hilfe für Menschen (und hier geht es in der Tradition nicht um Fürbitte um Sühne) ist keineswegs nur als priesterlich zu verstehen (gegen *Higgins*, Priestly Messiah S. 211, und *J. Schaefer*, Messianism S. 371).

und der Hohenpriestervorstellung zustande gekommen war, und angenommen, daß dieses Fürbittemotiv in besonderem Zusammenhang mit Ps
110,1 in der Tradition stand, so ist es nicht schwer, sich vorzustellen, daß
von Ps 110,1 her Ps 110,4 aufgegriffen wurde, um diese Hohepriestervorstellung zu festigen. Eine solche Entwicklung halten wir für wahrscheinlich,
jedenfalls für wahrscheinlicher, als daß der Titel Hoherpriester aus dem Gebrauch von Ps 110,4 (sowieso nur »Priester«) entstanden ist[75]. In Apk 1,13
ist ja von Ps 110,4 keine Spur zu finden.

Weitere Belege für die Bezeichnung Jesu als Hoherpriester

1.   Wir haben es mit wenigen schriftlichen Texten und vielen Rückschlüs-
sen zu tun, wenn wir eine Hypothese entwickeln wollen, wie die Hohepriesterbezeichnung entstanden ist und sich bis zum Hb hin entwickelt hat. Das
ist nicht zu vermeiden. Unser Ergebnis bleibt also hypothetisch, aber entspricht den Tatsachen, wie wir sie erkannt haben. Nach weiteren Stellen im
NT suchen wir vergebens. Kultische Wendungen mit Bezug auf Jesus gibt es
schon, aber nur eine weitere Stelle, die Jesus vielleicht mit hohenpriesterlichen Zügen beschreibt, nämlich Joh 19,23, wo gesagt wird, daß Jesu Gewand ungenäht war, was ja ein Merkmal der Kleidung des Hohenpriesters
war. Aber hier haben wir es sehr wahrscheinlich nur mit der Begründung zu
tun, warum nach Ps 22,19 für Jesu Rock das Los geworfen werden mußte[76].
2.   Andererseits findet sich im *1 Klemensbrief* eine traditionelle Bezeichnung für Jesus als Hohenpriester an drei Stellen (36,1; 61,3; 64). Ganz sicher hat Klemens den Hb gekannt und summarisch zitiert[77]. Aber während
er in c. 36 zB Stellen summarisch zitiert, sind die Hohepriesterwendungen
wenigstens in 61,3 und 64 feste liturgische Formulierungen. Sind sie unter
dem Einfluß vom Hb früher in Rom feste Formulierungen geworden? Und
hat der Verfasser etwa vor dem Schreiben seines Briefes den Hb noch einmal
gelesen, was die direkten Anspielungen in c. 36 erklären würde? Oder sind
diese liturgischen Formulierungen schon unabhängig vom Hb entstanden,
und ist Klemens' Verhältnis zum Hb nur mehr das, was c. 36 erkennen läßt?
Außer dem Begriff selbst zeigen die Wendungen keine Verwandtschaft mit
dem Hb (σοι ἐξομολογούμεθα διὰ τοῦ ἀρχιερέως καὶ προστάτου τῶν
ψυχῶν ἡμῶν Ἰησοῦ Χριστοῦ 61,3; . . . διὰ τοῦ ἀρχιερέως καὶ προ-

---

75   Nach *Higgins,* Priestly Messiah S. 236, habe am Anfang die Menschensohnvorstellung
gestanden, die zur Fürbittevorstellung führte. Als Fürbitter sei Jesus auch als Hoherpriester
bezeichnet worden. Aber damit bleiben Spannungen im Hb, weil vor allem erst der Vf des Hb
(so *Higgins*) die Verbindung zwischen Ps 110,1 u. 4 hergestellt habe, was zur Vorstellung von
der Einsetzung Jesu als Hoherpriester erst nach der Erhöhung führte; dies steht in deutlicher
Spannung zu Aussagen über die irdische Tätigkeit Jesu als Hoherpriester. Ähnlich *Schaefer,*
Messianism S. 383. Diese ganze Entwicklung sei aber auf den Vf zurückzuführen.
76   Gegen *J. Schaefer,* Messianism S. 371; *Spicq,* L'origine johannique S. 261; *Gnilka,* Erwartung S. 422. Vgl JosAnt III 161.
77   Dazu vgl *Renner,* Hebräer S. 35.

στάτου ἡμῶν Ἰησοῦ Χριστοῦ 64). Deshalb halten wir es für sehr wahrscheinlich, daß sie unabhängig vom Hb entstanden sind[78], vielleicht aus einem ähnlichen liturgischen Traditionskreis wie dem des Hb und der Apokalypse. Daß die Bezeichnung auch später in liturgischem Zusammenhang gebraucht wurde, zeigen IgnPhilad 9,1; PolPhil 12,2 und MartPol 14,3.

Zusammenfassung

Die Hohepriesterbezeichnung Jesu scheint sich weder aus dem Hintergrund der messianischen Hohenpriestererwartung entwickelt zu haben noch aus Eliaspekulationen, aus gnostischen Vorstellungen, aus der jesajanischen Gottesknechtgestalt, aus dem Kaiserkult oder aus philonischen Allegorien, sondern aus der weitverbreiteten Betrachtungsweise, nach der die himmlische Welt kultisch beschrieben wurde und sowohl Engel als auch Menschen darin Priester genannt wurden. Einen Beweis dafür haben wir in Apk 1,13 zu finden versucht. Der erhöhte Jesus wurde als Hauptdiener der himmlischen Welt verstanden, als Hoherpriester. Es lag nahe, daß seine Tätigkeit, die in der Fürbitte um Hilfe für die Seinen besteht, als hohepriesterliche Tätigkeit verstanden wurde, so daß er als Hoherpriester seines Volkes für die Seinen bittet. Daß man im Zusammenhang mit der Erhöhungsüberlieferung, in der diese Hohepriesterbezeichnung wie auch die Fürbittevorstellung beheimatet war, und besonders mit Ps 110,1 auf Ps 110,4 stieß, scheint eine weitere Entwicklung zu sein. So fand der Vf des Hb diese Bezeichnung des Erhöhten, die auch in 1 Klem vorkommt, in seiner liturgischen Tradition im Zusammenhang mit der Fürbittevorstellung und dem Zitat aus Ps 110,4 (vielleicht nur die Wendung σὺ ἱερεὺς εἰς τὸν αἰῶνα). Er gibt sie wieder und hebt besonders die Tätigkeit Jesu als Fürbitter hervor, aber läßt auch die Auffassung von Jesus als himmlischem Diener anklingen (8,3.6). Wie er diese Vorstellung dargestellt hat, haben wir schon gesehen, aber wir möchten in einem abschließenden Teil zeigen, wie er diese Vorstellung benutzt und weiterentwickelt hat.

3. Die Entwicklung der Hohepriester-Christologie durch den Verfasser

Die Hervorhebung der Vorstellung von Jesus als Fürbitter für die Versuchten

Wir haben versucht zu klären, wie der Hohepriestertitel entstanden ist. Jetzt müssen wir fragen, wie der Vf diese Vorstellung aufgenommen und entwickelt hat.

---

78 So ua *R. Knopf*, Die zwei Clemensbriefe (HNT Ergänz. I), 1920, S. 106; *Käsemann*, Gottesvolk S. 107f.124f; *Hahn*, Hoheitstitel S. 231.234; *Stadelmann*, Christologie S. 180.

1.   Zunächst ist auf *die Situation des Vf und seiner Leser* hinzuweisen, sofern sich gewisse Probleme erkennen lassen[1]. Die Leser sind schwach geworden und brauchen Ermutigung und Warnung. Ihnen will der Vf die Sicherheit des Heils festigen und die Bedeutung der Stellung des Sohnes unterstreichen. Dieser Trost wird zur Warnung, wenn dies große Heil nicht angeeignet wird. Besonders angesichts der jüdischen Welt will der Vf betonen, daß dieses Heil Gottes Plan war, und zugleich die Ansprüche des Judentums, das Heil zu besitzen, als falsch darstellen. Damit werden die Leser aufgefordert, sich dem Judentum nicht anzuschließen, sondern außerhalb des Lagers und des Schirmes des Judentums zu leiden und durchzuhalten. Die Absicht des Vf ist also grundsätzlich seelsorgerlich, und unter diesem Blickpunkt sind seine Ausführungen über die Hohepriesterschaft Jesu zu betrachten.

2.   Nach unserer Auffassung hat der Vf schon in seinen *Traditionen die Vorstellung vom erhöhten Jesus als fürbittendem Hohenpriester vorgefunden*. Nicht nur in c. 1 unterstreicht er die himmlische Stellung Jesu. Auf ihn wird der Blick der Leser immer wieder gerichtet (. . . βλέπομεν Ἰησοῦν 2,9; κατανοήσατε . . . τὸν Ἰησοῦν 3,1; ἀφορῶντες εἰς . . . Ἰησοῦν 12,2; vgl 4,14; 7,26; 8,1), und das nicht nur, weil er Herrscher über die himmlische Welt ist, also über unser Heil verfügt (2,5), sondern auch, weil er für uns vor Gott betet. Auch die Aussage Ps 110,4 hat der Vf wahrscheinlich in irgendeiner Form aus der Tradition übernommen, und besonders aufgrund dieses Textes hat er die Ewigkeit dieses Priestertums herausgestellt (c. 7).

3.   *In den ersten Ausführungen über die himmlische Hohepriesterschaft (c. 2–5)* hebt er besonders das Mitleid des Hohenpriesters hervor. Er legt dies aufgrund seiner Inkarnationschristologie aus. Der Zweck der Inkarnation bestand nicht nur darin, daß Jesus dadurch die Macht des Todes überwinden konnte (2,9.14f), sondern auch darin, daß er gerade durch dieses Treusein in Leiden und Versuchung – gemeint ist ja das Kreuzesleiden (vgl 2,9.10) – Mitleid mit den Seinen haben würde, wie c. 2 und 4,14f, aber auch c. 5 zeigen, wo sogar gesagt wird, daß er zu diesem Zweck Gehorsam im Leiden lernen mußte (5,7f). In dieser Weise werden Menschsein und Ostereignis nicht nur als Heilsereignis geschildert, sondern auch als Heilsweg. Jesus ist den Weg vor uns gegangen und weiß deshalb, was es für uns bedeutet, ihm auf dem Weg durch Leiden und Versuchung folgen zu müssen (vgl 12,2f).

Das Wegmotiv als Rahmen der Darstellung

1.   Wenn man den Brief als ganzen betrachtet, bemerkt man, wie häufig und wichtig dieses *Wegmotiv* ist. Man begegnet ihm überwiegend mit Bezug auf die Christen selbst. Es ist der Weg zu Gott, und als Heilsweg wird er

---

1   Dazu vgl unten S. 254ff.

verschieden geschildert. Was das Ziel betrifft, spricht man von himmlischer Welt, Herrlichkeit, Ruhe, bleibender Stadt oder himmlischem Vaterland etc. Der Heilsweg kann auch mit kultischer Terminologie beschrieben werden: δι' ἧς ἐγγίζομεν τῷ θεῷ 7,19; τοὺς προσερχομένους . . . τῷ θεῷ 7,25 (vgl 10,2; 11,6); τελειῶσαι τὸν λατρεύοντα 9,9 (vgl 9,14); τοὺς προσερχομέμους τελειῶσαι 10,2. Er entspricht τελείωσις (vgl 7,11.19; 11,40; 12,23). Das Wort ὁδός kommt ja selbst nur im Zusammenhang mit der Versöhnungstagtypologie vor, aber die Vorstellung ist weit verbreitet. Diese Wegvorstellung wird nicht zuletzt mit Hilfe der Exodustypologie beschrieben, so besonders in c. 3 und 4 (vgl auch 13,20 und 11,26ff). Auch Abraham und die Gerechten in c. 11 befanden sich auf dem Weg zur himmlischen Welt. Der Weg kann sogar als Rennbahn geschildert werden (12,1; vgl 12,2f). Die Wegvorstellung bestimmt auch die Terminologie des Vf in verschiedenen Aussagen (παραρυῶμεν 2,1; τροχιὰς ὀρθὰς ποιεῖτε τοῖς ποσίν 12,13; ἡμεῖς δὲ οὐκ ἐσμὲν ὑποστολῆς . . . 10,39, vgl V 36) wie auch die Auffassung des Glaubens als Treuehalten auf dem Weg[2]. Es war besonders das Verdienst von *Käsemann*, auf dieses Wegschema und seine Bedeutung für den Brief aufmerksam gemacht zu haben[3]. Nach diesem Schema besteht das Heil im Zutritt in die himmlische Welt zu Gott. Dieser Zutritt geschieht nach dem Tode des einzelnen. Die Häufigkeit dieser Vorstellung in verschiedenen Zusammenhängen deutet darauf hin, daß sie schon in der Umwelt des Vf als Schilderung des Heilsweges geläufig war. Überhaupt hängt sie mit den räumlichen Kategorien »himmlisch« und »irdisch« eng zusammen.

Es würde den Rahmen unserer Untersuchung sprengen, wenn wir hier ausführlich auf die Wegvorstellung eingehen würden[4]. Wir möchten nur auf die folgenden Faktoren hinweisen:
a) Sobald man eine gewisse räumliche Vorstellung einer irdischen und himmlischen Welt entwickelte, lag es nahe, das bildhafte Wegmotiv einzuführen, um die Verbindung zwischen beiden zum Ausdruck zu bringen (vgl schon die Himmelfahrt Elias 2Kg 2,11).
b) Besonders wenn man die Auffassung vertrat, daß das Heil erst in der himmlischen Welt zu seiner Vollendung kommt, konnte man von einem Heilsweg sprechen. Das setzt vor allem eine bestimmte Anthropologie voraus, wonach schon nach dem Tod die Seele eines Menschen bei Gott sein konnte.

---

2. »Glaube ist Standhaftigkeit«, so *Grässer*, Glaube S. 63.
3 So der Titel seines Buches: »Das wandernde Gottesvolk«. Die Existenzweise der Christen ist eine Wanderung, die an verschiedenen Stationen vorbei bis zum Ziel führt. Dagegen möchte *Hofius*, Katapausis S. 148 (vgl 141ff), von einem wartenden Gottesvolk sprechen. Aber dabei wird der räumlichen Auffassung vom Heil im Hb kaum Rechnung getragen.
4 Zur Wegvorstellung im hellenistischen Judentum vgl ua *Pascher*, Königsweg; *H. Braun*, Das himmlische Vaterland bei Philo und im Hebräerbrief, in: Verborum Veritas (Festschrift für G. Stählin), 1970, S. 319–327; *Käsemann*, Gottesvolk S. 45ff.52ff. Vgl auch *Rusche*, Glauben und Leben nach dem Hebräerbrief, BiLe 12 (1971) S. 94–104, bes 98ff, die aber zu sehr systematisch einen »horizontalen« Weg (durch die Wüste) von einem »vertikalen« Weg (ins Allerheiligste) unterscheidet. Auch der Weg ins Allerheiligste ist »horizontal« – ist ein Weg der Hoffnung (6,19f).

c) Religionsgeschichtliche Parallelen zu dieser Auffassung sind nicht zu verkennen[5]. Direkte Abhängigkeit des Hb von solchen Parallelstellen läßt sich uE nicht beweisen. Aber die Entwicklung im hellenistischen Judentum und im Urchristentum geschah kaum in einem Vakuum.

d) Vor allem die im Urchristentum weit verbreitete Exodustypologie, die ja eine nicht unwesentliche Rolle im Hb spielt, begünstigt den Gebrauch des Wegmotivs.

e) Schon lange vor dem Hb ist durch die Präexistenzchristologie ein christologisches Schema entstanden, das sachlich von einem Kommen und Zurückkehren Jesu spricht (in sehr ausgeprägter Form später im Johannesevangelium).

f) Schließlich paßt die Typologisierung des Versöhnungstages sehr gut in dieses Schema, nach dem der Hohepriester den Weg zum himmlischen Heiligtum gegangen ist.

2. Aber nicht nur das Leben der Christen wurde als Heilsweg bezeichnet. Auch *Jesu* Leben wurde nach diesem Schema dargestellt. So kann der Vf von Jesu τελείωσις reden (5,8; 2,10; 7,28). Auch er wurde aus dem Tode gerettet (5,7; 13,20). Besonders durch die Verwendung der traditionellen Bezeichnung ἀρχηγός dürfte dies klar sein (2,10; 12,2; vgl 5,9)[6]. Er hat nicht nur das Heil geschaffen, er selbst ist als Führer vorausgegangen. In 6,20 wird er ausdrücklich πρόδρομος genannt.

a) Nach dem geläufigen Sprachgebrauch[7] konnte ἀρχηγός »Führer«, »Urheber« oder »Herzog« bedeuten. Nur der Zusammenhang der zwei Stellen Hb 2,10 und 12,2 kann entscheiden. Nach 12,2 sollten die Christen vor allem auf Jesus schauen, der den Weg des Glaubens gegangen ist[8]. Hier wird die traditionelle Bezeichnung auf die Bedeutung »Erster« hin interpretiert[9]. Und in 12,2f wird das Leben als Vorbild dargestellt. In diesem Zusammenhang ist die Deutung von ἀρχηγός mit der Vorstellung von Jesus als πρόδρομος (6,20) nahe verwandt. Diese Deutung paßt auch sehr gut zum Gebrauch von ἀρχηγός in 2,10. Gott bringt viele zur Herrlichkeit. Es war geziemend, daß er, als er die Voraussetzungen dafür schuf, τὸν ἀρχηγὸν τῆς σωτηρίας αὐτῶν, den Führer auf dem Weg zum Heil, leiden ließ, damit er uns, die wir noch auf dem Weg sind, verständnisvoll helfen könnte[10].

b) Zu diesem Verständnis schreibt aber *Büchsel:* »So wenig es richtig ist, den Begriff des ἀρχηγός auf den des Urhebers zu beschränken, so gewiß ist Jesus doch als ἀρχηγός wirklich Urheber der Errettung«[11]. Wir würden *Büchsel* aus den folgenden Gründen zustimmen: Wie die dem Vf bekannte Zusammenstellung von ἀρχηγός mit σωτήρ zeigt, hat die Bezeichnung nicht nur die Bedeutung »Führer als Erster«, sondern auch eine soteriologische Komponente.

5 Vgl zB *Käsemann*, Gottesvolk S. 52ff.

6 Zum traditionellen Hintergrund dieser Bezeichnung vgl vor allem *Wilckens*, Missionsreden S. 174–176. Während in Apg 3,15 Lukas τῆς ζωῆς hinzugefügt hat, um den Gegensatz Tod – Leben herauszuarbeiten (vgl Apg 26,23), liegt die Bezeichnung in Apg 5,31 schon in ihrem traditionellen Zusammenhang mit σωτήρ vor, als Bezeichnung des Erhöhten (vgl Hb 12,2 und dazu oben S. 19f).

7 Zu ἀρχηγός vgl ua *Michel* S. 144.431f; *G. Delling*, Art. ἀρχηγός, ThWNT I, S. 485f; *Käsemann*, Gottesvolk S. 79ff.

8 Dazu vgl vor allem *Grässer*, Glaube S. 58ff.

9 Zur Tradition in 12,2f vgl S. 19f.

10 Für die Bedeutung »Führer« vgl *Kuss* S. 43.185; *Moffatt* S. 31f; vgl *Manson* S. 102f. Vgl auch *Vanhoye*, Situation S. 314f; *Bruce* S. 351ff; *Cullmann*, Christologie S. 99; *Büchsel*, Christologie S. 63ff.

11 *Büchsel*, Christologie S. 65.

Zweitens sind »Anführer« und »Urheber« nicht unbedingt Alternativen[12]. Daß das Urheber-Motiv in 2,10 enthalten ist, zeigt nicht zuletzt der Parallelausdruck αἴτιος σωτηρίας αἰωνίου (5,9). Daß wir es hier mit einer echten Parallelstelle zu tun haben, zeigt die Verbindung mit der τελείωσις-Vorstellung (hier und in 2,10, aber auch 12,2). Vielleicht ist dies sogar die vordergründige Bedeutung des Wortes in 2,10, wo anders als in 12,2 ausdrücklich vom Heil der Christen gesprochen wird: τὸν ἀρχηγὸν τῆς σωτηρίας αὐτῶν.

Aber schließlich ist die soteriologische Komponente nicht nur in σωτήρ, sondern auch in τελειωτής (12,2) kaum zu verleugnen. Jesus ist der, der uns auf dem Weg zur Vollendung führt (vgl 7,25). Dieser Aspekt dürfte auch bei dem Gebrauch von ἀρχηγός nicht außer acht gelassen werden. Der Begriff meint weder einseitig nur soteriologisch den »Urheber«[13] noch allein den »Vorläufer«, sondern den Führer der Christen, der sie zunächst gerettet hat, ihnen vorausgegangen ist und jetzt für sie bittet[14].

c) Eng verwandt ist die Vorstellung vom Hirten in 13,20 (vgl auch 11,20ff). Wie Gott die Israeliten durch Mose rettete und das Volk unter seiner Führerschaft als Hirte aus Ägypten befreite, so hat er uns durch Jesus gerettet, der als unser Führer vor uns hergegangen ist.

3. *Im Rahmen des Wegschemas* hat der Vf also die Bedeutung der traditionellen Vorstellung von Jesus als *fürbittendem Hohenpriester* ausgelegt. Wir sind auf dem Weg; wir leiden und sind den Anfechtungen ausgesetzt. Aber Jesus ist diesen Weg des Leidens und der Versuchung schon gegangen und versteht unsere Situation. Er ist nicht nur Vorbild für uns; er ist jetzt für uns tätig und bittet für uns vor Gott. Dabei wird klar, daß wir jetzt schon mit der himmlischen Welt Kontakt haben. Das Heil liegt zwar in der Zukunft. Erst später treten wir in die himmlische Welt vor Gott ein. Aber schon jetzt (vor allem im Gottesdienst der Gemeinde) können wir uns Gott und der himmlischen Versammlung der Gerechten und der Engel nähern (12,22–24)[15]. Angesichts unserer Situation werden wir aufgefordert, zum Thron der Gnade hinzutreten (4,16) und unsere Gottesdienstversammlung nicht zu vernachlässigen (10,25; vgl auch 10,22ff), nicht zuletzt deshalb, weil wir einen solchen Hohenpriester über das Haus Gottes haben (vgl 8,1; 10,21), der nicht nur den Weg zum Heil ermöglicht hat (10,19f), sondern auch für uns auf dem Weg betet (7,25; vgl 2,18; 4,14f).

---

12 *Käsemann*, Gottesvolk S. 79ff, möchte diese Komponente nicht aufgeben, weil Jesus den Weg geschlagen bzw die Bresche geschlagen habe und der Weg frei sei. Aber eine solche Vorstellung läßt sich im Hb nicht beweisen. Ähnlich *Gyllenberg*, Christologie S. 668ff.
13 Vgl *Riggenbach* S. 49f, vgl aber S. 389f; *Delling*, ThWNT I, S. 486.
14 Ähnlich *Lohse*, Märtyrer S. 164; *Ungeheuer*, Priester S. 50ff; *E. Schweizer*, Erniedrigung und Erhöhung bei Jesus und seinen Nachfolgern (AThANT 28), ²1962, S. 138f.
15 Wie in 2,1ff; 10,28f werden in 12,18–29 die beiden Offenbarungen ausführlicher nebeneinandergestellt. 12,22ff schildern das Leben der Christen in der Zeit des neuen Bundes als ein Leben unter dem heilenden und richtenden Wort Gottes in der Gegenwart der himmlischen Welt. Dazu vgl außer den Kommentaren auch *Schierse*, Verheißung S. 171ff; *Hahn*, Hb 12,18–25a; *Schröger*, Schriftausleger S. 207ff.

Die Interpretation von Ps 110,4 durch den Vf

Als Sonderstück in seiner Darstellung der Hohenpriesterschaft Jesu als Fürbitter bewertet der Vf seine *Ausführung über* die Wörter κατὰ τὴν τάξιν Μελχισέδεκ aus *Ps 110,4*. Darüber schreibt er in 5,11: »Darüber haben wir noch viel zu sagen, und es würde uns schwerfallen, uns deutlich auszudrükken, da ihr stumpf geworden seid im Hören«. Erst nach der Ermahnung zu erhöhter Aufmerksamkeit und Zielstrebigkeit in 5,11–6,12 und nach dem Hinweis, daß es sich in Ps 110,4 um ein Eideswort Gottes handelt, fängt der Vf mit seiner Erläuterung an (c. 7). Neben einer Entwertung des alten Bundes wird hier vor allem die bleibende Zuverlässigkeit des Priestertums Jesu als Fürbitter (so zusammenfassend 7,25) hervorgehoben. Daß wir einen solchen himmlischen Hohenpriester haben, der den Weg vor uns gegangen ist und jetzt als Fürbitter seine Hohepriesterschaft ausübt, wird in 8,1 als »Hauptsache« der vorausgegangenen Ausführungen bezeichnet. Es wird noch hinzugefügt, daß seine Priesterschaft auch deswegen der des alten Bundes überlegen ist, weil sie nicht in einem irdischen, sondern einem himmlischen Heiligtum ausgeübt wird (8,1ff).

Jesu Leiden als »passend« (2,10)

Von c. 2–8 hat der Vf die gegenwärtige Tätigkeit Jesu als fürbittender Hoherpriester hervorgehoben. Angesichts dieser Hohepriesterschaft Jesu und ihrer Bedeutung für die Christen auf dem Weg hat der Vf die Menschwerdung Jesu und sein Leiden als »passend« bezeichnet (ἔπρεπεν γὰρ αὐτῷ . . . τὸν ἀρχηγὸν τῆς σωτηρίας . . . διὰ παθημάτων τελειῶσαι 2,10; vgl 2,17; 7,26). Daß man eine Handlung Gottes »passend« nennt, scheint zunächst sehr kühn zu sein. Aber es ist nicht so, daß der Vf seine eigenen Maßstäbe auf Gott übertragen will. Vielmehr handelt es sich hier um eine theologische Schlußfolgerung, die sich auf das Bekenntnis zur Gnade Gottes stützt (vgl schon 2,9). Es gibt eine Konsequenz in den Handlungen Gottes, die der Vf zu erkennen glaubt. Unter dieser Perspektive kann er die Tatsache, daß Gott Jesus leiden ließ, als »passend« bezeichnen, weil Gott die Menschen liebt; durch dieses Leiden kann Jesus jetzt voller Mitleid und Verständnis für uns beten[16].

---

16 Ähnlich *Vanhoye*, Situation S. 306f; vgl auch *Michel* S. 147; *E. von Dobschütz*, Rationales und irrationales Denken über Gott im Urchristentum. Eine Studie besonders zum Hebräerbrief, ThStKr 95 (1923/24) S. 235–255. Zu dieser Denkweise bei Philo vgl ua *Williamson*, Philo and Hebrews S. 88ff. Anders ist die Vorstellung in Mk 8,31, wo an die Erfüllung der Schrift gedacht ist. Dazu *Tödt*, Menschensohn S. 178.

Die Aufnahme der Heilstat am Kreuz in die Hohepriester-Christologie

1.   Aber der Vf will nicht nur auf die jetzige Hilfe hinweisen, sondern auch auf die Sicherheit des Heils selbst. Die *Sicherheit des Heils* wird traditionsgemäß durch das *Kreuzesereignis* begründet. Der Vf gibt aber nicht nur traditionelle Vorstellungen wieder, die den Tod Jesu ua als Sühnopfer schildern. *Durch den Hohepriestertitel entwickelt er eine Versöhnungstagtypologie.* Auch Jesu Tätigkeit auf Erden, sein Sühneleiden, wird als hohepriesterliche Tätigkeit dargestellt. Jesus ist nicht nur das Opfer; er ist zugleich der Hohepriester. Diese sonst unmögliche Vorstellung bereitet hier keine Schwierigkeiten, weil Jesus einen ewigen Geist hat (9,14). Dem Vf geht es nicht darum, eine Reihe von Einzelheiten im Versöhnungstagritual typologisch auszuwerten. Er hat sogar in der Typologie das Gewicht von der Besprengung auf die Schlachtung selbst verlegt. Ihm geht es darum, die Bedeutung des Todes Jesu für unser Heil hervorzuheben. Durch dieses Ereignis sind uns die Sünden vergeben worden. Was das bedeutet, wird im Rahmen des Wegschemas dargelegt. So am Anfang der Ausführung: »daß der Weg ins Allerheiligste noch nicht offenbar geworden ist« (T) 9,8; und am Ende: »da wir nun, meine lieben Brüder, Ermächtigung haben zum Eingang in das Allerheiligste . . ., einen Eingang, den er uns bereitet hat, zu einem neuen und lebendigen Weg durch den Vorhang« (T) 10,19. Es geht um den Zutritt zu Gott, was immer wieder in der Ausführung betont wird (vgl 9,8.9.14; 10,2 usw). Die Versöhnungstagtypologie paßt besonders gut zu dem Wegschema. Hoffnung der Christen ist es, ins Allerheiligste einzutreten (so schon 6,19f). Jesus ist uns vorausgegangen (6,20). Der Vf konnte sein Thema von c. 2–8, die himmlische Hohepriesterschaft Jesu als Fürbitter, und sein Thema von c. 9–10, das Selbstopfer Jesu als Hoherpriester, im Rahmen der Versöhnungstagtypologie vereinen. Jesus ist den Weg ins Allerheiligste gegangen. Durch sein Selbstopfer auf Erden hat er ein für allemal das Heil ermöglicht. Weil seine Handlung abgeschlossen war, konnte er ein für allemal ins Allerheiligste eintreten (9,11f), um dort eine ununterbrochene Priesterschaft auszuüben (7,27; 9,24; 10,11ff). Diese himmlische Priesterschaft besteht darin, daß er für die Seinen auf dem Weg ins Allerheiligste betet (7,25; 9,24). Seine Bitte ist entsprechend 2,18 (vgl auch 4,15f) keine Bitte um Vergebung der Sünde, sondern um Hilfe in Versuchung und Leiden.

2.   *Die Auffassung vom Tode Jesu als hohepriesterliche Handlung sprengt aber die traditionelle Vorstellung,* nach der Jesus erst nach der Erhöhung als Hoherpriester eingesetzt wurde. Der Vf hat diese traditionelle Vorstellung aufgegriffen und die Hohepriesterschaft Jesu als Fürbitter besonders hervorgehoben. Durch Ps 110,4 sei Jesus in dieses Amt eingesetzt worden (5,6.10; 7,28, vgl 20ff). Erst mit der Erhöhung sei Jesus Hoherpriester geworden (γένηται 2,17; ähnlich 5,5; 6,20). Diese Aussagen sind zwar durch die Tradition des Vf bedingt, sind ihm aber nicht abzusprechen.

Klärung der Frage, wann Jesus nach Ansicht des Vf Hoherpriester wurde

1.a) Die Frage, *wann Jesus Hoherpriester wurde*, ist eng mit dem Problem verknüpft, ob τελείωσις Priesterweihe bedeutet und wo Jesus seine Sühnetat ausgeführt hat. Aufgrund unserer Untersuchung dieses Begriffs können wir als Ergebnis feststellen: τελείωσις bedeutet nicht »Priesterweihe«, und Jesu Sühnetat wurde auf Erden ausgeführt.

b) Auf die Frage, wann Jesus Hoherpriester geworden ist, antworten viele Ausleger: *nach oder mit der Erhöhung*[17]. Sie berufen sich vor allem auf die folgenden Stellen, die ganz deutlich eine Berufung zur Hohenpriesterschaft bzw ein Hoherpriesterwerden zur Zeit der Erhöhung voraussetzen: 5,6; 5,10; 6,20; 7,28, vgl 2,17. Das Problem dieser Auffassung ist, daß der Vf den Sühnetod Jesu als hohepriesterliche Handlung Jesu darstellt.

c) Deshalb möchten andere schon den *sterbenden Jesus als Hohenpriester* erkennen[18]. *Käsemann* weist darauf hin, daß Jesu Tod eigentlich zugleich sein Eintritt in die himmlische Welt ist[19]. Daher könnte man ihn doch als »himmlisch« bezeichnen. Aber damit gewinnt man keine Lösung, weil diese Sühnetat auf Erden stattfand; das gilt vor allem für das Opfer selbst. Und gerade durch die Schlachtung (anders als im Antityp) wurde die Sühne gewonnen. Dieser Versuch überzeugt ebensowenig wie der, das Problem dadurch überwinden zu wollen, daß man »himmlisch« anders deutet als im übrigen Brief[20]. Auch *Käsemann* erkennt, daß er damit das Problem nicht gelöst hat, weil es unmöglich ist, den Spruch Ps 110,4 (5,10) als gleichzeitig mit dem Tod zeitlich einzuordnen. Deshalb schlägt er vor, daß Ps 110,4 nicht Einsetzung, sondern Proklamation sei[21]. Ähnlich argumentiert *Rissi*[22], der das ganze Leben Jesu als priesterliches Handeln ansieht und in Ps 110,4 die Anerkennung durch Gott sieht. Aber diese Auffassung scheitert deutlich daran, daß das Eideswort Ps 110,4 nicht Proklamations- oder Anerkennungsspruch ist, sondern Einsetzungswort, wie aus 7,28 (vgl auch schon 5,5f; 7,20ff) hervorgeht.

d) Es finden sich Texte, die von einer Einsetzung erst nach der Erhöhung sprechen, aber auch andere Stellen (9,11ff; 9,24ff; 10,11ff; vgl 13,12), die schon Jesu irdische Tätigkeit als Handeln des Hohenpriesters beschreiben. Einige Ausleger behaupten daher, daß schon der *irdische Jesus* Hoherpriester sei[23]. Hier wird oft der Versuch unternommen, die Berufung und

---

17 *Socinus* (dazu siehe Anm. 8 zu B.II.2 oben); *Bousset*, Kyrios Christos S. 282f; *Windisch* S. 42; *Bleek* II S. 359; *G. Milligan*, Theology S. 133; *Vanhoye*, Situation S. 371; *Brooks*, Perpetuity S. 205.
18 *Käsemann*, Gottesvolk S. 59. 140f, bes 148ff; *Kuss* S. 135; *Grässer*, Hebräerbrief S. 221f; *Lohse*, Märtyrer S. 169.171.179; *Klappert*, Eschatologie S. 38f.
19 *Käsemann*, Gottesvolk S. 148.
20 Dazu vgl oben S. 188f.
21 *Käsemann*, Gottesvolk S. 149f.
22 *Rissi*, Menschlichkeit S. 33f.
23 *Scheller*, Priestertum S. 102; *Thalhofer*, Opfer S. 146.152ff; *Padolski*, Sacrifice S. 139; *Spicq* I S. 293; *Montefiore* S. 97.

gleichzeitig Ps 2,7 *auf den Zeitpunkt der Inkarnation* zu verlegen[24]. Andere sprechen von einer *ewigen Priesterschaft*, wie der Ewigkeit seiner Sohnschaft[25].

e)   Eine weitere interessante These zur Überwindung des Problems ist die, daß es *zwei Priestertümer* Jesu gebe: sein Priestertum nach der Ordnung Melchisedeks habe erst mit der Einsetzung (Ps 110,4), dh mit der Erhöhung angefangen, sein aaronitisches oder levitisches Priestertum habe er schon auf Erden ausgeübt[26]. So interessant diese klare Herausstellung von zwei bestimmten Funktionen in der Priesterschaft Jesu auch ist, diese These hat kaum Anhaltspunkte im Brief, sondern spiegelt nur einen Versuch wider, das Problem der Spannungen zu überwinden.

2.a)   Es ist denen zuzustimmen, die die Ansicht vertreten, daß *der Vf eigentlich keinen solch genauen Zeitplan formulieren wollte*[27]. Aber man muß dennoch die Frage stellen, wie es zu solchen Spannungen gekommen ist. Daß die Antwort darin liegt, *daß der Vf Traditionen bearbeitet*, haben *Schille* und *Zimmermann* schon erkannt[28], auch wenn wir ihren Versuchen, die Traditionen aus dem Text auszusondern, nicht zustimmen können. Es reicht schließlich nicht aus, nur auf Traditionen hinzuweisen. Man muß versuchen zu zeigen, wie der Vf diese Traditionen aufgreifen konnte.

b)   Von den Aussagen über *die Einsetzung Jesu als Hoherpriester erst nach der Erhöhung* ist zu sagen: In ihrem Zusammenhang in den Ausführungen über die Hohepriesterschaft Jesu als Fürbitter bereiten sie keinerlei Schwierigkeiten. Diese Tätigkeit ist in der Tat erst nach der Erhöhung aufgenommen worden (vgl auch 8,4: diese Priesterschaft ist himmlisch, nicht irdisch; vgl auch 8,1f.6). Erst wenn man Aussagen aus den Ausführungen in c. 9–10 herauslöst und neben diese Aussagen stellt, kann man von einer Spannung sprechen. Sie ist deutlich dadurch entstanden, daß *der Vf den Hohenpriesterbegriff in einer Sonderentwicklung auch auf den irdischen Jesus übertragen hat.* Er hat zwar die Vorstellung von Jesus als fürbittendem Hohenpriester weiterentwickelt. Das wird ua dadurch erkennbar, daß Erhöhungsvorstellungen durch eine höherentwickelte Sohnschaftschristologie überlagert sind, so daß Jesus durch die Himmel zurückkehrt (4,14) und diese Priesterschaft aufgrund seines unzerstörbaren Lebens (7,16) aufnimmt. Aber vor allem in der Darstellung der Sühnetat auf Erden anhand des Hohenpriesterbegriffs wird deutlich, daß der Vf eine neue Entwicklung eingeleitet hat.

---

24   Vgl auch *Riggenbach* S. 63; *Schrenk*, Art. ἀρχιερεύς, ThWNT III, S. 270.280; *Ungeheuer*, Priester S. 88; *Rissi*, Menschlichkeit S. 30ff; *Brandenburger*, Vorlagen S. 208; *Cody*, Sanctuary S. 96.103 (mit der Erhöhung sei Jesu Hohepriesterschaft zur Vollendung gekommen).

25   *Schäfer* S. 147f; *Steuer*, Lehre S. 4f. Für die Auffassung, daß Jesu Priesterschaft ein Teil seiner Sohnschaft sei, vgl *Büchsel*, Christologie S. 15; auch *Kögel*, Söhne S. 117.

26   *Riehm*, Lehrbegriff S. 466ff; *Westcott* S. 227.

27   So ua *Schmitz*, Opferanschauung S. 293; *G. Milligan*, Theology S. 133; *MacNeill*, Christology S. 30.

28   Vgl *Zimmermann*, Hohepriester-Christologie S. 31; vgl auch *Brandenburger*, Vorlagen S. 208.

Offensichtlich war es nicht seine Absicht, ein Gedankensystem anhand des Hohenpriesterbegriffs aufzubauen. Sonst hätte er sich mit den Spannungen auseinandergesetzt. Systematisierende Versuche in der Auslegung, entweder die eine oder die andere Gruppe von Aussagen irgendwie abzuschwächen oder auszuschalten, sind deshalb abzulehnen.

3.   Fragt man aber, *wieweit der Vf die Vorstellung ausgedehnt hat*, so ist festzustellen, daß er (im Endeffekt) *das ganze Leben Jesu*, wenigstens von der Inkarnation an, unter der Perspektive der Hohenpriesterschaft versteht. Als Hoherpriester ist Jesus erschienen (9,11; vgl 9,26; 10,5ff). Das Leiden selbst ist ja als Vorbereitung seiner Tätigkeit als Fürbitter zu sehen (2,17f; 5,8ff); aber in der Versöhnungstagtypologie wird ganz deutlich, daß Jesus als Hoherpriester auf Erden handelte und erst danach in den Himmel zurückgekehrt ist (10,11ff; vgl 1,3). Dem Vf selbst die Frage zu stellen, wann Jesus überhaupt als Hoherpriester bezeichnet wurde, hat wenig Sinn, auch wenn er in seinen Aussagen über die Hohepriesterschaft wie in denen über die Sohnschaft Traditionen aufgegriffen hat, die an den Zeitpunkt der Erhöhung dachten (vgl bes 5,5 und 6).

Der Vf bemüht sich also nicht nur darum, auf die jetzige Hilfe durch die Fürbitte Jesu als Hoherpriester hinzuweisen, sondern auch darum, die Sicherheit des Heils durch die Sühnetat Jesu am Kreuz herauszustellen. Wie die Gemeinde vor allem im Gottesdienst zum Gnadenthron treten konnte, um Hilfe in Leid und Versuchung zu erhalten, so ist es wahrscheinlich, daß auch vor allem im Gottesdienst die Sicherheit des Heils durch die Sühnetat Jesu gefeiert wurde. Eindeutige eucharistische Anspielungen sind im Brief zwar schwer zu erkennen. Es läßt sich aber vermuten, daß der Vf besonders in der Eucharistie Trost und Ermutigung für die Gemeinde erkannte[29].

Die Entwicklung der Versöhnungstag-Typologie in Auseinandersetzung mit dem alten Bund

1.   Nicht nur die Sicherheit des Heils und der jetzigen Hilfe wird durch die Hohepriesterchristologie herausgestellt. Auch *die Gültigkeit der christlichen Botschaft als Wille Gottes* wird durch diese Typologie hervorgehoben (vgl bes 10,5ff). So werden *Entsprechungen* zwischen der Hohenpriesterschaft Jesu und der *des alten Bundes* dargelegt (c. 5). Aber besonders durch c. 8 und die Ausführungen über die Versöhnungstagtypologie wird klar, daß diese Entsprechungen durch ein Schema begründet werden, nach dem die Elemente des alten Bundes nur die *Schatten* derer sind, die zum neuen Bund gehören (vgl 8,5; 10,1; 9,23)[30]. In Auseinandersetzung mit jüdischen

---

29   Es liegen keine eindeutigen Hinweise auf die Eucharistie im Hb vor; nur eine Reihe von wahrscheinlichen Anspielungen (vgl vor allem 9,20; 6,4f; 10,29; 12,24; 13,10). Zum heutigen Diskussionsstand vgl *Schröger*, Gottesdienst passim; *Williamson*, Eucharist.

30   Zum Verhältnis zwischen altem und neuem Bund im Hb vgl *U. Luz*, Der alte und der neue Bund bei Paulus und im Hebräerbrief, EvTh 27 (1967) S. 318–336, u. oben S. 172f.

Vorstellungen wird nicht nur von der Hohenpriesterschaft gesprochen, sondern von *der alten Ordnung* überhaupt (7,12.18; 8,7.13). Der alte Bund konnte das Heil nicht verwirklichen (7,11; 10,1ff). Er war nur *auf der irdischen Ebene* wirksam (9,9f.13f). Seine Schwäche zeigte sich auch in den Wiederholungen der Opferhandlungen (9,12.25f; 10,1ff.11f). Außer einzelnen Argumenten, die auf besondere Einzelheiten zurückgreifen (7,4–10.12; 9,8; 10,4), ist der Hauptvorwurf gegen den alten Bund seine *Unfähigkeit*, das Heil zu schaffen, weil er nur auf einer niedrigeren Ebene arbeitet (8,2–5; 9,10.11.13f.23; 10,1). Aufgrund dieser Anschauung des Vf, nach der das Himmlische dem Schattenhaften gegenübersteht, kann er mit zugespitzten Formulierungen *die Ungültigkeit der jüdischen Ansprüche,* die sich in irgendeiner Form unter den Lesern erhoben hatten, zurückweisen (7,18; 8,7.13; 10,1.18). Von der Hohenpriestervorstellung aus entwickelt er also einen Gegensatz zum alten Bund als Ganzem.

2. Auf der anderen Seite wollte der Vf *eine Kontinuität* zwischen dem alten und dem neuen Bund keineswegs verleugnen. Deshalb kann er von *der ehemaligen Gültigkeit* des alten Bundes sprechen, die bis zur Erscheinung Jesu reichte (9,10). Die Entsprechungen haben mehr als formale Bedeutung. Ein gewisser Beweisanspruch wird damit ausgedrückt. Schließlich hat Gott den alten Bund angeordnet – wenn auch nicht durch den Sohn, sondern durch Engel (2,2). In 9,15 geht der Vf so weit zu behaupten, daß uns die Sünden, die gegen den alten Bund begangen wurden, vergeben sind. Und häufig wird die Warnung zum Ausdruck gebracht, daß, was mit Recht nach den Übertretungen des alten Bundes befürchtet werden mußte, unter dem neuen Bund weit übertroffen wird (2,1ff; 10,28f; 12,18–29). Schließlich erkannte der Vf das AT als Wort Gottes an.

3. Wenn man aber diese Äußerungen denen über die Entwertung des alten Bundes als nutzlos und schattenhaft gegenüberstellt, kommt man wieder in Schwierigkeiten. In seinen *polemischen Formulierungen* geht der Vf so weit, daß man nach anderen Aussagen annehmen müßte, daß Gott einen wirkungslosen Bund angeordnet hat und dieser nur *typologische Vorausdarstellung* des neuen Bundes ist. Es stellt sich die Frage, ob es der Vf so gemeint und eine solche Zusammenstellung seiner Aussagen überhaupt beabsichtigt hat. Wieder ist eine Abschwächung der einen oder der anderen Aussage abzulehnen. Der Vf hat die Spannung nicht überbrückt, wenn er sie überhaupt erkannt hat.

4. Das hängt vielleicht wieder damit zusammen, daß der Vf sich grundsätzlich mit der *Gegenwart und der gegenwärtigen Situation der Leser* beschäftigt. Ihm geht es vor allem nur darum hervorzuheben, daß die Christen den neuen und gültigen Bund haben. Die Juden können keinen Anspruch darauf erheben. So sind die Christen die wahre, dienende Gemeinschaft, die ihren Lobpreis darbringt (13,15f). Der Vf kämpft sozusagen an zwei Fronten: erstens gegen den Anspruch jüdischer Vorstellungen in der Welt der Gemeinde; zweitens für die Beibehaltung einer Kontinuität zwischen Gottes Handeln im AT und seinem Handeln durch Jesus. Daß die al-

ten Gerechten, wie Abraham (vgl c. 11), auf dem Weg waren und Mose als Diener im Haus war (3,1ff), möchte er nicht bestreiten. Nur hat Jesus erst den Weg freigemacht (11,39f) und ist nicht Diener im Haus, sondern Sohn über das Haus (3,6).

5. Wie das Wegmotiv, so ist auch *die Gegenüberstellung von altem und neuem Bund* für die Gedanken des Vf maßgebend; das gilt vor allem für die Hohepriestertypologie. Die Ausführung über die Versöhnungstagtypologie ist sogar von der Jeremiastelle über den neuen Bund umrahmt (8,7ff; 10,16ff). Mit der traditionellen Bezeichnung *Jesu als* διαθήκης καινῆς μεσίτης (9,15; 8,6; 12,24) möchte der Vf hervorheben, daß durch Jesus der neue Bund ermöglicht wurde[31]. Durch seinen Tod ist der Bund in Kraft gesetzt worden (9,16 – er ist ὁ διαθέμενος); Jesus ist der Bürge seiner Gültigkeit geworden (κρείττονος διαθήκης γέγονεν ἔγγυος Ἰησοῦς 7,22). Diese juristische Bezeichnung Jesu als Mittler des neuen Bundes ist nicht auf eine bestimmte Funktion oder Tätigkeit beschränkt, sondern steht über dem ganzen Werk Jesu. Die Wirklichkeit des neuen Bundes und seine Wirksamkeit ist durch Jesus ermöglicht. Im Hb scheint der Begriff »Bund« in einem engen Zusammenhang mit eucharistischer Tradition zu stehen (vgl vor allem 9,20). Vielleicht stammt auch die Bezeichung διαθήκης (καινῆς) μεσίτης aus dieser Tradition.

a) Wie bei ἀρχηγός bestimmt auch bei μεσίτης der Zusammenhang, welche Bedeutung dieser überwiegend juristische Begriff hat[32]. Die Engel vermitteln die Gebete des Volkes (vgl 2,1ff und TDan 6,2; demnach heißt ein Engel in dieser Rolle μεσίτης). Ähnlich wird in 1Tim 2,5 Christus als Mittler zwischen Gott und Mensch bezeichnet. Μεσίτης kann aber nicht nur Mittler bzw Vermittler, sondern auch Zeuge oder Bürge, Friedensstifter oder Schiedsrichter bedeuten.

b) Wichtig ist in unserem Zusammenhang die Bezeichnung des Mose als Mittler nicht nur bei Paulus (Gal 3,19f, hier negativ bewertet), sondern auch in AssMos 1,14 u. 3,12, bei Philo und den Rabbinen[33]. Es ist für uns deswegen wichtig, weil der Begriff μεσίτης im Zusammenhang jeder Stelle, in der er vorkommt, einerseits in direkter Verbindung mit διαθήκη und andererseits in direktem Zusammenhang mit einem Gegensatz zum alten Bund und zu Mose steht (8,5.6; 9,15.19; 12,21.24). Jesus ist der, durch den der neue Bund in Kraft gesetzt wurde. In 9,15 wird er μεσίτης im Zusammenhang mit seinem Sühnetod genannt. Aber auch hier, wie in 12,24 und 8,6, haben wir es mit einer allgemeinen Bezeichnung Jesu zu tun, der den neuen Bund ermöglicht hat und ermöglicht.

c) Das Wort ἔγγυος ersetzt μεσίτης in der Wendung κρείττονος διαθήκης μεσίτης in 7,22. Hier wird von Jesus als Bürge im Zusammenhang mit dem Eideswort Ps 110,4 gesprochen. Der Zusammenhang läßt vermuten, daß (wenn hier in 7,22 auch eine Funktion Jesu im Blick ist) an

---

31 Dafür, daß διαθήκης καινῆς μεσίτης (9,15) eine traditionelle Wendung ist, spricht die stereotype Form, in der sie vorkommt, ebenso auch die Tatsache, daß sie begegnet (bes in 12,24; aber vgl auch in 8,6 und 9,15), obwohl der Zusammenhang das Wort μεσίτης nicht unbedingt erfordert. Vgl auch die Variante mit ἔγγυος in 7,22 sowie das Vorkommen des Namens »Jesus« hier und in 12,24.

32 Zu μεσίτης vgl ua A. *Oepke*, Art. μεσίτης, ThWNT IV, S. 602–629; *Michel* S. 292.

33 Zu Texten bei Philo und den Rabbinen vgl *Oepke*, ThWNT IV, S. 602ff.

eine Fürbitte gedacht wird (vgl 7,25). Das könnte auch bei dem Gebrauch von μεσίτης in 8,6 im Vordergrund stehen, aber der Vf ist nicht darum bemüht, bestimmte Funktionen an diese Bezeichnungen zu knüpfen[34].

Zusammenfassung

Im Dienst seiner Bemühungen, den Lesern in ihrer Situation durch Ermutigung und Ermahnung zu helfen, hat der Vf die Hohepriestervorstellung aufgegriffen und weiterentwickelt. Diese Ausarbeitung nimmt einerseits die Form einer Unterstreichung der Bedeutung der Fürbittetätigkeit Jesu an, und zwar durch den Hinweis auf die Treue Jesu in Leiden und Versuchung auf dem Weg, auf dem wir uns jetzt befinden, und durch den Hinweis auf die Ewigkeit seiner Priesterschaft als mitleidsvoller Fürbitter für uns. Andererseits bringt der Vf den Hohenpriesterbegriff und die Vorstellung vom Tode Jesu als Sühnopfer zusammen, um durch die Entwicklung einer Versöhnungstagtypologie vor allem die Sicherheit der Vergebung durch die Sühnetat Jesu hervorzuheben. Im Rahmen seiner Weltanschauung, die dem Wegschema zugrunde liegt, werden die typologischen Entsprechungen in einer Weise gedeutet, daß man den neuen Bund als Gottes Plan erkennt und den alten als schattenhafte Vorausdarstellung, die immerhin von Gott für eine bestimmte Zeit angeordnet wurde, aber jetzt keine Gültigkeit mehr besitzt. So wird die Hohepriesterchristologie in positiver Hinsicht als Darstellung der Sicherheit des von Gott gegebenen Heils und der Hilfe auf dem Weg zum Heil entwickelt, in negativer Hinsicht als Darstellung der Ungültigkeit des Judentums, dessen Einfluß als Beunruhigung und Versuchung empfunden wurde.

---

34   So ähnlich *Ungeheuer*, Priester S. 67ff; gegen *H. Preisker*, Art. ἔγγυος, ThWNT II, S. 328, der aufgrund einer Ähnlichkeit mit Sir 29,14ff (vgl auch 2Makk 10,28) ἔγγυος mit dem Tod Jesu eng in Verbindung bringen will.

Zusammenfassung und Schluß

Im Verlauf unserer Untersuchung mußten wir uns mit einer Fülle von Einzelproblemen beschäftigen. Wir möchten nicht alle Ergebnisse nochmals aufzählen, sondern vielmehr das Ganze unter der Fragestellung betrachten, wie Sohnschaft und Hohepriesterschaft verstanden wurden.

Zunächst ist hervorzuheben, daß der Vf viele traditionelle Vorstellungen aufgegriffen und in seine Ausführungen eingearbeitet hat. Er kannte offenbar die messianische Bezeichnung »Sohn«, die Jesus bei seiner Erhöhung zur Herrscherstellung zugesprochen wurde (vgl A.I.1.). Mit großer Wahrscheinlichkeit ist der Aufbau der ersten zwei Kapitel des Briefes durch eine Gedankenkette beeinflußt, die Ps 110,1 und Ps 8,7 mit kurzen Aussagen über den Tod, die Auferweckung und die himmlische Stellung Jesu und mit dem Christustitel verbunden hatte, eine Gedankenkette, die auch in paulinischen und nachpaulinischen Schriften zu erkennen ist (vgl A.I.2.). Die Anspielung auf Ps 110,1 im Zusammenhang mit der Erhöhung wird immer wieder aufgegriffen. Es scheint sogar möglich, daß der Vf eine traditionelle Verbindung dieses Textes mit der Bezeichnung ἀρχηγός kannte, die auch hinter Apg 5,31 zu erkennen ist (vgl S. 19f oben). Vor allem in c. 1 wird anhand dieser und anderer Zitate aus dem AT die Herrschaftsstellung Jesu hervorgehoben, in die er eingesetzt worden ist (vgl A.I.3.).

Unmittelbar vor und mitten in dieser Ausführung über die Herrschaftsstellung Jesu finden sich Aussagen, die von der Präexistenz und Schöpfungsmittlerschaft Jesu sprechen (1,2f.10ff). Sie sind vor allem unter dem Einfluß der Terminologie der Sophia-Logos-Spekulation entstanden und kommen auch in traditionsgeprägten Stücken vor, so daß anzunehmen ist, daß auch sie vom Vf aus Traditionsgut aufgenommen wurden. Das Nebeneinander von Erhöhungs- und Präexistenzaussagen in demselben Zusammenhang bedeutet aber nicht, daß der Vf sie ohne Rücksicht auf Inhalt und Zeitbezug aneinandergereiht hat. Die Erhöhungsaussagen und Präexistenzaussagen stammen aus dem Lobpreis der Gemeinde. Sie beziehen sich auf den Herrn der Gemeinde. In diesem Gegenwartsbezug besteht die Logik ihrer Einheit. Der Vf möchte nicht primär von der Urzeit oder der Zeit der Erhöhung berichten, sondern die das Heil sichernde Herrscherstellung Christi in der Gegenwart herausstellen (vgl A.III.1).

Diese Präexistenzaussagen, die am Anfang des Briefes ausdrücklich über den »Sohn« gemacht werden, bezeugen eine hochentwickelte Christologie, die immer wieder zum Ausdruck kommt (vgl A.III.2.). Jesus ist der Sohn Gottes. Er ist zwar Gott untergeordnet, gehört aber auf die Seite Gottes, nicht wie Mose auf die Seite der geschaffenen Menschheit (3,1–6). Da er der Sohn Gottes ist, ist sein Leben unzerstörbar (7,16). Deshalb spricht der Vf von seiner Rückkehr in die himmlische Welt, ebenso wie von seinem Eintritt in diese Welt und der Annahme von Fleisch und Blut gesprochen wird. Angesichts dieser Sohnschaftschristologie ist es nicht überraschend, daß der Vf die passiven Erhöhungsvorstellungen entweder in aktive Aussagen umwandelt oder sie als Ausdruck einer Theozentrizität versteht. Dabei ist nicht zu übersehen, daß er den Inhalt der Erhöhungsaussagen beachtet. In dieser Weise wußte er offenbar, daß Ps 2,7 und die Bezeichnung Jesu als Sohn bei der Erhöhung einen besonderen Gebrauch wiedergibt und daß die Verleihung der Sohnschaft hier die Aufnahme der Herrschaftsfunktion bedeutet. So konnte er diese bestimmte Sohnschaftstradition ohne Schwierigkeit im Rahmen seiner weit umfassenderen Sohnschaftschristologie gebrauchen. Dabei erfährt die klassische Frage, wann Jesus Sohn wurde, eine traditionsgeschichtliche Erklärung (vgl A.IV.3.).

Der Brief enthält nicht nur Aussagen über die gegenwärtige Stellung Jesu und seine Würde als Gottessohn; auch auf den irdischen Jesus wird die Aufmerksamkeit gelenkt. Die Vorstellung von Jesus als Verkündiger des Heils dürfte sehr weit in die Anfänge des Urchristentums zurückreichen. Auch das Summarium urchristlicher Verkündigung in 6,1f dürfte aus Tradition stammen. Diese Vorstellung von Jesus als Verkündiger wird in die Sohnschaftschristologie aufgenommen. Gott hat in diesen letzten Tagen durch den Sohn gesprochen. Dabei ist aber nicht nur an den Inhalt der Verkündigung Jesu zu denken, sondern vor allem an seine Tätigkeit während seines irdischen Aufenthalts (2,3f und vgl A.IV.1.).

Es gehört zur Grundlage dieser Christologie, daß Jesus die einmalige Sühnehandlung für die Menschen ausgeführt hat. Unter dieser Perspektive werden die verschiedenen traditionellen Interpretationen des Todes Jesu verstanden. Das gilt nicht nur für die Deutung dieses Ereignisses als Bundesopfer, Erlösung und vielleicht Passaopfer, sondern auch für die Vorstellung von der Überwindung des Todes bzw des Teufels (vgl A.IV.3 u. B.II.3.). In Verbindung mit seinem Tod werden vor allem das Leiden und die Anfechtungen Jesu hervorgehoben. In diesen Zusammenhang wird wahrscheinlich eine Gethsemanetradition aufgenommen (vgl A.IV.2.). Der Vf ist mit einem christologischen Schema vertraut, nach dem der Gottessohn in die Welt gekommen war und Fleisch und Blut annahm. Der Sohn kam, um das Heil zu verkünden und den Weg dazu durch seinen Sühnetod frei zu machen. Seine Gottessohnschaft bedeutet aber nicht, daß er nicht wie ein Mensch leiden und im Leiden Gehorsam bewahren mußte. Er blieb aber treu, erfüllte seine Aufgabe und kehrte zurück zu Gott. Beliebt bei dem Vf ist der kultisch-soteriologische Begriff τελείωσις, der auch für die Rückkehr des Sohnes zu Gott gebraucht wird. Der zurückgekehrte Sohn bittet für die Seinen. Er übt auch jetzt schon seine Herrschaft aus, die am Jüngsten Tag vor allen sichtbar wird. Es wird vorausgesetzt, daß dieser Tag, der Tag seiner Parusie, sehr bald kommen wird, vielleicht angesichts einer vom Vf und seinen Lesern vorhergesehenen Krise (vgl A.II.3.).

Die Christologie des Hb wird aber vor allem durch ihre entwickelte Hohepriestervorstellung gekennzeichnet. Die Bezeichnung »Hoherpriester«

wird zunächst im Zusammenhang mit dem Leiden und der Versuchung Jesu gebraucht. Daß das oben skizzierte christologische Schema schon vor dem Brief geläufig war und vom Vf vorausgesetzt wurde, zeigt sich darin, daß er in dessen Rahmen nur bestimmte Elemente hervorhebt. Das wird in c. 2 besonders deutlich, wo der Vf betont, daß es sehr von Vorteil war, daß die Sühnehandlung Jesu Leiden miteinschloß. Jesus weiß jetzt, was es bedeutet, im Leiden Gehorsam bewahren zu müssen, und wird für uns verständnisvoll beten (vgl A.IV.3. und B.II.1.).

Die Vorstellung von Jesus als Fürbitter für die Seinen steht für den Vf in enger Verbindung mit der Hohenpriesterbezeichnung. Diese Verbindung kannte er schon aus seiner Tradition. Die Vorstellung vom erhöhten Jesus als Fürbitter für die Seinen dürfte früh im Zusammenhang mit der Erhöhungsüberlieferung entstanden sein. Die Verbindung dieser Vorstellung mit dem Begriff »Hoherpriester« könnte dadurch erfolgt sein, daß der Erhöhte als Hauptdiener des himmlischen Kultus hohepriesterliche Züge annahm und seine Fürbittetätigkeit als hohepriesterliche Tätigkeit verstanden wurde, was nicht zuletzt durch die Auffassung begünstigt wurde, daß Fürbitte im nachalttestamentlichen Judentum vor allem als hohepriesterlicher Dienst verstanden wurde. Dieses Zusammenfließen der Erhöhungtradition mit dem Hohenpriesterbegriff dürfte wohl vor dem Vf des Hb zur christologischen Deutung von Ps 110,4 oder einem Teil davon geführt haben (vgl B.III.1. und 2.).

Von c. 2 bis c. 8 bemüht sich der Vf darum, die Bedeutung dieser traditionellen Vorstellung hervorzuheben. Weil Jesus gelitten hat und Versuchung kennt, bittet er für die Gemeinde, die von Leiden und Versuchung angefochten ist. Diese Erfahrung Jesu wird vor allem in c. 2 und c. 5 hervorgehoben. Er hat durch Leiden gelernt, was es bedeutet, Gehorsam im Leiden zu bewahren. Von 5,11 an bis Ende c. 7 möchte der Vf die Bedeutung von Ps 110,4 in diesem Zusammenhang auslegen. In Auseinandersetzung mit der Priesterschaft des alten Bundes wird von der Ordnung Melchisedeks gesprochen. Dabei werden jüdische Traditionen aufgegriffen, um bestimmte Züge der Melchisedekgestalt hervorzuheben. Der Bericht der Schrift beweist für den Vf die Überlegenheit der Ordnung Melchisedeks. Aber ausschlaggebend für die Überlegenheit der Ordnung Melchisedeks ist die Tatsache, daß ihre Priester bleiben. Offenbar wird Melchisedek als himmlisches Wesen verstanden, der einen Priesterdienst entsprechend dem der Engel ausübt. Daß Jesus als Priester bleibt, wird mit dem Hinweis auf sein unzerstörbares Leben gewonnen, denn er ist Gottes Sohn. Die Ähnlichkeit Melchisedeks mit dem Gottessohn besteht darin, daß beide als Priester »bleiben« (7,3 und vgl S. 144ff.212ff oben).

Jesus übt nicht nur seinen Dienst als Fürbitter verständnisvoll aus; man kann sich auf sein Priestertum verlassen, denn er bleibt ewig. So hat der Vf diese traditionelle Vorstellung von Jesus als fürbittendem Hohenpriester aufgenommen und weiter mit Hinweis auf das Wesen des Sohnes begründet. Auch in c. 8 dürfte dieses Thema, das ja als κεφάλαιον der vorhergehenden Ausführungen bezeichnet wird, im Vordergrund stehen, wenn vom himmlischen Priesterdienst Jesu gesprochen wird, obwohl der Vf sich mehr darum bemüht, den himmlischen Tempel im Gegensatz zum irdischen Tempel hervorzuheben.

Die Vorstellung von Jesus als fürbittendem Hohenpriester beansprucht also einen großen Raum in den Gedanken des Vf. Deswegen mußten wir uns energisch gegen Mißverständnisse wehren. Die Fürbitte Jesu ist dabei nach dem Hb Fürbitte um Hilfe für die Seinen, die in Leiden und Versuchung stehen, nicht aber um Vergebung ihrer Sünden oder der Sünden anderer, wie es bei der Vorstellung im ersten Johannesbrief der Fall ist. Dieses Mißverständnis hat sich daraus ergeben, daß man die Fürbittevorstellung unter die an einer späteren Stelle des Briefes entwickelte Versöhnungstagtypologie subsumiert hat. Es gibt zwar schon in c. 1–8 einzelne Aussagen über den Sühnetod Jesu, aber an keiner Stelle tragen sie das Hauptgewicht der Argumentation. Oft ist ihnen eine besondere programmatische Bedeutung zuzumessen (so B.I.1.).

Ein zweites Mißverständnis betrifft die klassische Frage, wann Jesus Hoherpriester wurde. Schon aus der Logik der Fürbittekonzeption ist zu entnehmen, daß Jesus erst nach seinem Tod, bzw erst nachdem er gelitten und Gehorsam bewahrt hat, das Amt des fürbittenden Hohenpriesters aufnehmen konnte. Und tatsächlich gibt es eine Reihe von Stellen, die von seiner Einsetzung erst nach der Erhöhung sprechen. So war die traditionelle Vorstellung. Der Erhöhte bittet für uns. Aber man darf diese Vorstellung und diesen Aspekt der Hohenpriestertypologie des Vf nicht als Maßstab dafür nehmen, wann man von einer Hohenpriesterschaft Jesu sprechen kann (vgl S. 245ff).

Das führt zu dem weiteren Mißverständnis der Ausführungen des Vf in c. 9f. Hier haben wir es mit einer besonderen Entwicklung des Vf zu tun. Schon in seiner Tradition wurde der Tod Jesu als Sühnopfer verstanden. Er bringt den Hohenpriesterbegriff mit der Sühnopfervorstellung zusammen und versucht, anhand einer Versöhnungstagtypologie den Tod Jesu als hohepriesterliches Handeln zu deuten. Jesus ist zwar als Hoherpriester der Handelnde, ist aber auch gleichzeitig das Opfer. Wegen seines ewigen Geistes war das möglich. Weil sein Leben unzerstörbar ist, konnte er sein Sterben als Handeln betrachten und danach in den Himmel zurückkehren (9,13f; vgl 7,16 und B.II.1.).

Wenn man die Einsetzung in das Amt des fürbittenden Hohenpriesters als Einsetzung in das Amt des Hohenpriesters für die Sühnehandlung mißversteht, entsteht eine ganze Reihe von Folgen, die zu einer erheblichen Verwirrung über die Auffassung des Vf beigetragen haben. Danach müßte Jesus erst im Himmel seine Sühnehandlung ausgeführt haben! Das will der Vf nicht sagen. Der Tod Jesu auf Erden war die Sühnehandlung. Es trägt noch mehr zur Verwirrung bei, wenn man versucht, aus der Schwierigkeit wieder herauszukommen, indem man »himmlisch« auch für irdische Ereignisse benutzt. Vielmehr ist klar auseinanderzuhalten: Jesus hat auf Erden

seine Sühnetätigkeit abgeschlossen. Danach ist er in den Himmel zurückgekehrt, um Fürbitte für die Angefochtenen zu leisten. Das wird vom Vf
mehrmals betont (vgl B.II.2.).

Der Vf hat die Hohepriestervorstellung dadurch erweitert, daß er sie in
Verbindung mit dem Sühnetod Jesu gebracht hat. In diesem Sinne ist Jesus
schon Hoherpriester auf Erden. Im einzelnen scheint der Vf sich nicht sehr
dafür zu interessieren, wann Jesus als Hoherpriester in diesem Sinne eingesetzt wurde. Vielmehr betrachtet er das ganze Leben von dem Eintreten in
die Welt an unter diesem Gesichtspunkt (vgl S. 245ff).

Bei der Behandlung der Versöhnungstagtypologie mußten wir aber klar
herausstellen, wieweit sich der Vf diese Typologie zu eigen gemacht hatte.
Am Versöhnungstag war es die Versprengung des Blutes im Allerheiligsten, die die Sühne wirkte. Dementsprechend müßte die eigentliche Sühnetat Christi erst im Himmel, im himmlischen Tempel, stattgefunden haben.
Wie die Schlachtung müßte sein Tod nur vorbereitenden Charakter gehabt
haben. An diesem entscheidenden Punkt hat der Vf das Bild geändert. Jesus
tritt zwar in das himmlische Heiligtum mit dem Blut ein. Insoweit hat der
Vf das Bild übernommen, aber von einer Sühnetat d im himmlischen Allerheiligsten redet er nicht. Die Sühnekraft wird auf die Schlachtung, die vor
den beiden inneren Teilen des Tempels stattfand, bzw auf den Tod auf Erden
verlegt. Auf Erden hat Jesus seine Sühnehandlung ausgeführt und abgeschlossen. Sie ist ein für allemal gültig (vgl B.II.2.).

Die Versöhnungstagtypologie dient vor allem zur Ermutigung der Leser.
Sie dient aber auch zur Auseinandersetzung mit dem alten Bund. Die Christen gehören zum neuen Bund, eine Vorstellung, die dem Vf und seinen Lesern offensichtlich ebenso geläufig war wie die Vorstellung von Jesus als
Mittler dieses neuen Bundes. In den Rahmen dieses Bundesgedankens hat
der Vf nicht nur diese Typologie, sondern auch seine ganze Christologie gestellt. Dabei ging es nicht nur darum, gegen bestimmte Aspekte des alten
Bundes zu polemisieren, sondern auch darum zu zeigen, wie man ihn richtig einordnet und worin die Kontinuität des Handelns Gottes besteht. Der
alte Bund konnte die Voraussetzungen für das Heil nicht schaffen, sondern
dient als Vorausdarstellung der kommenden Güter, die jetzt durch Christus
zugänglich sind. Durch ihn wird das Heil, der Eintritt in die himmlische
Welt, ermöglicht (vgl S. 171f und 247).

Räumliche Kategorien – Himmel und Erde – bestimmen die Darstellung der
Christologie. Jesus ist einen »Weg« gegangen. Dieses Wegmotiv bleibt auch
in der Versöhnungstagtypologie erhalten. Danach ist er den Weg ins Allerheiligste gegangen. Er hat den Weg für uns frei gemacht. Er ist als Führer
angekommen. Wir sind jetzt auf dem Weg. Er bittet um Hilfe für uns, damit
wir nicht in Anfechtung vom Weg abirren. Das Wegmotiv umspannt seine
Christologie (vgl. S. 239ff).

Die Christologie des Hb ist nicht Selbstzweck und dient nicht nur theologischer Reflexion. Vielmehr haben wir es mit einer Stellungnahme zu der
konkreten Situation einer Gemeinde oder einer Gruppe von Gemeinden zu

tun. Angesichts dieser Situation hebt der Vf bestimmte Elemente des ihnen gemeinsam geläufigen christologischen Schemas hervor. Eine Besprechung dieser Situation des Vf und der Leser bedarf einer weiteren Untersuchung. An dieser Stelle möchten wir nur fragen, ob eine Untersuchung zur Christologie des Briefes etwas zur Lösung dieses Problems beitragen kann.

Einen großen Raum in den Ausführungen des Vf beansprucht die Vorstellung, daß Jesus einmal gelitten hat und versucht worden ist und deshalb für die Leser, die von Leiden und Versuchung angefochten sind, verständnisvoll um Hilfe bittet. Der Vf hebt die Bedeutung dieser Tätigkeit Jesu hervor, weil er die Leser in ihrer Situation ansprechen möchte. Die Leser werden von Leiden und Versuchung angefochten. Das ist schon ein konkreter Anhaltspunkt.

Nach 12,4–11 stehen die Leser unmittelbar vor der Gefahr, ihr Leben zu verlieren. Sie haben offensichtlich schon in der Vergangenheit schwer gelitten (10,32–34). Daß diese Verfolgung vielleicht einen breiten Bereich erfaßte und teilweise noch andauert, geht aus 13,3 und 23 hervor, wo von gefangenen Christen gesprochen wird. Daß an 13,3 eine Aussage über Eigentum geknüpft ist (13,5f), dürfte vielleicht ein Hinweis dafür sein, daß die Plünderung, die in 10,34 erwähnt wird, noch in gewissem Maße droht oder erneut erfahren wurde. 13,18 klingt auch, als habe der Vf den Behörden gegenüber kein schlechtes Gewissen (vgl V 19), weil er bisher keinen Anstoß von der Art gegeben habe, vor dem er die Leser in 12,14a gewarnt hat, sondern »dem Frieden gegen jedermann nachgejagt« hat. Das Nebeneinander von Gefangennahme, Beschlagnahmung und öffentlicher Verspottung (vgl 10,33) deutet jedenfalls darauf hin, daß nicht nur in der Vergangenheit, sondern auch in der Gegenwart bzw in der unmittelbar bevorstehenden Zukunft eine Art staatlicher Verfolgung droht.

Den damit verbundenen Fragen können wir hier nicht nachgehen. Die christologischen Ausführungen des Vf zeigen deutlich, daß nicht nur im Leben Jesu das Leiden und die Versuchung einander bestimmen. Das war auch der Fall bei den Lesern. Wir haben bisher nur das Leiden der Leser besprochen. Worin bestand für sie die damit verbundene und verschärfte Versuchung? Die Leser liefen Gefahr, unter dem Druck des Leidens bzw des bevorstehenden Leidens nachzulassen (vgl 10,24.35–39; 12,12) und sogar abzufallen (2,1f; 3,12f; 4,1.11; 6,4ff; 10,26ff; 12,15). Aber läßt sich etwas Näheres über diese Anfechtung sagen, besonders angesichts der christologischen Bemühungen des Vf? Diese Frage ist positiv zu beantworten, wenn gezeigt werden kann, daß er gegen solche Anfechtungen und ihre Einwirkung polemisiert.

In der Tat haben wir gesehen, daß seine Ausführungen nicht nur zur Befestigung der Leser durch Hervorhebung der Sicherheit des Heils dienen, sondern auch eine polemische Spitze enthalten, die uns weiteren Aufschluß über die Situation der Leser geben kann. Der Vf hat nicht nur das Heilswerk anhand der Ordnungen des alten Bundes typologisch dargestellt, er hat auch darüber hinaus gegen diese alte Ordnung polemisiert. Daß er seine Ausführungen, vor allem seine christologischen Ausführungen, in ständiger Auseinandersetzung mit dem alten Bund entwickelt hat, läßt sich kaum übersehen. Aber was bedeutet das? Bildet der alte Bund eine Gefahr für die Leser? Ist er die Quelle der Versuchung, ins Judentum zurückzufallen oder sich dem Judentum anzuschließen? Oder dient der alte Bund nur als typisches Beispiel für heidnische Kulte, die die Versuchung darstellen? Daß diese Auseinandersetzungen nur daraus zu erklären sind, daß der Vf eine Folie braucht, um die Einmaligkeit und Herrlichkeit der christlichen Botschaft hervorzuheben, mußten wir mehrmals an verschiedenen Stellen verneinen, denn seine Ausführungen hören nach solchen positiven Gegensätzen nicht auf, sondern führen unmittelbar zu einer Entwertung des alten Bundes (vgl etwa 8,13; 10,18).

Der Vorschlag, daß der alte Bund nur als Beispiel für heidnische Kulte dient, befriedigt ebenfalls nicht. Denn für die, die geneigt sind, zum Heidentum über- oder zurückzutreten, haben die vielen Beweise aus dem AT keine Gültigkeit. Wer in Gefahr steht, ua das AT nicht mehr als gültig anzuerkennen, wird kaum vom AT für dessen Gültigkeit zurückzugewinnen sein. Außerdem würde überraschen, warum eine solche Gefahr heidnischen Denkens nicht erwähnt wird.

Ist dann der alte Bund tatsächlich die Quelle der Versuchung? Aber wenn der Brief wahrscheinlich nach der Zerstörung Jerusalems geschrieben wurde, welche Bedeutung konnten die Ausführungen über den Opferkultus haben? Außerdem ist sehr deutlich geworden, daß sich der Vf mit den Ordnungen des AT beschäftigt, ohne dabei einen konkreten Hinweis auf den Tempel in Jerusalem zu geben.

Trotzdem scheint die Lösung in diese Richtung zu führen. Dabei ist vor allem folgendes in Betracht zu ziehen. Die Juden waren das Volk der Torah. Auch für eine Auseinandersetzung mit jüdischen Gruppen, deren kultisches Zentrum zerstört war, würde eine Auseinandersetzung mit den Vorschriften des AT deshalb nicht weniger bedeuten. Grundsätzlich mußte eine solche Auseinandersetzung auf dem Boden der Torah ausgetragen werden. Es gibt aber tatsächlich Spuren im Hb, die in diese Richtung weisen. Sehr aufschlußreich ist 9,8ff. Hier wird von den Ordnungen des alten Bundes gesprochen. Sie können das Heil nicht schaffen. Das ist von Bedeutung für die gegenwärtige Situation. Denn gemäß diesem alten Bund werden Handlungen ausgeführt, die in Verbindung mit Speise- und Trankopfermahlfeiern stehen. Hinzu kommen die verschiedenen Waschungen. Hier wird offenbar von den konkreten Handlungen einer jüdischen Gruppe oder jüdischer Gruppen gesprochen, aus denen die Versuchung für die Leser entstanden ist. Das wird an anderen Stellen des Briefes bestätigt. Verschiedene Waschungen werden in 6,1f erwähnt. Eine Anspielung auf die Gefahr der Gemeinde liegt offensichtlich in der Esautypologie (12,15–17) vor, nach der Esau seine Erbschaft um einer Speise willen aufgab. Aber vor allem in 13,7–17 gewinnt die Versuchung der Leser konkretere Gestalt. Auch hier werden Speisen im Zusammenhang mit falschen Lehrern erwähnt. Solcher

Speisen bedürfen die Leser für ihr Heil nicht. In dieser Passage wird aber auch die Verbindung zwischen Leiden und Versuchung deutlich erkennbar. Die Leser sollen nicht verführt werden, an solchen Speisen teilzunehmen. Offenbar ist eine Art von jüdischen Mahlzeiten gemeint. Im Gegenteil, sie sollten leiden. Aus welcher konkreten Situation heraus entsteht diese Wahl, durch die Staatsgewalt zu leiden oder der Versuchung nachzugeben und sich dem Judentum anzuschließen? Am besten erklärt sich diese Situation daraus, daß der Brief zu einer Zeit geschrieben wurde, als das Judentum »religio licita« war, das Christentum jedoch nicht. Es ist sogar wahrscheinlich, daß die Herausforderung des Vf, aus dem Lager herauszukommen und mit Christus außerhalb »Jerusalems« zu leiden, die Situation genau wiedergibt. Die Leser sollen das Leiden auf sich nehmen und nicht ins Volk Jerusalems, dh ins Lager des alten Bundes, ab- bzw zurückzufallen.

Die Leser sind in der Gefahr, in ihrer Standhaftigkeit als Christen nachzulassen. Sie sind außerdem in ihrem Glauben durch jüdische Lehre verunsichert. Unmittelbar vor ihnen lauert offenbar heftige Verfolgung. Das verschärft die Versuchung, sich dem Judentum anzuschließen und sich so der Verfolgung zu entziehen. Die Frage, welche jüdischen Gruppen gemeint seien, können wir hier nicht behandeln. Wir sehen keinen überzeugenden Grund dafür, sie mit irgendeiner bestimmten Gruppe zu identifizieren, wie etwa mit den Angehörigen der Gemeinschaft von Qumran. Es handelt sich wahrscheinlich um eine Gruppe des hellenistischen Judentums.

Angesichts dieser Situation der Leser werden die Ausführungen des Vf verständlich. Zwei Aufgaben standen vor ihm: die Leser zu warnen und sie in ihrem Glauben zu ermutigen, der Versuchung den Stachel dadurch zu entziehen, daß er ihnen hilft, den alten Bund richtig einzuordnen. Die konkrete Situation spiegelt sich in seiner Behandlung des alten Bundes wider. Das AT einschließlich seiner Vorschriften ist von Gott gegeben. Das möchte der Vf nicht verkennen. Die Kontinuität wird gewahrt. Aber nach der Stiftung des neuen Bundes ist der alte nicht mehr gültig. Wer die alte Ordnung noch praktiziert, betreibt nutzlose fleischliche Handlungen. In dieser verschärften Auseinandersetzung mit der konkreten Gefahr hält sich der Vf in seiner Entwertung des alten Bundes keineswegs zurück, mit dem Ergebnis, daß er an einzelnen Stellen die alte Ordnung als schon dem Wesen nach nutzlos und belanglos bezeichnen kann. Dadurch entsteht eine Spannung zwischen diesen polemischen Aussagen und denen, die von der Anordnung des alten Bundes durch Gott sprechen. Denn danach müßte Gott einen nutzlosen Bund gegeben haben. Der Versuch, diese Spannung zu überbrücken, wird vom Vf nicht unternommen. Meist aber betrachtet er die alte Ordnung als eine Vorausdarstellung der durch den neuen Bund entstandenen Güter (vgl 10,1; 9,23).

Wenden wir uns den christologischen Ausführungen unter dem Gesichtspunkt dieser Situation der Leser zu. Der Vergleich mit den Engeln am Anfang dieses Briefes unterstreicht die Herrschaftsstellung Jesu in der Welt der Mächte, wie die Leser sie sich vorstellen. Daß auch eine Engelverehrung in der Umwelt der Leser, vielleicht von jüdischen Kreisen gefördert, die der Gemeinde eine Gefahr bieten, Anlaß dieses Vergleiches war, halten wir für wahrscheinlich.

Die Situationsbedingtheit der Lehre von der Fürbittetätigkeit Jesu haben wir schon besprochen. Mitten in diesen Erläuterungen behandelt der Vf die Gestalt des Mose. Wie bei den Engeln, so versucht der Vf auch hier bei Mose, den Lesern durch eine theologische Einordnung zu helfen. Erst in c. 7 kommen polemische Aussagen zum Tragen. Nicht nur die Gültigkeit und Verläßlichkeit des Priestertums Jesu als Fürbitter wird herausgestellt, sondern zugleich das Unvermögen des alten Bundes, das Heil zu ermöglichen. Nach c. 8 wird dieses Priestertum im himmlischen Heiligtum, nicht auf der irdischen Ebene ausgeübt. Danach folgt die Deutung der Verheißung des neuen Bundes, wobei wiederum nicht nur die Gültigkeit des neuen, sondern auch die jetzige Ungültigkeit des alten Bundes hervorgehoben wird.

Auch die Ausführungen über den Sühnetod Jesu, vor allem anhand der Versöhnungstagtypologie, zeigen diese zwei Richtungen. Jesus ist Hoherpriester des neuen Bundes, der, wie der Hohepriester am Versöhnungstag, für das Volk Sühne geleistet hat. Nur ist diese Sühne im Bereich des Gewissens wirkungsmächtig, sie braucht nicht wiederholt zu werden. Dagegen sind die wiederholten Handlungen des alten Bundes, die nur das Äußerliche betreffen, nicht imstande, Heil zu ermöglichen. Demgemäß sind die Mahlgemeinschaften mit Speis- und Trankopfern und die verschiedenen Waschungen derjenigen, die diesen veralteten Bund noch betreiben, nutzlose Handlungen.

Die Leser werden aufgefordert, ihre Festigung in der Gnade Gottes zu finden, die im Heilsereignis offenbart wurde. Sie sollen einander in der Weise ermutigen, wie der Vf es in seinem Brief tut. Vor allem sollen sie ihren Gottesdienstversammlungen besonders angesichts der anbrechenden Krise nicht fernbleiben. Sie sollen ihren Blick auf ihren Herrn richten. Er hat nicht nur den Weg freigemacht, er ist als ihr Führer bereits am Ziel angelangt. Er kennt daher ihre Situation und was es bedeutet, Gehorsam im Leiden bewahren zu müssen; er bittet für sie. Das Heil wartet auf sie; alles ist ihm untertan. Bald wird das vor aller Welt offenbar werden, auch wenn es jetzt durch die bevorstehenden Ereignisse für manche in Frage gestellt wird. Sie sollen nur in Treue durchhalten und nicht aus Angst aufgeben oder sich durch fremdartige Lehren verlocken lassen, eine Heimat im Judentum abseits der drohenden Verfolgung zu suchen, die keine bleibende Heimat ist und kein Heil bieten kann.

Im Hb haben wir es mit einer Christologie zu tun, die einerseits eine Fülle von traditionellen Vorstellungen aufweist, die zum Teil weit zurück in das frühe Urchristentum reichen, und die andererseits unmittelbar an den Anforderungen der gegenwärtigen Krise orientiert ist. Aber es geht nicht nur darum, daß der Vf traditionelle Vorstellungen aufgreift und sie in Beziehung zu einer bestimmten Situation bringt. Er zeigt sich hierbei zugleich als schöpferischer Theologe, der im Rahmen seiner Weltanschauung neue Interpretationen und Erläuterungen christlicher Botschaft entwickelt, die in der Welt seiner Leser besondere Relevanz beanspruchen.

Daß es zwischen der Weltanschauung und den Interessen seiner Zeit und den Denkvoraussetzungen unserer Zeit einen erheblichen Unterschied gibt, kann niemand leugnen. Der Hb stellt daher der Hermeneutik eine reizvolle Aufgabe, weil der Vf in seiner Situation die eigene Theologie in der dreifachen Spannung von Tradition, zeitgenössischem Denken und konkreter Situation der Menschen entwickelt hat. Seinen Namen kennen wir nicht. Aber seine leidenschaftlichen Bemühungen sichern ihm eine bedeutsame Stelle in der Reihe der Theologen des Urchristentums und fordern uns auf, nicht nur seine Gedanken zu klären, sondern auch mit ihm in einen Dialog einzutreten, um etwas von seinem Mut und seiner schöpferischen Kraft für die anspruchsvollen Aufgaben der Theologie in unserer Welt zu gewinnen.

Literaturverzeichnis

Ausgaben von primären Quellen sowie Nachschlagwerke werden nur erwähnt, wenn darauf im Text direkt Bezug genommen ist. Artikel aus ThWNT werden nicht einzeln aufgeführt. Sonst beschränkt sich dieses Verzeichnis auf die in der Arbeit zitierten Werke.

Kommentare zum Hebräerbrief

Barclay, W., The Letter to the Hebrews (The Daily Study Bible), Edinburgh ([1]1955) [6]1963

Bengel, J. A., Gnomon Novi Testamenti, Berlin [8]1915

Bleek, F., Der Brief an die Hebräer I, Berlin 1828; II/1, 1836; II/2, 1840

Bruce, F. F., Commentary on the Epistle to the Hebrews (New London Commentary), London 1965

Buchanan, G. W., To the Hebrews (Anchor Bible 36), New York 1972

Calvin, J., In omnes epistulas novi testamenti commentarii (ed. A. Tholuck), Vol. VII, Halis Saxonum 1834

– Commentarius in epistulam ad Hebraeos, CR LXXXIII, Brunsvigae 1896 (Nachdruck New York/London/Frankfurt 1964)

Chrysostomus, MPG 63

Delitzsch, F., Commentar zum Briefe an die Hebräer, Leipzig 1857

Dods, M., The Epistle to the Hebrews, in: Expositor's Greek Testament IV, London 1910, S. 219–381

Ephraem Syrus, Commentarii in epistolas D. Pauli, Venedig 1893

Graf, J., Der Hebräerbrief, Freiburg 1918

Grotius, H., Annotationes in epistolam ad Hebraeos, in: ders., Annotationes in Novum Testamentum, Tom. II, Paris 1646

Héring, J., L'Epître aux Hébreux (Commentaire du Nouveau Testament XII), Neuchâtel-Paris 1954

von Hofmann, J. C. K., Der Brief an die Hebräer, in: ders., Die heilige Schrift neuen Testaments zusammenhängend untersucht, Nördlingen 1873, Bd. V, S. 53–561

Holtzmann, O., Das Neue Testament Bd. 2, Giessen 1926

Keil, C. F., Commentar über den Brief an die Hebräer, Leipzig 1885

Kent, H. A., The Epistle to the Hebrews, Grand Rapids 1972

Kurtz, J. H., Der Brief an die Hebräer, Mitau 1869

Kuss, O., Der Brief an die Hebräer (Regensburger NT 8), Regensburg ([1]1953) [2]1966

Lenski, R. C. H., The Interpretation of the Epistle to the Hebrews and the Epistle of James, Columbus/Ohio ([1]1937) [3]1960, S. 1–500

Lünemann, G., Kritisch exegetisches Handbuch über den Hebräerbrief (KEK 13), Göttingen ([1]1855) [4]1878

Luther, M., Luthers Vorlesung über den Hebräerbrief 1517/18 (hg. v. J. Ficker), Leipzig 1929

– Luthers Vorlesung über den Hebräerbrief nach der vatikanischen Handschrift (hg. v. E. Hirsch und H. Rückert), Arbeiten zur Kirchengeschichte 13, Berlin/Leipzig 1929

Maier, A., Commentar über den Brief an die Hebräer, Freiburg 1861

Manson, W., The Epistle to the Hebrews. A historical and theological reconsideration, London ([1]1951) [2]1953

Michel, O., Der Brief an die Hebräer (KEK [13]13), Göttingen ([1]1936) [7]1978

Moffatt, J., A Critical and Exegetical Commentary on the Epistle to the Hebrews (ICC), Edinburgh 1924 (= Neudruck 1948; 1958)

Montefiore, H., A Commentary on the Epistle to the Hebrews (Black's NT Commentaries), London 1964

Nairne, A., The Epistle of Priesthood. Studies in the Epistle to the Hebrews, Edinburgh ²1913
– The Epistle to the Hebrews (Cambridge Bible for Schools and Colleges), Cambridge 1921 (im Text nur mit Seitenzahl!)

Neil, W., The Epistle to the Hebrews (Torch Bible Commentaries), London (¹1955) ²1959

Oecumenius, MPG 119

Peake, A. S., The Epistle to the Hebrews (Century Bible), Edinburgh 1914

Rendall, F., The Epistle to the Hebrews, London 1883

Riggenbach, E., Der Brief an die Hebräer (Kommentar zum NT 14, hg. von Th. Zahn), Leipzig ²,³1922

Schäfer, A., Erklärung des Hebräerbriefes (Die Bücher des NT V), Münster 1893

Schierse, F. J., Der Brief an die Hebräer (Geistliche Schriftlesung 18), Düsseldorf 1968

Seeberg, A., Der Brief an die Hebräer, Leipzig 1912

Snell, A., A New and Living Way. An Explanation of the Epistle to the Hebrews, London 1959

v. Soden, H., Hebräerbrief, Briefe des Paulus, Jakobus, Judas (Hand-Commentar zum NT 3,2), Freiburg i.Br./Leipzig/Tübingen (¹1890) ²1892

Spicq, C., L'Epître aux Hébreux, I: Introduction, II: Commentaire (Etudes Bibliques), Paris, I: ³1952, II: ³1953

Stier, R., Der Brief an die Hebräer I: 1,1–10,18; II: 10,19–13,25, Halle 1842

Strathmann, H., Der Brief an die Hebräer (NTD 9), Göttingen (¹1935) ⁹1968

Theodoret, MSG 82

Theophylakt, MSG 125

Tholuck, A., Kommentar zum Briefe an die Hebräer, Hamburg (¹1836) ³1850

Weiss, B., Kritisch exegetisches Handbuch über den Brief an die Hebräer (KEK ⁶13), Göttingen (¹1888) ²1897

Westcott, B. F., The Epistle to the Hebrews, London (¹1889) ²1892 (Neudruck Grand Rapids o.J.)

de Wette, M. W. L., Kurze Erklärung der Briefe an Titus, Timotheus und die Hebräer (Kurzgefaßtes exegetisches Handbuch zum Neuen Testament II/5), Leipzig (¹1844) ³1867

Williamson, R., The Epistle to the Hebrews (Epworth Preachers Commentary), London 1964

Windisch, H., Der Hebräerbrief (HNT 14), Tübingen (¹1913) ²1931

Wuest, K. S., Hebrews, in: The Greek New Testament for English Readers, Grand Rapids 1947

Zill, L., Der Brief an die Hebräer, Mainz 1879

Sonstige Literatur

Aalen, S., »Reign« and »House« in the Kingdom of God in the Gospels, NTS 8 (1961/62) S. 215–240
– Das Abendmahl als Opfermahl, NovTest 6 (1963) S. 128–152

Adams, J. C., Exegesis of Hebrews 6,1f, NTS 13 (1966/67) S. 378–385

Ahlborn, E., Die Septuaginta-Vorlage des Hebräerbriefes, Diss. Göttingen 1966

Andriessen, P., De betekenis van Hebr 1,6, StC 35 (1960) S.2–13
– Das größere und vollkommenere Zelt (Hb 9,11), BZ 15 (1971) S. 76–92
– Renonçant à la joie qui lui revenait, NRTh 97 (1975) S. 424–438

Andriessen, P. / Lenglet, A., Quelques passages difficiles de l'Epître aux Hébreux (5,7.11; 10,20–12,2), Bibl 51 (1970) S. 207–220

Bakker, A., Christ an Angel?, ZNW 32 (1933) S. 255–265

Balz, H. R., Heilsvertrauen und Welterfahrung (BEvTh 59), München 1971

Barbour, R. S., Gethsemane in the Tradition of the Passion, NTS 16 (1969/70) S. 231–251

Barrett, C. K., The Eschatology of the Epistle to the Hebrews, in: The Background of the New Testament and its Eschatology (in Honour of C. H. Dodd) Cambridge 1956, S. 363–393
– The Gospel according to St. John, London 1956
– A Commentary on the First Epistle to the Corinthians (Black's NT Commentaries), London 1968

Bauer, W., Griechisch-deutsches Wörterbuch zu den Schriften des Neuen Testaments und der übrigen urchristlichen Literatur, Berlin ⁵1975

Beare, F. W., The Text of the Epistle to the Hebrews in p46, JBL 63 (1944) S. 379–396

Becker, J., Untersuchungen zur Entstehungsgeschichte der Testamente der zwölf Patriarchen (AGJU 8), Leiden 1970

Bertram, G., Die Himmelfahrt Jesu vom Kreuz aus und der Glaube an seine Auferstehung, in: Festgabe für A. Deissmann, Tübingen 1927, S. 187–215

Best, E., The Temptation and the Passion (NTSMonSer 2), Cambridge 1965

Betz, O., Der Paraklet (AGJU 2), Leiden 1963

Bieder, W., Pneumatologische Aspekte im Hebräerbrief, in: Neues Testament und Geschichte (Festschrift für O. Cullmann), Zürich/Tübingen 1972, S. 251–259

Bietenhard, H., Die himmlische Welt im Urchristentum und Spätjudentum (WUNT 2), Tübingen 1951

Billerbeck, P. (u. Strack, H.), Kommentar zum Neuen Testament aus Talmud und Midrasch I–IV, München ⁵1969, V–VI ³1969

Black, M., The Scrolls and Christian Origins, London 1961

Blass, F. und Debrunner, A., Grammatik des neutestamentlichen Griechisch. Bearbeitet v. F. Rehkopf, Göttingen ¹⁵1979

Bolewski, H., Christos Archiereus. Über die Entstehung des hohenpriesterlichen Würdenamens Christi, Diss. Halle-Wittenberg 1939

Boman, T., Der Gebetskampf Jesu, NTS 10 (1963/64), S. 261–273

Bonnard, P. E., La traduction de Hébreux 12,2: »C'est en vue de la joie que Jésus endura la croix«, NRTh 97 (1975) S. 415–423

Bornhäuser, K., Die Versuchungen Jesu nach dem Hebräerbrief, in: Theologische Studien M. Kähler dargebracht, Leipzig 1905, S. 69–86

Bornkamm, G., Das Bekenntnis im Hebräerbrief, in: ders., Studien zu Antike und Urchristentum (Ges. Aufs. II), München ³1970, S. 188–203
– Sohnschaft und Leiden, in: Judentum Urchristentum Kirche (Festschrift für J. Jeremias) (BZNW 26), Berlin (¹1960) ²1964, S. 188–198
– Zum Verständnis des Gottesdienstes bei Paulus, in: ders., Das Ende des Gesetzes (Ges. Aufs. I), München ⁵1966, S. 113–132
– Herrenmahl und Kirche bei Paulus, in: ders., Studien zu Antike und Urchristentum (Ges. Aufs. II), S. 148–176

Bousset, W., Rezension von MacNeill, Christology of the Epistle to the Hebrews, ThLZ 40 (1915) Sp. 430–433
– Kyrios Christos (FRLANT 21), Göttingen (¹1913), ²1921 = ⁶1967

Bovon, F., Le Christ, la foi et la sagesse dans l'épître aux Hébreux, RevThéolPhil 18 (1968) S. 129–144

Brady, C., The World to Come in the Epistle to the Hebrews, Worship 39 (1965), S. 329–339

Brandenburger, E., Text und Vorlagen von Hebr 5,7–10, NovTest 11 (1969) S. 190–224

Braumann, G., Hebr 5,7–10, ZNW 51 (1960) S. 278–280

Braun, H., Qumran und das Neue Testament. Ein Bericht über 10 Jahre Forschung

(1950–1959). Hebräer, ThR 30 (1964) S. 1–38
– Qumran und das Neue Testament. 2 Bde, Tübingen 1966
– Das himmlische Vaterland bei Philo und im Hebräerbrief, in: Verborum Veritas (Festschrift
   für G. Stählin), Wuppertal 1970, S. 319–327
– Die Gewinnung der Gewißheit in dem Hebräerbrief, ThLZ 96 (1971) Sp. 321–330
Brooks, W. E., The Perpetuity of Christ's Sacrifice in the Epistle to the Hebrews, JBL 89 (1970)
   S. 205–214
Brown, R. E., The Gospel according to John I–XII (Anchor Bible 29), New York 1966
– The Messianism of Qumran, CBQ 19 (1957) S. 53–82
– J. Starcky's Theory of Qumran Messianic Development, CBQ 28 (1966) S. 51–57
Bruce, F. F., »To the Hebrews« or »To the Essenes«?, NTS 9 (1962/63) S. 217–232
– The Kerygma of Hebrews, Interpr 23 (1969) S. 3–19
Büchsel, F., Die Christologie des Hebräerbriefs (BFchrTh 27,2), Gütersloh 1922
– Der Geist im Neuen Testament, Gütersloh 1926
Bultmann, R., Bekenntnis- und Liedfragmente im ersten Petrusbrief, in: ders., Exegetica, Tü-
   bingen 1967, S. 285–297
– Das Evangelium des Johannes (KEK ²⁰2), Göttingen ¹¹1978
– Theologie des Neuen Testaments (hg. v. O. Merk) (UTB 620), Tübingen ⁷1977
Burger, C., Jesus als Davidssohn (FRLANT 98), Göttingen 1970
Burrows, M., Mehr Klarheit über die Schriftrollen, München 1958
Cambier, J., Eschatologie ou hellénisme dans l'épître aux Hébreux, Sal 11 (1949) S. 62–96
Carmignac, J., Le document sur Melkisédeq, RQ 7 (1970) S. 343–378
Cerfaux, L., Hymnes au Christ des Lettres de Saint Paul, Revue diocésaine de Tournai 2 (1947)
   S. 3–11
Clarkson, M. E., The Antecedents of the High-Priest Theme in Hebrews, AnglThR 29 (1947)
   S. 89–95
Cody, A., Heavenly Sanctuary and Liturgy in the Epistle to the Hebrews. The Achievement of
   Salvation in the Epistle's Perspectives, St. Meinrad/Indiana 1960
Collins, B., Tentatur nova Interpretatione Hebr 5,11– 6,8, VD 26 (1948) S. 144–151.193–206
Colpe, C., Die Religionsgeschichtliche Schule. Darstellung und Kritik ihres Bildes vom gnosti-
   schen Erlösermythus (FRLANT 78), Göttingen 1961
Conzelmann, H., Der Brief an die Korinther (KEK ¹¹5), Göttingen ¹1969
Coppens, J., Les affinités qumrâniennes de l'Epître aux Hébreux, NRTh 94 (1962), S.
   128–141.257–282
– Le messianisme sacerdotal dans les écrits du Nouveau Testament, in: La Venue du Messie
   (RechBib VI), 1962, S. 101–112
Cullmann, O., Die Christologie des Neuen Testaments, Tübingen ⁵1975
Dahl, N. A., A New and Living Way. The Approach to God according to Hebrews 10,19–25,
   Interpr 5 (1951) S. 401–412
Dalman, G., Die Worte Jesu I, Leipzig ²1930
Davies, J. H., The Heavenly Work of Christ in Hebrews, in: StEv IV = TU 102 (1968) S.
   384–389
Dautzenberg, G., Der Glaube im Hebräerbrief, BZ 17 (1973) S. 161–177
Deichgräber, R., Gotteshymnus und Christushymnus in der frühen Christenheit (StUNT 5),
   Göttingen 1967
Delcor, M., Melchizedek from Genesis to the Qumran Texts and the Epistle to the Hebrews,
   JSJ 2 (1971) S. 115–135
Delling, G., Wort Gottes und Verkündigung im Neuen Testament (SBS 53), Stuttgart 1971
Dibelius, M., Gethsemane, in: ders., Botschaft und Geschichte (Ges. Aufs.), Bd. I, Tübingen
   1953, S. 258–271

– Der himmlische Kultus nach dem Hebräerbrief, in: ders., Botschaft und Geschichte (Ges. Aufs.), Bd. II, Tübingen 1956, S. 160–176

v. Dobschütz, E., Rationales und irrationales Denken über Gott im Urchristentum. Eine Studie besonders zum Hebräerbrief, ThStKr 95 (1923/24) S. 235–255

Dodd, C. H., The Epistle of Paul to the Romans, London 1949

Dörrie, H., Leid und Erfahrung – die Wort- und Sinn-Verbindung παθεῖν-μαθεῖν im griechischen Denken (Akad. d. Wiss. u. d. Lit. Mainz 5), Wiesbaden 1956

Dupont, J., »Filius meus es tu«. L'intérpretation de Ps 2,7, RSR 35 (1948) S. 521–543

Ellis, E. E., Paul's Use of the Old Testament, Edinburgh/London 1957

Elliott, J. K., When Jesus was Apart from God: An Examination of Heb 2,9, ExpT 83 (1972) S. 339–341

Eltester, F. W., Eikon im Neuen Testament (BZNW 23), Berlin 1958

Feuillet, A., Les points du vue nouveaux dans l'éschatologie de l'Epître aux Hébreux, in: StEv II = TU 87 (1964) S. 369–387

Filson, F. V., Yesterday. A Study of Hebrews in the Light of Chapter 13 (StBibTh 2. Ser 4), London 1967

Fitzer, G., Auch der Hebräerbrief legitimiert nicht eine Opfertodchristologie, KuD 15 (1969) S. 294–319

Fitzmyer, J. A., »Now this Melchizedek . . .« (Hebr 7,1), CBQ 25 (1963) S. 305–321

– Further Light on Melchizedek from Qumran Cave 11, JBL 86 (1967) S. 25–41

Friedlaender, M., La secte de Melchisédek et l'épître aux Hébreux, Revue des études juives 5 (1882) S. 1–26.188–198; 6 (1883) S. 187–199

Friedrich, G., Beobachtungen zur messianischen Hohepriestererwartung, ZThK 53 (1956) S. 265–311

– Das Lied vom Hohenpriester im Zusammenhang von Hebr 4,14–5,10, ThZ 18 (1962) S. 95–115

Füglister, N., Die Heilsbedeutung des Pascha (StANT 8), München 1963

Fuller, R. H., The Foundations of New Testament Christology, London 1965

Galling, K., Durch die Himmel hindurchgeschritten (Hebr 4,14), ZNW 43 (1950/51) S. 263–264

Giversen, S., Evangelium Veritatis and the Epistle to the Hebrews, StThLund. 13 (1959) S. 87–96

Glombitza, O., Erwägungen zum kunstvollen Ansatz der Paränese im Brief an die Hebräer 10,19–25, NovTest 9 (1967) S. 132–150

Gnilka, J., Die Erwartung des messianischen Hohenpriesters in den Schriften von Qumran und im Neuen Testament, RQ 2 (1960) S. 395–426

Goguel, M., La doctrine de l'impossibilité de la seconde conversion dans l'Epître aux Hébreux, Paris 1931

Goppelt, L., Typos. Die typologische Deutung des Alten Testaments im Neuen (BFchrTh II/43), Gütersloh 1939

Grässer, E., Der Hebräerbrief 1938–1963, ThR 30 (1964) S. 138–236

– Der Glaube im Hebräerbrief (MbThSt 2), Marburg 1966

– Der historische Jesus im Hebräerbrief, ZNW 56 (1965) S. 63–91

– Hebräer 1,1–4. Ein exegetischer Versuch, in: EKK 3 (1971) S. 55–91

– Das Heil als Wort. Exegetische Erwägungen zu Hebr 2,1–4, in: Neues Testament und Geschichte (Festschrift für O. Cullmann), Zürich/Tübingen 1972, S. 261–274

– Zur Christologie des Hebräerbriefes, in: Neues Testament und christliche Existenz (Festschrift für H. Braun), Tübingen 1973, S. 195–206

Graham, A. A. K., Mark and Hebrews, in: StEv IV = TU 102 (1968) S. 410–416

Grogan, G. W., Christ and His People. An Exegetical and Theological Study of Hebrews

2,5–18, VoxEv 6 (1969) S. 54–71

Grundmann, W., Die νήπιοι in der urchristlichen Paränese, NTS 5 (1958/59) S. 188–205
– Sohn Gottes, ZNW 47 (1956) S. 113–133

Gunkel, H., Die Psalmen, übersetzt und erklärt (HK II/2), Göttingen [4]1926

Gyllenberg, R., Die Christologie des Hebräerbriefes, ZsystTh 11 (1934) S. 662–690

Haenchen, E., Die Apostelgeschichte (KEK [16]3), Göttingen [7]1977

Haering, T., Über einige Grundgedanken im Hebräerbrief, MPTh 17 (1920/21) S. 260–276
– Noch ein Wort zum Begriff τελειοῦν im Hebräerbrief, NKZ 34 (1923) S. 386–389

Hahn, F., Christologische Hoheitstitel (FRLANT 83), Göttingen ([1]1963) [4]1974
– Das Verständnis der Mission im Neuen Testament (WMANT 13), Neukirchen 1963
– Hebräer 12,18–25a, GPM 20 (1965) S. 74–84
– Die alttestamentlichen Motive in der urchristlichen Abendmahlsüberlieferung, EvTh 27 (1967) S. 337–374
– Der urchristliche Gottesdienst (SBS 41), Stuttgart 1970

Hanson, A. T., Christ in the Old Testament according to Hebrews, in: StEv II = TU 87 (1964) S. 393–407

Harder, G., Die Septuagintazitate des Hebräerbriefes, TheolViat, Berlin 1939, S. 33–52

von Harnack, A., Zwei alte dogmatische Korrekturen im Hebräerbrief, in: Studien zur Geschichte des Neuen Testaments und der alten Kirche I (AKG 19), Berlin 1931, S. 234–252

Hay, D. M., Glory at the right Hand: Psalm 110 in Early Christianity (SocBibLitMonSer 18), New York 1973

Hegermann, H., Die Vorstellung vom Schöpfungsmittler im hellenistischen Judentum und Urchristentum (TU 82), Berlin 1961

Heitmüller, W., Im Namen Jesu (FRLANT 1,2), Göttingen 1903

Hengel, M., Judentum und Hellenismus (WUNT 10), Tübingen [2]1973
– Der Sohn Gottes, Tübingen [2]1977

Hesse, F., Die Fürbitte im Alten Testament, Diss. Erlangen 1949

Higgins, A. B. J., The Priestly Messiah, NTS 13 (1966/67) S. 211–239

Hofius, O., Katapausis. Die Vorstellung vom endzeitlichen Ruheort im Hebräerbrief (WUNT 11), Tübingen 1970
– Das »erste« und das »zweite« Zelt, ZNW 61 (1970) S. 271–277
– Inkarnation und Opfertod nach Hb 10,19f, in: Der Ruf Jesu und die Antwort der Gemeinde (Festschrift für J. Jeremias), Göttingen 1970, S. 132–141
– Στόματα μαχαίρης Hebr 11,34, ZNW 62 (1971) S. 129–130
– Die Unabänderlichkeit des göttlichen Heilsratschlusses, ZNW 64 (1973) S. 135–145
– Der Vorhang vor dem Thron Gottes (WUNT 14), Tübingen 1972

Holtz, T., Die Christologie der Apokalypse (TU 85), Berlin [2]1971

Holtzmann, H. J., Lehrbuch der neutestamentlichen Theologie, 2 Bde (hg. v. A. Jülicher und W. Bauer), Tübingen [2]1911

Holtzmann, O., Der Hebräerbrief und das Abendmahl, ZNW 10 (1909) S. 251–260

Hughes, P. E., The Blood of Jesus and His Heavenly Priesthood in Hebrews, BS 130 (1973) S. 99–109.195–212.305–314; 131 (1974) S. 26–33

Immer, K., Jesus Christus und die Versuchten. Ein Beitrag zur Christologie des Hebräerbriefes, Diss. Halle 1943 (masch.)

Jeremias, G., Der Lehrer der Gerechtigkeit (StUNT 2), Göttingen 1963

Jeremias, J., Die Gleichnisse Jesu, Göttingen [8]1970
– Das Lösegeld für viele, Judaica 3 (1947/48) S. 249–264
– Hebr 5,7–10, ZNW 44 (1952/53) S. 107–111
– Die Abendmahlsworte Jesu, Göttingen [4]1967
– Hebräer 10,20: τοῦτ' ἔστιν τῆς σαρκὸς αυτοῦ, ZNW 62 (1971) S. 131

Jerome, F. J., Das geschichtliche Melchisedek-Bild und seine Bedeutung im Hebräerbrief, Diss. Freiburg 1920

Jervell, J., Ein Interpolator interpretiert, in: Burchard, Chr. – Jervell, J. – Thomas, J., Studien zu den Testamenten der zwölf Patriarchen (BZNW 36), Berlin 1969, S. 30–61

Johansson, S. L., »Parakletoi«, Lund 1940

Johnson, S. L., Some Important Mistranslations in Hebrews, BS 110 (1953) S. 25–31

de Jonge, M. – van der Woude, A. S., 11Q Melchizedek and the New Testament, NTS 12 (1965/66) S. 301–326

Käsemann, E., Das wandernde Gottesvolk. Eine Untersuchung zum Hebräerbrief (FRLANT 55), Göttingen (¹1939) ⁴1961

– Rezension von O. Michel, Hebräerbrief (1949), ThLZ 76 (1950) Sp. 427–429

– Zum Verständnis von Röm 3,24–26, in: ders., Exegetische Versuche und Besinnungen I, Göttingen ⁶1970, S. 96–100

Kennedy, G. T., St. Paul's Conception of the Priesthood of Melchisedech. An historico-exegetical investigation (Diss. Washington, The Catholic University of America / Studies in Sacred Theology II 63), Washington 1951

Kerst, R., 1Kor 8,6 – ein vorpaulinisches Taufbekenntnis?, ZNW 66 (1975) S. 130–139

Kistemaker, S., The Psalm Citations in the Epistle to the Hebrews, Amsterdam 1961

Kittel, G. – Friedrich, G., Theologisches Wörterbuch zum Neuen Testament I–X, Stuttgart 1933ff

Klappert, B., Die Eschatologie des Hebräerbriefes (ThEx 156), München 1969

Klein, G., Hebräer 2,10–18, GPM 18 (1964) S. 137–143

Kloker, G., Das Hohepriestertum Christi nach dem Hebräerbrief, in: Zeugnis des Geistes. Gabe zum Benedictus-Jubiläum 547–1947, Beuron 1947, S. 157–169.299–315

Knopf, R., Die zwei Clemensbriefe, in: Die apostolischen Väter (HNT Ergänzungsband 1), Tübingen 1920

Koch, K., Sühne und Sündenvergebung um die Wende von der exilischen zur nachexilischen Zeit, EvTh 26 (1966) S. 217–239

Kögel, J., Der Sohn und die Söhne (BFchrTh VIII/5–6), Gütersloh 1904

– Der Begriff τελειοῦν im Hebräerbrief im Zusammenhang mit dem neutestamentlichen Sprachgebrauch, in: Theologische Studien M. Kähler dargebracht, Leipzig 1905, S. 35–68

Köster, H., Die Auslegung der Abraham-Verheißung in Hebräer 6, in: R. Rendtorff / K. Koch, Studien zur Theologie der alttestamentlichen Überlieferung, Neukirchen 1961, S. 95–109

– »Outside the Camp«: Hebrews 13,9–11, HarvThRev 55 (1962) S. 299–315

Koester, W., Platonische Ideenwelt und Gnosis im Hebräerbrief, Scholastik 4 (1956) S. 545–555

Kosmala, H., Hebräer Essener Christen (StPB 1), Leiden 1959

Krämer, H., Zu Hebräer 2, Vers 10, WuD 5 (1952) S. 102–107

Kraft, H., Die Offenbarung des Johannes (HNT 16a), Tübingen 1974

Kramer, W., Christos Kyrios Gottessohn (AThANT 44), Zürich/Stuttgart 1963

Kraus, H.-J., Psalmen (BK XV), Neukirchen ⁵1978

Kümmel, W. G., Πάρεσις und ἔνδειξις – ein Beitrag zum Verständnis der paulinischen Rechtfertigungslehre, ZThK 49 (1952) S. 154–167

Kuhn, K. G., Jesus in Gethsemane, EvTh 12 (1952/53) S. 260–285

– The Two Messiahs of Aaron and Israel, in: The Scrolls and the New Testament (hg. v. K. Stendahl), New York 1957

Kuss, O., Über einige neuere Beiträge zur Exegese des Hebräerbriefes, ThGl 42 (1952) S. 186–204

– Der theologische Grundgedanke des Hebräerbriefes. Zur Deutung des Todes Jesu im Neuen Testament, in: ders., Auslegung und Verkündigung I, Regensburg 1963, S. 281–328

– Zur Deutung des Hebräerbriefes, ThRev 53 (1957) S. 247–254
– Der Verfasser des Hebräerbriefes als Seelsorger, in: ders., Auslegung und Verkündigung I, S. 329–358
– Der Römerbrief. Erste Lieferung, Regensburg ²1963
Ladd, G. E., A Theology of the New Testament, London 1975
Langkammer, H., Den er zum Erben von allem eingesetzt hat Hebr 1,2, BZ 10 (1966) S. 273–280
– Problemy literackie i genetyczne w Hbr 1,1-4, Rozeniki teologiczno-kanoniczne 16 (1969) S. 77–112 (Deutsche Zusammenfassung: Literarische und genetische Probleme in Hbr 1,1–4, S. 111–112)
Leaney, A. R. C., The Rule of Qumran and its Meaning, London 1966
le Déaut, R., La Nuit Paschale (AnalBibl 22), Rom 1963
– Aspects de l'intercéssion dans le Judaisme ancien, JSJ 1 (1970) S. 35–57
Lehmann, K., Auferweckt am dritten Tag nach der Schrift (QD 38), Freiburg i.B. (¹1968) ²1969
Lentzen-Deis, F., Die Taufe Jesu nach den Synoptikern (FrankThSt 4), Frankfurt 1970
Leonard, W., Authorship of the Epistle to the Hebrews. Critical Problem and Use of the Old Testament, Rom 1939
Lescow, T., Jesus in Gethsemane bei Lukas und im Hebräerbrief, ZNW 58 (1967) S. 215–239
Lewis, T. W., ». . . And if he shrinks back« (Hebr 10,38b), NTS 22 (1976) S. 88–94
Liddell, H. G. – Scott, R., A Greek-English Lexicon. A New Edition revised by H. St. Jones, I/II, Oxford 1925–40 (Neudruck I 1958)
Lidzbarski, M., Ginza, Göttingen 1920
Lightfoot, N. R., The Saving of the Savior: Hebrews 5,7ff, Restoration Quarterly 16 (1973) S. 166–173
Linton, O., Hebréerbrevet och den historiske Jesus, SvenskTeolKv 26 (1960) S. 335–345
Loader, W. R. G., Christ at the right hand – Ps 110,1 in the New Testament, NTS 24 (1978) S. 199–217
Lövestam, E., Son and Saviour (CNT XVII), Lund 1961
Lohfink, G., Die Himmelfahrt Jesu (StANT 26), München 1971
Lohse, E., Märtyrer und Gottesknecht (FRLANT 64), Göttingen (¹1955) ²1963
Loisy, A., Les Livres du Nouveau Testament, Paris 1922
Longenecker, R. N., The Christology of Early Jewish Christianity (StBiblTh 2. Ser 17), London 1970
Luck, U., Himmlisches und irdisches Geschehen im Hebräerbrief, NovTest 6 (1963) S. 192–215
Lueken, W., Michael, Göttingen 1898
Luz, U., Der alte und der neue Bund bei Paulus und im Hebräerbrief, EvTh 27 (1967) S. 318–336
MacKay, C., The Argument of Hebrews, Church Quarterly Review 147 (1967) S. 325–338
MacNeill, H. L., The Christology of the Epistle to the Hebrews, Diss. Chicago 1914
Maddox, R., The Function of the Son of Man, NTS 15 (1968) S. 45–74
Manson, T. W., The Problem of the Epistle to the Hebrews, in: ders., Studies in the Gospels and Epistles, Manchester 1962, S. 242–258
Maurer, G., »Erhört wegen der Gottesfurcht«, Hebr 5,7, in: Neues Testament und Geschichte (Festschrift für O. Cullmann), Zürich-Tübingen 1972, S. 275–284
Ménégoz, E., La Théologie de l'épître aux Hébreux, Paris 1894
Michaelis, W., Zur Engelchristologie im Urchristentum, Basel 1942
Michel, O., Die Lehre von der christlichen Vollkommenheit nach der Anschauung des Hebräerbriefes, ThStKr NF 1 (1934/35) S. 333–355

– Zum Hebräerbrief, ThLZ 80 (1955) Sp. 321–324
– Zur Auslegung des Hebräerbriefes, NovTest 6 (1963) S. 189–191
– Der Brief an die Römer (KEK [14]4), Göttingen [5]1978
Middendorf, H., Das heilige Meßopfer nach dem Hebräerbrief, Oberrheinisches Pastoralblatt 43 (1941) S. 141–144.161–165
Miller, M. P., The Use of the Old Testament in the New Testament, JSJ 2 (1971) S. 29–82
Milligan, G., The Theology of the Epistle to the Hebrews, Edinburgh 1899
Milligan, W., The Ascension and Heavenly Priesthood of Our Lord, London ([1]1891) [2]1894
Moe, O., Das Priestertum Christi im Neuen Testament außerhalb des Hebräerbriefes, ThLZ 77 (1947) Sp. 335–338
– Der Gedanke des allgemeinen Priestertums im Hebräerbrief, ThZ 5 (1949) S. 161–169
– Das Abendmahl im Hebräerbrief, StThLund. 4 (1951) S. 102–108
– Das irdische und das himmlische Jerusalem. Zur Auslegung von Hebr 9,4f, ThZ 9 (1953) S. 23–29
Morris, L., The Meaning of ἱλαστήριον in Romans 3,25, NTS 2 (1955/56) S. 33–43
Moule, C. F. D., Idiom Book of New Testament Greek, Cambridge 1960
Murmelstein, B., Adam, ein Beitrag zur Messiaslehre, SZKM 35 (1928) S. 242–275; 36 (1929) S. 51–86
Mussner, F., Zur theologischen Grundfrage des Hebräerbriefes, TrThZ 65 (1956) S. 55–57
Nagel, R., Über die Bedeutung Melchisedek's im Hebräerbrief, ThStKr 22 (1849) S. 332–386
Nakagawa, H., Christology in the Epistle to the Hebrews, Diss. Yale 1955
Nauck, W., Zum Aufbau des Hebräerbriefes, in: Judentum Urchristentum Kirche (Festschrift für J. Jeremias) (BZNW 26), Berlin ([1]1960) [2]1964, S. 199–206
Nomoto, S., Die Hohepriester-Typologie im Hebräerbrief, Diss. Hamburg 1965 (masch.)
– Herkunft und Struktur der Hohenpriestervorstellung im Hebräerbrief, NovTest 10 (1968) S. 10–25
Norden, E., Agnostos Theos, Leipzig 1913 (= Darmstadt [5]1971)
North, C. R., The Religious Aspects of Hebrew Kingship, ZAW 50 (1932) S. 8–38
Nygren, A., Christus der Gnadenstuhl, in: In Memoriam E. Lohmeyer, Stuttgart 1951, S. 89–93
Oepke, A., Das neue Gottesvolk, Gütersloh 1950
Omark, R. E., The Saving of the Savior. Exegesis and Christology in Hebrews 5,7–10, Interpr 12 (1958) S. 39–51
O'Neill, J. C., Hebrews 2,9, JThSt 17 (1966) S. 79–81
Otto, C. W., Der Apostel und Hohepriester unseres Bekenntnisses, Leipzig 1861
Owen, H. P., The »Stages of Ascent« in Hebrews 5,11–6,3, NTS 3 (1956/57) S. 243–253
Padolski, V., L'Idée du Sacrifice de la Croix dans L'Epître aux Hébreux, Vilkaviskis 1935
Pascher, J., Η ΒΑΣΙΛΙΚΗ ΟΔΟΣ. Der Königsweg zu Wiedergeburt und Vergottung bei Philon von Alexandreia (Studien zur Geschichte und Kultur des Altertums XVII 3–4), Paderborn 1931
Du Plessis, P. J., ΤΕΛΕΙΟΣ. The Idea of Perfection in the New Testament, Kampen 1956
van der Ploeg, J., L'Exégèse de l'Ancien Testament dans l'Epître aux Hébreux, RB 54 (1947) S. 187–228
Pöhlmann, W., Die hymnischen All-Prädikationen in Kol 1,15–20, ZNW 64 (1973) S. 53–74
Popkes, W., Christus Traditus (AThANT 49), Zürich 1967
Poschmann, B., Paenitentia secunda, Bonn 1940
Prümm, K., Das neutestamentliche Sprach- und Begriffsproblem der Vollkommenheit, Bibl 44 (1963) S. 76–92
von Rad, G., Der heilige Krieg im alten Israel, Göttingen [5]1969
– Theologie des Alten Testaments I, München [6]1969, II, [5]1968

Reitzenstein, R., Die hellenistischen Mysterienreligionen nach ihren Grundgedanken und Wirkungen, Leipzig ³1927 (Nachdruck Darmstadt 1966)

Renner, F., »An die Hebräer« – ein pseudepigraphischer Brief (Münsterschwarzacher Studien 14), Münsterschwarzach 1970

Rese, M., Alttestamentliche Motive in der Christologie des Lukas (StNT 1), Gütersloh 1969

Riehm, E. K. A., Der Lehrbegriff des Hebräerbriefes I/II, Basel 1858/59

Riessler, P., Altjüdisches Schrifttum außerhalb der Bibel, Heidelberg 1928 (= Darmstadt ²1966)

Rigaux, B., Révélation des mystères et perfection à Qumrân et dans le Nouveau Testament, NTS 4 (1957/58) S. 237–262

Riggenbach, E., Der Begriff διαθήκη im Hebräerbrief, in: Theologische Studien Th. Zahn dargebracht, Leipzig 1908, S. 289–316

– Melchisedek, der Priesterkönig von Salem, im Licht der Geschichte und der Offenbarung, in: ders., Bibelglaube und Bibelforschung, Neukirchen 1909, S. 32–48

– Der Begriff τελείωσις im Hebräerbrief, NKZ 34 (1923) S. 184–195

Ringgren, H., Psalm 8 och kristologin, SvExÅ 37/38 (1972/73) S. 16–20

Rissi, M., Die Menschlichkeit Jesu nach Hebr 5,7–8, ThZ 11 (1955) S. 28–45

Robinson, D. W. D., The Literary Structure of Hebrews 1,1–4, AustrJBA 2 (1972) S. 178–186

Rusche, H., Glauben und Leben nach dem Hebräerbrief, BiLe 12 (1971) S. 94–104

Sabourin, L., »Liturge du Sanctuaire et de la Tente Véritable« Hébr 8,2, NTS 18 (1971/72) S. 87–90

Salom, A. D., TA HAGIA in the Epistle to the Hebrews, Andrews University Seminary Studies 5 (1967), S. 59–70

Sanders, J. T., The New Testament Christological Hymns (NTSMonSer 15), Cambridge 1971

Sandvik, B., Das Kommen des Herrn beim Abendmahl im Neuen Testament (AThANT 58), Zürich 1970

Schaefer, J. R., The Relationship between priestly and servant Messianism in the Epistle to the Hebrews, CBQ 30 (1968) S. 359–385

Scheidweiler, F., Καίπερ nebst einem Exkurs zum Hebräerbrief, Hermes 83 (1955) S. 220–230

Schelkle, K. H., Paulus, Lehrer der Väter, Düsseldorf 1956

Scheller, E., Das Priestertum Christi, Paderborn 1934

Schenke, H. M., Erwägungen zum Rätsel des Hebräerbriefes, in: Neues Testament und christliche Existenz (Festschrift für H. Braun), Tübingen 1973, S. 421–437

Schierse, F. J., Verheißung und Heilsvollendung. Zur theologischen Grundfrage des Hebräerbriefes (MüThSt I 9), München 1955

Schille, G., Erwägungen zur Hohepriesterlehre des Hebräerbriefes, ZNW 46 (1955) S. 81–109

– Die Basis des Hebräerbriefes, ZNW 48 (1957) S. 270–280

– Katechese und Taufliturgie. Erwägungen zu Hebr 11, ZNW 51 (1960) S. 112–131

– Frühchristliche Hymnen, Berlin 1962

– Die Liebe Gottes in Christus, ZNW 59 (1968) S. 230–244

Schlatter, A., Die Sprache und Heimat des vierten Evangeliums, Gütersloh 1902

Schmitz, O., Die Opferanschauung des späteren Judentums und die Opferaussagen des Neuen Testaments, Tübingen 1910

Schnackenburg, R., Die Johannesbriefe (HThK XIII/3), Freiburg i.B. 1953 (⁵1974)

– Das Johannesevangelium (HThK IV/2), Freiburg i.Br. 1967 (²1977)

– Die Aufnahme des Christushymnus durch den Verfasser des Kolosserbriefes, in: EKK 1 (1969) S. 33–50

Schottroff, L., Animae naturaliter salvandae, in: Christentum und Gnosis, hg. v. W. Eltester (BZNW 37), Berlin 1969, S. 65–97

Schrage, W., Ekklesia und Synagoge, ZThK 60 (1963) S. 178–202

– Das Verständnis des Todes Jesu Christi im Neuen Testament, in: Das Kreuz Jesu Christi als Grund des Heils (hrsg. v. F. Viering), Gütersloh 1967, S. 49–90

Schröger, F., Der Verfasser des Hebräerbriefes als Schriftausleger (BiblUnt 4), Regensburg 1968

– Der Gottesdienst der Hebräerbriefgemeinde, MThZ 19 (1968) S. 161–181

Schürer, E., Die Geschichte des jüdischen Volkes im Zeitalter Jesu Christi III, Leipzig ⁴1911

Schulz, A., Nachfolgen und Nachahmen. Studien über das Verhältnis der neutestamentlichen Jüngerschaft zur urchristlichen Vorbildethik (StANT 6), München 1962

Schweizer, E., Erniedrigung und Erhöhung bei Jesus und seinen Nachfolgern (AThANT 28), Zürich ²1962

– Kolosser 1,15–20, in: EKK 1 (1969) S. 7–31

Seeberg, A., Zur Auslegung von Hebr 2,5–18, Neue Jahrbücher für deutsche Theologie 3 (1894) S. 435–461

– Der Katechismus der Urchristenheit, Leipzig 1903 (= ThB 26, Nachdruck München 1966)

Seesemann, H., Zur Christologie des Hebräerbriefes, in: Von Deutscher theologischer Hochschularbeit in Riga, Riga 1939, S. 64–85

Smith, J., A Priest forever, London 1969

Socinus, F., De Jesu Christi filii dei natura sive essentia . . . disputatio adversus Andream Volanum, in: Fausti Socini Senensis Opera Omnia in Duos Tomos distincta = Bibliotheca fratrum Polonovum, Tom. 1.2., Irenopoli (Amsterdam) 1656

Sowers, S. G., The Hermeneutics of Philo and Hebrews, Zürich 1965

Spicq, C., L'origine johannique de la conception du Christ-prêtre dans l'Epître aux Hébreux, in: Aux Sources de la Tradition Chrétienne (Mélanges offerts à M. Goguel), Neuchâtel 1950, S. 258–269

– L'Epître aux Hébreux, Apollos, Jean-Baptiste, les Hellénistes et Qumran, RQ 1 (1959) S. 365–390

Stadelmann, A., Zur Christologie des Hebräerbriefes in der neueren Diskussion, in: Theologische Berichte II, Zürich 1973, S. 135–221

Starcky, J., Les quatres étapes du messianisme à Qumran, RB 70 (1963) S. 481–505

Stebler, A., Beweisstelle für die Gottheit Jesu Christi. Zu Hb 3,1–6, ThPQ 76 (1923) S. 461–468

Steuer, G.E., Die Lehre des Hebräerbriefes vom Hohenpriestertum Christi, in: Jahresbericht über die Königstädtische Realschule, Berlin 1865, S. 1–37

Stott, W., The Conception of »offering« in the Epistle to the Hebrews, NTS 9 (1962/63) S. 62–67

Strobel, A., Die Psalmengrundlage der Gethsemane-Parallele Hebr 5,7ff, ZNW 45 (1954) S. 252–266

– Untersuchungen zum eschatologischen Verzögerungsproblem (NovTest Suppl 2), Leiden 1961

Swetnam, J., »The Greater and More Perfect Tent«, Bibl 47 (1966) S. 91–106

– On the Imagery and Significance of Hebrews 9,9–10, CBQ 28 (1966) S. 155–173

– Sacrifice and Revelation in the Epistle to the Hebrews, CBQ 30 (1968) S. 227–234

– Hebrews 9,2 and the Uses of Consistency, CBQ 32 (1970) S. 205–221

– Form and Content in Hebrews 1–6, Bibl 53 (1972) S. 368–385

Synge, F. C., Hebrews and the Scriptures, London 1959

Tasker, R. V. G., The Text of the »Corpus Paulinum«, NTS 1 (1954/55) S. 180–191

Thalhofer, V., Das Opfer des alten und des neuen Bundes, Augsburg 1870

Theissen, G., Untersuchungen zum Hebräerbrief (StNT 2), Gütersloh 1969

Thomas, J., Aktuelles im Zeugnis der zwölf Väter, in: Burchard, Chr. – Jervell, J. – Thomas,

J., Studien zu den Testamenten der zwölf Patriarchen (BZNW 36), Berlin 1969, S. 62–150

Thomas, K. H., The Old Testament Citations in Hebrews, NTS 11 (1964/65) S. 303–325

Thompson, J. W., »That which cannot be shaken«. Some metaphysical assumptions in Hebr 12,27, JBL 94 (1975) S. 580–587

Thornton, T. C. G., The Meaning of αἱματεκχυσία in Hebrews 9,22, JThSt 15 (1964) S. 63–65

Thüsing, W., »Laßt uns hinzutreten . . .« (Hebr 10,22), BZ 9 (1965) S. 1–7

Thurén, J., Gebet und Gehorsam des Erniedrigten, NovTest 13 (1971) S. 136–146

– Das Lobopfer der Hebräer. Studien zum Aufbau und Anliegen von Hebräerbrief 13 (Acta Academiae Aboensis Ser A, Humaniora Vol 47 Nr. 1), Abo 1973

Tödt, H. E., Der Menschensohn in der synoptischen Überlieferung, Gütersloh 1959

Ungeheuer, J., Der große Priester über dem Hause Gottes. Die Christologie des Hebräerbriefes, Diss. Freiburg i.Br. 1939

Vaganay, M. L., Le plan de l'Epître aux Hébreux, in: Memorial M. J. Lagrange, Paris 1940, S. 269–277

Vanhoye, A., De »Aspectu« oblationis Christi secundam epistolam ad Hebraeos, VD 37 (1959) S. 32–38

– La structure littéraire de l'Epître aux Hébreux (Studia Neotestamentica 1), Paris/Bruges 1963

– L' οἰκουμένη dans l'épître aux Hébreux, Bibl 45 (1964) S. 248–253

– »Par la Tente plus grande et plus parfaite . . .« (Héb 9,11), Bibl 46 (1965) S. 1–28

– Situation du Christ. Epître aux Hébreux 1 et 2 (Lectio Divina 58), Paris 1969

– Trois ouvrages récents sur l'épître aux Hébreux, Bibl 52 (1971) S. 62–71

Venard, L., L'Utilisation des Psaumes dans l'Epître aux Hébreux, in: Mélanges E. Podechard, Lyon 1945, S. 253–264

Vielhauer, P., Rezension von O. Michel (Hebräerbrief 1949), VF 1951/52, S. 213–219

– Ein Weg zur neutestamentlichen Christologie?, in: ders., Aufsätze zum Neuen Testament (ThB 31), München 1965, S. 141–198

Vitti, A., Et cum iterum introducit primogenitum in orbem terrae (Hebr 1,6), VD 14 (1934) S. 306–316.368–374; VD 15 (1935) S. 15–21

Vögtle, A., Das Neue Testament und die Zukunft des Kosmos, Düsseldorf 1970

Vos, G., Priesthood of Christ in the Epistle to the Hebrews, ThR 5 (1907) S. 423–447.579–604

– The Teaching of the Epistle to the Hebrews, Grand Rapids 1956

Wengst, K., Christologische Formeln und Lieder des Urchristentums (StNt 7), Gütersloh ²1974

Wenschkewitz, H., Die Spiritualisierung der Kultusbegriffe Tempel, Priester und Opfer im Neuen Testament (Angelos-Beiheft 4), Leipzig 1932

Werner, M., Die Entstehung des christlichen Dogmas, Leipzig 1953

Wikgren, A., Patterns of Perfection in the Epistle to the Hebrews, NTS 6 (1959/60) S. 159–167

Wilckens, U., Weisheit und Torheit (BHTh 26), Tübingen 1959

– Die Missionsreden der Apostelgeschichte (WMANT 5), Neukirchen (¹1961) ³1974

Wildberger, H., Das Abbild Gottes, ThZ 21 (1965) S. 245–259.481–501

Williams, A. H., An Early Christology. A systematic and exegetical Investigation of the traditions contained in Hebrews, Diss. Mainz 1971

Williamson, R., Philo and the Epistle to the Hebrews (ALGHL IV), Leiden 1970

– The Eucharist and the Epistle to the Hebrews, NTS 21 (1974/75) S. 300–312

Wilson, R. McL., Gnosis and the New Testament, Oxford 1968

Winter, A., ἅπαξ ἐφάπαξ im Hebräerbrief, Diss. Rom 1960 (masch.)

Wolfson, H. A., Philo I/II, Cambridge/Mass. 1948

Van der Woude, A. S., Die messianischen Vorstellungen der Gemeinde von Qumran, Neukirchen 1957

– Melchisedech als himmlische Erlösergestalt in den neugefundenen eschatologischen Midraschim aus Qumran Höhle XI (OTS XIV), Leiden 1965, S. 354–373

Wrede, W., Das literarische Rätsel des Hebräerbriefes (FRLANT 8), Göttingen 1906

Wrege, H. T., Jesusgeschichte und Jüngergeschick nach Joh 12,20–33 und Hebr 5,7–10, in: Der Ruf Jesu und die Antwort der Gemeinde (Festschrift für J. Jeremias), Göttingen 1970, S. 259–288

Wuttke, G., Melchisedech, der Priesterkönig von Salem (BZNW 5), Gießen 1927

Yadin, Y., A Note on Melchizedek and Qumran, IEJ 3 (1965) S. 152–154

Yarnold, E J., μετριοπαθεῖν apud Hebraeos 5,2, VD 38 (1960) S. 149–155

Young, N. H., τοῦτ᾽ ἔστιν τῆς σαρκὸς αὐτοῦ (Hebr 10,20): Apposition, Dependent or Explicative?, NTS 20 (1973/74) S. 100–104

Zimmerli, W., Ezechiel I (BK XIII/1), Neukirchen 1969

Zimmermann, H., Die Hohepriester-Christologie des Hebräerbriefes, Paderborn 1964

Zorn, R., Die Fürbitte im Spätjudentum und im Neuen Testament, Diss. Göttingen 1957

Zuntz, G., The Text of the Epistles (The Schweich Lectures of the British Academy 1946), London 1953

Stellenregister
(Auswahl)

9,18	191	10,39	56.240
9,19	249	11	52.82.240.249
9,20	196.247.249	11,2	82
9,21	167	11,3	58.70
9,22	42.191f	11,4	105.178.197
9,23–28	14.55.169f.172.185.245	11,6	89.240
9,23	172.182–185.247f.258	11,7	23.85f.102.198
9,24	19.47.58.115.123.150.	11,8	105.108
	163.172.174.183–186.	11,9.13	83
	198.202f.244	11,17–19	50.52.197
9,25f	53.74.139.163.168÷173.	11,20f	242
	181.184–186.189.191.	11,23–29	114f.137.178.197f
	199.203.247f	11,25	138
9,27f	54f.122.209	11,26f	74.111.123.197
9,28	19.60.171.198.202.228	11,28	9.22f.114f.129.131.197
10	170f.211f	11,35	52
10,1–4	42.55.170.172.248	11,39f	9.39.42–45.52.77.83.
10,1	39.42.45.55.78.171f.182.		209.240.249
	199.210.247.258	12	82
10,2	42.173.240.244	12,1f	20.26.47.209
10,3f	42.171–173.191.248	12,1	44.125.197.240
10,5–10	74.108.124.126.129.139.	12,2f	99.108.111.138.239f
	171f.247	12,2	15–19.25.37.42.75.95.
10,5	23.119.176.204		105.119.122.125.151.
10,9	74.171.173		158.209.239–242
10,10–18	42.172–174.187.204.249	12,3	121.123
10,10	53.83.122–124.171.176.	12,4–11	20.111.137–139.256
	202.212	12,5f	123.125.130
10,11f	76.171.199.244–248	12,9–11	85.125.129f.209
10,12f	15–19.57.65.83.95.	12,12–14	55.123.240.256
	108.119.171.186.198.	12,15	65.256f
	209f.222	12,16f	9.23.129.131.138.165.
10,14	39.42.55.171.210		179.198.257
10,15–17	62.123.161.171	12,18–29	41.52.58.63.69.74.173.
10,18	55.171.173.211.257		197.242.248
10,19–25	47.56.130.209	12,21	249
10,19f	41f.45.112.122.151.	12,22–24	22.89.198.242
	163.174–178.183f.189.	12,23	9.23.39.43.45.52.60.114.
	244		129f.138.240
10,21	75.82.95.111.151.174.	12,24	47.60.122.151.178.
	183.222f.242		185.189–192.196–198.
10,22f	41.82.111.206.242		247.249
10,24	256	12,25–28	24.27.58f.71.74.81f.102.
10,25	57.78.242		108.113
10,26–31	69.197f	13	82
10,26	82.178	13,2	22.25.29.122
10,27	56	13,3–6	123.209.256
10,28f	42.63.79.81f.178.	13,7–17	82.178–181.257
	191f.196.242.247f	13,8	60.82f.122f
10,30	123	13,9–14	194.205
10,31	89	13,9	85.165.179f.195.198
10,32–34	74.256	13,10	167.179f.247
10,35–39	256	13,11f	163.180f.184–186.191.
10,36	26.56.83.256		199.205.245
10,37f	54-57	13,12–14	74.99.109.111.123.180f

III. Außerkanonische Literatur

Auf zahlreiche Stellen der zeitgenössischen Literatur wird vor allem in den Teilen des Werkes hingewiesen, in denen nach dem Hintergrund gewisser Themen und Motive gefragt wird (vgl. besonders S.47.112f.152. 215–220.223–233). Ich beschränke das Register auf die wichtigsten Stellen.

Autorenregister
(Auswahl)

Nachtrag

Nach Abschluß dieser Arbeit kamen mir weitere Werke zur Hand. A. *Strobel*, Der Brief an die Hebräer (NTD 9), Göttingen 1975, geht m.E. zu weit, wenn er den Brief als Homilie über Ps 110 darstellen will. Das Fehlen irgendeines Hinweises auf Ps 110 in 9,1–28 u.a. spricht sehr dagegen. *P. E. Hughes*, A Commentary on the Epistle to the Hebrews, Grand Rapids 1977, zeichnet sich durch eingehende Beschäftigung mit älteren Kommentaren aus, leider kommen aber neuere Arbeiten zu kurz; es fehlen z.B. die Namen *Käsemann, Grässer, Theissen, Schröger* im Autorenregister. Auf der anderen Seite behandelt er Themen wie die Hohepriesterschaft Jesu mit durchdringender Klarheit (S. 323–353) und bietet zu vielen Stellen einen Reichtum an Aussagen und Überlegungen der Kirchenväter. *C. Spicq*, L'Epître aux Hébreux (Sources Bibliques), Paris 1977, hat einen Kommentar von begrenztem Umfang geschrieben, der sich vor allem mit Literatur beschäftigt, die seit dem Erscheinen seines großen Werkes von 1962/63 herausgekommen ist, und setzt damit seinen wichtigen Beitrag zur Erforschung des Hebräerbriefes fort.

L. K. K. Dey, The Intermediary World and Patterns of Perfection in Philo and Hebrews (SBL DissSer 25), Missoula 1975, stellt eine interessante und beeindruckende Reihe von Motiven aus Philo zusammen, um die Soteriologie des Hebräerbriefes von diesem Hintergrund her zu erklären. Leider hat er Williamsons Analyse nicht gekannt. Die Motive sind wichtig, nur erweist sich der Hebräerbrief als auch von andersartigen Vorstellungen beeinflußt. Vorsichtiger bei der Herausstellung des hellenistisch-jüdischen Hintergrundes des Hebräerbriefes sind die Aufsätze von *J. W. Thompson*, Outside the Camp. A Study of Hebrews 13:9–14, CBQ 40 (1978) S. 53–63; *ders.*, The Conceptual Background and Purpose of the Midrash in Hebrews 7, NovTest 19 (1977) S. 209–223; *ders.*, Hebrews 9 and Hellenistic Concepts of Sacrifice, JBL 98 (1979) S. 567–578.

M. R. D'Angelo, Moses in the Letter to the Hebrews (SBL DissSer 42), Missoula 1979, versucht, die Bedeutung des Mose im Hebräerbrief dadurch herauszustellen, daß sie vor allem zu 3,1–6 Parallelen aus späteren rabbinischen Traditionen anführt. Ihre Hinweise sind oft spekulativ, verdienen aber weitere Aufmerksamkeit, vor allem, wenn sie auf mögliche Verbindungen mit Traditionen in der Welt des Hebräerbriefes hindeuten.

E. Schillebeeckx, Christ. The Christian Experience in the Modern World, London 1980, dessen Werk mir nur in englischer Übersetzung vorliegt, bietet eine einfühlsame Darstellung des Verfassers des Hebräerbriefes als Seelsorger. Zugleich entwickelt er aber einige Thesen zur Christologie, die mir unhaltbar erscheinen, z.B. daß Jesus als messianischer Hoherpriester zu verstehen sei, u.a. aufgrund von Lev 4,3 LXX (dazu siehe oben 223 Anm.

2). Seine Thesen zur Teleiosis und zum ersten Zelt des neuen Tempels sind ebenfalls abwegig. Trotzdem sind seine Ausführungen an vielen Stellen sehr scharf und eindrucksvoll.

Über Melchisedek sind zwei Arbeiten erschienen von *F. L. Horton*, The Melchizedek Tradition (SNTS MonSer 30), Cambridge 1976, und von *B. Demarest*, A History of Interpretation of Hebrews 7,1–10 from the Reformation to the Present (BGBE 19), Tübingen 1976. Beide bekämpfen eine Überbewertung von 11 Q Melch als Hintergrund des Hebräerbriefes, beide übersehen jedoch die Bedeutung einer derartigen Verbindung, wie ich sie oben vorgeschlagen habe, und kehren zu weniger ausreichenden Lösungen zurück.

H. Zimmermann, Das Bekenntnis der Hoffung (BBB 47), Bonn 1977, hat in größerem Umfang, aber mit wenigen Änderungen in der Sache dieselbe These über Traditionen dargeboten, die er schon in seiner 1964 veröffentlichten Antrittsvorlesung »Die Hohepriester-Christologie des Hebräerbriefs« aufstellte und mit der wir uns oben beschäftigt haben. Die Untersuchung bietet nichts wesentlich Neues, auch wenn man den Versuch anerkennen muß, Tradition und Redaktion in dieser Weise ausführlich zu erklären.

Das Buch meines neuseeländischen Landsmannes *G. Hughes*, Hebrews and Hermeneutics (SNTS MonSer 36), Cambridge 1979, schneidet die Frage an, ob der Hebräerbrief Wesentliches zum Problem der Hermeneutik beiträgt. Die Frage wird klar gestellt, aber seine Suche nach einer Antwort führt zu schnell am Text vorbei, so daß er kaum in Betracht zieht, was z.B. bei der Behandlung des alten Bundes uns an Spannungen innerhalb des Briefes aufgefallen ist (siehe oben 172f). Ich bin nicht so sicher wie Hughes, daß der Hebräerbrief ein lehrreiches Modell der Exegese darstellt. In einem Aufsatz »Hughes on Hebrews and Hermeneutics«, der 1981 in »Colloquim: The Australian and New Zealand Theological Review« erscheinen wird, gehe ich auf das Buch näher ein.

In der vorliegenden Untersuchung zur Christologie des Hebräerbriefes werden Thesen aufgestellt, die zu der weitergehenden Diskussion beitragen sollen. Dabei möchte ich ein wenig von dem zurückerstatten, was mir von anderen gegeben worden ist, welche am Hebräerbrief gearbeitet haben oder es gegenwärtig tun. Das gilt auch gegenüber denen, deren Werke ich in diesem Anhang nur kurz gestreift und dabei kaum recht gewürdigt habe.